쉽게 풀어 쓴

지식재산 입문

특허청·한국발명진흥회 편저

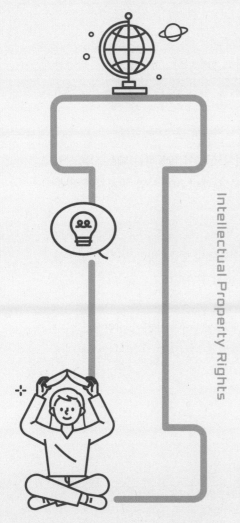

Intellectual Property Rights

특허청   한국발명진흥회   박문각

이 책의 머리말

모든 산업 분야가 급변하고 있습니다. 다양한 신산업이 등장하고 있고, 오프라인 중심이던 산업조차 이제는 온라인 중심으로 변하는 등 그 변화의 속도와 양상은 가히 격변하고 있다고 해도 과언이 아닙니다.

이러한 변화와 맞물려 지식재산권의 중요성 또한 함께 커지고 있습니다. 지식재산권은 다양한 산업 분야에서 정당한 권리자를 보호하는 기능을 수행하기 때문에, 지식재산권 없이 산업 현장에서 활동하는 것은 거의 불가능에 가깝습니다.

또한, 지식재산은 과학 기술에서부터 예술, 문화에 이르기까지 인간이 활동하는 대부분의 산업 영역에 영향을 미칩니다. 그러나 이러한 중요성에도 불구하고 대다수의 산업 종사자가 정작 지식재산에 대해서는 잘 알지 못하는 것이 현실입니다.

지식재산의 중요성이 증가함에 따라 지식재산 전문 인력에 대한 수요도 함께 증가하고 있고 대학교뿐만 아니라 여러 기관이나 기업에서도 지식재산 관련 교육을 시행하고 있습니다.

하지만, 지식재산 분야는 용어와 내용이 생소해 일반인들이나 학생들이 이해하기 어렵다고 인식됩니다. 따라서 지식재산과 관련된 기본적인 내용을 쉽게 이해할 수 있도록 돕고 지식재산에 대한 진입장벽을 낮출 수 있는 교재의 개발이 필요합니다.

본서는 이와 같은 필요성에 따른 산물로서, 지식재산을 처음 접하는 학생이나 일반인들에게 지식재산과 관련된 기본 내용을 쉽게 전달하기 위해 저술된 지식재산 입문용 교재입니다.

본서에는 지식재산의 다양한 분야에 대해 수록되어 있습니다. 지식재산의 기본 개념, 지식재산에 속하는 다양한 권리, 선행기술조사, 지식재산 가치평가 등 처음 지식재산을 접하는 이들에게 필요한 기본적인 내용을 모두 담으려고 노력하였습니다. 그리고 부록으로 지식재산 용어 해설집을 더하여 본서에 대한 이해도를 높이고 학생들의 학습 부담을 줄이고자 하였습니다.

또한, 다양한 사례를 수록하였습니다. 많은 사람들이 들어봤을 법한 브랜드의 사례나 실제 언론에 소개된 사례들, 비교적 최근에 이슈가 되었던 사례들이 본서의 곳곳에 배치되어 있습니다. 이러한 사례들을 통해 자칫 어렵고 딱딱하게만 느껴질 수 있는 주제들을 쉽게 이해하고 지식재산에 대한 진입장벽을 충분히 낮출 수 있을 것입니다. 그리고 가상의 사례도 곁들여 본문 내용을 통해 학습한 내용이 어떻게 적용될 수 있을지도 확인할 수 있도록 하였습니다.

본서가 지식재산에 입문하는 이들에게 지식재산에 관한 전반적인 이해를 돕고, 흥미를 돋울 수 있는 교재로서, 지식재산 분야에서 전문지식을 갖춘 인재를 양성하는 데에 도움이 되기를 진심으로 소원합니다.

2023년 9월 저자 일동

Contents

이 책의 차례

Contents

이 책의 차례

'한입 베어 문 자국이 있는 사과 엠블럼'이 어떤 전자제품에 표시되어 있다면 무엇이 떠오르나요? 바로 전 세계에서 가장 유명한 브랜드 중 하나인 미국의 세계적 기업 애플이 떠오를 것입니다.

글로벌 시장 조사 업체 칸타(kantar)는 'BrandZ' 보고서를 통해 미국의 애플이 2022년 브랜드 가치 1위를 차지하였다고 밝혔습니다. 이에 따르면 애플의 브랜드 가치는 약 9,470억 달러에 달하는 것으로 기록되었습니다.

애플이 달성한 이러한 성과는 단순히 기술력이나 마케팅만으로는 이루어질 수 없습니다. 예를 들면, 경쟁사가 브랜드의 기술, 제품의 디자인, 엠블럼 등을 쉽게 따라할 수 없도록 여러 방어책이 필요합니다.

애플은 이러한 방어체계를 잘 구축하고 있는 대표적인 기업에 해당하는데, 특히 다양한 지식재산권을 확보함으로써 치밀한 지식재산 경영전략을 구사하는 것으로 유명합니다. 실제로 애플은 대한민국에만 약 3,000여 건의 특허권과 약 1,600여 건의 디자인권, 약 700여 건의 상표권을 보유하고 있습니다.

그렇다면 여기서 말하는 지식재산권이란 무엇일까요? 또한, 지식재산권과 관련하여 최근 어떤 일이 일어나고 있을까요?

APPLE

상표등록
45-0028311

상표등록
45-0029798

상표등록
45-0026439

애플의 등록상표 예시

디자인등록
30-0513734

디자인등록
30-0506205

디자인등록
30-0507156

애플의 등록디자인 예시

제1편

지식재산권 개요 및 최근 동향

학습
목표
지식재산권에 대해 이해하고, 지식재산권에 관한 최근의 국내외 동향에 관한 지식을 습득할 수 있다.

제1장에서는 지식재산권의 개념과 종류에 대해 알아보고, 제2장에서는 최근의 지식재산권 분쟁의 추세와 동향, 이와 관련된 개념들에 대해 알아보기로 한다.

제1장 지식재산권

제1장
지식재산권

키워드

지식재산권

산업재산권

특허권

디자인권

상표권

저작권

신지식재산권

- **지식재산**: 인간이 만들어 낸 것으로서 재산적 가치가 있는 것
- **지식재산권**: 지식재산을 보호하기 위한 권리

↱ 산업경제와 관련
- **지식재산** ┬ 산업재산권 ┬ 특허권: 모든 발명 보호
  │   ├ 실용신안권: 물품의 형상·구조·조합 등 고안 보호
  │   ├ 디자인권: 물품의 외관 보호
  │   └ 상표권: 상표 보호
  │   ↳ 상품이나 서비스의 출처 표시
  │ ↱ 문화·예술과 관련
  ├ 저작권 ┬ 저작인격권
  │   └ 저작재산권
  └ 신지식재산권 – 산업과 과학의 발달로 등장한 신지식재산 보호

  ex 컴퓨터프로그램, 영업 비밀,
  반도체집적회로 배치설계 등

  ↳ 종래의 지식재산권만으로 보호 어려움

- **신지식재산** ┬ 컴퓨터프로그램: (과거) 컴퓨터프로그램 보호법으로 보호
  │   → (현재) 저작권법으로 보호
  ├ 반도체 집적회로의 배치설계: 반도체집적회로의 배치설계에 관한
  │   법률로 보호
  ├ 영업비밀: 부정경쟁방지 및 영업비밀 보호에 관한 법률로 보호
  └ 식물신품종: 식물신품종 보호법으로 보호

확인학습

* 지식재산권이란 무엇일까요?   * 지식재산권의 종류에는 무엇이 있을까요?

* 지식재산권의 보호 대상은 무엇일까요?   * 신지식재산권이란 무엇일까요?

01 지식재산권의 개요

지식재산권이라고 하면 뭔가 아주 기발하고 새로운 기술이나 독창적인 무언가에 관한 것으로 생각하고 자신과는 거리가 먼 일이라고 여기는 경향이 있습니다. 그러나 지식재산권은 우리에게 아주 친근한 것이고, 우리와 아주 가까운 곳에 있을 뿐 아니라 곧 자신의 일이 될 수도 있습니다.

좋은 아이디어나 기술을 가지고도 이를 적절히 보호하지 못함으로써 불의의 일을 당할 수 있는 반면, 지식재산권을 통해 큰 수익을 얻을 수도 있습니다.

다음은 한 특허문헌의 청구범위[1]의 일부를 발췌한 것입니다.

청구항 1

주문 단말기 및 가맹점 단말기와 결합한 주문 관리 서버에서 주문 관리 서비스를 제공하는 방법에 있어서,

(a) 상기 주문 단말기에 가맹점 식별자를 제공하는 단계;

(b) 미리 설정된 방식에 의하여 상기 가맹점 단말기에 상응하는 가맹점 식별자를 인식한 상기 주문 단말기로부터 주문 단말기 식별자 및 가맹점 식별자 중 적어도 가맹점 식별자를 포함하는 주문 요청 신호를 수신하는 단계;

(c) 상기 가맹점 식별자에 상응하는 주문 정보 페이지를 추출하고, 상기 추출한 주문 페이지 정보를 상기 주문 단말기로 송신하는 단계; 및

(d) 상기 주문 단말기로부터 주문 정보를 수신한 후, 상기 수신한 주문 정보를 상기 가맹점 단말기로 송신하는 단계;

(e) 상기 가맹점 단말기로부터 주문 완료 정보를 수신하고, 상기 주문 완료 정보를 상기 주문 단말기로 송신하는 단계; 를 포함하는 것을 특징으로 하는 주문 서비스 제공 방법[2]

표현이 어렵게 되어 있지만, 찬찬히 읽어보면 무언가 떠오르는 게 있지 않은가요? 이것은 바로 우리나라 배달 업계에서 1위를 달리고 있는 '배달의 민족'을 보유한 〈주식회사 우아한형제들〉이 보유한 특허입니다.

내용을 요약하면 사용자가 단말기에 제공되는 여러 가맹점을 골라 주문을 전송하면 그 주문은 가맹점 단말기로 전달되고, 주문이 완료되면 주문 완료 정보가 사용자 단말기로 전달된다는 것입니다.

'배달의 민족'은 배달 시스템의 필수적인 내용에 대한 특허권을 보유하고 있어 배달 업계에서 여전히 선두주자 자리를 지키고 있습니다.

이처럼 지식재산권은 조금만 관심을 기울이면 우리 일상에서도 손쉽게 접할 수 있는 것이며, 아주 독특한 무언가에 관한 것이 아닙니다.

그렇다면 지식재산권은 무엇인지, 지식재산권에는 어떤 것들이 있는지, 지식재산권을 통해 무엇을 보호할 수 있을지 알아봅시다.

---

[1] 청구범위란 특허권을 통해 보호받고자 하는 내용을 기재한 부분을 의미합니다.

[2] 대한민국 등록특허공보 제10-0588618호

사례 1 **아마존과 코카콜라의 지식재산 활용전략**

아마존은 온라인 서점으로 사업을 시작하면서, 한 번의 클릭에 의하여 미리 저장해 둔 정보들을 이용하여 주문이 완료되는 '원클릭' 특허를 출원하여 자신의 비즈니스 모델에 대한 보호를 통해 성장할 수 있었습니다.

코카콜라는 130년간 매년 수백만 달러의 비용을 들여 제조법을 특허가 아닌 영업비밀로 보호하면서 탄산음료 시장에서 독점적인 위치를 유지하고 있습니다.

사례 2 **2차 세계대전 이후 미국의 실수**

2차 세계대전이 끝난 후 미국은 일본에 반도체에 관한 특허를 제공하는 등의 방법으로 일본의 자립을 지원하였습니다. 하지만 이는 일본의 전자산업이 미국의 전자산업 시장을 위협할 정도로 성장하는 씨앗이 되고 말았습니다.

결국, 일본 기업들은 미국 내에서 소니 열풍을 일으키는 등 큰 성과를 냈고, 미국은 일본과의 무역적자를 기록하는 등 큰 손해를 입게 되었습니다.

지식재산이란 인간이 만들어 낸 것으로서 재산적 가치가 있는 것을 의미하고, 지식재산권[3]이란 이러한 지식재산을 보호하기 위한 권리를 의미합니다.

지식재산권 중 아이디어를 보호하는 제도로서 특허가 대표적이지만, 특허 이외에도 여러 제도를 통해 아이디어의 보호가 가능합니다.

지식재산권은 보호의 대상, 창작보호 여부, 법의 목적, 규제형식 등 여러 가지 기준에 의해 다양하게 분류할 수 있습니다. 일반적으로 지식재산권은 [그림 1-1]과 같이 크게 전통적 지식재산권과 신지식 재산권으로 구분할 수 있고, 전통적 지식재산권은 다시 산업재산권과 저작권으로 구분할 수 있습니다.

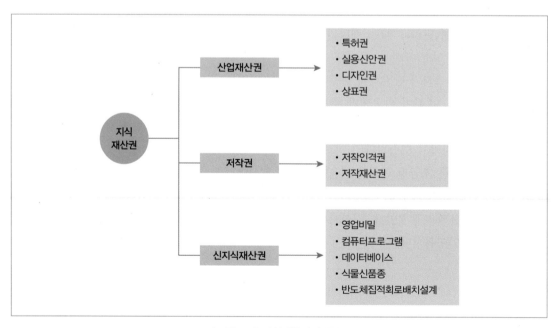

[그림 1-1] 지식재산권의 종류

---

3) 지식재산권이라는 용어 대신에 '지적재산권', '무체재산권' 등을 사용하기도 합니다.

02 산업재산권

산업재산권은 산업경제와 관계가 깊은 지식재산권을 의미합니다. 산업재산권에는 특허권, 실용신안권, 디자인권 및 상표권이 포함됩니다. 이 네 가지의 산업재산권은 각각 보호하는 대상이 다르며, 특허법, 실용신안법, 디자인보호법 및 상표법 등 서로 다른 법률에 의하여 각각의 권리가 규정되고 있습니다.

특허권은 발명[4]을 보호하기 위한 권리입니다. 발명이란 자연법칙을 이용한 기술적 사상의 창작으로서 발명수준이 고도한 것을 의미하는데, 앞서 '배달의 민족' 특허에서 살펴본 바와 같이 발명수준이 고도하다는 것은 일반인들이 도저히 생각하지 못할 정도를 의미하는 것이 아니라 지금까지는 없었던 무언가이거나 지금 존재하는 무언가보다 더 개선된 것을 의미합니다.

특허권을 확보하기 위해서는 특허청에 출원[5]을 한 후 심사를 거쳐야 합니다. [그림 1-2]에 나타낸 것처럼 특허권은 설정등록일부터 발생하며, 출원일 후 20년이 되는 날까지 유지됩니다.

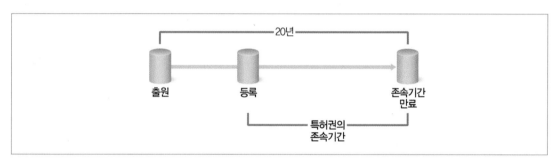

[그림 1-2] 특허권의 존속기간

실용신안권은 고안(소발명)[6]을 보호하기 위한 권리입니다. 고안이란 물품의 형상·구조·조합 등 발명보다는 발명수준이 낮은 것을 의미합니다.

실용신안권을 확보하기 위해서는 특허권과 마찬가지로 특허청에 출원을 한 후 심사를 거쳐야 합니다. 실용신안권은 설정등록일부터 발생하며, 출원일 후 10년이 되는 날까지 유지됩니다.

실용신안권은 특허권과 마찬가지로 기술에 관한 아이디어를 보호하는 권리이지만, 특허권과는 달리 기술과 관련된 아이디어 중에서도 물품의 '형상', '구조' 및 '조합'에 관한 고안만을 보호합니다. 따라서 '방법'이나 '소프트웨어', '물질' 등과 관련된 기술은 실용신안권으로는 보호받을 수 없으며, 특허권을 통해서만 보호를 받을 수 있습니다.

다시 앞서 살펴본 '배달의 민족' 특허를 떠올려 보면, 해당 특허권의 청구항 1은 '주문 서비스 제공 방법'에 관한 것이므로 실용신안권으로는 보호받을 수 없고 오직 특허권을 통해서만 보호를 받을 수 있습니다.

---

4) 특허법 제2조 제1호: "발명"이란 자연법칙을 이용한 기술적 사상의 창작으로서 고도(高度)한 것을 말한다.
5) 특허를 받기 위해 특허청에 관련 내용과 서류를 제출하는 것을 의미합니다.
6) 실용신안법 제2조 제1호: "고안"이란 자연법칙을 이용한 기술적 사상의 창작을 말한다.

[표 1-1] 특허권과 실용신안권의 주요 차이점

구분	특허권	실용신안권
보호대상	발명(자연법칙을 이용한 기술적 사상의 창작으로서 고도한 것)	고안(기술적 사상의 창작이나, 고도할 필요는 없으며, 주로 물품의 형상·구조·조합이 보호대상)
진보성 판단 기준	종래기술로부터 당업자가 쉽게 발명할 수 없을 정도	종래기술로부터 당업자가 극히 쉽게 고안할 수 없을 정도
존속기간	설정등록일부터 출원 후 20년까지	설정등록일부터 출원 후 10년까지

디자인권은 물품의 외관인 디자인을 보호하기 위한 권리입니다. 디자인권은 독특한 형상·모양·색채가 있는 물품의 외관에 부여되는 권리이므로, 원칙적으로 물품에 표현되지 않는 디자인은 디자인권의 보호대상이 되지 않습니다.

디자인권도 마찬가지로 특허청에 출원을 한 후 심사를 거쳐야 발생할 수 있습니다. 디자인권은 설정등록일부터 발생하며, 출원일 후 20년이 되는 날까지 유지됩니다.

상표권은 상표를 보호하기 위한 권리입니다. 상표란 자기의 상품이 타인의 상품과 구별되도록 유형의 상품이나 무형의 서비스에 사용하는 표시로서 기호, 문자, 도형, 소리, 냄새, 입체적 형상, 홀로그램·동작 또는 색채 등 그 유형에 제한이 없습니다.

예를 들면, 애플은 '한입 베어 문 자국이 있는 사과 엠블럼'을 사용하여 자사의 상품과 타사의 상품을 구별하도록 하는데, 여기서 '한입 베어 문 자국이 있는 사과 엠블럼'이 상표가 되는 것입니다.

상표권도 마찬가지로 특허청에 출원을 한 후 심사를 거쳐야 발생할 수 있습니다. 한편, 상표권은 설정등록일로부터 발생하며, 이후 10년 동안 유지되지만, 다른 산업재산권과 달리 갱신 절차를 통해 10년씩 존속기간[7]을 반복적으로 연장할 수 있다는 특징이 있습니다.

[표 1-2] 산업재산권의 보호대상과 존속기간

종류	특허권	실용신안권	디자인권	상표권
보호대상의 정의	자연법칙을 이용한 기술적 사상의 창작으로서 고도한 발명(대발명)	자연법칙을 이용한 기술적 사상의 창작(소발명)인 고안	물품의 형상·모양·색채 또는 이들을 결합한 것으로서 시각을 통하여 미감을 일으키게 하는 것	기호, 문자, 도형, 소리, 냄새, 입체적 형상, 홀로그램·동작 또는 색채 등 유형의 제한이 없음
보호대상	모든 발명	물품의 형상·구조 또는 조합에 관한 고안에 한정됨	물품의 디자인	상품 및 서비스에 사용하는 표시
존속기간	설정등록일로부터 출원일 후 20년이 되는 날까지	설정등록일로부터 출원일 후 10년이 되는 날까지	설정등록일로부터 출원일 후 20년이 되는 날까지	등록일 후 10년까지 (10년마다 갱신 가능)

---

7) 어떤 권리가 계속하여 유지되는 기간을 의미합니다.

살펴본 바와 같이 산업재산권은 그 보호대상이 서로 다릅니다. 따라서 하나의 제품에도 다양한 산업재산권이 적용될 수 있습니다.

[그림 1-3]을 참조하여 산업재산권의 보호대상을 설명해 보겠습니다. 자동차의 엔진, 변속기, 브레이크, 엔진 제어 시스템, 지능형 현가 시스템 등과 같이 발명수준이 고도한 '발명'은 특허권으로 주로 보호되며, 컵홀더, 룸미러, 자동차 도어 등과 같이 창작수준이 상대적으로 낮은 '고안'(소발명)은 실용신안권으로 보호될 수 있습니다.

한편, 차체의 형상 또는 라이트 형상, 시트 형상, 리어 스포일러 형상 등과 같은 물품의 외관은 디자인권으로 보호될 수 있으며, '제네시스', '그랜저', 'K5'와 같은 자동차 명칭이나 '현대', '기아', '아우디', 'BMW'와 같은 제조사 명칭은 상표권으로 보호될 수 있습니다.

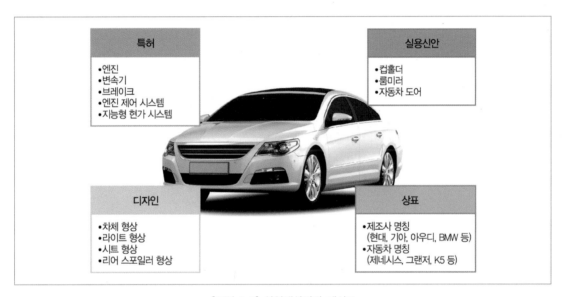

[그림 1-3] 산업재산권의 예시도

| Tip |

그러나 '발명'과 '고안'의 구분이 명확하지 않으며 또한, 권리의 존속기간이 실용신안권보다는 특허권이 길기 때문에, 대부분 특허권으로 권리를 획득하려고 하는 경향이 있습니다.

03 저작권

> **사례 │ 총 매출기준 역대 가장 비싼(?) 지식재산권**
>
> 《해리포터》는 영국 작가 조앤 K 롤링이 쓴 세계에서 가장 많이 팔린 판타지 소설로, 이후 영화, 게임, 테마파크와 관련 상품을 출시하여 2019년 기준 574억 달러의 매출을 올려 역대 3위를 기록하고 있습니다.
>
> 조지 루카스는 1977년 〈스타워즈〉를 만들어 SF 판타지 영화의 시작을 알렸는데, 이후 비디오, 게임, 출판물, 상품 등으로 약 600억 달러의 수익을 올리고 있습니다.
>
> 〈포켓몬스터〉는 일본 게임회사인 닌텐도가 1996년에 출시한 게임 콘텐츠로 이후 만화, 영화, 애니메이션으로 재탄생하며 관련 상품으로 막대한 수익을 올렸습니다. 최근에도 '포켓몬 고'라는 증강현실 게임과 '포켓몬 빵'을 통해서 선풍적인 인기를 유지하고 있어 815억 원의 매출을 올리며 전 세계적으로 꾸준한 사랑을 받고 있습니다.

저작권은 우리 주변에서 가장 흔하게 볼 수 있는 지식재산권 중 하나입니다. 또한, 저작권은 《해리포터》, 〈스타워즈〉, 〈포켓몬스터〉의 사례와 같이 막대한 수익을 낼 수도 있습니다.

저작권이란 인간의 지적능력을 통해 창작한 미술, 음악 등의 예술 분야와 시, 소설 등과 같은 문학 분야의 창작물을 보호하기 위한 권리입니다. 이때, 저작권의 보호대상이 되는 창작물을 '저작물'이라고 하고, 저작물을 창작한 사람을 '저작자'라고 합니다.

저작권은 산업재산권과는 달리 출원 등의 절차가 없더라도 저작물이 창작된 시점에 발생하며, 창작자의 사후 70년까지 존재합니다.

저작권은 저작자를 보호하기 위한 권리와 저작물을 이용하여 얻을 수 있는 이익을 보호하기 위한 권리로 구분될 수 있습니다. 구체적으로, 저작권은 저작자가 자신의 저작물에 대해 가지는 인격적 권리인 저작인격권과 저작물을 일정한 방식으로 이용하는 것으로부터 발생하는 경제적인 이익을 보호하기 위한 권리인 저작재산권을 포함합니다.

저작인격권은 다시 저작물을 공표할 권리인 공표권, 이름을 표시할 권리인 성명표시권 및 저작물의 내용과 형식의 동일성을 유지할 권리인 동일성 유지권을 포함합니다. 또한, 저작재산권은 복제권, 공연권, 공중송신권, 전시권, 배포권, 대여권, 2차적 저작물 작성권 등을 포함합니다.

이처럼, 저작권은 저작물과 관련한 다수의 권리의 집합이라는 점에서도 산업재산권과는 구별되는 특징이 있습니다.

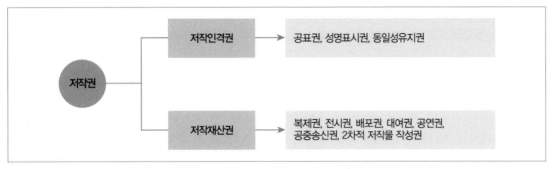

[그림 1-4] 저작권의 종류

> **Tip**
>
> 저작물에 대한 권리의식은 15세기 출판인쇄술의 발명으로 문서의 대량복제가 가능해지면서 태동되기 시작하였습니다. 그러나 아직 저작권이라는 권리 개념이 생긴 것은 아니었습니다. 그러다가 1684년 독일 황제의 칙령에 의하여 비로소 저작권이 권리로서 처음 인정받게 되었습니다. 그 이후 저작권은 세계 최초의 저작권법인 1709년 영국 앤여왕법 이래 구미 각국에서 국내법으로 보호되어 왔으며, 오늘날은 문학적·예술적 저작물의 보호를 위한 베른협약이나 무역 관련 지적소유권협정 (TRIPs협정) 등을 통한 국제적 보호에까지 이르게 되었습니다. [8)]

04 신지식재산권

산업과 과학이 발달함에 따라 보호할 만한 가치가 있는 다양한 창작물이 계속 만들어지고 있습니다. 하지만, 기존의 지식재산권만으로는 이런 가치 있는 창작물을 모두 보호하기에 어려움이 있습니다. 예를 들면, 컴퓨터프로그램, 반도체집적회로의 배치설계, 영업비밀, 식물신품종 등과 같은 창작물은 기존의 지식재산권으로 보호하기에 한계점이 있습니다.

이처럼 산업과 과학의 발달에 따라 보호의 필요성이 대두된 지식재산을 신지식재산이라고 하고, 신지식재산을 보호하기 위한 권리를 이른바 신지식재산권이라고 합니다.

> **사례** 레시피의 경쟁력 - 특허받은 레시피
>
> 음식산업이 발달함에 따라 레시피 특허의 중요성이 커지고 있습니다. 레시피 특허에는 대표적으로 '튀김소보로', '김치라이스버거', '청국장'의 제조 방법에 관한 특허 등이 있습니다.

---

8) 안양산업진흥원(https://www.ayventure.net/content/contents.do?menuId=954)

컴퓨터프로그램[9]은 컴퓨터에 의해 실행되는 지시나 명령으로 표현되는 것을 말합니다. 기존에는 컴퓨터 프로그램을 컴퓨터프로그램보호법으로 보호하고 있었는데, 현재는 저작권법으로 보호하고 있습니다.

반도체집적회로[10]는 기술의 혁신결과 고집적화가 급속하게 이루어져 현재는 많은 전자, 전기기기에 필수적인 구성요소로 기능하고 있습니다. 이러한 반도체집적회로의 배치설계[11]의 개발에는 막대한 비용이 필요한데, 기존의 지식재산권으로는 반도체집적회로의 배치설계를 만족스럽게 보호할 수 없었습니다. 따라서 우리나라는 1993년 9월 1일부터 반도체집적회로의 배치설계에 관한 법률을 제정, 시행함으로써, 배치설계에 대한 보호를 도모하고 있습니다.

영업비밀[12]은 공개되어 있지 않은 영업상 비밀로서 독립된 경제적 가치를 가지는 것으로 상당한 노력에 의하여 비밀로 유지되는 생산방법, 판매방법, 기타 영업활동에 유용한 기술상 또는 영업상의 정보를 말합니다. 영업비밀은 일정한 경우에 부정경쟁방지 및 영업비밀보호에 관한 법률에 의해 보호받을 수 있습니다.

품종보호권은 육종가가 식물의 신품종을 개발한 경우 개발된 식물신품종을 보호하기 위한 권리입니다. 이러한 품종보호권도 하나의 지식재산으로서 인정받을 수 있는데, 일정한 요건을 갖춘 경우에 식물신품종보호법에 의해 보호받을 수 있습니다.

사례 ‹ **일본이 만든 샤인머스켓, 한국이 더 많이 판다?**

샤인머스켓은 일본에서 1988년 개발되어 2006년 품종 등록된 포도 품종입니다. 일본은 샤인머스켓에 대하여 한국에 미리 품종등록을 하지 않았고, 이에 일본의 샤인머스켓은 우리나라에서 보호받지 못하게 되었습니다. 그 결과, 한국에서는 일본에 별다른 로열티를 낼 필요 없이 자유롭게 샤인머스켓을 재배할 수 있게 되었고, 결국 한국은 해외시장에 일본보다 많은 양의 샤인머스켓을 수출하고 있습니다. 그러나 일본은 이를 그저 지켜볼 수밖에 없는 상황입니다.

---

9) 저작권법 제2조 제16호 : "컴퓨터프로그램저작물"은 특정한 결과를 얻기 위하여 컴퓨터 등 정보처리능력을 가진 장치(이하 "컴퓨터"라 한다) 내에서 직접 또는 간접으로 사용되는 일련의 지시·명령으로 표현된 창작물을 말한다.

10) 반도체집적회로의 배치설계에 관한 법률 제2조 제1호 : "반도체집적회로"란 반도체 재료 또는 절연(絶緣) 재료의 표면이나 반도체 재료의 내부에 한 개 이상의 능동소자(能動素子)를 포함한 회로소자(回路素子)들과 그들을 연결하는 도선(導線)이 분리될 수 없는 상태로 동시에 형성되어 전자회로의 기능을 가지도록 제조된 중간 및 최종 단계의 제품을 말한다.

11) 반도체집적회로의 배치설계에 관한 법률 제2조 제2호 : "배치설계"란 반도체집적회로를 제조하기 위하여 여러 가지 회로소자 및 그들을 연결하는 도선을 평면적 또는 입체적으로 배치한 설계를 말한다.

12) 부정경쟁방지 및 영업비밀보호에 관한 법률 제2조 제2호 : "영업비밀"이란 공공연히 알려져 있지 아니하고 독립된 경제적 가치를 가지는 것으로서, 비밀로 관리된 생산방법, 판매방법, 그 밖에 영업활동에 유용한 기술상 또는 경영상의 정보를 말한다.

제2장 지식재산권의 최근 동향

제2장
지식재산권의 최근 동향

키워드

NPE

실시권

크로스-라이선스

특허풀

표준기술

FRAND 선언

- **지식재산권 관련 분쟁의 특징**
  - 다양한 목적으로 발생
  - 점차 복잡해지고 다각화
  - NPE에 의한 분쟁 증가

- **NPE**: 제조사업을 하지 않고 지식재산권의 행사로 수익을 내는 기업·단체
  ↳ 과거에는 비판적이었으나, 최근 지식재산권의 발전을 도모한다는 긍정적인
  입장도 존재

- **실시권**: 타인에게 특허권을 사용할 수 있도록 허락하면서 부여하는 권리
  ↳ **크로스-라이선스**: 두 특허권자가 서로에게 실시권을 설정해 주는 것
  ↳ 크로스-라이선스의 집합 ⇒ 특허풀

- **표준기술**: 일정 기술분야에서 표준으로 선정한 기술

- **표준필수특허**: 표준기술을 구현하기 위해 반드시 사용해야 하는 특허
  ↳ **FRAND 선언 필요!**
  실시자들에게 공정(fair)하고, 합리적(reasonable)이며,
  비차별적(non-discriminatory) 조건으로 실시를 허락할 것을
  자발적으로 선언하는 것

확인학습

* 지식재산권 분쟁은 어떤 특징이 있을까요?   * NPE는 무엇이며 그 기능에는 어떤 것들이 있을까요?
* 지식재산권 분쟁은 어떤 영향을 미칠까요?   * 특허풀과 표준화란 무엇일까요?
* 지식재산권 분쟁의 추세는 어떨까요?

01 지식재산권 분쟁의 특징

최근 지식재산권 분쟁의 사례와 영향

스마트폰은 이미 우리 일상의 일부가 되었습니다. 학교, 길거리, 지하철, 카페 등 어디를 가더라도 스마트폰을 이용하는 사람을 흔히 볼 수 있습니다. 또한, 스마트폰을 이용하여 강의를 듣거나, 업무를 보는 것은 물론이고 다양한 서비스의 예약, 제품의 결제 등도 할 수 있습니다.

최근 들어 스마트폰 못지않게 우리 일상에 널리 보급되는 것이 있습니다. 바로 '스마트워치'입니다. 스마트워치는 스마트폰과 연결되어 다양한 기능을 수행하는 전자기기인데요, 애플의 '애플워치', 삼성의 '갤럭시워치' 등이 대표적인 스마트워치입니다.

그런데, 이런 스마트워치 시장을 선도하는 대기업들이 최근 동시에 지식재산권 분쟁에 휘말리게 된 사실을 알고 계신가요?

2022년 6월 3일 미국의 'SmartWatch Mobile Concepts LLC'는 스마트워치 기업 5개에 소를 제기하였습니다. 바로 삼성, 애플, 필립스, 퀄컴, 카시오에 말이죠.

재미있는 점은 소를 제기한 'SmartWatch Mobile Concepts LLC'는 실제로 스마트워치를 제조하는 기업이 아니라는 점입니다. 다시 말해서 'SmartWatch Mobile Concepts LLC'는 단지 지식재산권을 이용하여 수익을 내고 싶을 뿐 경쟁사가 자사의 제품을 따라하지 못하도록 하기 위해 소를 제기한 것은 아니라는 것입니다.

이처럼 최근 지식재산권과 관련된 분쟁은 경쟁사가 자사의 제품을 따라하지 못하게 한다는 전통적인 목적뿐만이 아니라 다양한 목적을 위해 발생하고 있습니다.

지식재산권과 관련된 분쟁에 대한 기업의 대응 방법도 점차 복잡해지고 다각화되고 있습니다. 어떤 기업에서는 지식재산권 전담 인력을 증원하기도 하고, 지식재산권의 확보에 더욱 많은 투자를 하기도 합니다. 어떤 기업은 경쟁사의 제품이 자사의 제품과 조금이라도 유사하면 바로 경고장을 보내기도 하고, 경쟁사의 제품과 유사한 자사의 특허권을 확보하여 협상 카드로 활용하기도 합니다.

그런데 최근 한 기업이 자사의 제품과 유사한 제품이 판매되고 있음에도 불구하고 별다른 대응을 하지 않아 주목을 끈 사례가 있습니다.

사례 1 **다이슨 vs 차이슨, 삼성·LG는 안 되는데 차이슨은 괜찮아**

국내에서 영국의 전자제품 브랜드인 다이슨을 모방한 중국산 전자제품이 높은 판매량을 기록하고 있습니다. 이른바 '차이슨'이라고 불리는 제품입니다. 이 제품들이 높은 판매량을 기록하는 것에 대해서는 준수한 수준의 성능을 갖추었음에도, 비용은 다이슨보다 훨씬 저렴하기 때문이라는 분석이 대다수입니다. 재미있는 점은 정작 다이슨은 이를 크게 문제 삼고 있지 않다는 것입니다. 지금까지 자사의 제품과 관련한 지식재산권 침해에 민감하게 반응하고 적극적으로 대응해 온 다이슨은 왜 중국산 '짝퉁' 제품에 대해서는 크게 문제 삼지 않고 있을까요?

다이슨은 전 세계의 전자제품 시장을 장악해 가고 있습니다. 여기에는 독특한 디자인과 뛰어난 성능도 당연히 중요하지만 이러한 디자인이나 기술력을 보호하기 위한 지식재산권의 영향도 상당히 크다고 할 수 있습니다. 실제로 다이슨은 무선청소기와 관련하여 우리나라의 전자제품 기업들과 소송전을 벌이는 중이기도 합니다. 하지만 앞선 사례에서처럼 유독 중국의 '차이슨' 제품에 대해서는 별다른 대응을 하고 있지 않습니다.

다이슨이 별다른 대응을 하지 않는 이유로는 크게 세 가지가 꼽힙니다. 첫째로 구매층이 서로 달라 매출에 영향을 미치지 않고, 둘째로 '차이슨'에 대한 관심이 오히려 다이슨의 제품에 대한 홍보로 이어지기도 하며, 셋째로 실제 분쟁이 시작되면 다이슨이 이길 가능성이 높지 않다는 것입니다.

지식재산권과 관련된 분쟁은 분쟁의 당사자뿐만 아니라 제3자에게 영향을 미치거나 나아가 사회 전반에 영향을 미치기도 합니다.

2019년 11월 발생한 코로나바이러스감염증-19 사태는 2023년 현재까지도 전 세계에 엄청난 영향을 미치고 있습니다. 코로나바이러스의 확산 방지를 위해 전 세계의 제약회사는 코로나바이러스 백신을 다수 개발하였는데, 문제는 이 개발된 백신에 대한 특허권 분쟁이 본격화되기 시작하였다는 것입니다. 제약회사 간의 지식재산권 분쟁은 특정 제약회사의 백신 생산량이나 생산 단가 등에 영향을 미칠 수 있고, 결국 백신의 공급량에도 영향을 미칠 수 있습니다.

사례 2 코로나바이러스 백신으로 시작된 특허분쟁

미국 신종 코로나바이러스 감염증(COVID-19·코로나19) 백신 개발 업체인 모더나가 매사추세츠 연방법원과 독일 뒤셀도르프지방법원에 또 다른 백신 개발 업체인 화이자와 바이오앤테크를 상대로 특허권 침해소송을 제기하였습니다.

모더나가 소송의 기초로 주장하는 특허권은 '메신저리보핵산(mRNA)'과 관련된 것인데, mRNA란 체내에서 특정 단백질을 만드는 DNA 정보를 전달하는 역할을 하는 RNA입니다. 즉, mRNA를 이용하면 살아 있는 바이러스의 독성을 약해해 체내에 넣는 것이 아니라 코로나바이러스의 스파이크 단백질을 만드는 유전정보를 전달합니다. 그러면 체내 면역세포가 이에 대응할 항체를 만들어 내게 됩니다.

이러한 방식은 그동안 상용화되지 않았으나 코로나19 사태로 백신을 빠르게 만들어 내야 한다는 필요성에 따라 새로운 백신 개발 방식으로 채택되었습니다. 그 결과 모더나, 화이자, 바이오엔테크는 전 세계 코로나19 백신 시장의 60%를 장악하게 되었습니다.

모더나는 해당 소송에서 화이자·바이오앤테크가 판매한 코로나19 백신에 대한 피해보상을 요구하였습니다. 모더나는 당초 코로나19 사태가 종료되기 전까지는 특허권을 행사하지 않겠다는 입장을 유지하고 있었지만 2022년 3월 8일 이후 코로나19 팬데믹이 사실상 종료되었다고 보고 특허권을 행사하기 시작한 것으로 보입니다. 보상 금액은 공개되지 않았으며, 모더나는 코로나19 백신 수요를 감안하여 법원에 화이자의 백신 판매 금지 요청을 하지는 않았습니다.

다른 예로서, 영국의 ARM과 미국의 퀄컴 사이의 지식재산권 분쟁을 들 수 있습니다. ARM은 퀄컴과의 소송을 계기로 이후의 지식재산권 관련 정책을 일부 변경하였고, 이러한 정책 변경은 애꿎은 삼성에 불똥이 튀는 결과를 낳기도 하였습니다.

> **사례 3** **ARM vs 퀄컴, 애꿎은 삼성에 불똥**
>
> ARM과 퀄컴의 반도체 설계와 관련되 지식재산권(IP) 관련 분쟁으로 애꿎은 삼성전자가 피해를 볼 것이라는 전망이 있습니다. 이는 ARM이 IP 분쟁을 겪으면서 향후 IP 방침을 변경하였기 때문인데, 영국의 반도체 설계 기업인 ARM은 이번 소송을 계기로 2024년부터 팹리스(반도체 설계) 업체 등에 반도체 설계 IP를 제공하지 않는다는 방침을 세웠습니다. 이러한 방침은 글로벌 모바일 칩 95% 이상에 영향을 미칠 것으로 전망되고, 삼성전자 역시 이에 대비한 전략이 필요하다는 지적이 있습니다.

최근 지식재산권 분쟁의 추세

앞서 살펴본 바와 같이, 지식재산권의 분쟁은 그 양상이 다양하고, 복잡합니다. 또한, 이러한 지식재산권의 분쟁은 지금도 전 세계에서 진행 중이고 새롭게 발생하고 있으며 우리에게 영향을 미치고 있습니다.

그렇다면 지식재산권과 관련된 분쟁의 최근 추세는 어떻게 될까요?

지식재산권과 관련된 분쟁이 가장 활발한 국가는 미국입니다. 인구, 산업기반의 규모, 자본의 규모, 기술력, 시장의 크기 등 다양한 요인을 고려해 보면 이러한 사실은 전혀 이상하지 않습니다. 따라서 미국에서 발생하는 지식재산권 분쟁의 흐름을 살펴보면 전 세계의 지식재산권의 흐름을 어느 정도 유추할 수 있습니다.

한국지식재산보호원이 2021년 발간한 〈2021 IP TREND 국제 지재권분쟁동향 연차보고서〉에 따르면, 2011년 미국의 무효심판(IPR) 제도의 도입 등에 따라 침해소송의 횟수가 줄어들다가, 2018년 소프트웨어 특허의 무효를 어렵게 하는 판례의 등장으로 인해 최근 미국 내 소송이 증가하는 추이를 보이고 있습니다.

특히, 미국 내에 진출해 있는 한국 기업은 2020년까지는 특허분쟁이 비교적 적었지만, 2021년부터는 NPE[13] 등에 의해 분쟁이 빈번해지고 있습니다.

---

13) Non-Practicing Entity의 약자로, 특허를 수익창출의 수단으로 사용하는 비실시 전문회사를 의미합니다.

02 NPE

NPE의 의미

앞서 미국의 'SmartWatch Mobile Concepts LLC'가 삼성을 비롯한 5개 기업에 스마트워치와 관련된 소송을 제기한 사례를 소개하였습니다. 여기서 'SmartWatch Mobile Concepts LLC'는 실제로 스마트워치를 제조하는 기업이 아니라 단지 지식재산권을 이용하여 수익을 내고 싶을 뿐이라는 점도 살펴보았습니다.

이처럼, 제조사업을 실제로 영위하지 않으면서 특허권 등과 같은 지식재산권을 행사하여 손해배상액을 지급받는 것을 사업모델로 하는 기업이나 단체를 NPE(Non Practicing Entity)라고 합니다.

Tip

예전에는 제조사업을 영위하지 않으면서 등록특허를 기초로 하여 여러 제조업을 대상으로 특허침해금지 소송을 제기하던 단체들을 특허괴물(patent troll)이라고 일컬었습니다.

이러한 '특허괴물'이라는 표현은, 2001년 인텔의 변호사인 피터 데트킨(Peter Detkin)이 처음으로 사용한 용어로서, "특허에 대하여 당해 특허를 현재 실시하고 있지도 않고(not practicing), 미래에도 실시할 의사가 없고(have no intention of practicing) 대부분 과거에도 실시한 적이 없는(never practiced at all) 특허로 막대한 돈을 벌려는 자"라고 정의되었고, 이러한 정의는 대중들에게 특허괴물에 대한 부정적인 이미지를 제공하였습니다.[14]

그러나 이렇게 제조사업을 영위하지 않고 권리를 행사하는 것이 부당하다고만 볼 수는 없다는 의견이 많았으며, 이러한 특허괴물이라는 표현은 특허권자의 정당한 권리행사임에도 불구하고 대중에게 부정적인 이미지를 심어준다는 비판이 많아, 최근에는 제조사업을 영위하지 않고 권리행사만을 위주로 하는 단체들은 특허괴물 대신, NPE라고 표현하는 추세입니다.

NPE의 활동 방법

기본적으로 NPE는 무기가 될 지식재산권을 확보하고, 그 무기를 이용하여 기업에 소송을 제기하는 방식으로 사업을 수행합니다. 여기서 NPE가 확보하는 지식재산권은 주로 특허권입니다. 예를 들면, NPE는 타인이나 다른 기업들로부터 잠재가치가 있는 특허권을 매입하는 등의 방식으로 지식재산권을 확보합니다.

NPE는 확보한 특허권을 기초로 상대방에게 상대방의 제조행위 등은 자기의 특허권을 침해한다는 경고장을 발송하거나 침해소송을 제기함으로써 본격적으로 자기의 사업을 수행합니다.

앞서 살펴본 사례에서도 마찬가지로 'SmartWatch Mobile Concepts LLC'는 분쟁의 대상이 되는 특허권을 권리이전[15]의 방식으로 확보한 후 특허소송을 제기하였습니다.

NPE에게 공격받은 기업은 소송에 대응하거나 NPE에 합의금을 지급하거나 라이선스 계약을 맺는 방식으로 대응하게 됩니다. 이러한 대응 방침은 소송의 승패나 비용 대비 효과를 종합적으로 고려하여 정하게 됩니다.

---

14) 김민희, 미국에서의 Patent Troll 관련 최근 쟁점과 판결, 지식재산 21, 2009년 1월호
15) 지식재산권 등의 권리는 서로 양도가 가능한데, 이처럼 권리를 타인에게 이전하는 것을 권리이전이라고 합니다.

하지만, 소송에 직접 대응하는 것은 많은 비용을 필요로 하므로 NPE의 공격을 받은 기업은 소송비용보다는 적은 합의금을 NPE에 지급하거나 라이선스 계약을 맺는 방식으로 분쟁을 끝내게 됩니다. 특히, 소송비용을 부담하기 어려운 규모의 기업은 NPE의 공격으로 큰 타격을 입을 수 있기 때문입니다.

NPE의 기능

이전까지 NPE는 무분별한 특허소송으로 인하여 경제적인 손실을 발생시키는 문제아로 인식되고 있었습니다. 그러나 이러한 인식은 지나치게 대기업 입장의 논리이며, 지식재산권의 발전을 저해하는 인식이라는 비판이 있었습니다.

최근 IP 시장에서 NPE의 사업방식은 매력적인 비즈니스모델로 주목받고 있으며, 특히 중소기업 또는 개인발명자들은, 적극적인 기술이전 등을 통해 수익을 창출하는 등, 지식재산권의 발전을 도모하는 바람직한 수단이라고 보는 입장도 상당수 생겨나고 있습니다.

NPE의 사례

NPE에 의한 분쟁은 우리가 생각하는 것보다 훨씬 많이 일어나고 있습니다. 실제로 우리나라의 대기업들도 NPE에 의해 많은 분쟁에 휘말리고 있습니다.

사례 1 ▸ NPE의 집중 공격 대상이 되는 국내 기업

삼성전자, LG전자, 현대차 등 국내 기업들이 글로벌 특허괴물의 집중 타깃이 되고 있다고 합니다. 특허정보 분석 업체인 유나이티드 페이턴츠에 따르면 삼성은 2017년부터 최근까지 미국에서만 438건의 특허침해소송을 당하였습니다. 매주 한 차례씩 특허소송을 당한 셈입니다. 삼성전자와 같은 기업에 가장 많이 소송을 제기하는 주체는 '특허괴물'로 불리는 NPE(Non Practicing Entity, 특허관리회사)입니다. NPE란 제조사업을 실제로 영위하지 않으면서 특허권 등과 같은 지식재산권을 사들인 뒤 지식재산권을 행사하여 수익을 올리는 기업을 의미합니다. 이들은 주로 삼성전자가 속한 같은 업종이나 분야의 업체에서 핵심 특허기술을 사들인 뒤 이를 이용해 상대를 공격하는 전략을 채택하고 있습니다. 삼성전자는 스마트폰뿐 아니라 스마트폰용 유기발광다이오드(OLED) 디스플레이, 시스템 반도체, 음성 인식 분야에서도 해외 업체들의 특허 공격을 받고 있습니다.

사례 2 ▸ NPE에 의한 스마트폰 특허 전쟁

스마트폰 업계에 특허소송의 공포가 엄습하고 있습니다. 스마트폰 경쟁에서 탈락한 종전의 휴대폰 기업이 NPE에 자사의 특허를 대거 넘기면서 무차별적인 소송전이 시작될 것으로 예상되기 때문입니다.

'쿼티자판'으로 대변되는 블랙베리가 최근 특허 3만 5,000여 건을 미국 특허관리전문업체 NPE에 이전했다고 전해집니다. 피처폰에서 스마트폰에 이르는 방대한 기술 특허를 보유한 블랙베리가 NPE에 넘긴 특허에는 레거시 모바일 장치, 메시징 및 무선 네트워킹 기술 등 스마트폰 핵심 기술이 대거 포함된 것으로 알려졌습니다. 당장 삼성전자, 애플 등은 이러한 기술들과 크게 연관되어 있기 때문에 NPE의 소송전에서 타깃이 될 가능성이 매우 높습니다.

이와 같이, 최근 스마트폰 특허 전쟁의 양상은 과거와 다르게 전개되는 경향이 있습니다. 종전에는 휴대폰 기업 간의 특허소송이었다면, 최근에는 특허괴물과의 싸움으로 변모한 것입니다. 이러한 배경에는 자사의 특허를 줄줄이 NPE에 넘기고 있는, 스마트폰 경쟁에서 탈락한 기업이 있습니다.

03 특허풀과 표준화

> **사례** **자동차 업계로 번진 표준필수특허 분쟁**
>
> 자동차 시장이 전 세계의 특허 전쟁의 격전지로 급부상하고 있습니다. 종전까지는 자동차가 단순히 '이동 수단'이었다면, 최근에는 그 이상의 수단으로 진화하고 있기 때문입니다. 불과 수년 전까지만 해도 표준특허를 둘러싼 논란은 스마트폰과 같은 무선통신 기술분야에 한정되어 자동차 분야와는 큰 연관이 없는 것으로 여겨졌습니다.
>
> 그러나 자동차가 정보기술을 활용한 커넥티드 카와 자율주행 시대로 접어들면서 무선통신 기술에서 생겨난 '표준필수특허(Standard Essential Patent, SEP)' 논쟁이 자동차 업계로도 번지고 있습니다.
>
> 자동차 시장과 관련하여 특허 전쟁의 신호탄을 쏘아 올린 곳은 스마트폰 사업을 접고 NPE로 변신한 핀란드의 노키아입니다. 노키아는 메르세데스-벤츠, BMW 등 독일의 완성차 업계의 항복을 받아냈고, 조만간 한국과 일본 자동차 업계도 표적으로 하여 움직일 것으로 예상됩니다.

특허권과 같은 지식재산권 관련 기사나 글을 읽다 보면 특허풀, 표준특허, 표준기술과 같은 용어가 종종 등장합니다. 특허풀, 표준특허, 표준기술과 같은 개념은 최근 산업시장에서 중요한 역할을 하고 있습니다.

여기에서는 이러한 개념들에 대해 알아보도록 하겠습니다.

실시권 및 특허풀(patent pool)

다른 사람의 특허권에 해당하는 기술을 실시하기 위해서는 특허권자의 허락 또는 동의를 받아야 합니다. 이때, 특허권자가 타인에게 특허권을 사용할 수 있도록 허락하면서 부여하는 권리를 실시권이라고 합니다. 경우에 따라서는 두 특허권자가 서로에게 실시권을 설정해 주는 경우가 있는데 이를 크로스-라이선스 계약이라고 합니다.

> **Tip**
>
> 선출원된 특허권을 개량하여 후출원하여 등록까지 받은 경우에는, 후출원된 특허권자(乙)는 선출원된 특허권자(甲)의 동의 없이는 자신의 특허권도 실시할 수 없는 경우가 있으며, 선출원된 특허권자(甲) 역시 후출원된 특허권자(乙)의 동의 없이는 사업을 영위할 수 없는 경우가 있습니다. 이러한 경우, 선출원된 특허권자(甲)와 후출원된 특허권자(乙) 서로 간에 자유롭게 상대방의 특허(기술)를 사용할 수 있게끔 체결하는 계약을 크로스-라이선스라고 합니다.

특허풀은 이러한 크로스-라이선스가 연장된 특허권들의 집합을 의미합니다. 다시 말해서, 특허풀이란 여러 특허권자들이 서로 간에는 권리를 행사하지 않기로 계약함으로 인해 형성되는 특허권의 집합체(pool)를 의미한다고 볼 수 있습니다.

특허풀 계약은 특허 첨단기술이 넘쳐나는 기술분야에서 효과적일 수 있습니다. 특허풀이 없다면 각 기업들이 사업을 수행하기 위해 서로의 특허권을 침해하는 상황이 발생할 수 있습니다. 하지만 특허 풀을 형성함으로써 그 특허풀에 담겨 있는 특허권(기술)들은 계약 당사자 상호 간에는 자유롭게 실시할 수 있게 되므로 특허권 침해와 같은 상황을 미리 방지할 수 있게 됩니다.

한편, 이러한 특허풀들을 관리하는 관리 업체들이 별도로 존재하기도 합니다.

앞선 LG전자의 사례를 다시 살펴보면, LG전자와 애플 등의 여러 기업들은 특허풀을 형성하고 있어 서로 각각의 휴대용단말기 사업을 영위하는 과정에서는 서로의 특허권들을 자유롭게 실시할 수 있었습니다. 하지만 LG전자가 휴대용단말기 사업을 철수하고 특허풀에서 빠져 나오면서, 애플 등의 기업을 대상으로 특허권의 권리행사를 하며 8,000억 원의 수익을 얻게 된 것입니다.

표준기술과 표준필수특허

'표준기술'은 정부, 표준화기구, 사업자단체, 동종기술보유 기업군 등이 일정한 기술분야에서 표준으로 선정한 기술을 의미합니다. '표준필수특허'는 표준기술이 구현된 상품을 생산하거나 서비스를 공급하기 위해서 필수적으로 실시허락을 받아야 하는 특허로서, 실시자에게 공정하고 합리적이며 비차별적인 (Fair Reasonable And Non-Discriminatory, FRAND) 조건으로 실시허락할 것이라는 자발적인 확약이 요청되는 특허를 의미합니다.

표준필수특허는 해당 기술분야에서 과도한 독점을 방지하기 위해 표준화기구에서 선정하는 특허에 해당하며, 이러한 표준필수특허로 선정되면 실시자들에게 FRAND 선언을 하여야 합니다.

Tip

FRAND 선언이란 실시자들에게 공정하고, 합리적이며, 비차별적인(Fair Reasonable And Non-Discriminatory, FRAND) 조건으로 실시허락할 것을 자발적으로 선언하는 것을 의미합니다. 즉, 어떤 실시자에게는 실시허락을 거부하거나, 어떤 실시자에게는 과도한 실시료를 요구하는 등의 행위를 해서는 안 된다는 것을 의미합니다.

만약, 표준필수특허를 보유한 권리자가 FRAND 선언에 위반하는 경우에는 과징금 처분 등의 제재를 받을 수도 있습니다.

사례 **퀄컴은 FRAND 선언을 위반하였나?**

퀄컴은 '스냅드래곤'이란 브랜드의 스마트폰용 애플리케이션 프로세서(AP), 모뎀칩 등을 제조 및 판매하고 있는 기업입니다. 또한 퀄컴은 이동통신 표준기술인 CDMA(2세대 이동통신), WCDMA(3세대 이동통신), LTE(4세대 이동통신) 등과 관련해 '표준필수특허'를 보유하고 있습니다.

이러한 '표준필수특허'로 인해 삼성전자, 애플, 화웨이 등의 반도체 업체들은 퀄컴의 특허 실시허락이 없으면 칩을 만들 수 없습니다. 이 때문에 퀄컴은 국제 표준화기구에 공정하고, 합리적이며, 비차별적인 조건으로 특허 라이선스를 제공하겠다고 보장하는 '프랜드(FRAND) 확약'을 선언한 바 있습니다.

그러나 미 연방거래위원회(FTC)는 2017년 1월 퀄컴이 우월적 지위를 이용해 과도한 특허 로열티를 받고 시장 경쟁을 저해하고 있다며 소송을 제기하였습니다.

2015년부터 미국 등 각국 공정거래위원회는 퀄컴의 '표준필수특허' 남용을 조사해 왔습니다. 공정위는 "퀄컴이 강력한 특허와 반도체 관련 시장지배력을 토대로 반도체 제조사와 스마트폰 업체에 불합리한 계약을 강요했다"고 주장하였습니다. 한국공정거래위원회 역시 2016년 12월 퀄컴의 법 위반 의심 행위를 공개하며 퀄컴에 과징금 1조 300억 원을 부과하였습니다. 공정위는 "퀄컴이 삼성전자, LG전자 등 반도체 공급을 볼모로 특허 라이선스 계약을 강제했으며 퀄컴의 모든 특허를 포괄적으로 구매할 것을 강요했다"고 밝혔습니다.

퀄컴은 2019년 5월 미국에서 열린 1심에서 FTC에 패소하였지만 바로 제9연방 순회 항소법원에 항소하였고, 미 항소법원은 1심 판결을 뒤집으며 퀄컴의 사업 관행이 '반경쟁적'이지 않다고 판단하였습니다.

미 항소법원은 퀄컴이 스마트폰 등 무선기기에 쓰이는 자사 칩을 구매한 스마트폰 제조사들에 특허권 이용 계약을 맺도록 요구한 사업 관행이 반독점법 위반이 아니라고 밝혔습니다.

또한 항소법원은 퀄컴이 지식재산권 라이선스 관행을 바꿔 스마트폰 업체들과 라이선스 협상을 다시 하도록 한 1심 법원의 명령도 무효화하였습니다.

제3장　지식재산권과 관련된 홈페이지

지금까지 지식재산권이 무엇인지, 지식재산권에는 어떠한 것들이 포함되는지, 지식재산권과 관련된 최근 동향이 어떠한지 등에 대해 살펴보았습니다.

[표 1-3]은 지식재산권과 관련된 업무를 담당하는 기관들에 대한 정보를 정리한 것입니다. 보다 자세한 정보는 해당 기관의 홈페이지를 통해 얻을 수 있습니다.

[표 1-3] 지식재산권 업무 담당 기관

기관	소개	주요 업무(사업)
특허청 (https://www.kipo.go.kr)	산업통상자원부장관 소속하에 특허·실용신안·디자인 및 상표에 관한 사무와 이에 대한 심사·심판에 관한 사무를 관장	• 산업재산권에 관한 사무와 이에 대한 심사·심판 제도 운영 • 지식재산 창출·보호·활용 등을 위한 정책 수립 및 시행
특허심판원 (https://www.kipo.go.kr/ipt)	특허·실용신안·디자인 및 상표 등 산업재산권에 관한 분쟁을 준사법적 절차에 따라 해결하는 특별행정 심판기관	• 산업재산권의 심사에 관한 심판 • 산업재산권의 무효·취소에 관한 심판 • 산업재산권의 권리범위 확인 심판
특허법원 (https://patent.scourt.go.kr)	특허소송을 전담하는 고등법원급의 전문법원	• 특허심판원 심결취소소송 • 지식재산권 침해소송
한국발명진흥회 (https://www.kipa.org)	발명진흥법에 따라 설립된 특수법인으로서 발명진흥사업, 지식재산 보호·육성 사업 추진	• 지식재산 금융·사업화 • 지역 IP 지원 • 국내외 발명 전시·행사 • 국제 지식재산 협력사업 • 특허기술 거래·평가 • 지식재산 전문인재 양성
한국지식재산보호원 (https://www.koipa.re.kr)	발명진흥법에 따라 설립된 공공기관으로서 지식재산 보호에 관한 지원 사업 추진	• 국내외 지식재산 보호에 관한 조사·연구 • 국내외 지식재산 보호와 관련된 기반 조성 및 교육·홍보 • 국내외 지식재산 보호를 위한 국제협력 • 국내외 지식재산 보호를 위한 분쟁 예방 및 대응 지원 • 지식재산권 침해에 관한 단속 사무 지원

한국저작권보호원 (https://www.kcopa.or.kr)	문화체육관광부 산하의 특수법인으로서 저작권 보호를 위한 시책 수립 지원 및 집행과 저작권 보호와 관련된 사항을 심의하며 저작권 보호에 필요한 사업 수행	• 저작권 보호 시책 수립 및 집행 • 저작권 침해 실태조사 및 통계 작성 • 저작권 보호 기술의 연구 및 개발 • 저작권 침해 수사 및 단속 사무 지원
한국특허전략개발원 (https://www.kista.re.kr)	발명진흥법에 따라 설립된 특수법인으로서 공공연구기관 등의 산업재산 전략 수립 및 효율적 연구개발 수행에 관한 지원 사업 수행	• 특허 조사·분석 조사 지원 • 특허 동향 조사 지원 • 특허 창출 전략 지원 • 표준특허 창출을 위한 지원 • 국가연구개발 특허 성과의 조사·분석 및 관리 • 산업재산 연계 연구개발 전략 관련 정책 개발, 실태조사 및 성과분석
한국특허정보원 (http://www.kipi.or.kr)	발명진흥법에 따라 설립된 공공기관으로서 산업재산권 정보화 및 산업재산권 정보의 활용 기반 구축에 관한 사업 지원	• 산업재산권 정보 데이터베이스의 구축·관리 지원 • 산업재산권 정보시스템의 구축·운영 및 연계 지원 • 산업재산권 정보의 가공 및 보급 지원 • 산업재산권 통계 및 정보검색 서비스 제공 • 산업재산권 정보화 연구개발 및 성과의 민간 이전 지원 • 산업재산권 정보서비스업의 육성 지원 • 산업재산권 정보 관련 국제협력 지원 • 산업재산권 정보화 등에 관한 고객 지원
한국지식재산연구원 (https://www.kiip.re.kr)	발명진흥법에 따라 설립된 공공기관으로서 국내외 분쟁에 대한 효율적인 대응방안 수립 및 국내외 지식재산권의 동향 분석과 신지식재산권 분야에 대한 연구 수행	• 국내외 지식재산에 관한 조사 및 연구 • 국내외 지식재산과 관련된 국제협력 및 교류 • 국내외 지식재산과 관련된 인식 고취, 정보 수집, 지식재산 전문도서관 운영 등을 위한 사업 • 정부·국내외 공공기관 및 민간단체나 기업 등으로부터 연구용역의 수탁 또는 이들과의 공동연구 • 지식재산 및 지식재산권 관련 정책 자문 및 건의
지역지식재산센터 (https://www2.ripc.org)	발명진흥법에 따라 설치된 기관으로서 지역 중소기업과 주민의 산업재산권에 관한 인식 제고 및 산업재산권의 창출·보호·활용 지원	• 산업재산권에 관한 정보 제공 및 상담 • 산업재산권에 관한 교육 및 홍보 등 인식 제고 • 산업재산권의 창출·보호 및 활용 지원

학습평가

01 지식재산권은 산업재산권과 신지식재산권으로 구분할 수 있고, 산업재산권은 특허권, 실용신안권, 디자인권, 저작권, 상표권을 포함한다. ☐ O ☐ X

02 특허권, 실용신안권, 디자인권과는 달리 상표권은 존속기간을 갱신할 수 있다. ☐ O ☐ X

03 물질이나 방법 등에 관한 발명은 발명의 수준에 따라 특허권이나 실용신안권으로 보호받을 수 있다. ☐ O ☐ X

04 특허권은 설정등록일부터 20년간 존속한다. ☐ O ☐ X

05 저작권은 저작물이 완성되더라도 저작권 등록을 마쳐야 권리가 발생한다. ☐ O ☐ X

06 신지식재산권이란 기존의 지식재산권으로 보호하기 어려운 새로운 분야의 지식재산을 보호하기 위해 등장한 권리를 의미한다. ☐ O ☐ X

07 현행법상 컴퓨터프로그램은 컴퓨터프로그램보호법으로 보호할 수 있다. ☐ O ☐ X

08 지식재산권과 관련된 분쟁은 분쟁 당사자 사이에 일어나는 것이므로 제3자나 사회 전반에까지 영향을 미치지 않는다는 특징이 있다. ☐ O ☐ X

09 NPE란 자기가 보유한 특허권을 이용하여 제품을 제조하여 판매하는 것을 주력 사업으로 하면서 경쟁사가 자기의 제품을 따라하지 못하도록 적극적으로 소송을 제기하는 기업이나 단체를 의미한다.   ○ ×

01

10 두 특허권자가 서로에게 실시권을 설정해 주는 것도 가능하다.   ○ ×

11 표준필수특허로 선정되면 특허권자는 실시자들에게 FRAND 선언을 하여야 한다.   ○ ×

해설

01 저작권은 지식재산권에 속하지만 산업재산권에 속하지는 않습니다.

02 상표권은 존속기간을 10년씩 갱신할 수 있습니다.

03 방법이나 소프트웨어, 물질 등과 관련된 기술은 실용신안권으로는 보호받을 수 없고 특허권을 통해서만 보호를 받을 수 있습니다.

04 특허권은 설정등록 후 출원일로부터 20년이 되는 날까지 존속합니다.

05 저작권은 별도의 저작권 등록이 없더라도 저작물이 창작된 시점에 발생합니다.

06 신지식재산권이란 기존의 지식재산권으로 보호하기 어려운 새로운 분야의 지식재산을 보호하기 위해 등장한 권리입니다.

07 과거에는 컴퓨터프로그램을 컴퓨터프로그램보호법으로 보호하고 있었으나, 현재는 저작권법으로 보호하고 있습니다.

08 지식재산권과 관련된 분쟁은 분쟁의 당사자뿐만 아니라 제3자에게 영향을 미치거나 나아가 사회 전반에 영향을 미치기도 합니다.

09 NPE란 제조사업을 실제로 영위하지 않으면서 특허권 등과 같은 지식재산권을 행사하여 손해배상액을 지급받는 것을 사업모델로 하는 기업이나 단체를 의미합니다.

10 두 특허권자가 서로에게 실시권을 설정해 주는 것도 얼마든지 가능하며 이를 크로스-라이선스(Cross-License)라고 합니다.

11 표준필수특허로 선정되면 특허권자는 실시자들에게 FRAND 선언을 하여야 합니다.

정답

1. X   2. O   3. X   4. X   5. X   6. O   7. X   8. X   9. X   10. O   11. O

일본의 디스플레이 사업체인 SHARP(샤프)에 대하여 들어보셨나요? 샤프는 1980~90년대에 전 세계 디스플레이 시장을 주도하였으며, 특히 LCD 시장에 있어서 다른 기업들을 압도하는 우월적 기업이었습니다. 그러나 최근의 디스플레이 산업분야에서는 한국의 삼성디스플레이와 LG디스플레이가 샤프를 꺾고 선전을 하고 있는 상황입니다.

이렇게 시장에서 기업들의 실적을 이끌 수 있는 동력은 무엇일까요? 그중 하나는 바로, '특허권의 행사'입니다. 샤프의 경우, 경쟁사인 삼성디스플레이가 성장하는 과정에서 적절한 시기에 견제를 하지 않아 오히려 경쟁력에서 뒤처지게 된 대표적인 사례로 꼽힙니다.

이러한 특허권의 행사를 하기 위해서는, 행사하기에 앞서 '특허권을 확보'해야 합니다. 제2편에서는 '특허권을 확보'하는 방법과, '특허권을 행사'하는 방법을 보다 자세히 알아보겠습니다.

삼성디스플레이   샤프

제2편

특허 제도의 이해

특허권의 확보 절차에 대해 이해하고, 특허권을 등록받기 위한 요건과 등록된 특허권의 행사 방법을 습득할
수 있다.

제1장에서는 특허권의 확보를 위한 방법, 제2장에서는 특허의 등록요건, 제3장에서는 특허권의 효력과 내용,
제4장에서는 특허권의 침해와 구제, 제5장에서는 실용신안과 특허의 차이에 대해 알아보기로 한다.

제1장   특허권의 확보

제1장
특허권의 확보

- **특허제도**: 발명을 보호·장려하고 그 이용을 도모함으로써 기술의 발전을 촉진하여 산업발전에 이바지함을 목적으로 함

- **발명창출 방법**
  - 더하기 기법: 기존의 물건에 물건 등을 결합하는 방법
  - 빼기 기법: 기존의 물건에서 일부를 제외하는 방법
  - 용도 바꾸기 기법: 기존의 사물을 다른 방법으로 활용하는 방법
  - 모양 바꾸기 기법: 보다 편리한 형태로 모양을 변경하는 방법
  - 재료 바꾸기 기법: 재료를 변경하여 보다 좋은 성능을 내는 방법
  - 반대로 하기 기법: 사용하는 방법을 변경하여 좋은 성능을 내는 방법
  - 크기 바꾸기 기법: 물건의 크기를 변경하여 새로운 물건을 만드는 방법

- **특허출원**
  - 출원: 출원서, 명세서, 필요한 도면을 특허청에 제출
  - 심사청구: 청구범위에 기재된 발명에 심사를 진행해 달라는 취지의 청구
  - 실체심사(거절이유 유무 심사): 청구범위에 기재된 사항의 실체심사
  - 특허결정: 거절이유가 없는 경우에는 특허결정을 진행

- **국제특허출원**
  - 속지주의 원칙: 타국에서 보호받기 위해서는 각국에서의 특허등록이 요구됨
  - 조약에 의한 국제출원: 파리협약에 따라 각국에서의 국제출원 진행
  - 특허협력조약(PCT)에 의한 국제특허출원: PCT협약에 따라 국제출원 진행

확인학습

*특허제도의 목적은 무엇일까요?

*특허등록받기 위한 과정은 어떻게 될까요?

01 특허 제도의 개요

TV, 전단지 등의 광고들을 통해, "특허받은 OOO!!"와 같은 문구들을 심심찮게 발견할 수 있습니다. 이처럼 특허는 일반 대중들의 실생활 곳곳에 녹아 있으나, 이와 동시에 특허는 거리감이 느껴지는 단어이기도 합니다.

본 장에서는 특허의 등록을 위해서는 어떤 절차를 거쳐야 하는지, 특허의 등록을 위해서는 어떤 것들이 요구되는지, 그리고 등록된 특허는 어떤 효용성을 가지는지에 대해 알아보겠습니다.

02 발명의 창출 방법

특허는 '아이디어(idea)'를 보호하는 것입니다. 다만, 아이디어 모두를 보호하는 것은 아니고, 아이디어들 중에 '발명'들을 보호하는 것입니다.

그렇다면 '발명'이란 무엇일까요? "발명"이란, 자연법칙을 이용한 기술적 사상의 창작으로서 고도한 것을 의미합니다. 이와 같은 법률적인 정의는 표현이 어려워 그 의미를 이해하기가 굉장히 난해해 보이지만 그 의미를 찬찬히 생각해 보면, 기술적 사상으로서, '아이디어'의 일종에 해당함을 알 수 있습니다.

이와 같은 '발명'은 어떻게 하게 되는 것일까요? 그 해답은, 아이작 뉴턴의 명언인, "내가 더 멀리 보았다면 그건 내가 거인들의 어깨 위에 올라서 있었기 때문이다."에서 찾아볼 수 있습니다.

즉, 처음부터 발명의 모든 내용들을 세워 올리는 것보다는, 기존의 기술들 또는 생각들을 기반으로 참고하여, 하나씩 추가 또는 변경해 나가는 방법들을 생각해 볼 수 있습니다. 이렇게 그 거인의 어깨 위에서 더 멀리 보는 방법에는 어떤 것들이 있을까요?

[표 2-1] 발명의 창출 방법

방법	내용	사례
더하기 기법	기존의 물건에 물건을 더하거나, 방법을 더하여 보다 편리하고 새로운 발명품을 만들어 내는 방법	지우개 달린 연필
빼기 기법	기존의 물건에서 어느 한 부분을 없애버리거나 빼버림으로써 더욱 간편해지고 편리한 발명품이 되게 하는 방법	씨 없는 수박
용도 바꾸기 기법	어떤 사물이나 아이디어를 다른 방법으로 활용하는 방법	천막 천으로 만드는 청바지
모양 바꾸기 기법	사용을 편리하게 하거나, 더 좋은 성능을 가진 물건을 만들기 위한 방법 중 본래의 모양을 바꾸어 보는 방법	립스틱 모양의 볼펜
재료 바꾸기	지금 사용하고 있는 재료를 바꾸어 보다 더 좋은 성능을 가진 물건을 발명하는 방법	종이컵
반대로 하기 기법	사용하고 있는 물건을 거꾸로 세운다든가, 만드는 방법을 거꾸로 했을 때 생활에 편리를 제공해 주는 방법	발가락 양말
크기 바꾸기 기법	어떤 물건을 더욱 작게 축소해 만들거나, 더욱 크게 확대해서 새로운 물건을 만드는 방법	3단 접이식 우산

03 특허 출원 절차

여러분들이 발명경진대회에서 기술을 출품하여 수상하였다고 상상해 봅시다. 이렇게 출품한 기술들을 다른 기업들이 사용하게 되면, 과연 로열티를 지급받을 수 있을까요? 정답은 'X'입니다. 발명경진대회, 일상생활 등등에서 발명한 뒤에는, 반드시 그것을 '특허권'으로 등록받아야만 보호를 받을 수 있습니다.

이처럼 특허권을 등록받기 위해서는 특허청에 '(특허)출원'을 하여야 합니다. '출원'이란, 특허권을 설정등록 받고자 하는 자가 국가에 대하여 관련 서류를 제출하면서 특허권의 부여를 요구하는 행위를 의미하며, 이때 관련 서류를 제출한 자를 '출원인'이라 합니다.

이러한 출원을 위해서는 출원서와 명세서, 필요한 도면, 그리고 요약서를 특허청에 제출하게 됩니다. 출원서에는 일반적으로 출원인에 대한 정보[1] 등이 기재되며, 도면에는 발명의 내용을 설명하기 위해 필요한 도면 또는 사진 등이 기재되고, 요약서에는 출원된 기술의 내용이 요약된 내용들이 기재됩니다.

한편, 명세서에는 발명의 설명과 청구범위[2]가 기재됩니다. 이때, 청구범위에 기재된 사항은 심사관에게 심사를 청구하는 내용이 기재가 됩니다. 그렇다면, 이러한 서류들을 특허청에 제출한 뒤에는 어떤 절차들을 통해 특허결정에 이르게 되는 걸까요? [그림 2-1]을 통해 알아봅시다.

---

1) 출원인의 명칭, 주소 등
2) 한편, 청구범위에 기재된 사항들에 대해서는 등록요건이 요구됩니다. 이에 대해서는 제2장 특허권의 등록요건을 참고

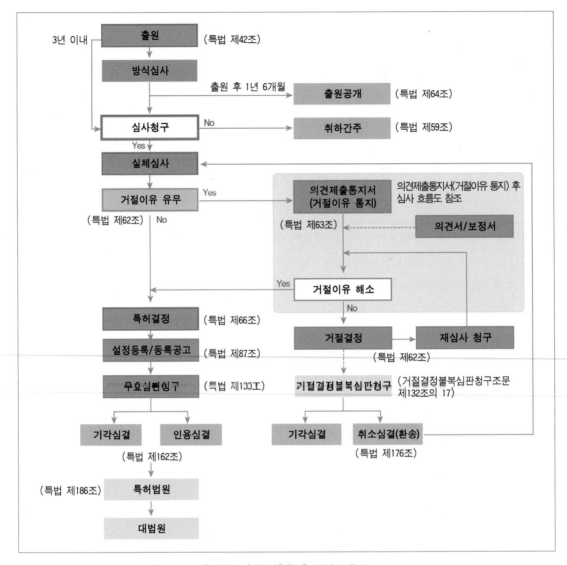

[그림 2-1] 특허출원 후 심사 흐름도

[그림 2-1]은 굉장히 복잡해 보이지만, 핵심적인 요소들만 찬찬히 살펴보면, 간단합니다. 특허출원 절차는 출원, 심사청구,[3] (실체)심사, 특허결정의 과정을 거쳐 설정등록이 됩니다.

---

3) 심사청구를 한 출원에 대해서만 심사를 진행하며, 출원일로부터 3년 이내에 심사청구를 하지 않으면, 출원은 취하간주(소멸)됩니다.

다만, 심사관이 발명을 심사하는 과정(심사진행)에서, 기술을 등록시켜 주지 못하는 요소들(등록요건의 불비)[4]이 있는 경우에는, 출원인에게 의견제출통지서를 통지하여, 문제들을 알려주고 보정을 할 기회를 부여합니다. 출원인이 이러한 문제들에 대해 보정하여 그 문제를 극복(해소)하게 된다면, 특허결정을 받을 수 있게 됩니다.

이번에는 발명자, 출원인, 변리사 및 심사관들 사이의 관점에서는 어떻게 출원 절차가 진행되는지 알아보겠습니다. 여러분들이 졸업 후 H 자동차 회사에 취직하여 자동차 또는 자동차 부품 등과 같은 직무와 관련된 발명을 하게 되었다고 생각해 봅시다. 이 경우, 누가, 어떻게 출원하게 되는 걸까요? 다음 출원 절차 개략도와 함께 살펴보겠습니다.

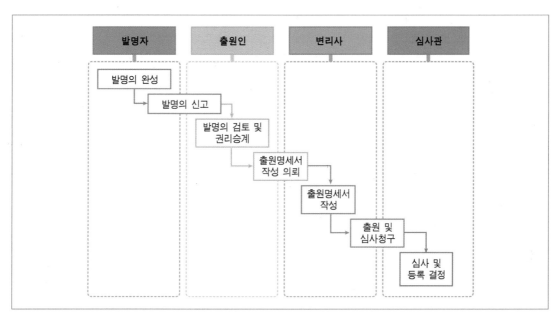

[그림 2-2] 출원 절차 개략도

[그림 2-2]에서와 같이, 발명자와 출원인이 분리되어 있는 것을 알 수 있습니다. 내가 한 발명을 왜 다른 사람이 출원하느냐는 의문을 가질 수 있을 텐데요. 일반적으로 회사에서 연구원들이 기술을 개발하게 되면, 그 기술들은 연구원들의 개인 명의로 출원을 하는 것이 아니라, 회사법인 명의로 출원하게 됩니다.

---

4) 보다 상세한 설명은 제2장 특허권의 등록요건을 참고

이 점을 염두에 두고 개략도를 다시 살펴보겠습니다. 발명자가 발명을 완성한 후에는, 출원인에게 그 발명이 어떤 발명인지를 보고하게 됩니다. 이때, 출원인은 발명자가 완성한 발명과 관련하여 특허를 받을 수 있는 권리를 승계[5]하게 되며, 출원인은 이 발명의 내용들이 특허등록이 가능한지 여부 등을 살펴보게 됩니다.

이렇게 출원인이 권리를 승계하게 된다면, 이러한 기술들에 대한 특허권을 확보하기 위해, 변리사에게 그 발명에 대한 출원명세서 작성을 의뢰하게 됩니다. 이후 출원명세서 작성을 의뢰받은 변리사는 출원명세서를 작성한 뒤, 출원을 진행하여 심사관에게 심사를 청구하게 되는 것입니다.

이후, 심사관은 그 출원명세서의 청구범위에 기재한 발명들이 특허요건들을 모두 만족하게 되면, 특허결정을 하게 됩니다.

---

5) 발명을 완성하면, 그와 동시에 '특허를 받을 수 있는 권리'가 발생합니다. 출원인이 권리를 승계한다고 함은, '특허를 받을 수 있는 권리'를 승계한다는 의미입니다.

04 특허의 국제적 보호

한국에 특허등록된 특허권에 기반하여, 해외에서의 특허권 침해를 주장할 수 있을까요? 정답은 'X'입니다. 전 세계 특허권은 속지주의 원칙이 적용되고 있으며, 특허권은 등록된 국가 안에서만 행사할 수 있습니다.

해외에서도 특허권을 주장하기 위해서는, 해당 국가에서 등록되어 있는 특허권이 필요합니다. 따라서 사업을 진행하는 과정에서 그 사업을 확장하려는 국가를 신중하게 선택해야 합니다. 여기에서는 해외에서의 특허권을 확보하기 위한 방법을 알아보겠습니다.

해외에서 특허권을 확보하기 위한 구체적인 방법에는 어떤 것들이 있을까요? 일반적으로는 두 가지 방법 중 하나를 선택하여 진행합니다. 하나는 파리조약에 기초한 개별국 출원이며, 다른 하나는 특허협력조약(PCT) 출원을 진행하는 방법입니다.

파리조약에 기초한 개별국 출원은 국내출원 후 1년 이내에 진출하려는 해외국가에 우선권 제도를 이용해서 개별적으로 출원하는 방식입니다. PCT 출원은 PCT에서 규정하는 서류를 국내 특허청에 제출하면서 해외출원을 진행하는 방법입니다.

[그림 2-3] 파리조약에 기초한 특허출원

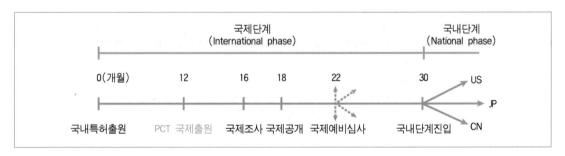

[그림 2-4] PCT 출원의 주요 절차

제2장 특허의 등록요건

제2장
특허의 등록요건

키워드

발명

신규성

진보성

선출원주의

기타 등록요건

- **발명의 성립성**
  - 발명이란, 자연법칙을 이용한 기술적 사상의 창작으로서, 고도한 것을 의미하며, 이들을 모두 만족해야 함
  - 자연법칙 그 자체는 발명이 아니며, 특허의 대상이 될 수 없음

- **신규성**
  - 청구항에 기재된 발명들은 신규한 발명이어야 함
  - 신규한 발명이라 함은, 출원 시를 기준으로, 국내 또는 국외에서 공지되었거나 공연히 실시된 발명이 아닌 경우를 의미함
  - "공연히"의 판단기준은, "불특정 다수인이 알 수 있는 상태"를 의미함

- **진보성**
  - 청구항에 기재된 발명들은 진보한 발명이어야 함
  - 진보된 발명이라 함은, 출원 시를 기준으로, 국내 또는 국외에서 공지되었거나 공연히 실시된 발명으로부터, 통상의 기술자가 용이하게 도출할 수 없는 발명을 의미함
  - "공연히"의 판단기준은, "불특정 다수인이 알 수 있는 상태"를 의미함

- **선출원주의**
  - 가장 먼저 출원된 발명을 등록시켜 주는 것으로, "선발명주의"와 구별됨
  - 먼저 발명하였더라도 늦게 출원하면, 다른 선출원된 발명에 의해 등록될 수 없음

- **기타 등록요건**
  - 명세서에 기재된 방법들이 소정의 법적요건들을 만족해야 함
  - 국내의 공서양속에 위배되지 않아야 함
  - 공중의 위생을 해할 염려가 없는 발명이어야 함

확인학습

* 발명이란 무엇일까요?
* 특허의 등록요건에는 어떤 것들이 있을까요?

02

주변에 기발한 생각을 자주 하는 친구들이 있나요? 그러면, 아마 주변에 그런 친구들이 기상천외한 아이디어를 냈을 때, "우와~! 기발한 아이디어!! 그거 특허 내봐!!"와 같은 말들을 했던 기억이 있을 겁니다. 여기서 우리는 이런 호기심을 가져보면 어떨까요? 과연, 아이디어는 모두 특허가 될 수 있는 걸까요?

출원에 따라 특허결정을 받기 위해서는, 절차적인 요소와 실체적인 요소들을 모두 만족해야 합니다. 이렇게 출원된 아이디어들은 일정한 어떤 허들(hurdle)을 넘어야 하는데, 이런 허들을 법률적인 표현으로는, '등록요건'이라 합니다.

즉, 출원과정에서는 청구범위에 기재되어 있는 사항들을 심사하여 등록 여부를 결정하게 되는데, 청구범위에 기재되어 있는 사항들이 설정등록을 받기 위해서는, 이들이 특허법상 등록요건을 모두 만족해야 합니다. 다음에서는 이러한 등록요건에는 어떤 것들이 있는지 살펴보겠습니다.

01 발명의 정의

앞서 말한 것처럼, 특허는 '아이디어(idea)'를 보호하는 것입니다. 다만, 이러한 아이디어 모두를 보호하는 것은 아니고, 아이디어들 중에 '발명'들을 보호하는 것입니다.

그렇다면, 특허법상 보호되는 '발명'은 무엇일까요? 특허법에서는 "발명이라 함은 자연법칙을 이용한 기술적 사상의 창작으로서 고도한 것을 말한다."라고 규정하고 있습니다. 즉, 발명의 정의를 만족하기 위해서는, "자연법칙"을 "이용"하여야 하며, "기술적 사상"이면서 "창작"으로, "고도한 것"을 모두 만족하여야 합니다.

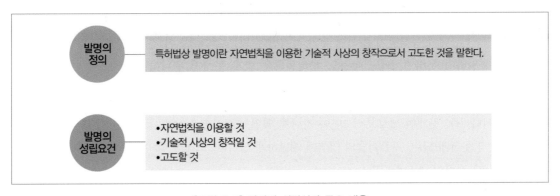

발명의 정의
특허법상 발명이란 자연법칙을 이용한 기술적 사상의 창작으로서 고도한 것을 말한다.

발명의 성립요건
•자연법칙을 이용할 것
•기술적 사상의 창작일 것
•고도할 것

[그림 2-5] 발명의 성립성의 주요 내용

즉, 자연법칙 그 자체는 발명이 될 수 없습니다. 아인슈타인의 상대성 원리 등과 같은 자연법칙 그 자체는 특허법상 보호할 수 있는 발명이 아닙니다. 대신, 아인슈타인의 상대성 원리를 이용한 '핵폭탄' 또는 '핵폭탄의 제조 방법'은 발명이 될 수 있습니다.

또한, 기술사상의 '창작'이여야 합니다. 단순한 '발견'은 발명과는 다른 개념으로, 특허법상 보호받을 수 없습니다.

02 발명의 신규성

일단 청구범위에 기재된 사항들이 특허결정을 받기 위해서는, '신규한 발명'이어야 합니다. 출원 전에 사람들에게 알려지는 발명을 '공지된 발명' 또는 '공지기술'이라 하며, 이처럼 '공지기술'들은 신규성 위반으로 거절이유에 해당합니다.

누군가에게 다른 사람이 발명하여 공지한 공지기술에 대하여 특허권이라는 독점적인 권리를 인정한다면, 일반 공중이 공지기술을 자유롭게 이용할 수 없게 되어, 산업발전을 저해하는 등 특허법의 기본 목적을 위반하게 될 수 있기 때문입니다.

이러한 '공지기술'에는 어떤 것들이 있을까요? 특허법에서는 "국내 또는 국외에서 공지되었거나 공연히 실시된 발명"과, "특허출원 전에 국내 또는 국외에서 반포된 간행물에 게재되었거나 전기통신회선을 통하여 공중(公衆)이 이용할 수 있는 발명"을 모두 공지사유로 보고 있으나, 이를 판단하는 기준은 불특정인이 알 수 있는 상태인 기술이면 모든 것들이 공지되는 것으로 보고 있습니다.

한편, 이러한 '공지기술'의 범위에 대해 궁금증이 있을 것입니다. 만약, 내가 오랫동안 연구한 결과로 발명해 낸 기술을, 대중에게 공개한 뒤 출원을 하면, 그 공개한 행위로 인해 특허등록을 못 받게 될까요? 내가 한 발명인데, 내가 등록받지 못하면 누가 등록받게 되는 걸까요? 이 경우, 공개한 날로부터 빠른 시일 내에 출원하지 못하면, 어느 누구도 특허등록을 받지 못하게 됩니다.

구체적으로, 공개한 날로부터 1년 이내에 출원하게 되면, 그 공지행위를 공지예외주장[6] 하면서 출원할 수 있습니다. 즉, 공개한 날로부터 1년이 지나게 되면, 그 기술은 나도 등록받지 못하고 다른 사람들도 등록받지 못하게 되는, 자유기술의 영역에 해당하게 됩니다. 그러니 발명한 뒤에는, 공개하는 행위까지도 치밀한 전략이 필요합니다.

---

6) 이렇게 발명자가 직접 공지한 경우에도 일정 기간 내에서만 공지예외기간을 인정하는 제도는, 발명자가 공지한 이후 권리화를 신속하게 하도록 간접적으로 강제하는 취지가 있습니다.

03 발명의 진보성

특허의 다른 등록요건으로는 '진보성 있는 발명'일 것을 요구합니다. 특허법의 기본 목적에는 기술의 발전을 촉진하는 것이 있습니다. 이러한 기술 발전을 위해, 단순히 신규한 발명뿐만이 아니라, 신규한 발명들 중에서도, 통상의 기술자가 용이하게 발명할 수 없는 발명들을 요구하고 있습니다.

이와 같이 '진보성이 있다'함은, 출원발명이 속하는 기술분야에서 통상의 지식을 가진 자가 선행기술로부터 출원발명을 용이하게 발명할 수 없는 정도를 의미합니다. 한편, 진보성 판단 방법은, 구체적인 사례들에서 개별적으로 판단하게 됩니다.

진보성을 판단할 때 주요하게 고려하는 요소로는, 목적의 특이성, 구성의 곤란성, 효과의 현저성이 있습니다. 즉, 종래의 다른 기술보다 혁신적인 목적을 가지는 것, 또는 어렵게 설비된 것, 또는 우수한 효과를 제공하는 것 등을 고려하여 진보성을 판단하게 됩니다.

앞서 말한 것처럼, 이러한 진보성의 판단은 이를 심사하는 심사관의 성향, 기술분야 등에 따라서 개별적으로 결정됩니다. 한편, 이렇게 심사관의 심증을 형성하기 위해 여러 가지 고려 요소들을 더 참고할 수 있는데, 이런 여러 고려 요소에는 상업적 성공에 의한 모방품의 발생, 장기간 해결되지 않았던 과제들의 해결사유 등이 있습니다.

[그림 2-6] 진보성의 판단 방법

04 선출원 발명

특허권은 그 권리관계를 명확하게 하기 위해, 동일발명에 대해서는 하나의 특허만을 부여합니다(1발명 1특허의 원칙). 이 점을 고려하면, 다음과 같은 상황에서 누구에게 특허권을 부여할 수 있게 되는지가 문제됩니다.

> **사례**
>
> 박 사장은 종래부터 별도로 존재하던 라디오와 녹음기를 하나로 통합해서 라디오·녹음기 겸용 제품을 만들면 괜찮으리라 판단하여, 2022.12.18. 녹음기가 탑재된 라디오를 발명하였습니다. 그런데, 김 사장 역시 종래부터 별도로 존재하던 라디오와 녹음기를 하나로 합하여 녹음기 겸용 제품을 만들면 좋을 것이라 판단하여 2022.12.20.에 녹음기가 탑재된 라디오라는 동일한 발명을 하였습니다. 한편, 김 사장은 박 사장이 출원을 지체하는 사이에 박 사장의 출원일인 2022.12.31.보다 이른, 2022.12.25.에 출원하게 되었습니다.
> 이 경우, 먼저 발명을 완성한 박 사장은 특허등록을 받을 수 있을까요?

1개의 발명에 대해 특허권을 누구에게 부여할지를 판단하는 방법에는, 크게 두 가지 기준이 있습니다. 선발명주의와 선출원주의가 그것인데요. 선발명주의는 누가 먼저 발명을 완성하였는지로 판단하는 것이며, 선출원주의는 누가 먼저 특허청에 출원을 하였는지로 판단하는 것입니다.

이때 선발명주의를 선택할지 또는 선출원주의를 선택할지는 각국의 입법정책에 따라 결정됩니다. 선발명주의를 선택하면 그 진실한 발명자가 누구인지에 따라 보호하게 되는 큰 장점이 있으나, 그 판단 방법이 모호하며, 이를 입증하는 과정에서 분쟁이 커질 가능성이 크다는 문제점이 있습니다. 반면, 선출원주의는 출원이라는 단순 절차로 권리관계를 명확하게 할 수 있으며, 출원을 유도하여 발명을 공개하는 것을 장려하는 등, 권리의 안정성이 크다는 장점이 있습니다. 이에, 대부분의 국가에서는 선출원주의를 선택하고 있는 실정입니다.

다시 사례로 돌아가 보면, 비록 박 사장은 김 사장보다 녹음기가 탑재된 라디오라는 아주 획기적인 발명을 먼저 완성하였음에도 불구하고, 출원을 지체한 탓에 선출원된 김 사장의 특허로 인하여 특허 등록을 받지 못하는 상황에 이르게 되었습니다. 이처럼, 특허권을 확보하기 위해서는 우수한 발명을 하는 것뿐만이 아니라, 빠른 시일 내에 출원을 진행하는 것 역시 굉장히 중요합니다.

05 기타 등록요건

출원의 실무에서 문제되지 않는 경우가 많으나, 다른 거절이유들도 있습니다. 여기에는 명세서 기재 불비와 불특허사유가 있습니다.

우수한 발명을 완성하더라도 출원과정에서 명세서를 올바르게 작성하지 않는다면, 심사관은 그 발명이 어떤 발명인지 알 수 없는 경우가 있습니다. 이 경우 명세서에 기재된 발명들은 명세서에 충분한 기재가 있지 않다는 등의 이유로 등록을 받을 수 없게 됩니다.

또한, 그 발명의 내용이 공서양속에 위반되거나, 공중의 위생을 해할 염려가 있는 경우 역시 등록받지 못할 수 있습니다. 대표적인 예로는 '마약의 복용 방법' 등이 있습니다.

제3장 특허권의 효력과 내용

제3장
특허권의 효력과 내용

키워드

특허권의 효력

특허권의 내용

실시권

- **특허권의 효력**
  - 특허권자는 업으로서 특허발명을 실시할 권리를 독점하나, 특허권에 관하여 전용실시권을 설정한 때에는, 전용실시권자가 그 특허발명을 실시할 권리를 독점하는 범위 내에서는, 특허권자도 실시할 수 없음
  - 속지주의의 원칙상, 국내에서의 침해에 대해서만 권리 주장이 가능함
  - 설정등록 이후부터, 출원일로부터 20년이 되는 날까지 특허권의 효력이 미침
  - 다른 사람의 실시행위가 특허법상의 효력제한사유에 해당하지 않아야 함

- **특허권의 내용**
  - 특허권의 발생과정: 심사관의 등록결정 이후, 특허청장의 설정등록에 의해 특허권은 발생
  - 특허권의 소멸사유: 출원일 후 20년이 되는 날의 다음날에 소멸. 특허권자가 특허료를 납부하지 않는 경우, 특허권자가 특허권을 포기하는 경우, 특허권의 무효심결이 확정되는 경우에는 특허권이 소멸
  - 특허권의 공유: 특허권의 공유자 각자는 등록특허를 자유로이 사용할 수 있으나, 공유자 각자가 지분을 이전하려는 경우에는, 다른 공유자 전원의 동의가 필요함

- **실시권**
  - 전용실시권: 특허원부에 등록하여야 권리가 발생하며, 특허권자가 제3자에 대한 침해금지청구의 권한도 설정해 줌. 전용실시권의 범위 내에서는 특허권자도 실시할 수 없음
  - 통상실시권: 당사자의 계약에 의해 권리가 발생하며, 실시권자는 제3자에 대한 침해금지청구의 권한은 없음. 통상실시권의 범위 내에서도 특허권자는 실시할 수 있음

확인학습

* 특허권의 효력 범위는 어떻게 될까요?
* 특허권의 내용에는 어떤 것들이 있을까요?
* 특허법상의 실시권의 종류는 어떻게 될까요?

시장이 커지면 그 시장 안에는 반드시 여러 경쟁사들이 존재합니다. 이때 그 시장 안에서 다른 경쟁사보다 우월한 지위를 가지는 것은 사업의 성패를 결정하는 굉장히 중요한 요소입니다.

이렇게 다양한 경쟁사들이 시장 안에 있을 때, 다른 경쟁사보다 우월한 지위를 가지는 가장 손쉬운 방법은 무엇일까요? 바로 다른 경쟁사들이 자신의 제품과 동일한 제품을 사용하지 못하도록 하는 것입니다. 맞습니다. 그러기 위해서 특허권을 이용하는 것입니다.

특허법상 특허권자는 업으로서 특허발명을 실시할 권리를 독점합니다. 2012년, 애플과 삼성의 분쟁은 전 세계가 주목했던 공룡들 사이의 특허소송입니다. 애플과 삼성은 서로가 발명한 기술들을 상대방이 사용할 수 없도록 함으로써, 시장지배력을 확대하고자 했던 것입니다.

최근에는 이렇게 시장 안에서 독점적인 지위를 가지기 위해 특허권의 중요성에 대한 인식이 증가되는 추세입니다. 본 장에서는 이러한 특허권이 어디까지 효력을 미치는지, 그리고 어떤 내용을 가지는지에 대해 살펴보겠습니다.

01 특허권의 효력범위

특허권자는 업으로서 특허발명[7]을 실시할 권리를 독점합니다. 다만, 그 특허권에 관하여 전용실시권이 설정된 때에는 전용실시권자가 그 특허발명을 실시할 권리를 독점하는 범위 안에서는 특허권자도 원칙적으로 실시할 수 없습니다.

그렇다면, 특허권의 효력은 어디까지 미치는 걸까요? 특허권은 속지주의 원칙에 따르기 때문에 국내에서 일어난 침해에만 미치며, 특허권의 존속기간 내에서만 미치게 됩니다.

또한, 특허권의 효력이 미치기 위해서는 그 특허발명을 업으로서 실시하여야 합니다. 단순히 개인적 또는 가정적으로 사용하는 것은 특허권의 침해가 아니라는 것이 일반적인 견해입니다.

또한, 특허법상 효력제한사유에 해당하지 않아야 합니다. 특허발명과 동일한 발명이라고 하더라도, 특허출원한 때부터 국내에 있던 물건, 연구 또는 시험을 위한 실시 등의 경우에는, 특허권의 효력이 미치지 않게 됩니다.

---

7) 특허발명의 보호범위는 청구범위에 기재된 사항에 의해 정해집니다.

02 특허권의 내용

다음으로는 특허권의 발생과 소멸과정, 그리고 특허권을 공유로 하는 경우의 공유자 사이의 법률관계에 대해 알아보겠습니다.

심사관의 등록결정 이후, 출원인이 특허료를 납부하면 특허청장은 설정등록합니다. 특허권은 이처럼 설정등록에 의해 발생합니다. 이렇게 설정등록된 경우, 특허청장은 특허공보에 번호와 설정등록연월일 등을 공고하게 됩니다.

이때 특허권은, 설정등록한 날로부터 발생하며, 출원일 후 20년이 되는 날까지 유효하게 존속하게 됩니다. 특허권은 국가가 출원인에게 발명의 공개에 대한 대가로 독점 및 배타적인 권리를 부여하는 대신, 기술의 발전과 산업의 발전을 도모하겠다는 근본적인 취지에 맞춰, 일정 기간에 한하여 그 권리를 인정하는 것입니다.

한편, 설정등록된 특허권이 출원일 후 20년이 되는 날까지 항상 유효하게 존속하는 것은 아닙니다. 특허권자가 특허료를 납부하지 않게 되는 경우, 특허권자가 특허권을 포기하는 경우, 또는 특허권의 무효심결이 확정되는 경우[8] 등에는 특허권이 소멸하게 됩니다.

또한, 1개의 특허권을 여러 특허권자가 공유하게 되는 경우도 있습니다. 여러 사람이 공동출원을 통하여 1개의 특허권을 등록받는 경우도 있으며, 또는 단독출원에 의해 설정등록된 뒤, 지분권을 이전하여 공유특허권자가 되는 경우도 있습니다.

이렇게 1개의 특허권이 공유가 된 경우, 공유자 전원은 각자가 자유롭게 특허발명을 실시할 권리를 가지게 됩니다. 그러나 공유자 각자가 스스로의 지분권을 이전하거나 실시권을 설정하려는 경우에는 다른 공유자 전원의 동의가 필요합니다. 이렇게 지분권의 이전이나 실시권의 설정에는 제한이 있는 이유는, 그 특허권을 사용할 수 있는 자들의 기술력이나 자본력에 따라 그 실시의 형태가 다르게 나타날 수도 있기 때문입니다.

---

8) 그 특허권은 처음부터 없었던 것으로 보며, '소급소멸한다'고 표현하기도 합니다.

03 실시권 제도

최근 대학가의 산학협력단을 중심으로 하여, 기술이전의 사례들이 증가하고 있습니다. 이러한 기술이전은 특허권의 소유를 이전하는 기술이전뿐만이 아니라, 실시권의 설정 등에 의한 기술이전도 포함합니다. 여기에서는 실시권 제도에 대해 살펴보겠습니다.

특허권자는 특허권자 본인이 직접 특허발명을 실시하지 않고, 다른 사람에게 특허발명을 실시할 수 있는 권리를 설정해 주면서, 이에 대해 실시료를 지급받는 방식으로 수익화 모델을 가질 수도 있습니다.

특허권을 실시할 권리를 설정해 줄 때에는, 그 권한의 범위와 관련하여, 제3자에 대한 침해금지청구의 권한도 설정해 주는 전용실시권과, 실시할 권리만을 부여하는 통상실시권으로 나뉠 수 있습니다.

이때 전용실시권은 계약뿐만이 아니라, 등록에 의해서 그 권리가 발생하는 반면, 통상실시권은 특허권자와 실시권자 사이의 계약에 의해서 발생하게 됩니다.

제4장 특허권의 침해와 구제

제4장
특허권의 침해와 구제

키워드

특허권 침해

특허권자의 구제방안

• **특허권 침해**

- 특허권자는 업으로서 특허발명을 실시할 권리를 독점하며, 특허발명의 보호범위는 청구범위에 기재된 사항에 의해 결정됨
- 다른 사람이 청구범위에 기재된 특허발명을 무단으로 업으로서 사용하면, 특허권을 침해하는 것이 됨
- 권리범위는, All Element Rule(AER)에 의해 해석되며, 실시기술에는 청구항에 기재된 구성요소 모두가 구현되어 있어야 특허권의 권리범위 내에 속하는 것으로 인정될 수 있음

• **특허권자의 구제방안**

- 특허법적 구제방안: 심판제도를 활용하여 구제받을 수 있으며, 사법적 판단이 아님. 구체적으로, 적극적 권리범위확인심판을 통해 대상발명이 특허권의 권리범위에 속하는 취지의 판단을 받아볼 수 있음
- 민사적 구제방안: 법원에서의 사법적 판단을 받아보는 것으로, 보다 강력하게 구제받을 수 있음
  ① 침해금지청구: 장래를 향하여 침해를 중단하라는 취지의 청구이며, 침해자의 고의 또는 과실을 요구하지 않음
  ② 손해배상청구: 침해자의 고의 또는 과실에 의한 침해로 인해 특허권자가 입은 손해를 지급하라는 취지의 청구
  ③ 부당이득반환청구: 침해자가 특허권을 침해하여 얻은 이득을 반환하라는 취지를 주장하는 청구
- 형사적 구제방안: 침해죄에 의한 고소가 가능하며, 관할경찰서에 고소장을 접수하면 검사의 공소제기에 의해 법원에서 심리

확인학습

* 특허권의 침해는 어떻게 판단할까요?
* 특허권 침해가 있는 경우, 특허권자를 구제할 방안에는 어떤 것들이 있을까요?

최근에는 BHC와 네네치킨 사이의 제조 방법에 관한 특허침해소송 분쟁뿐만이 아니라, GS리테일과 BGF 1+1 상품의 사업모델과 관련한 특허침해소송까지, 다양한 산업분야에서 침해소송이 발생하고 있습니다. 이와 같은 특허권의 침해소송에서는 어떤 이슈들이 있는지 본 장에서 보다 상세히 살펴보겠습니다.

01 특허권의 침해

특허법상 특허권자는 업으로서 특허발명을 실시할 권리를 독점하며, 특허발명의 보호범위는 청구범위에 기재된 사항에 의해 정하여집니다. 이때, 특허권의 권리범위에 속하기 위해서는, All Element Rule (AER)을 만족하여야 하며, 청구항에 기재된 구성요소가 모두 실시기술에 구현되어 있어야 합니다.

> **사례** GS리테일 – KR 10-1056290 참고
>
> **청구항 1**
>
> 가맹점 단말기로부터 보관 요청된 상품의 상품코드를 획득하는 인터페이스부;
> 상기 획득한 상품코드와 연관된 상품 아이콘을 식별하고, 상기 상품코드를 고려하여 저장박스를 결정하는 제어부; 및
> 상기 결정된 저장박스에 상기 상품 아이콘을 기록하고, 상기 상품 아이콘이 기록된 기록일자에 기초하여 서비스 유효기간을 설정하며, 상기 설정된 서비스 유효기간 내에서, 상기 저장박스에 기록된 상품 아이콘을 사용하게 하는 처리부;
> 를 포함하는, 휴대 단말을 이용한 온라인 상품 관리 시스템

GS리테일 사례를 살펴보면, 법원에서는 GS리테일의 등록특허에서는 상품 아이콘을 기록한다고 하여, '상품' 자체를 저장하는 형태의 증정품 제공 사업모델인 반면, BGF의 경우에는 증정품을 '쿠폰' 형식으로 제공하는 형태에 해당하여, 등록특허의 권리범위를 침해하지 않는다고 해석하였습니다.

이처럼 청구범위에 기재가 되어 있는 모든 구성요소들이 실시기술에서 구현이 되고 있어야, 특허권을 침해하게 되는 것입니다.

02 특허법적 구제방안

누군가가 자신의 특허권을 침해하는 경우, 특허법상으로는 어떠한 구제방안이 있을까요?

특허법에는 권리범위확인심판이 존재하는데, 이를 통해 법원(사법부)에서의 판결을 받아보기에 앞서, 보다 저렴한 비용으로 신속하게 특허심판원(행정부)의 판단을 받아볼 수 있습니다.

구체적으로, 특허권자는 확인대상발명[9]이 자신의 특허권의 권리범위에 속하는 것이라는 취지로 주장하며 특허심판원에 심판을 청구하게 됩니다. 이때, 심판원에서는 확인대상발명이 특허권의 권리범위에 속하는 것으로 인정된다면 인용심결을 하게 되며, 반대로 특허권의 권리범위에 속하지 않는 것으로 인정된다면 기각심결을 하게 됩니다.

03 민사 구제방안

민사 구제방안은 단순히 특허법에 기반한 것이 아닌, 민사적인 절차에 의해 그 권리를 주장하는 방법입니다. 특허법상의 구제방안과는 달리, 그 판단의 주체가 법원(사법부)에 해당하게 되며, 민사 구제방안에서 특허권자가 승소하게 되면, 그 승소판결에 근거하여 보다 강하게 특허권자가 보호받을 수 있게 됩니다.

민사 구제방안으로는 다양한 방법들이 있는데, 대표적인 방법으로는 침해금지청구, 손해배상청구 및 부당이득반환청구가 있습니다.

침해금지청구는 청구를 하는 시기를 기준으로 장래를 향하여 침해를 그만두라는 취지를 주장하는 청구입니다. 이 경우 침해자의 고의 또는 과실과 같은 주관적 요건을 필요로 하지 않습니다. 즉, 침해자가 고의가 없는 상태에서 특허권을 침해하고 있는 경우라도, 특허권자의 침해금지청구는 인용될 수 있으며, 침해금지청구에서 승소하게 되면 피고는 더 이상 침해행위를 해서는 안 됩니다.

손해배상청구와 부당이득반환청구는 침해자의 침해로 인해 특허권자가 입은 손해 또는 침해자가 특허권을 침해하여 얻은 이득을 지급하라는 취지를 주장하는 청구입니다. 이 경우에는 침해자의 고의 또는 과실과 같은 주관적 요건을 필요로 합니다. 즉, 침해자가 무과실인 상태에서 특허권을 침해하고 있는 경우에는, 손해배상의무는 부담하지 않게 될 수도 있습니다.
이에, 특허권자 입장에서는 침해자의 이러한 주관적 요건을 입증하기 위해, 특허권을 침해하는 사실을 발견하게 되면, 바로 민사소송을 진행하는 것이 아닌, 경고장 등의 절차를 통해 침해자의 고의를 입증하기 편한 수단을 마련해 두는 것이 더 바람직할 것입니다.

---

9) 권리범위확인심판에서 특허권의 특허발명에 대응되는 발명을 의미합니다. 일반적으로 적극적 권리범위확인심판의 확인대상발명은 침해소송에서 피고의 실시기술과 동일한 기술인 경우가 많습니다.

04 형사 구제방안

한국은 특허에 대한 형사적 보호수단을 구비하고 있습니다. 그 구체적인 죄명으로는 침해죄에 의한 고소가 있습니다.

그 절차는 다음과 같습니다. 특허권자는 관할경찰서에 고소장을 접수하면 되며, 검사의 공소제기가 있는 경우 지방법원에서는 특허침해자의 형사죄 성립 여부를 판단하게 됩니다.

이 경우, 좀 더 정확한 판결을 내리기 위해 지방법원에서도 특허심판원에 계류 중인 무효심판의 결과 (심결)를 기다린 후에 형사죄 성립 여부를 결정하게 될 수도 있습니다.

제5장 실용신안과 특허의 차이

제5장
실용신안과 특허의 차이

키워드

실용신안권

실용신안과 특허의 차이

대상

진보성

존속기간

- **실용신안권**
  - 특허권과 유사한 형제법 관계에 있는 법률이며, 특허권에 적용되는 법리들이 그대로 준용됨
  - 특허권과는 보호대상, 보호방법, 존속기간의 측면에서 차이점이 있음

- **실용신안과 특허의 차이**
  - 보호대상의 차이: 실용신안은 특허권과 마찬가지로, 기술에 관한 아이디어를 보호하나, 물품의 '형상'·'구조' 및 '조합'에 관한 고안만을 그 보호대상으로 함
  - 보호방법의 차이: 진보성을 판단하는 과정에서, 특허에서는 통상의 기술자가 용이하
    └ 진보성의 판단 게 발명할 수 없는 발명인 경우 등록을 허용하나, 실용신안에서는 통상의 기술자가 극히 용이하게 발명할 수 없는 경우 등록을 허용하여, 진보성의 문턱이 비교적 낮음
  - 존속기간의 차이: 특허권은 설정등록일로부터 출원일 후 20년까지 존속하나, 실용신안 설정등록일로부터 발생하며, 설정등록일로부터 출원일 후 10년까지 존속함

확인학습

* 실용신안이란 무엇일까요?
* 실용신안과 특허권은 어떤 차이가 있을까요?

한국의 규정에는 실용신안법이 있습니다. 이는 특허권과 굉장히 유사한 형제법 관계에 있으나, 그 보호대상과 보호방법, 그리고 그 존속기간의 측면에서 차이가 있습니다. 본 장에서는 실용신안권과 특허권의 주된 차이점을 위주로 알아보겠습니다.

실용신안권은, 고안을 보호·장려하고 그 이용을 도모함으로써 기술의 발전을 촉진하여 산업발전에 이바지함을 목적으로 한다고 하여, 특허법의 목적과 동일하게 기술의 발전과 산업발전에 이바지함을 그 주된 목적으로 하고 있습니다.

실용신안권은 특허권과 마찬가지로 기술에 관한 아이디어를 보호하는 권리이지만, 특허와는 달리 기술과 관련된 아이디어 중에서도 물품의 '형상'·'구조' 및 '조합'에 관한 고안[10]만을 보호대상으로 합니다. 이에, '방법'이나 '소프트웨어', '물질' 등과 관련된 기술은 실용신안권으로는 보호받을 수 없으며, 특허권을 통해서만 보호를 받을 수 있습니다.

실용신안은 등록요건이 특허권과 거의 비슷하나, 특허요건 중 진보성의 요건에 있어서 작은 차이점이 있습니다. 특허권은 통상의 기술자에게 있어서 용이하게 발명할 수 없을 것을 요구하는 반면, 실용신안권은 통상의 기술자에게 있어서 극히 용이하게 고안할 수 없을 것을 요구하고 있습니다. 즉, 실용신안은 특허권에서 요구되는 것보다 낮은 정도의 진보성만 있더라도 등록이 가능한 권리에 해당합니다.

실용신안권의 권리는 실용신안권 설정등록일로부터 발생하며, 권리존속기간은 설정등록일로부터 출원일 후 10년까지라는 점에서 차이가 있습니다. 특허권은 출원일 후 20년까지 존속한다는 점에 비춰볼 때 존속기간이 짧습니다. 이는 특허권보다 낮은 진보성을 가지는 고안을 보호하는 만큼, 그 독점배타적인 권리는 보다 짧게만 부여해 주겠다는 취지입니다.

---

10) 실용신안법상 고안은 "자연법칙을 이용한 기술적 사상의 창작"으로 정의되며, 창작의 고도성 정도에 비추어 발명을 "대발명", 고안을 "소발명"으로 일컫기도 합니다.

학습평가

01 발명은 자연법칙을 이용한 기술적 사상의 창작으로서 고도한 것을 의미한다. ○ ☒

02 국내 등록된 특허권으로 미국에서의 권리주장이 가능하다. ○ ☒

03 특허출원 이후, 심사청구가 있는 경우에만 심사를 진행한다. ○ ☒

04 어느 누구보다 먼저 완성한 발명은 항상 등록이 가능하다. ○ ☒

05 특허권의 존속기간은 설정등록일로부터 20년이 되는 날까지이다. ○ ☒

06 본인이 발명한 기술을, 본인이 공개하는 경우에는 항상 등록이 가능하다. ○ ☒

07 침해자가 무과실로 침해하는 경우, 침해금지청구는 인용될 수 없다. ○ ☒

08 침해자가 무과실로 침해하는 경우, 손해배상청구는 인용될 수 없다. ○ ☒

09 침해자가 고의로 침해하는 경우, 손해배상청구는 인용될 수 있다. ○ ☒

10 침해자가 등록특허임을 알고 침해하는 경우, 손해배상청구는 인용될 수 있다. ○ ☒

11 설정등록 전의 출원발명을 실시하는 경우 침해가 성립할 수 있다. ○ ✕

12 국내에서 출원된 특허권을 미국에서 등록가능한 방법이 있다. ○ ✕

02

13 등록특허를 침해한 경우보다, 실용신안을 침해한 경우 처벌이 가볍다. ○ ✕

해설

01 특허법 제2조 제1호에 의하면, "발명이란 자연법칙을 이용한 기술적 사상의 창작으로서 고도(高度)한 것을 말한다."라고 규정하고 있습니다.

02 한국과 미국은 모두 속지주의를 채택하고 있는 국가로, 국내에 등록된 특허권으로 미국에서의 권리주장이 불가능합니다. 미국에서의 권리주장을 위해서는 미국에서 특허권을 확보해야 합니다.

03 한국의 특허법은 심사주의를 채택하고 있어, 심사청구된 출원만을 심사합니다. 이때, 출원일로부터 3년 이내에 심사청구하지 않으면, 해당 출원은 취하간주됩니다.

04 한국의 특허법은 선출원주의를 채택하고 있습니다. 이에, 누가 먼저 발명을 완성하였는지 여부와 상관없이, 후출원된 특허출원은 특허등록받을 수 없습니다.

05 특허법 제88조에 의하면, 특허권의 존속기간은 "특허권을 설정등록한 날부터 특허출원일 후 20년이 되는 날까지"로 규정하고 있습니다.

06 특허법 제29조 제1항에 의하면, 공지된 발명은 신규성 위반에 해당합니다. 이때, 공지된 발명은 발명자가 스스로 공지한 발명도 포함합니다. 발명자가 출원과정에서 공지예외주장을 주장하지 않으면, 스스로 공지한 발명에 의해 신규성 위반으로 거절됩니다.

07 특허법 제126조에 의하면, "자기의 권리를 침해한 자 또는 침해할 우려가 있는 자에 대하여 그 침해의 금지 또는 예방을 청구할 수 있다."고 규정하고 있습니다. 제3자의 침해행위에 과실이 없다고 하더라도, 침해금지청구는 인용될 수 있습니다.

08 특허법 제128조 제1항에 의하면, "고의 또는 과실로 자기의 특허권 또는 전용실시권을 침해한 자에 대하여 침해로 인하여 입은 손해의 배상을 청구할 수 있다."고 규정하고 있습니다. 제3자의 침해행위에 고의 또는 과실이 있어야만 손해배상청구는 인용될 수 있습니다.

09 침해자가 고의 또는 과실로 침해하는 경우 손해배상청구는 인용될 수 있습니다.

10 침해자가 등록특허임을 알고 침해하는 경우, 고의로 침해하는 것이므로 손해배상청구는 인용될 수 있습니다.

11 특허권은 설정등록 후에 발생하며, 설정등록 전의 출원발명을 실시하는 경우 침해가 성립하지 않습니다.

12 한국에 출원된 출원을 기반으로 해외출원을 진행하면, 미국에서 특허등록이 가능합니다.

13 실용신안과 특허권을 침해하는 경우, 처벌수위는 동일합니다.

정답

1. ○ 2. ✕ 3. ○ 4. ✕ 5. ✕ 6. ✕ 7. ✕ 8. ○ 9. ○ 10. ○ 11. ✕ 12. ○ 13. ✕

여러분들은 물건을 구매할 때 어떤 점을 고려하나요? 대부분 그 물건의 기능, 디자인, 그리고 가격 등을 고려하게 됩니다. 하지만 같은 물건이라도, 기능에 큰 차이가 없거나 가격이 같다면 디자인이 좀 더 예쁜 물건을 사 본 경험이 있을 것입니다. 가격을 좀 더 지불하더라도 더 마음에 드는 디자인의 물건을 사기도 하죠. 이처럼 어떤 물건의 가치는 그 물건의 기능뿐 아니라 디자인에 의해서도 결정됩니다.

제2편에서는 좋은 기술이나 기술과 관련된 아이디어가 있을 때 그 기술이나 아이디어를 보호할 수 있는 특허 제도에 대해 살펴보았습니다. 그렇다면 기술이 아니라 어떤 물건의 외관, 즉 디자인은 어떻게 보호받을 수 있을까요?

제3편에서는 이러한 물건의 디자인 자체를 보호받을 수 있는 디자인보호법에 대하여 알아보며, 구체적으로 디자인의 출원 절차와 디자인의 등록요건, 그리고 디자인권의 내용과 디자인보호법상 특유제도에 대해 알아보겠습니다.

멀티탭
KR 30-0816328

휴대폰케이스
KR 30-0727231

의자
KR 30-0729747

자전거
KR 30-0702724

자동차용 타이어
KR 30-0708448

요트
KR 30-0756192

디자인의 예시＊

＊ 특허청, 디자인보호가이드북, 2022

디자인 제도의 이해

학습
목표
디자인 제도와 등록요건, 디자인권의 내용에 대해 알아본다.

제1장과 제2장에서는 디자인의 성립요건 및 출원 후 등록까지의 과정에 대해 알아보고, 제3장에서는 디자인
권의 내용과 디자인보호법상 특유제도에 대해 알아보기로 한다.

제1장　디자인권의 확보

제1장
디자인권의 확보

키워드

디자인 제도

디자인 출원

출원서

수수료

방식심사

보정

등록요건

거절결정

등록결정

- **디자인 제도**: 물품의 기능이 아닌 (형태)를 보호

- **디자인 출원 절차**
  - ① 출원 대상 결정 `ex` 휴대폰 둥근 모서리
  - ② 출원서 작성 및 제출, 수수료 납부
    - ↳ 출원인 성명
      디자인의 대상이 되는 물품
      디자인의 설명
      디자인 창작 내용의 요점
      입체5면
  - ③ 방식심사 및 보정 지시
    - `ex` 서류가 잘 제출되었는지, 수수료를 납부하였는지
  - ④ 등록요건 판단 `ex` 신규성, 창작성
  - ⑤ 거절결정 또는 등록결정
    - ↳ ④ 등록요건 판단 후 거절이유가 있는 디자인 심사출원에 대하여 의견제출 통지서를 통지할 수 있으며, 이에 대하여 출원인은 보정서와 의견서 제출 가능
      ⇒ 이후 다시 심사하였으나 거절이유가 여전히 존재한다면 디자인 등록출원은 거절결정

확인학습

*디자인 제도란 무엇일까요?

*디자인 출원 절차는 어떻게 진행될까요?

01 디자인 제도의 개요

2011년 애플은 삼성을 상대로 소송을 제기하였습니다. 그 근거는 애플의 기술력이 아닌 '아이폰의 둥근 모서리'를 침해했다는 것이었습니다.

일반적으로 휴대폰의 모서리와 같은 물품의 형태는 기술적인 것이 아니므로 특허 제도에서 보호하는 발명에 해당한다고 보기 어렵습니다. 이에 애플은 '아이폰의 둥근 모서리'에 대하여 특허가 아닌 디자인 등록을 받고 권리를 행사한 것이었는데요.

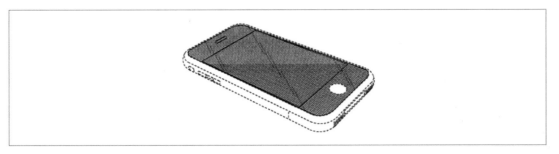

[그림 3-1] 미국 등록디자인 US D618,677

결국 휴대폰의 둥근 모서리는 제품 그 자체이므로 그 디자인권은 무효가 되긴 했지만, 이러한 디자인권이 소송에서 손해배상 산정액의 기준이 될 수 있다는 점을 고려하면 특허권뿐 아니라 디자인권을 확보하는 것도 매우 중요하다는 것을 알 수 있습니다.

그렇다면 이러한 디자인권은 어떻게 확보할 수 있고, 그 절차는 어떻게 될까요?

다음에서는 디자인의 출원 절차에 대해 알아보겠습니다.

02 디자인출원 절차 및 고려 사항

디자인출원 절차

(1) 출원 대상의 결정

우선 휴대폰과 같이 출원의 대상이 되는 물품에 대해서 기술로 보호받을 것은 무엇인지, 디자인으로 보호받을 것은 무엇인지, 상표로서 보호를 받을 것은 무엇인지 등을 생각해 보아야 합니다. 앞선 애플의 사례를 예로 들면, 휴대폰의 둥근 모서리는 기술이나 상표보다는 디자인으로 보호받는 것이 좋을 것입니다.

이와 같이 디자인출원이 가능하다고 판단한 경우에는, 디자인출원의 대상이 되는 물품이 무엇인지 구체적으로 정해야 합니다. 즉, 출원을 하고자 하는 물품이 휴대폰 전체인지 아니면 휴대폰 모서리의 일부인지 여부 등을 결정하는 과정이 필요합니다.

(2) 출원서 작성 및 제출, 수수료 납부

무엇을 어떻게 출원할지 결정했다면, 디자인등록출원서를 제출해야 합니다.

■ 디자인보호법 시행규칙 [별지 제3호서식] <개정 2021. 10. 21.>　　특허로(www.patent.go.kr)에서 온라인으로 제출할 수 있습니다.

디자인등록출원서

(앞쪽)

【출원 구분】　□ 디자인심사등록출원　　　　　　　□ 디자인일부심사등록출원
　　　　　　　□ 디자인심사등록분할출원　　　　　□ 디자인일부심사등록분할출원
　　　　　　　□ 정당한 권리자의 디자인심사등록출원
　　　　　　　□ 정당한 권리자의 디자인일부심사등록출원
(【참조번호】)
【출원인】
　【성명(명칭)】
　【특허고객번호】
【대리인】
　【성명(명칭)】
　【대리인번호】
(【포괄위임등록번호】)
(【원출원(무권리자 출원)의 출원번호(국제등록번호)】)
【단독디자인, 관련디자인 여부】
(【기본디자인의 표시】)
　【출원번호(등록번호, 국제등록번호, 참조번호)】
　(【디자인의 일련번호】)
【1디자인, 복수디자인 여부】
(【디자인의 수】)
【물품류】
【디자인의 대상이 되는 물품】
【부분디자인 여부】
(【화상디자인의 용도】)
【창작자】
　【성명】
　【특허고객번호】
(【우선권 주장】
　【출원국명】
　【출원번호(국제등록번호)】
　【출원일(국제등록일)】
　【증명서류】　□ 첨부　　□ 미첨부
　【접근코드】)
(【그 밖의 사항】　　□ 디자인등록출원 공개신청　　□ 디자인비밀보장 청구
　　　　　　　　　　□ 신규성 상실의 예외 주장　　□ 디자인이전희망
　　　　　　　　　　□ 국가연구개발사업)

위와 같이 특허청장에게 제출합니다.
　　　　　　　　　　　　　　　　출원인(대리인)　　　　　　(서명 또는 인)

【수수료】　(기재방법 제16호 참조)
　【출원료】　　　　　　　　　　개 디자인　　　　　원
(【수수료 자동납부번호】)
　【첨부서류】　1. 도면(사진·견본) 1통 (복수디자인등록출원인 경우에는 각 디자인마다 1통을 말합니다)
　　　　　　　2. 법령에서 정한 서류 각 1통 (기재방법 제18호 참조)

210mm×297mm(백상지 80g/㎡)

[그림 3-2] 디자인등록출원서[1]

---

1) 디자인보호법 시행규칙 [별지 제3호서식]

디자인등록출원서에는 출원인의 성명, 디자인의 대상이 되는 물품, 창작자의 성명 등을 적고, 도면이나 도면을 대체할 수 있는 사진, 견본 또는 모형을 제출합니다. 디자인출원을 할 때 정해진 절차에 따라 수수료도 납부해야 합니다.

(3) 방식심사 및 보정 지시

출원인이 출원서를 특허청에 제출하면 특허청은 출원서와 함께 제출해야 하는 추가 서류가 잘 제출되었는지, 그리고 수수료를 납부하였는지 심사하게 되는데 이를 '방식심사'라고 합니다. 심사 결과 문제가 있는 경우, 특허청은 출원인에게 필요 서류를 제출하거나 수수료를 납부하도록 보정 지시를 할 수 있습니다. 이후 출원인이 필요 서류를 모두 제출하였거나 수수료를 납부하였다면 출원은 계속 진행됩니다.

(4) 등록요건[2] 판단

심사관은 출원된 디자인이 디자인보호법에 따라 보호받을 수 있는 대상인지, 기존에 존재하던 디자인과 동일하거나 유사한지, 기존에 유사한 디자인이 등록된 적은 없는지 등의 등록요건을 판단하게 됩니다. 또한, 심사관은 출원 디자인이 특정 국가나 그 국민을 모욕하는 것이라는 등 디자인등록을 받을 수 없는 사유가 있는지도 함께 심사합니다.

> **Tip**
>
> 한편, 디자인은 특허와 달리 일정 요건하에서 출원 디자인이 기존에 존재하던 디자인과 동일 또는 유사한지 등에 관한 요건은 심사하지 않는 경우가 있습니다.

(5) 거절결정 또는 등록결정

심사관은 (4)에 따라 등록요건을 판단한 후, 등록요건을 만족하지 못하는 디자인심사출원에 대하여 거절이유를 적은 의견제출통지서를 출원인에게 통지합니다.

출원인은 심사관이 지적한 사항에 대하여 디자인등록출원서를 보정한 보정서와 의견서를 제출할 수 있습니다. 이후 심사관이 보정서를 다시 심사하였으나 여전히 거절이유가 있다면 디자인등록출원은 거절결정됩니다.

이와 반대로, 보정서 및 의견서 제출에 의해 등록요건을 만족하게 됐다면, 디자인등록출원은 등록결정됩니다.

---

2) 디자인등록을 받을 수 있는 요건으로서, 자세한 내용은 제2장 디자인의 성립요건과 등록요건 참조

의견제출통지서에 따른 거절이유의 예

① 이 디자인등록출원디자인은 그 출원서 및 도면의 기재 내용으로 볼 때, 아래와 같은 이유로 디자인을 구체적으로 파악할 수 없어 디자인보호법 제5조 제1항 본문에 따른 공업상 이용할 수 있는 디자인에 해당되지 아니하므로 디자인등록을 받을 수 없습니다. 다만, 보정서에 의하여 상기 사항을 명확하게 보정할 경우에는 그러하지 아니합니다.

사시도(정면도, 배면도, 평면도, 저면도, 좌측면도, 우측면도, 표면도, 이면도, 단면도, 중앙종단면도, 중앙횡단면도, 절단부 단면도, 전개도, 사용상태도)가 부족함

② 이 디자인등록출원디자인은 그 출원 전인 ○○○○년 ○월 ○일 공지 또는 (물품명 또는 등록 제○○호) 공연히 실시된 붙임의 ○○디자인과 유사하므로, 디자인보호법 제5조 제1항 제3호에 따라 디자인등록을 받을 수 없습니다.

출원 시 고려할 사항

> **사례**
>
> 지훈이는 '동물 귀 모양 휴대폰 케이스'를 완성하여 디자인으로서 보호받고자 합니다. 이에 변리사에게 '동물 귀 모양 휴대폰 케이스'에 대한 디자인등록출원을 요청하였을 때, 변리사는 어떤 도면을 이용하여 디자인출원하는 것이 바람직할까요?

디자인은 어떤 물건의 모습을 나타내는 것이므로, 디자인을 등록받기 위해서는 특허와 달리 출원 시에 도면을 필수적으로 제출해야 합니다. 디자인에 대한 설명보다는 도면을 통해 디자인을 좀 더 정확하게 이해할 수 있기 때문이죠.

도면의 개수에는 제한이 없으며, 등록받고자 하는 디자인의 창작 내용이 명확히 표현된 경우에는 최소 하나 이상의 도면을 제출할 수 있습니다. 또한, 도면을 대신하여 사진이나 견본을 제출할 수도 있습니다.[3]

사례의 경우, '동물 귀 모양 휴대폰 케이스'는 입체적 물품이므로, 이에 대한 3D 도면을 제출할 수 있습니다. 또한, 사시도 및 6면도 중 '동물 귀 모양 휴대폰 케이스'의 창작 내용을 가장 잘 표현할 수 있는 하나 이상의 도면을 제출할 수 있습니다.

한편, 도면과 함께 제출하는 디자인등록출원서의 기재사항은 다음 [표 3-1]과 같습니다.

---

3) 디자인보호법 시행규칙(2022년 12월 19일 시행)

[표 3-1] 디자인등록출원서의 기재사항

항목	내용
디자인의 대상이 되는 물품	• 「창틀용부재」(○) • 「건축용부재」(×) • 용도가 정확히 특정되어야 함
디자인의 설명	재료, 용도, 투명한 디자인인 경우, 참조도 설명
디자인 창작 내용의 요점	쉽고, 간결하며, 가능한 기존의 디자인과 비교하여 독창적인 내용을 중심으로 하되, 국내 널리 알려진 형상, 모양, 자연물 등을 모티브로 창작한 경우에는 최대한 이들 형태로부터 독창적으로 창작한 내용을 중점적으로 기재함. 기재는 300자 이내로 함 예 • 형상의 결합을 창작의 요점으로 함 • 본원 포장지 디자인은 물고기의 모양을 표현하였으나, 사실적인 표현이 아니고 물고기의 모양을 독특하게 변형한 것에 창작 내용의 요점이 있음
입체도면	입체도면 사시도 및 6면도 제출 시 출원인이 원하는 도면만 제출할 수도 있음

03

제2장 디자인의 성립요건과 등록요건

제2장
디자인의 성립요건과 등록요건

키워드

물품성

형태성

시각성

심미성

신규성

창작성

부등록 사유

┌─ **디자인의 성립요건** ─┬─ 물품성: 독립성이 있는 구체적인 유체동산
│   │   ex 부동산(×), 조립식당(○), 조립가옥(○), 조립정자(○)
│   ├─ 형태성: 물품의 형체
│   ├─ 시각성: 눈으로 볼 수 있는 것
│   └─ 심미성: 미적 처리를 한 것
│
└─ **디자인의 등록요건** ─┬─ 신규성: 출원 전에 공개된 디자인 또는 이와 유사한 디자인은
                         │   등록받지 못함
                         ├─ 창작성: 출원 전에 공개된 디자인, 유명한 형태, 이들의 결합 등으로
                         │   쉽게 창작할 수 있는 디자인은 등록받지 못함
                         └─ 부등록 사유
                             ↳ ① 공공질서에 반하는 디자인
                                   ex 특정 국가 또는 그 국민을 모욕하는 것, 저속하거나 혐오
                                   스러운 디자인
                                ② 국기, 훈장, 기타 공공기관 등의 표지와 동일하거나 유사한
                                   디자인
                                ③ 다른 사람의 업무와 관련된 물품과 혼동할 염려가 있는 디자인
                                      ex 다른 사람의 유명한 상표 등을 디자인으로 표현한 것
                                ④ 물품의 기능을 확보하는 데에 불가결한 형상만으로 된 디자인
                                      ex 우편봉투의 규격

확인학습

* 디자인의 성립요건은 무엇일까요?

* 디자인의 출원 절차는 어떻게 진행될까요?

01 디자인의 성립요건

> **사례**
>
> 카카오는 '춘식이'[4]라는 캐릭터를 개발하였습니다. 캐릭터 그 자체는 물건이라고 볼 수 없는데, 이를 디자인으로서 보호받기 위한 방안으로는 무엇이 있을까요? 또 캐릭터와 관련된 거절이유는 무엇이 있을까요?

03

디자인이란 물품의 형상, 모양, 색채 또는 이들을 결합한 것으로서, 시각을 통하여 미감을 일으키게 하는 것을 말합니다. 쉽게 말해 디자인의 대상이 되는 것은 물품이어야 하고, 그 형태를 눈으로 볼 수 있으며, 그것이 아름다워야 한다는 것입니다.

이렇게 디자인의 성립요건으로는 물품성, 형태성, 시각성, 심미성이 있으며, 구체적인 내용은 [표 3-2]와 같습니다.

[표 3-2] 디자인의 성립요건

항목	내용
물품성	독립성이 있는 구체적인 유체동산[5]
형태성	공간을 점유하고 있는 물품의 형체, 물품을 구성하고 있는 입체적 윤곽
시각성	육안으로 식별 가능한 것을 대상으로 함
심미성	미적처리를 한 것

특히, 물품성과 관련해서 아파트나 정원 등의 '부동산'은 독립성이 있는 구체적인 유체동산이 아니므로 디자인의 성립요건을 만족하지 못해 디자인의 보호대상이 아닙니다.

다만, 예외적으로 조립식당 등은 독립적이며 이동할 수 있기 때문에 물품성이 인정됩니다.

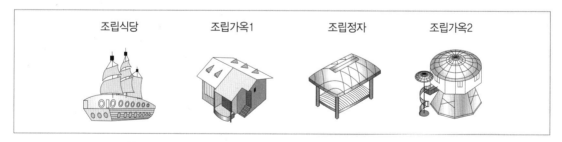

[그림 3-3] 물품성이 인정된 예시

---

4) 등록번호 3011203230000를 예로서 기재
5) 동산은 부동산인 토지 및 그 정착물이 아닌 물건으로서, 냉장고, 텔레비전, 가구 등이 대표적인 유체동산입니다.

사례 분석 – 캐릭터와 디자인

(1) 디자인보호법에 대한 캐릭터 보호방안

디자인은 물품에 표현되어야 하며, 물품 자체로서 독립적으로 거래 대상이 되어야 디자인보호법에 의해 보호가 가능합니다. 따라서 앞선 사례의 '춘식이' 캐릭터 그 자체는 물품이 아니어서 디자인보호법에 의해 보호되지 않습니다.

다만, '춘식이' 캐릭터가 물품에 화체된 경우, 즉 춘식이 모양의 인형이나 완구 등은 디자인등록의 대상이 되는 물품이 '캐릭터'가 아닌 '인형' 또는 '완구'이기 때문에 디자인으로 성립합니다. 이때에는 디자인의 대상이 되는 물품란에 '인형' 또는 '완구'를 기재하고, 캐릭터가 표현된 물품에 관한 도면을 제출하면 디자인으로서 인정받을 수 있습니다.

한편, 뒤에서 설명할 아이콘 등과 같은 화상디자인으로도 디자인보호법에 의해 보호될 수 있습니다. 예를 들어, 휴대폰 화면에 표시되는 춘식이 아이콘의 경우 화상디자인으로서 보호받을 수 있습니다.

(2) 캐릭터의 등록요건

캐릭터 자체를 디자인등록출원하는 경우에는 디자인의 성립요건을 만족하지 않아 등록이 어렵습니다. 따라서 캐릭터를 물품의 형태로서 디자인등록출원해야 합니다. 이 경우, 앞으로 배울 신규성 및 창작성 등의 등록요건을 만족해야 하고, 부등록사유에 해당하지 않아야 디자인등록을 받을 수 있습니다. 특히, 캐릭터를 화상디자인으로 출원한 경우, 일반 등록요건뿐 아니라 화상디자인의 요건을 만족해야 합니다.

02 디자인의 등록요건

디자인등록을 위해서는 앞서 배운 디자인의 성립요건을 만족하여야 하며, 더 나아가 등록요건을 만족해야 합니다.

대표적인 디자인의 등록요건으로는 신규성, 창작성, 공업상 이용 가능성, 선출원요건 등이 있습니다.

신규성

출원 전에 공지되었거나 공연실시된 디자인, 간행물에 게재된 디자인, 전기통신회선을 통해 공중이 이용 가능하게 된 디자인, 그리고 이들과 유사한 디자인은 등록을 받지 못합니다.

쉽게 말해, 등록받고자 하는 디자인이 출원 전에 이미 인터넷이나 잡지 등에 나와 있는 디자인, 그리고 이와 유사한 디자인과 동일하다면 신규한 디자인이 아니므로 등록받지 못합니다.

창작성

디자인이 아무리 새로운 것이어서 신규성을 만족한다 하더라도, 디자인 분야에 속한 사람이 널리 알려진 디자인이나 이들을 결합하여 쉽게 창작할 수 있는 경우에는 디자인등록을 받을 수 없습니다.

사례 ◀ 세면대의 창작성(2020허5863)

이 사건 디자인	선행 디자인
[도면 1.1]	[사시도]

두 디자인의 물품은 '세면대'로서 동일합니다.
디자인을 살펴보면, 두 디자인 모두 벽에 부착되는 부분이 직선으로 형성되어 있고, 전체 모양이 'D자'인 점 등에서 전체적인 디자인이 유사합니다.
다만, 이 사건 디자인은 선행 디자인과 달리 사각형의 비누 받이가 없다는 점 등에서 차이가 있으나, 세면대 분야에서의 흔하게 바꿀 수 있는 부분이라고 볼 수 있습니다.
따라서 이 사건 디자인은 통상의 디자이너가 선행 디자인으로부터 쉽게 창작할 수 있는 디자인에 해당합니다.

기타 등록요건

디자인이 구체적이지 않은 경우, 예를 들어 도면에 디자인이 잘 나타나 있지 않은 경우 등은 '공업상 이용 가능성'이 없다고 보아 디자인등록을 받을 수 없습니다.

또한, 동일 또는 유사한 디자인에 대하여 가장 먼저 출원한 자만이 디자인등록을 받을 수 있어, 특허 제도와 같이 '선출원요건'을 두고 있습니다.

03 디자인의 부등록요건

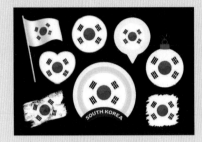

사례1 국기와 동일하거나 유사한 디자인

사례2 물품의 기능을 확보하는 데에 불가결한 형상만으로 된 디자인 – 파라볼라 안테나용 반사경

앞서 설명한 디자인의 등록요건을 만족하는 디자인이라도 디자인보호법 제34조에서 정하는 디자인 등록을 받을 수 없는 디자인에 해당하는 경우, 디자인등록을 받을 수 없습니다.

국기, 국장(國章), 군기(軍旗), 훈장, 포장, 기장(記章), 그 밖의 공공기관 등의 표장과 외국의 국기, 국장 또는 국제기관 등의 문자나 표지와 동일하거나 유사한 디자인은 등록을 받을 수 없습니다.

선량한 풍속에 어긋나거나 공공질서를 해칠 우려가 있는 디자인 또한, 디자인등록을 받을 수 없습니다. 예를 들어, 대통령의 초상, 특정 국가 또는 그 국민을 모욕하는 것, 저속·혐오·기타 사회 일반적 미풍양속에 반하는 것, 인륜에 반하는 것, 기타 국제 신뢰관계 및 공정한 경제 질서를 문란하게 할 염려가 있는 것은 디자인등록을 받을 수 없습니다.

다른 사람의 업무와 관련된 물품과 혼동을 가져올 우려가 있는 디자인은 등록받을 수 없습니다. 예를 들어, 다른 사람의 유명한 상표를 디자인으로 표현한 경우에는 다른 사람의 사업과 관련해 오해할 수 있기 때문에 등록을 받을 수 없습니다.

물품의 기능을 확보하는 데에 불가결한 형상만으로 된 디자인은 등록받을 수 없습니다. 쉽게 말해, 어떤 디자인이 그 물건의 기술적인 기능을 나타내는 형상만으로 된 경우에는 디자인등록을 받을 수 없습니다. 예를 들어, 우편 봉투의 경우 사용의 편의를 위해 크기가 정해져 있는데, 이러한 형태(크기)에 대하여 디자인등록을 받을 수 있게 하면 아무나 사용할 수 없게 되어 불합리하기 때문입니다.

디자인권의 내용과 디자인보호법상 특유제도

제3장
디자인권의 내용과 디자인보호법상 특유제도

디자인권의 내용
- 발생: 디자인 등록료 납부 시 발생
- 존속기간: 출원일~20년
- 효력: 동일, 유사한 물품의 동일, 유사한 디자인에 효력이 미침
  - ① 주체적 기준: 일반 수요자
  - ② 전체적, 종합적 관찰: 디자인의 중요한 부분만이 아닌 전체적으로 대비하여 눈으로 관찰
  - ③ 객체적 기준
    - 형상 또는 모양이 다른 경우: 원칙적으로 비유사
    - 모양의 유사판단: 주제의 표현 방법과 배열, 무늬의 크기 및 색채 등
    - 색채가 다른 경우: 색채가 모양을 이루지 않는 한 유사

디자인권 침해 대응방안
- 협상: 화해 또는 조정
- 법적 조치 ─ 인사적 구제: 침해금지 청구권, 손해배상 청구권 등
  └ 형사적 구제: 침해죄, 허위표시의 죄 등
- 산업재산권 분쟁 조정 제도

디자인보호법상 특유제도
- 한 벌 물품에 관한 제도 **ex** 한 벌의 탁자와 의자 세트
- 비밀디자인
- 복수디자인등록출원
- 글자체디자인 **ex** 영문자 글자체, 한글 글자체
- 화상디자인 **ex** 아이콘
- 부분디자인 **ex** 에어컨의 바람이 나오는 부분

확인학습

* 디자인권은 어떻게 발생할까요?
* 디자인권의 존속기간은 어떻게 될까요?
* 디자인권의 효력은 어떻게 될까요?

* 디자인권 침해 시 대응방안은 어떻게 될까요?
* 디자인보호법상 특유제도는 무엇일까요?

01 디자인권의 내용

디자인권은 특허권, 실용신안권과 마찬가지로 독점할 수 있으며, 다른 사람이 사용하지 못하게 할 수 있습니다. 다만, 디자인권은 다른 지식재산권과는 달리 물품의 형태를 보호대상으로 하며, 신규성이나 창작성과 같이 실체적인 등록요건을 심사하지 않고 등록될 수도 있습니다.

또한, 디자인권은 그 권리범위가 동일한 디자인뿐 아니라 유사한 디자인에도 미치는 특징이 있습니다. 이는 특허와 달리 디자인은 쉽게 모방이 가능하기 때문인데요. 다만, 안경이나 숟가락과 같이 그 디자인의 변화가 작고 참신하지 못한 디자인에 대해서도 유사하다는 범위를 지나치게 넓게 보면 부작용이 발생할 수 있습니다. 따라서 디자인권의 침해 여부에 있어서 디자인이 유사한지를 판단하는 것은 매우 중요합니다. 그리고 디자인이 완전히 신규하고 독창적일 수는 없으므로, 창작성을 어디까지 인정할 수 있는지 판단하는 것도 중요합니다.

여기에서는 디자인권의 내용, 특히 디자인권의 효력에 대해 알아보겠습니다.

디자인권의 발생

디자인 등록결정을 받은 후, 디자인 등록료를 납부하면 설정등록이 됩니다. 이와 같이 디자인 설정등록을 하면 디자인권이 발생합니다.

디자인권의 존속기간

디자인권의 존속기간은 디자인의 디자인등록출원일부터 20년으로 규정되어 있습니다. 디자인보호법상 특유제도 중 하나인 관련디자인권의 존속기간은 기본디자인권의 존속기간과 동일하므로, 기본디자인권이 소멸되면 관련디자인권도 함께 소멸합니다.

디자인권의 효력

디자인권자는 업으로서 등록디자인 또는 이와 유사한 디자인을 실시할 권리를 독점합니다. 즉, 디자인권의 효력은 특허와 달리 등록디자인과 동일한 디자인뿐만 아니라 이와 유사한 디자인에까지도 미칩니다.

디자인은 물품과 그 형태에 관한 것이므로, 이를 기초로 하여 '유사'라는 개념이 성립합니다. [표 3-3]에 나타낸 바와 같이, 디자인의 유사 여부는 물품의 유사 여부를 전제로 합니다. 즉, 아무리 형태가 같더라도 물품이 다르면 유사하지 않은 디자인입니다.

[표 3-3] 물품의 유사 여부에 따른 디자인의 유사판단

형태 \ 물품	동일물품	유사물품	비유사물품
형상·모양·색채(동일)	동일디자인		
형상·모양·색채(유사)		유사디자인	
형상·모양·색채(비유사)			비유사디자인

디자인의 유사 여부는 [표 3-4]에 나타낸 바와 같이, 물품이 유사하다는 것을 전제로 디자인의 대상이 되는 물품을 사고파는 과정에서 소비자가 혼동할 가능성이 있는지 여부로 판단합니다. 단, 혼동할 가능성이 있는지 여부는 전체적이고 종합적인 판단에 의해 결정합니다.

[표 3-4] 디자인의 유사판단 기준

항목	내용	
주체적 기준	디자인의 대상이 되는 물품을 사고파는 과정에서 '일반수요자'를 기준으로 관찰하여, 다른 물품과 혼동할 우려가 있는 경우에는 유사한 디자인으로 판단	
전체적, 종합적 관찰	'관찰'이란 눈으로 관찰하는 것을 의미	
	'전체적, 종합적으로 판단하는 것'은 디자인의 중요한 부분(요부)만을 비교하여 디자인의 유사 여부를 판단할 것이 아니라, 디자인을 전체적으로 대비 관찰하여야 한다는 것을 의미	
객체적 기준	형상 또는 모양이 다른 경우	원칙적으로 비유사로 판단
	모양의 유사판단	주제의 표현 방법과 배열, 무늬의 크기 및 색채 등을 종합하여 판단
	색채가 다른 경우	색채가 모양을 이루지 않는 한 유사로 판단

다음에서는 사례를 통해서 디자인의 유사 여부에 대하여 자세히 알아보겠습니다.

사례1 두 디자인이 유사하다고 판단한 사례 - 직물지 사건(2020허3966)

이 사건 등록디자인	선행 디자인

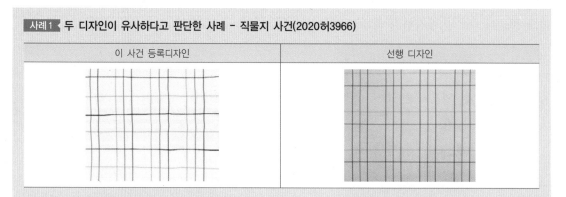

두 디자인의 물품은 '직물지'로서 동일합니다.

디자인을 살펴보면, 가로선은 '보라색-노란색'의 순서로 반복되고, 세로선은 '파란색-주홍색-연두색'의 순서로 반복된다는 점에서 유사합니다.

다만, 이 사건 등록디자인은 선행 디자인과 비교하여 선이 덜 반듯하게 그어져 있으며, 바탕색에 차이가 있습니다. 하지만 전체적으로 보면 두 디자인은 큰 차이가 없으며, 세부적인 부분에만 미세한 차이가 있다고 볼 수 있습니다.

따라서 이 사건 등록디자인은 선행 디자인과 유사하다고 판단하였습니다.

사례2 두 디자인이 유사하다고 본 사례 - 화장용 브러시 사건(2020허7012)

이 사건 등록디자인	선행 디자인

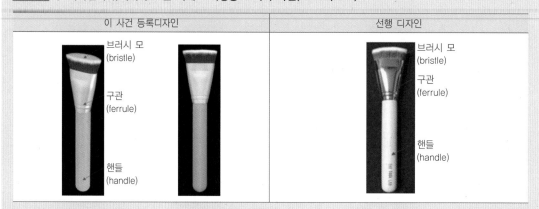

두 디자인의 물품은 '화장용 브러시'로서 동일합니다.

디자인을 살펴보면, 전체적으로 브러시 모, 구관, 핸들의 3개 부분으로 이루어지며, 그 비율이 비슷하고, 브러시 모가 갈색과 흰색의 두 가지 색깔로 이루어진다는 점에서 유사합니다.

다만, 이 사건 등록디자인은 선행 디자인과 비교하여 구관이 비교적 덜 튀어나와 있다는 점에서 차이가 있습니다. 하지만 이러한 차이는 미세한 차이에 불과합니다.

따라서 이 사건 등록디자인은 선행 디자인과 유사하다고 판단하였습니다.

사례3 두 디자인이 유사하지 않다고 본 사례 - 작업복 사건(2012후2692)

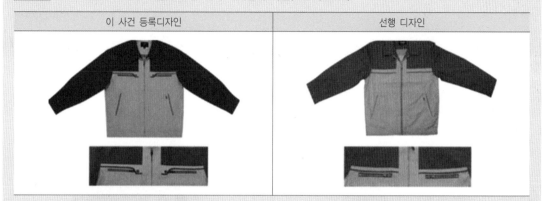

이 사건 등록디자인	선행 디자인

두 디자인의 물품은 '작업복'으로서 동일합니다.

디자인을 살펴보면, 언뜻 보기에는 전체적으로 유사해 보이나, 이는 기존에 존재하는 작업복 디자인과도 유사한 부분이며, '작업복'이라는 특성상 전체적인 모양을 크게 변화시키기 어렵습니다.

다만, 가슴 부분에 위치한 '지퍼 모양'은 작업복의 앞면에 배치되어 있어서 일반 수요자에게 잘 보이는 부분이고, 지퍼 모양을 비교하면 두 디자인에서 큰 차이가 있습니다.

따라서 이 사건 등록디자인은 선행 디자인과 유사하지 않다고 판단하였습니다.

사례4 두 디자인이 유사하지 않다고 본 사례 - 화장품 용기 사건(2008당3934)

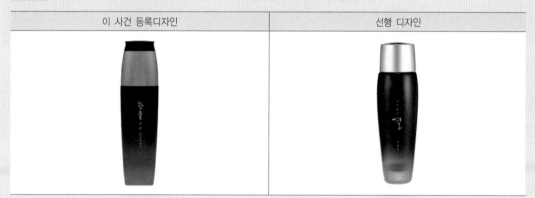

이 사건 등록디자인	선행 디자인

두 디자인의 물품은 '화장품 용기'로서 동일합니다.

디자인을 살펴보면, 전체적인 용기의 형태는 유사하나, 이는 기존에 존재하는 화장품 용기와도 유사한 부분으로서, '화장품 용기'라는 특성상 전체적인 모양을 크게 변화시키기 어렵습니다.

다만, 뚜껑의 색상이나 크기 등에는 차이점이 있으며, 용기가 아닌 뚜껑 등을 중요한 부분(요부)으로 보아야 합니다.

따라서 이 사건 등록디자인은 선행 디자인과 유사하지 않다고 판단하였습니다.

02 디자인권의 침해와 구제

사례 손선풍기 사건(2019허(당)2653)

서연이는 접이식 손선풍기 디자인을 출원하여 등록을 받았습니다. 그런데 서연이는 등록디자인의 등록공고일로부터 2개월이 지난 후 나은이가 동일한 디자인의 접이식 손선풍기를 판매하는 것을 알았습니다. 이 경우, 서연이가 나은이의 디자인권 침해에 대하여 취할 수 있는 조치는 무엇이 있을까요?[6]

구분	이 사건 등록디자인(갑2호증)	비교대상니사인 1(갑10호증)
정면도		

앞서 디자인권의 내용과 함께 디자인권의 효력이 동일한 디자인뿐 아니라 유사한 디자인에까지 미친다는 것을 배웠습니다. 그렇다면 이제 디자인권 등록 후 다른 사람이 유사한 디자인의 물품을 판매하고 있다면 어떤 조치를 취할 수 있을지 알아보겠습니다.

경고장 발송

디자인을 사용할 권리가 없는 사람이 다른 사람의 디자인권을 침해하는 경우에는 침해자에게 경고장을 발송할 수 있습니다. 경고장에는 침해 사실과 함께 더 이상 침해하지 말라는 요청의 내용을 적을 수 있습니다.

---

6) 2019허(당)2653 판결을 예로서 기재

디자인 침해에 대한 대응방안

[표 3-5]에 나타낸 바와 같이, 디자인권 침해에 대한 대응방안으로는 크게 협상, 법적인 조치, 산업재산권 분쟁 제도를 이용한 해결 방법이 있습니다.

[표 3-5] 디자인 침해에 대한 대응방안

항목	내용	
협상에 의한 해결	화해 또는 조정	
법적조치에 의한 해결	민사적 구제 방법	침해금지 청구권[7]
		침해금지 가처분 신청
		손해배상 청구권[8] 또는 부당이득 반환 청구권
		신용회복 청구권[9]
	형사적 구제 방법	침해죄,[10] 위증죄,[11] 허위표시의 죄,[12] 거짓행위의 죄,[13] 비밀누설죄[14]
산업재산권 분쟁 조정 제도[15]에 의한 해결	민법상 화해 계약과 같이, 당사자 일방이 양보한 권리가 사라지고 상대방의 화해로 인하여 그 권리를 얻는 효력이 발생	

특히, 디자인은 모방이 쉽고, 보호범위가 유사한 디자인에까지 미친다는 점 등을 고려할 때, 동일한 디자인이 아니거나, 중요도가 낮은 디자인의 경우에는 법적인 조치를 취하기 이전에 협상에 의한 해결 방안을 시도할 필요가 있습니다.

또한, 손해배상을 청구하는 등의 민사적인 대응방안과 침해죄로 고소하는 등의 형사적인 대응방안을 함께 할 수도 있으며, 그 밖에 침해자가 사용한 디자인이 디자인권의 권리범위에 속하는지 여부를 권리범위확인심판을 통해 확인할 수도 있습니다.

---

7) 디자인권자 또는 전용실시권자는 자기의 권리를 침해한 자 또는 침해할 우려가 있는 자에 대하여 그 침해의 금지 또는 예방을 청구할 수 있습니다.
8) 디자인권자 또는 전용실시권자는 고의나 과실로 인하여 자기의 디자인권 또는 전용실시권을 침해한 자에 대하여 그 침해에 의하여 자기가 입은 손해의 배상을 청구할 수 있습니다.
9) 법원은 고의나 과실로 디자인권 또는 전용실시권을 침해함으로써 디자인권자 또는 전용실시권자의 업무상 신용을 떨어뜨린 자에 대하여는 손해배상을 대신하여 또는 손해배상과 함께 업무상 신용회복을 위하여 필요한 조치를 명할 수 있습니다.
10) 디자인권 또는 전용실시권을 침해한 자는 7년 이하의 징역 또는 1억 원 이하의 벌금에 처합니다.
11) 선서한 증인, 감정인 또는 통역인이 특허심판원에 대하여 거짓의 진술·감정 또는 통역을 한 경우에는 5년 이하의 징역 또는 5천만 원 이하의 벌금에 처합니다.
12) 디자인등록된 것이 아닌 물품 등에 디자인등록표시 또는 디자인등록출원표시를 하거나 이와 혼동하기 쉬운 표시를 하는 행위 등을 한 자는 3년 이하의 징역 또는 3천만 원 이하의 벌금에 처합니다.
13) 거짓이나 그 밖의 부정한 행위로써 디자인등록 또는 심결을 받은 자는 3년 이하의 징역 또는 3천만 원 이하의 벌금에 처합니다.
14) 특허청 또는 특허심판원 직원이나 그 직원으로 재직하였던 사람이 디자인등록출원 중인 디자인에 관하여 직무상 알게 된 비밀을 누설하거나 도용한 경우에는 5년 이하의 징역 또는 5천만 원 이하의 벌금에 처합니다.
15) 산업재산권 분쟁 조정 제도는 특허청이 발명진흥법 제41조 규정에 의거하여 운영하고 있는 제도입니다. 신청비용이 무료이며 절차가 간편하고 신속하다는 장점이 있습니다. '산업재산권분쟁조정위원회'의 조정 결과 양 당사자가 화해할 것을 합의하면 조정 조서가 작성되고, 민법상 화해 계약의 효력이 발생됩니다.

사례 분석

시연이의 디자인권이 유효하고, 니은이가 정당한 권리 없이 동일히기나 유사한 디자인을 업으로서 실시하고 있다면 나은이의 행위가 서연이의 디자인권을 침해할 수 있습니다.

서연이의 등록디자인의 물품은 손선풍기이고, 형태는 접이식입니다. 디자인의 유사판단에서는 먼저 물품의 동일유사 여부를 판단해야 하는데, 나은이도 손선풍기를 판매하고 있으므로 물품이 동일합니다. 그 형태 또한, 접이식으로 유사하다고 볼 수 있습니다.

따라서 나은이가 판매하는 손선풍기는 서연이의 등록디자인을 침해하는 것으로 볼 수 있습니다. 이때 서연이는 나은이의 침해행위에 대하여 경고장을 발송하고 합의를 하거나 민사적 또는 형사적으로 대응할 수 있습니다.

그러나 만약 서연이의 디자인권이 이미 존재하는 디자인으로 이루어져 신규성 또는 창작성이 없다고 판단하는 경우, 나은이는 그 디자인권에 대하여 이의신청 또는 무효심판을 청구하여 해당 디자인등록을 취소 또는 무효화시킬 수 있습니다.

03 디자인보호법상 특유제도

> **사례**
>
> A 회사는 에어컨의 바람이 나오는 출구를 독특한 모양으로 디자인하였습니다. 에어컨 전체로 디자인의 유사 여부를 판단하는 경우, 에어컨의 전체적인 모양이 다를 경우에는 경쟁업체가 A 회사의 에어컨의 바람이 나오는 출구를 똑같이 따라 하더라도 디자인권 침해를 주장할 수 없었습니다. 이때 A 회사는 에어컨의 바람이 나오는 출구 디자인을 어떻게 보호받을 수 있을까요?

사례와 같이 디자인의 일부에 특징이 있는 경우에는 그 일부만을 디자인등록받을 필요가 있습니다. 디자인보호법에서는 이러한 특수 디자인을 보호하기 위한 독특한 제도를 마련하고 있습니다.

'한 벌 물품'에 관한 제도

2 이상의 물품이 한 벌 전체로서 통일성이 있을 때에는 1디자인으로 디자인등록받을 수 있습니다. 2010년 1월 1일 시행된 개정법에서는 디자인의 통일성을 강조하는 최근의 트렌드를 반영하여, 한 벌의 탁자와 의자 세트, 커피 세트 등을 1디자인으로 등록받을 수 있게 하였습니다.

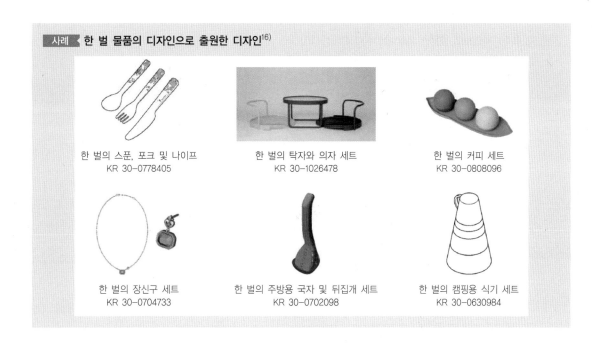

사례 한 벌 물품의 디자인으로 출원한 디자인[16]

한 벌의 스푼, 포크 및 나이프
KR 30-0778405

한 벌의 탁자와 의자 세트
KR 30-1026478

한 벌의 커피 세트
KR 30-0808096

한 벌의 장신구 세트
KR 30-0704733

한 벌의 주방용 국자 및 뒤집개 세트
KR 30-0702098

한 벌의 캠핑용 식기 세트
KR 30-0630984

비밀디자인 제도

디자인은 유행에 민감하여 다른 사람이 모방하기 쉽습니다. 따라서 디자인권의 설정등록일로부터 3년 이내의 기간을 정하여 디자인출원 내용이 다른 사람에게 공개되지 않도록 비밀로 해 줄 것을 청구할 수 있습니다.

복수디자인등록출원 제도

서로 유사한 디자인들이 동일한 테마를 중심으로 여러 개 창작되는 경향이 있습니다. 따라서 서로 유사한 디자인들을 각각 별개의 출원서로 작성하는 불편을 해소하기 위하여 복수디자인등록출원 제도를 두고 있습니다. 복수디자인등록출원을 위해서는 최대 100개 이내의 디자인이어야 하며, 같은 분류의 물품이어야 합니다.

---

16) 특허청, 디자인보호가이드북, 2022

사례 **복수디자인으로 출원한 페코마트의 메모지 디자인[17]**

KR 30-0630587[M01] KR 30-0630587[M02] KR 30-0630587[M03]

KR 30-0630587[M04] KR 30-0630587[M05] KR 30-0630587[M06]

글자체 디자인 제도

글자체란 기록이나 표시 또는 인쇄 등에 사용하기 위해 공통적인 특징을 가진 형태로 만들어진 한 벌의
글자꼴(숫자, 문장부호, 기호 등의 형태를 포함)을 의미합니다.

기존에 있는 글자체를 복사하였거나 부분적으로 바꾼 것에 불과한 경우에는 글자체 디자인이 서로 유
사한 것으로 판단합니다.

사례 **글자체 디자인의 예시[18]**

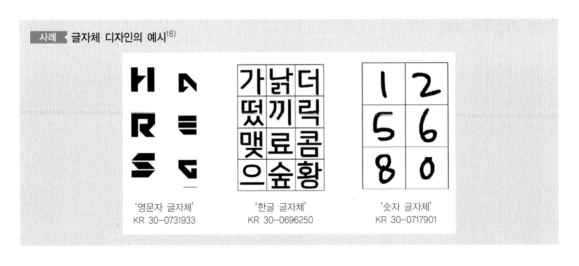

'영문자 글자체' '한글 글자체' '숫자 글자체'
KR 30-0731933 KR 30-0696250 KR 30-0717901

---

17) 특허청, 디자인보호가이드북, 2022
18) 특허청, 디자인보호가이드북, 2022

화상디자인 제도

화상디자인은 특정한 물품의 화면을 통하여 표현된 그 물품의 모양을 의미하며, 정보표시용 화상이나, 아이콘, 화면 보호기 등이 있습니다.

사례 **화상디자인의 예시**[19]

'정보표시용 화상'
KR 30-1153185

'정보표시용 화상'
KR 30-1161152

'정보표시용 화상'
KR 30-1164352

부분디자인 제도

부분디자인은 물품 일부분의 형태를 표현한 디자인을 의미합니다. 부분디자인 제도를 통해 다른 사람이 일부러 물품의 특정 부분만을 모방하여 디자인권자에게 피해를 입히는 것을 막을 수 있습니다. 부분디자인출원 시에는 부분디자인에 관한 출원임을 표시하고, 물품의 구분에는 '신발의 어퍼(윗부분)'와 같이 그 물품의 부분이 아니라 '신발'과 같이 해당 물품을 기재해야 합니다. 도면에는 등록을 받고자 하는 부분을 실선으로, 그 외 부분은 점선으로 명확히 구분하여야 합니다.

사례 **부분디자인 제도로 출원한 크록스의 신발 디자인**[20]

KR 30-0435519

KR 30-0674328

KR 30-0435515

KR 30-0439328

KR 30-0435513

KR 30-0494270

---

19) 특허청, 디자인보호가이드북, 2022
20) 특허청, 디자인보호가이드북, 2022

학습평가

01 디자인등록출원 시 출원서를 반드시 제출하여야 하며, 도면의 제출은 생략할 수 있다. ☐ O ☐ X

02 디자인등록출원 시 수수료 납부 여부는 방식심사의 대상이다. ☐ O ☐ X

03 시각성은 디자인의 성립요건이다. ☐ O ☐ X

04 아파트는 디자인보호법상 디자인이 보호대상이다. ☐ O ☐ X

05 캐릭터에 대하여 디자인등록을 받고자 하는 경우, 캐릭터를 물품에 화체한 경우뿐 아니라 캐릭터 그 자체로도 디자인등록을 받을 수 있다. ☐ O ☐ X

06 출원 전에 그 디자인이 속하는 분야에서 통상의 지식을 가진 자가 공지 등이 된 디자인을 결합하거나 국내에서 널리 알려진 형상·모양 등을 결합하여 용이하게 창작할 수 있는 디자인은 디자인등록을 받을 수 없다. ☐ O ☐ X

07 물품의 기능을 확보하는 데에 불가결한 형상만으로 된 디자인은 등록받을 수 없다. ☐ O ☐ X

08 디자인권의 존속기간은 출원일로부터 10년이다. ☐ O ☐ X

09 디자인의 유사 여부를 판단할 때 물품이 유사하지 않더라도 그 형상과 모양이 유사하다면 그 디자인은 유사하다. ○ ×

10 디자인등록출원 시 같은 분류의 물품이어도 유사한 디자인에 대하여 복수디자인등록출원할 수 없다. ○ ×

11 디자인의 유사 여부를 판단할 때 색채가 다른 경우에는 항상 유사하다. ○ ×

03

12 디자인권의 설정등록일로부터 3년 이내의 기간을 정하여 비밀로 해줄 것을 청구할 수 있다. ○ ×

해설

01 특허와 달리 디자인등록출원 시 출원서와 함께 도면을 반드시 제출해야 합니다. 디자인에 대한 설명보다는 도면을 통해 디자인을 좀 더 정확하게 이해할 수 있기 때문입니다.

02 출원인이 출원서를 특허청에 제출하면 특허청은 방식심사를 하는데, 출원서와 함께 제출해야 하는 추가 서류가 잘 제출되었는지, 그리고 수수료를 납부하였는지 등에 대해 심사합니다.

03 디자인의 성립요건은 디자인보호법 제2조 디자인의 정의에서 정의되며, 물품성, 형태성, 시각성, 심미성을 의미합니다. 시각성이 없어 눈으로 볼 수 없는 것은 디자인보호법에서 정의하는 디자인에 해당하지 않습니다.

04 디자인의 성립요건 중 물품성은 독립성이 있는 구체적인 유체동산에 대해서만 인정됩니다. 아파트는 '부동산'이므로 디자인보호법상 디자인의 보호대상이 아닙니다.

05 캐릭터 그 자체는 물품이 아니어서 디자인보호법에 의해 보호되지 않으며, 디자인등록을 받을 수 없습니다.

06 출원 전에 그 디자인이 속하는 분야에서 통상의 지식을 가진 자가 공지 등이 된 디자인을 결합하거나 국내에서 널리 알려진 형상·모양 등을 결합하여 용이하게 창작할 수 있는 디자인은 창작성이 없어 디자인등록을 받을 수 없습니다.

07 물품의 기능을 확보하는 데에 불가결한 형상만으로 된 디자인은 디자인보호법 제34조에서 정하는 디자인등록을 받을 수 없는 디자인에 해당하여 디자인등록을 받을 수 없습니다.

08 디자인권의 존속기간은 디자인보호법 제91조에 따라 출원일로부터 20년입니다.

09 디자인의 유사 여부를 판단할 때는 물품이 유사한지를 전제로 하므로, 그 형상과 모양이 유사하더라도 물품이 유사하지 않으면 그 디자인은 유사하지 않습니다.

10 서로 유사한 디자인들을 각각 별개의 출원서로 작성하는 불편을 해소하기 위하여 디자인보호법 제41조에서 복수디자인등록출원 제도를 정하고 있습니다. 따라서 같은 분류의 물품이라면, 최대 100개 이내의 유사한 디자인에 대해 복수디자인등록출원할 수 있습니다.

11 색채가 모양을 이루는 경우에는 두 디자인이 비유사할 수 있습니다.

12 디자인은 유행에 민감하여 다른 사람이 모방하기 쉬우므로, 비밀디자인 제도를 마련하고 있습니다.

정답

1. X 2. O 3. O 4. X 5. X 6. O 7. O 8. X 9. X 10. X 11. X 12. O

우리가 어떤 물건을 구매할 때 다양한 요인이 우리의 선택에 영향을 미칩니다. 예를 들면, 그 물건의 품질, 성능, 기능, 디자인, 색상, 크기, 인식도, 가격 등 정말 다양한 요인이 복합적으로 작용하게 됩니다.

하지만 우리는 보통 어떤 물건을 선택하는 순간에 이러한 요인들을 동시에 꼼꼼히 따져보지는 않습니다. 그 대신 어떤 물건에 표시된 '상표'를 보고 떠오르는 이미지를 통하여 그 물건을 선택하곤 합니다. 왜냐하면 그 물건에 표시된 '상표'만 보더라도 품질이나 성능을 어느 정도 예상할 수 있고, 때에 따라서는 그 '상표'가 표시된 것만으로도 디자인적 요소나 비싼 가격 등은 신경 쓰지 않게 되어 버리기도 하기 때문이죠.

예를 들면, 우리가 스마트폰을 구매할 때 삼성의 '갤럭시'라는 단어나 애플의 '사과 엠블럼'이 표시된 스마트폰을 구매하면 취향의 차이일 뿐 그 스마트폰의 품질이나 성능에 대해서는 의심하지 않게 됩니다. 또한, '갤럭시'나 '사과 엠블럼'을 보면 같은 상표가 표시된 주변기기들을 모으고 싶다는 욕구가 생기기도 하죠.

시원한 음료수가 마시고 싶을 때 '코카콜라'라는 단어를 보면 우리가 생각하는 그 맛을 떠올리며 고민 없이 그 음료를 고를 수도 있습니다. 에르메스, 샤넬, 구찌, 루이뷔통 등의 대표적인 엠블럼이 표시된 지갑이나 가방은 비싼 값을 주고라도 사고 싶어집니다. 삼성, 엘지 등의 상표가 표시된 전자제품을 보면 기능에 대한 믿음과 고장이 났을 때 편리하게 수리할 수 있을 거라는 이미지가 떠오릅니다.

이처럼, 상표는 어떤 물건에 대한 이미지를 나타내며 이러한 이미지는 사람들로 하여금 그 물건을 사고 싶게 만들거나 반대로 그 물건을 사고 싶지 않게 만들기도 합니다. 따라서 많은 기업은 자기의 상표에 대해 좋은 이미지를 만들고자 끊임없이 노력하며, 이것은 결국 브랜드 가치와도 연결됩니다.

그렇다면 사람들의 지갑을 열게 만드는 '상표'란 도대체 무엇이고, '상표'는 어떻게 보호받을 수 있으며, '상표'를 둘러싼 다양한 제도에는 어떠한 것들이 있을까요?

제**4**편

상표 제도의 이해

 학습
목표

상표 제도에 대해 이해하고, 상표의 개념, 상표의 등록요건, 상표권의 내용에 관한 지식을 습득할 수 있다.

제1장에서는 상표의 개념과 상표권의 취득 절차에 대해 알아보고, 제2장에서는 상표의 등록요건에 대해 알아보기로 한다. 제3장에서는 상표권의 내용에 대해 알아보기로 한다.

제1장 상표의 개념과 상표권의 확보

제1장
상표의 개념과 상표권의 확보

키워드

상표

표장

상표의 기능

상표출원 절차

상표의 국제적 보호

- **상표**: 자기의 상품과 타인의 상품을 식별하기 위해 사용하는 표장
- **표장**: 출처를 나타내기 위해 사용하는 모든 표시
  → 형식의 제한 ×

- **상표의 기능**
  - 자타상품식별기능
  - 출처표시기능
  - 품질보증기능
  - 광고·선전기능
  - 재산적 기능

- **상표출원 절차**
  출원서 작성·제출 → 수수료 납부 → 심사 → 거절결정
  어 출원공고결정 ┌ 거절결정
  └ 등록결정
  상표에만 존재하는 제도
  출원공고가 되면 이의신청 가능!

- **1상표 1출원주의**
  하나의 출원을 통해서는 하나의 상표만 출원할 수 있음

- **해외출원 방법**
  - ① 직접출원
  - ② 파리조약에 의한 출원
  - ③ 마드리드의정서에 의한 출원

확인학습

* 상표란 무엇일까요?
* 상표는 어떤 기능을 수행할까요?

* 상표의 출원 절차는 어떻게 될까요?
* 상표를 국제적으로 보호할 수 있는 방법은 무엇이 있을까요?

01 상표 제도의 개요

우리는 주변에서 상표와 관련된 다양한 이슈를 쉽게 접할 수 있습니다. 그중에는 우리에게 익숙한 상표가 이슈의 주인공일 때도 있는데요. 특히 선풍적인 인기를 끈 TV 프로그램에 등장한 출연자가 상표 이슈에 휘말렸다는 기사를 종종 발견하기도 합니다.

다음은 최근 등장한 상표분쟁의 사례입니다.

> **사례1 덮죽덮죽 사건**
> SBS 예능 프로그램 '백종원의 골목식당'을 통해 유명해진 경북 포항 음식점의 메뉴명인 '덮죽'을 다른 사람이 상표로 출원해 논란이 되고 있습니다. 포항 음식점과 관련이 없는 제3자가 먼저 상표를 출원하면서 포항 음식점이 덮죽에 대한 상표권을 확보하지 못하는 것 아니냐는 우려가 제기되고 있습니다.

> **사례2 영탁 막걸리 사건**
> 트로트 가수 영탁은 전국을 막걸리 열풍으로 이끌었지만, 그 막걸리로 인해 곤경에 처했습니다. 바로 '영탁 막걸리'의 제조사인 예천양조와의 법적 분쟁 때문입니다.
> 영탁 매니지먼트 대행사 뉴에라프로젝트에 따르면 영탁 측은 "예천양조 측을 상대로 공갈 협박 행위 등에 대해 객관적인 자료를 토대로 수사기관에 형사고소를 제기했다"고 밝혔습니다.
> 이어 "'영탁' 표지 무단 사용 금지 및 손해배상을 청구하는 소송을 법원에 제기했다"고도 밝혔습니다.

이처럼 상표는 어쩌면 다양한 지식재산권 중에서 우리의 생활과 가장 밀접하게 관련된 지식재산권일 것입니다. 우리가 백화점에서든 거리에서든 마트에서든 쉽게 볼 수 있는 모든 상표가 그러한 분쟁의 대상이 될 수 있습니다.

그렇다면, 상표란 도대체 무엇이고, 상표는 어떻게 보호받을 수 있으며, 상표를 보호하기 위한 상표권은 어떻게 확보할 수 있을까요?

상표[1]란 자기의 상품과 타인의 상품을 식별하기 위해 사용하는 모든 표시를 의미합니다. 즉, 상표란 형식에 상관없이 누군가의 상품을 타인의 상품과 구분 지어 주는 모든 표장[2]을 뜻합니다. 상표는 문자나 기호, 도형은 물론이고, 입체적인 형상, 색채, 위치, 소리, 냄새일 수도 있습니다. 또한, 상표는 하나의 물건에 하나만 표시되어 있을 수도 있고, 하나의 물건에 여러 개의 상표가 표시되어 있을 수도 있습니다.

---

1) 상표법 제2조 제1항 제1호 : "상표"란 자기의 상품(지리적 표시가 사용되는 상품의 경우를 제외하고는 서비스 또는 서비스의 제공에 관련된 물건을 포함한다. 이하 같다)과 타인의 상품을 식별하기 위하여 사용하는 표장(標章)을 말한다.
2) 상표법 제2조 제1항 제2호 : "표장"이란 기호, 문자, 도형, 소리, 냄새, 입체적 형상, 홀로그램·동작 또는 색채 등으로서 그 구성이나 표현방식에 상관없이 상품의 출처(出處)를 나타내기 위하여 사용하는 모든 표시를 말한다.

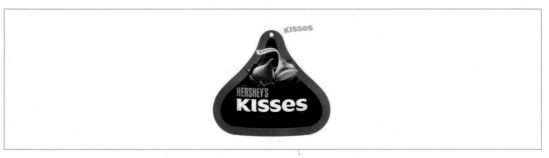

[그림 4-1] 허쉬의 초콜릿 포장지[3]

[그림 4-1]은 미국 허쉬의 대표 상품인 키세스 초콜릿입니다. 여기서 '허쉬의 키세스 초콜릿'과 타사의 초콜릿을 구별할 수 있는 모든 표시가 상표입니다. 즉, 'HERSHEY', 'KISSES'와 같은 문자는 물론이고, 심지어 초콜릿을 포장한 물방울 모양의 입체적인 포장지의 형태도 상표에 해당합니다.

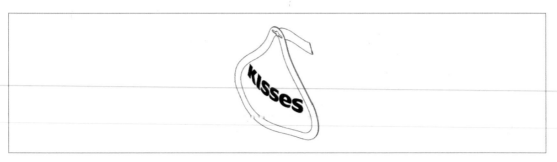

[그림 4-2] 상표등록 제40-1144590호

상표는 우리가 일반적으로 생각하는 물건에 사용될 수도 있지만, 서비스에도 사용될 수 있습니다. 예를 들어, 유명한 호텔 브랜드를 떠올려 본다면 그 호텔의 상표는 호텔 자체의 상표일 수도 있지만, 호텔을 이용하여 숙박업을 제공하는 서비스를 나타내는 상표라고 볼 수 있습니다. 또한 유명한 식당 프랜차 이즈를 떠올려 본다면 그 식당의 상표는 식당 자체의 상표일 수도 있지만, 음식을 제공하는 서비스를 나타내는 상표라고도 볼 수 있습니다.

한편, 상표는 다양한 기능을 가집니다.

- 자타상품식별기능이란 앞서 살펴본 바와 같이 자기의 상품과 타인의 상품을 식별하는 기능을 의미합니다.
- 출처표시기능이란 동일한 상표를 표시한 상품은 동일한 출처에서 나온 것임을 나타내는 기능을 의미합니다.
- 품질보증기능이란 동일한 상표를 표시한 상품은 동일하고 일정한 품질을 가질 것이라는 것을 수요자에게 보증하는 기능을 의미합니다.

---

3) 허쉬 홈페이지(https://www.thehersheycompany.com/ko_kr/brands/kisses/little.html)

이 외에도, 상표는 해당 상품의 판매촉진을 돕는 광고선전기능, 상표 자체가 재산으로서 인정되는 재산적 기능 등을 가집니다.

02 상표 출원 절차

상표는 원칙적으로 상표권에 의해 보호될 수 있습니다. 바꿔 말하면, 상표는 상표권이라는 권리에 의해 법적으로 보호받을 수 있으며, 등록되지 않은 상표는 보호받지 못합니다.

Tip

다만, 예외적으로 특정 상표가 유명해지는 등 특별한 경우에는 미등록된 상표라도 일부 보호받을 수 있습니다. 예를 들어, 미등록된 상표라도 유명해지면 그 상표의 권리자가 아닌 타인은 그 상표와 동일하거나 유사한 상표를 등록받지 못하게 됩니다.

이는 어떤 유명한 상표가 등록되어 있지 않음을 이유로 전혀 관계없는 제3자에게 그 유명한 상표와 동일하거나 유사한 상표를 등록받아 사용할 수 있게 한다면, 일반수요자는 그 유명한 상표가 부착된 제품에 대해 기대하는 출처나 품질이 있음에도 불구하고 전혀 관계없는 제3자의 제품과 혼동을 일으킬 우려가 있기 때문입니다.

상표등록을 받기 위해서는 특허, 디자인 등과 마찬가지로 먼저 특허청에 상표등록출원을 해야 하는데, 상표등록을 받고자 하는 사람은 특허청에 출원서를 작성하여 제출하여야 합니다.

상표등록출원서에는 출원인의 성명, 대리인의 성명 등의 정보와 더불어 등록받고자 하는 상표 및 지정상품[4]을 적어야 합니다. 이때, 하나의 출원을 통해서는 하나의 상표만 출원할 수 있지만,[5] 지정상품은 여러 개를 지정할 수 있습니다. 예를 들면, 'A'라는 상표와 'B'라는 상표를 하나의 출원서에 적어서 출원할 수는 없지만, 'A'라는 상표를 사용할 상품은 몇 개여도 상관이 없다는 뜻입니다.

현행 상표법 시행규칙에 따르면 상품은 총 45개의 분류로 구분되는데, 상표등록출원서에는 지정하고자 하는 상품이 포함된 분류와 지정상품을 모두 적어야 합니다. 예를 들면, 우리가 '의류장식용 리본'에 대해 'A'라는 상표를 등록받고 싶다면 상표등록출원서에는 상표 'A', 의류장식용 리본이 포함된 상품류인 '제26류' 및 '의류장식용 리본'을 모두 적어야 합니다.

출원인이 출원서를 특허청에 제출하면 특허청은 출원서와 함께 제출해야 하는 서류가 잘 제출되었는지, 수수료는 납부하였는지 등의 '방식심사'를 진행합니다. '방식심사' 결과 해당 출원에 문제가 없다면 상표등록출원 절차는 계속 진행됩니다.

---

4) 지정상품이란 출원상표를 사용하고자 하는 상품을 의미합니다.
5) 이를 1상표 1출원주의라고 합니다.

상표등록출원이 완료되면 특허, 디자인과 마찬가지로 특허청 심사관은 출원된 상표가 상표법에 규정된 등록요건에 따라 등록받을 수 있는 것인지를 판단하게 됩니다. 만약, 출원된 상표가 어떤 등록요건을 충족하지 못하여 거절이유가 있다면 심사관은 일정 기간을 지정하여 거절이유를 적은 의견제출통지서를 출원인에게 통지합니다. 출원인은 이러한 거절이유에 대하여 상표등록출원서를 보정한 보정서와 의견서를 제출할 수 있습니다. 이후 심사관이 보정 후의 출원 내용에 대해 심사하였으나 여전히 거절이유가 있다면 상표등록출원은 거절결정됩니다.

만약, 출원된 상표에 거절이유가 없거나, 거절이유가 있었더라도 보정서와 의견서에 의해 거절이유를 극복하게 되었다면 그 상표등록출원은 출원공고됩니다. 출원공고는 특허나 디자인 제도에는 존재하지 않는 제도인데, 심사관이 출원된 상표에 거절이유가 없는 것으로 판단하는 경우 그 출원의 내용을 일반 대중에게 일정 기간(2개월) 동안 공개하는 제도를 말합니다. 출원공고가 되면 누구든지 출원된 상표에 거절이유가 있다고 생각될 경우, 특허청에 그 상표는 거절이유가 있다는 이유로 거절을 요구하는 이의신청을 할 수 있습니다.

이후 심사관은 출원공고 기간이 지난 후에도 출원된 상표에 거절이유가 없다면 그 상표를 등록결정하게 되며, 출원인은 상표등록료를 납부하여 상표권의 설정등록을 마침으로써 상표권을 확보할 수 있게 됩니다.

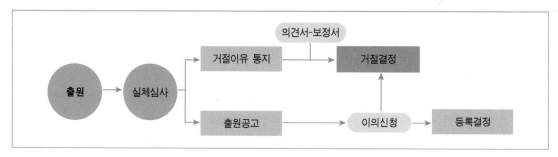

[그림 4-3] 상표출원 절차의 흐름도[6]

---

6) 공익변리사 특허상담센터(https://www.pcc.or.kr/home/content.do?menu_cd=000034)

03 상표의 국제적 보호

앞서 살펴본 키세스 초콜릿에 대한 허쉬의 등록상표 제40-1144590호를 다시 한번 살펴보겠습니다.

상표출원공고   40-2015-0087753

| (190) 대한민국특허청(KR)
상표공보 | (260) 공고번호 | 40-2015-0087753 |
| | (442) 공고일자 | 2015년08월26일 |

(511) 분류   30(10판)
(210) 출원번호   40-2015-0026685
(220) 출원일자   2015년04월10일
(731) 출원인

　　더 허쉬 컴퍼니

　　미합중국 펜실베니아 허쉬

(740) 대리인

　　양영준, 김영

담당심사관 : 안우환

(511) 지정상품/서비스업/업무

제 30 류

과자(confectionery), 식용 캔디(candy for food), 드롭스(drops-confectionery), 껌(gum), 초콜릿(chocolate), 초콜릿 제품(chocolate products), 캐러멜캔디(caramels-candy), 빵 및 페이스트리(bread and pastry), 아이스크림(ice cream), 식용 당(糖)류(sugar for food), 코코아제품(cocoa products), 떡(rice cakes), 곡분 및 곡물 조제품(flour and preparations made from cereals), 아몬드페이스트(almond paste), 식품용 향료(aromatic preparations for food), 조미료 (condiments), 이스트/베이킹 파우더 및 조미료(yeast, baking powder and flavourings), 식용 소금(salt for food), 도정(搗精)한 곡물(polished cereals), 식용 맥아(malt for human consumption), 차(茶, tea), 차음료(tea-based beverages), 식용 얼음(edible ices), 아이스크림 응고제(binding agents for ice cream),

(554) 본 상표는 입체이므로 원본을 참조하시기 바랍니다.

상표견본

[그림 4-4] 등록상표 제40-1144590호의 상표공보

[그림 4-4]의 상표공보를 살펴보면 분명히 허쉬는 미국에 본사를 두고 있지만, 대한민국 특허청에서 발행된 상표공보에 출원인의 명칭은 한글로 '더 허쉬 컴퍼니'라고 적혀 있고, 지정상품 항목에도 한글이 기재된 것을 볼 수 있습니다. 즉, 허쉬는 대한민국에 별도의 상표권을 확보한 것을 알 수 있습니다. 이는 각 나라에 등록된 상표권의 효력은 그 나라의 영토 내에서만 미치기 때문인데요,[7] 우리나라 기업도 마찬가지로 해외에 진출하기 위해서는 우리나라뿐만 아니라 진출할 국가에서도 별도로 상표권을 획득할 필요가 있습니다.

---

7) 이를 속지주의라고 합니다.

일반적으로 해외에서 상표등록을 하는 방법은 ① 해당 국가에서 직접 출원하는 방법, ② 파리조약에 기초해 출원하는 방법, ③ 마드리드의정서에 의한 출원을 진행하는 방법이 있습니다.

해당 국가에서 직접 출원하는 방법은 말 그대로 그 국가에서 상표등록출원을 하는 방법입니다. 파리조약을 이용하는 방법은 우리나라에서 출원한 상표와 동일한 상표를 6개월 내에 우선권을 주장하면서 해외에 출원하는 방법입니다. 이 방법은 해당 국가에서 직접 출원하는 방법과 크게 다르지는 않지만 우리나라에서 출원한 날을 해당 국가에서 출원한 날로 인정받을 수 있다는 장점이 있습니다. 마지막으로 마드리드의정서에 따른 출원은 세계지적재산권기구(WIPO)의 국제사무국에 마드리드의정서 출원을 함으로써 원하는 국가에 동시에 출원한 것과 마찬가지의 효력을 갖는 방법입니다.

출원인은 이러한 방법들의 장단점을 고려하여 필요에 따라 어느 한 방법을 선택함으로써 해외에서 상표등록을 도모할 수 있습니다.

제2장 상표의 등록요건

제2장
상표의 등록요건

키워드

식별력

보통명칭

관용표장

기술적표장

현저한 지리적 명칭

보통명칭화

사용에 의한 식별력

상표의 부등록사유

- **식별력**: 자기의 상품과 타인의 상품을 식별할 수 있는 힘
  └ 시간의 흐름에 따라 변동 가능

- **식별력이 없는 경우**
  - ① 보통명칭 `ex` 펜에 대한 '펜'
  - ② 관용표장 `ex` 장아찌에 대한 '오복채'
  - ③ 기술적 표장 `ex` 아메리카노에 대한 'sweet'
  - ④ 현저한 지리적 명칭 등 `ex` 서울, 파리, 뉴욕
  - ⑤ 흔히 있는 성 또는 명칭 `ex` 김씨, 사장
  - ⑥ 간단하고 흔히 있는 표장 `ex` A, ㄴㄱ
  - ⑦ 그 외 식별력 없는 표장

- **식별력의 변동**
  - 보통명칭화: 식별력을 잃어버리는 경우
  - 사용에 의한 식별력: 식별력을 획득하는 경우

- **부등록사유**
  - ① 먼저 출원된 타인의 등록상표가 있는 경우
  - ② 현저하게 알려진 타인의 상품이나 영업과 혼동을 일으키는 경우
  - ③ 저명한 타인의 성명·명칭 등을 포함하는 경우
  - ④ 상품의 품질을 오인하게 한 경우
  - ⑤ 공정한 경쟁 질서를 해치는 경우
  - ⑥ 그 외

확인학습

* 식별력이란 무엇일까요?

* 어떤 경우에 식별력이 인정되지 않을까요?

* 식별력이 인정되더라도 상표등록을 받을 수 없는 경우는 언제일까요?

Intellectual Property

01 들어가면서

> **사례**
>
> 멕시코음식 전문레스토랑을 운영하는 甲은 자신의 멕시코음식 전문레스토랑업을 지정서비스로 하여 상표 "🌮"를 등록받으
> 고자 합니다. 한편, 토마틸로(Tomatillo)는 자주색 열매가 식용으로 사용되는 식물이고, 멕시코요리에 즐겨 사용되는 식재
> 료의 명칭이며 이러한 사실은 인터넷이나 서적 등을 통해 알려져 있습니다. 甲의 출원상표는 등록받을 수 있을까요?[8]

우리나라는 상표권에 대하여 등록주의를 취하고 있습니다. 등록주의란 상표를 실제로 사용하고 있는
지와 상관없이 일정 요건을 갖추고 있으면 상표등록이 가능하다는 것을 의미합니다.

제1장의 '상표 출원 절차'에서 살펴본 바와 같이 출원된 상표에 거절이유가 있다면 그 상표는 등록받을
수 없고, 설령 등록되었다고 하더라도 추후 상표등록이 무효로 될 수 있습니다.[9]

> **사례 1**
>
> 최근 이마트의 등록상표 "😊"는 주식회사 노브랜드의 등록상표 "**NOBLAND**"와 유사함을 이유로 상표등록이 무효로
> 되었습니다. 따라서 이마트는 노브랜드 상표가 부착된 의류 상품을 출시할 수 없게 되었습니다.[10]

> **사례 2**
>
> 한 식당이 보유한 등록상표 "**사리원면옥**"은 현저한 지리적 명칭인 '사리원'만으로 이루어진 상표에 해당한다는 이유로
> 상표등록이 무효로 되었습니다.[11]

그렇다면 상표등록을 받을 수 없는 거절이유에는 어떤 것들이 있을까요? 다음에서는 출원상표에 대한
일반적인 거절이유에 대해 알아보도록 하겠습니다.

---

8) 대법원 2012. 4. 13. 선고 2011후1142 판결의 내용 발췌
9) 상표란 자기의 상품과 타인의 상품을 식별하기 위해 사용하는 모든 표시이기만 하면 되는 것이고, 거절이유가 있어 상표등록을 받지 못했다고 해서
   상표가 아닌 것은 아닙니다. 단지, 등록받지 못한 상표일 뿐입니다.
10) 특허심판원 2018. 12. 5. 심결 2017당2663 심결 참조
11) 대법원 2018. 2. 13. 선고 2017후1342 판결 참조

02 상표의 식별력

상표는 자기의 상품과 타인의 상품을 식별하기 위해 사용하는 모든 표시를 말합니다. 이때, 상표가 자기의 상품과 타인의 상품을 식별할 수 있도록 하는 힘을 식별력이라고 합니다.

아주 간단한 예를 들어볼까요?

어떤 커피 음료병에 'STARBUCKS'라는 문자가 표시되어 있다면 우리는 쉽게 그 커피 음료의 출처가 스타벅스이거나 적어도 스타벅스와 어떤 관계를 가진 자에 의해 공급, 판매, 유통된 것이라는 것을 알 수 있습니다. 이 경우는 'STARBUCKS'라는 문자에 식별력이 있는 것이지요.

반대로 어떤 커피 음료병에 'AMERICANO' 또는 'SWEET'라는 문자가 표시되어 있다면 우리는 그 문자만 보고 그 커피의 출처를 알 수 있을까요? 아마 그 문자만 보고는 아무도 그 커피의 출처를 알지 못할 것입니다. 우리는 커피 음료병에 표시된 'AMERICANO'라는 문자를 그 커피 음료가 아메리카노라는 것을 나타내기 위한 것으로 생각할 것이고, 'SWEET'라는 문자는 이 커피 음료가 달콤한 맛이 난다는 것을 나타내기 위한 것으로 생각할 것이기 때문입니다. 이 경우는 'AMERICANO'와 'SWEET'라는 문자에 식별력이 없는 것이지요.

이처럼, 상표는 식별력이 없으면 상표등록을 받을 수 없습니다. 우리 상표법은 식별력이 없는 상표의 예로서 다음 일곱 가지를 규정하고 있습니다.

보통명칭

보통명칭이란 그 상품의 명칭 자체를 나타내는 것을 의미합니다. 예를 들어, 펜이라는 물건에 대한 상표 '펜'은 그 물건의 명칭 자체를 나타내는 것이므로 보통명칭에 해당합니다.

관용표장

관용표장이란 그 상품의 거래계에서 그 상품의 명칭처럼 일반적으로 사용된 결과 그 상품 자체를 가리키는 것으로 인식되는 단어를 의미합니다. 예를 들어, 대법원이 '오복채'라는 단어는 장아찌의 한 종류를 가리키는 제품명으로 널리 사용되어 관용표장에 해당한다고 판단한 사례[12]가 있습니다.

---

12) 대법원 2003. 12. 26. 선고 2003후243 판결 참조

[표 4-1] 관용표장의 예[13]

지정상품	상표	지정상품	상표
구중청량제	인단(66후7)	직물	TEX, LON, RAN
장식용 시트	데코시트(99후24)	낙지요리	조방낙지(05후1592)
장아찌	오복채(03후243)	콜드크림	VASELINE(95후1463)
숙박업	관광호텔, 파크	꼬냑	나폴레옹(83후14)
요식업	가든, 원, 장, 각, 성(98허4111)	청주	정종
통신업	cyber, web, tel, com, net(98허7233)	금융업	Homebanking, Passcard, Cashcard

기술적 표장

기술적 표장이란 그 상품의 산지, 품질, 원재료, 효능 등의 성질을 직접적으로 나타내는 것을 의미합니다. 반대로, 어떤 표장이 그 상품의 산지나 품질 등의 성질을 암시하는 데 지나지 않아 그 상품의 산지나 품질 등의 성질을 직접적으로 나타내지 않는 경우에는 기술적 표장이 아닙니다.

앞서 살펴본 "⊕"를 예로 들어볼까요?

토마틸로는 멕시코요리에 즐겨 사용되는 식재료의 명칭이며 이러한 사실은 인터넷이나 서적 등을 통해 알려져 있습니다. 그렇다면, 토마틸로는 적어도 멕시코음식이나 멕시코음식 전문레스토랑에 관해서는 원재료를 나타내는 단어에 해당하게 되므로 기술적 표장에 해당합니다. 따라서 멕시코음식 전문레스토랑업을 지정서비스로 하는 상표 "⊕"는 상표등록을 받을 수 없습니다.

이 외에도, 아메리카노를 지정상품으로 하는 상표 'SWEET'는 아메리카노가 달콤할 것이라는 성질을 나타내므로 기술적 표장에 해당하고, 오징어를 지정상품으로 하는 상표 '울릉도오징어'는 울릉도산 오징어라는 산지를 나타내므로 기술적 표장에 해당합니다.

> **사례** BTS의 'DigitalSouvenir'는 상표등록을 받을 수 없다
>
> 그룹 방탄소년단(BTS) 소속사인 하이브가 '디지털 기념품'으로 해석되는 영문 명칭인 'DigitalSouvenir'를 상표출원했다가 2022년 하반기에 잇달아 거절결정을 받은 것으로 확인되었습니다. 특허청은 하이브가 출원한 상표가 식별력이 없다는 것을 이유로 이와 같은 결정을 내렸습니다. 이에 대응하여 하이브는 거절결정을 취소해달라는 취지의 심판을 청구하였습니다. 한편, 특허청 상표디자인심사국은 "'Digital'은 '디지털 방식의'를 의미하고, 'Souvenir'는 '기념품'을 뜻하므로 '디지털 방식의 기념품'으로 쉽게 인식되고, 실거래에서도 이런 의미로 사용될 수 있다"며 "출원상표는 지정상품의 성질을 직접적으로 표시한 표장으로서 식별력이 없으며, 해당 문자의 결합으로 새로운 식별력이 형성되는 것도 아니고, 동종 거래업계에 종사하는 모든 사람에게 그 사용이 개방돼야 하는 표장으로서 공익상 특정인에게 독점시키는 것이 적절하지 않으며, 나아가 일반 수요자나 거래자들이 이 사건 출원상표를 보고 누구의 업무에 관련된 상품을 표시하는 것인가를 식별하기 곤란한 표장에 해당한다"고 밝혔습니다.

---

13) 특허청, 상표심사기준, 2022

현저한 지리적 명칭이나 그 약어 또는 지도

현저한 지리적 명칭이란 일반 사람들에게 특정 지역을 가리키는 것을 의미합니다. 이러한 지리적 명칭은 반드시 대한민국에 한정될 필요는 없고, 외국의 지역이라도 우리나라 사람들에게 현저하게 알려져 있다면 충분합니다.

앞서 살펴본 "**사리원면옥**"을 예로 들어볼까요?
이 사건에서 대법원은 '사리원'은 조선 시대부터 유서 깊은 곳으로 널리 알려져 있었고, 일제 강점기를 거쳐 그 후에도 여전히 북한의 대표적인 도시 중 하나로 알려져 있다는 이유로, "**사리원면옥**"이 현저한 지리적 명칭에 해당한다고 판단하였습니다.

04

흔히 있는 성 또는 명칭

흔히 있는 성씨 또는 명칭은 상표등록을 받을 수 없습니다. 예를 들면, 김씨, 이씨, 박씨, 대표, 사장, 회장 등은 흔히 있는 성 또는 명칭에 해당하여 상표등록을 받을 수 없습니다.

간단하고 흔히 있는 표장

상표의 구성이 간단하고 흔히 있는 것을 의미합니다. 예를 들면, 한글 1글자, 두 개의 알파벳이 의미 없이 단순히 결합된 문자 등이 이에 해당합니다.
예를 들면, 가, 나, 취, A, B, AB, 57 등[14]은 간단하고 흔히 있는 표장에 해당하여 상표등록을 받을 수 없습니다.

그 외에 식별력 없는 표장

앞선 어느 하나에 해당한다고 말할 수는 없지만 전체적으로 보아 식별력이 없거나 특정 사람이 갖는 것이 공익상 부당한 것을 의미합니다.
예를 들면, 일반적인 구호, 널리 알려진 방송 프로그램 명칭이나 영화·노래의 제목, 사람이나 동식물·자연물의 사진 등이 이에 해당합니다. 또한, 외관상 식별력을 인정하기 곤란하거나, 다수인이 현실적으로 사용하고 있는 경우도 이에 해당합니다.

상표의 식별력은 시간의 흐름에 따라 변할 수 있습니다. 애초에 식별력이 있었던 상표가 추후 식별력을 잃어버리기도 하고, 식별력이 없었던 상표가 추후 식별력을 갖게 되기도 합니다.

---

14) 특허청, 상표심사기준, 2022

대표적으로 어떤 상표가 유명해지면 상표권자 이외에도 많은 사람이 그 상표를 사용하려고 하거나, 마치 그 상표가 특정 물건을 나타내는 것처럼 사용되기도 합니다. 이때, 어떤 상표가 특정 물건을 나타내는 것으로 널리 사용되어 결국 일반 거래계에서 그 물건을 칭하는 것으로 인식되면 그 상표는 이제 '보통명칭'이 되어 더 이상 식별력을 갖지 못하게 되며, 이러한 현상을 '보통명칭화'라고 합니다.

[표 4-2] 보통명칭화의 예

애초에 상표였지만 보통명칭이 되어 버린 예
호치케스, 스카치테이프, 아스피린, 초코파이, 나일론, 셀로판, JEEP

이처럼 '보통명칭화'는 식별력이 있었던 상표가 추후 식별력을 잃어버리는 대표적인 경우라고 볼 수 있습니다.

반대로 어떤 상표가 애초에는 식별력이 없었지만 꾸준한 사용에 의해 널리 알려지게 되는 경우가 있습니다. 이 경우 해당 상표는 식별력을 갖게 됩니다.[15] 즉, 앞서 살펴본 기술적 표장, 현저한 지리적 명칭 등이라고 하더라도 꾸준하게 사용된 결과 우리나라의 수요자들에게 널리 알려지게 된 경우에는 식별력을 사후적으로 갖게 되고, 이 경우에는 상표등록도 받을 수 있습니다.

사례 단박대출 사건

대법원은 '대부업' 등을 지정서비스로 하는 상표 "**단박대출**"에 대하여, 이 상표는 대부업에 있어서 신속하게 이루어지는 대출의 의미를 나타내어 식별력이 없는 표장에 해당하였으나, 지속적으로 사용된 결과 수요자들에게 널리 알려지게 되었으므로 식별력을 가진다고 판시한 바 있습니다.

따라서 상표 "**단박대출**"은 결국 상표등록을 받을 수 있었습니다.[16]

---

15) 이렇게 얻게 되는 식별력을 '사용에 의한 식별력'이라고 합니다.
16) 대법원 2017. 9. 12. 선고 2015후2174 판결 참조

03 상표의 부등록사유

> **사례**
>
> 액세서리를 제조하여 판매하는 영숙이는 TV를 보던 중 아이돌 그룹 BTS가 전 세계를 돌아다니며 공연하는 것을 보게 되었습니다. 영숙이는 순간 BTS라는 명칭을 상표로 등록하여 액세서리에 부착하여 사용한다면 더욱 큰 광고효과가 나올 것이라고 생각해 지정상품을 액세서리, 액세서리 제조업으로 하여 상표 'BTS'를 등록받고자 합니다. 영숙이가 출원한 상표는 등록받을 수 있을까요?

설령 어느 상표가 식별력이 인정된다고 하더라도 그 출원된 상표에 상표법에서 규정하는 부등록사유[17]가 있다면 등록받을 수 없습니다. 이러한 부등록사유는 공익을 위한 것도 있고, 일반 수요자를 보호하기 위한 것도 있고, 어떤 특정 개인을 보호하기 위한 것도 있으며, 우리 사회의 건전한 경쟁질서를 유지하기 위한 것도 있습니다.

다음에서는, 상표법에 규정된 부등록사유 중 우리가 쉽게 접할 수 있는 부등록사유를 몇 가지 간단하게 살펴보도록 하겠습니다.

먼저, 상표등록출원 시 가장 많이 거절되는 이유는 동일하거나 유사한 지정상품에 대하여 동일하거나 유사한 상표가 먼저 출원되어 등록된 경우입니다. 즉, 타인이 먼저 출원하여 등록된 상표와 동일하거나 유사한 상표로서 그 지정상품과 동일하거나 유사한 상품에 사용하는 상표는 일반 수요자가 그 상표가 표시된 상품의 출처를 혼동할 수 있기 때문에 상표등록을 받을 수 없습니다.
앞서 살펴본 '노브랜드' 사건이 그 예시입니다.
이 사건에서 대법원은 이마트의 등록상표 "😊"는 주식회사 노브랜드의 등록상표 "**NOBLAND**"와 유사하다고 판단하였습니다. 따라서 애초에 상표등록을 받을 수 없었음에도 착오로 등록된 것이므로 이마트의 등록상표 "😊"는 무효가 되었습니다.

수요자들에게 현저하게 인식되어 있는 타인의 상품이나 영업과 혼동을 일으키거나 그 식별력 또는 명성을 손상시킬 염려가 있는 상표도 상표등록을 받을 수 없습니다. 이 부등록사유는 전 세계적으로 널리 알려져 있는 상표와의 관계에서 문제되는 경우가 많습니다.

---

17) 상표법 제34조 제1항 제1호 내지 제21호에 규정되어 있습니다.

샤넬 성형외과 사건

대법원은 성형외과업, 미용성형외과업, 피부과업, 의료업 등에 "_Channel_ 샤넬...성형외과"와 같은 상표를 시용히는 경우 저명한 상표 샤넬 (CHANEL)의 상표권자의 영업과 혼동을 일으킬 수 있다는 이유로 출원상표 "_Channel_ 샤넬...성형외과"의 상표등록을 허용하지 않은 사례가 있습니다.[18]

사례 2 **MCMC 사건**

대법원은 가방, 지갑 등을 지정상품으로 하는 상표 "M˙CM˙C"에 대하여, 타인의 등록상표인 "M˙CM˙C"와의 관계에서 출처의 혼동을 일으킬 염려가 있으므로 등록된 상표를 무효로 한 사례가 있습니다.[19]

그렇다면 앞선 사례에서 영숙이가 출원하고자 하는 상표는 어떨까요? 우리 상표법은 저명한 타인의 성명·명칭 등을 포함하는 상표는 그 타인의 승낙이 없이는 상표등록을 받을 수 없도록 하고 있습니다. 이 경우 출원상표가 저명한 타인의 성명이나 명칭 등을 포함하고 있으면 등록받을 수 없는 것이고, 지정상품이 무엇이든 상관이 없습니다.

따라서 영숙이가 출원하고자 하는 상표 BTS는 저명한 아이돌 그룹의 명칭과 동일하거나 그 명칭을 포함하는 상표이므로 상표등록을 받을 수 없습니다.

이와 유사한 사례로, 대법원이 저명한 연예인의 명칭을 포함하는 상표등록을 거절한 다음 사례가 있습니다.

사례 **2NE1 사건**

지정상품을 '눈썹용 연필, 립스틱, 매니큐어, 아이섀도, 마스카라' 등으로 하는 甲 외국회사의 출원상표에 대하여 상표법 제7조 제1항 제6호에 해당한다는 이유로 특허청장이 거절결정을 한 사안에서, "출원상표인 '2NE1'은 음반업계에서 유명한 연예기획사인 乙 주식회사 소속 여성 아이돌 그룹 가수의 명칭으로, 그와 동일한 표장을 갖는 출원상표의 등록을 허용할 경우에는 지정상품과 관련하여 그 수요자나 거래자들이 위 여성 그룹 가수와 관련 있는 것으로 오인·혼동할 우려가 상당하여 타인의 인격권을 침해할 염려가 있는 점 등의 사정을 종합해 보면, 출원상표는 출원일 무렵에 저명한 타인의 명칭에 해당하고, 여러 사정에 비추어 위 여성 그룹 가수는 국내의 유명한 여성 4인조 아이돌 그룹으로서 출원상표의 출원일 무렵 국내의 수요자 사이에 널리 알려져 저명성을 획득하였다"는 것이 그 이유였습니다.[20]

---

18) 대법원 2007. 12. 27. 선고 2006후664 판결 참조
19) 대법원 2020. 4. 29. 선고 2019후12179 판결 참조
20) 대법원 2013. 10. 31. 선고 2012후1033 판결 참조

상표가 지정상품에 사용되는 경우 그 상품을 다른 상품으로 오인하게 하거나 상품의 품질을 오인하게 하는 경우에도 상표등록을 받을 수 없습니다. 예를 들면, 포도주스에 '콜라'라는 상표를 사용하거나, 검은색 펜에 'Red Color'라는 상표를 사용하는 경우 상표등록을 받을 수 없습니다.

상표를 출원한 자가 타인과의 관계에서 경쟁질서를 해치는 경우에도 상표등록을 받을 수 없습니다. 예를 들면, 다른 사람과 동업 관계에 있다가 동업자 몰래 함께 사용하기로 준비하던 상표를 자신의 개인 명의로 출원하거나, 타인의 종업원으로 고용되어 일하던 사람이 고용주가 사용하려고 준비 중인 상표를 자신의 개인 명의로 출원하는 경우 등에는 상표등록을 받을 수 없습니다.

이 외에도 우리 상표법은 상표 그 자체가 문제가 되어 상표등록을 허용하지 않는 경우가 있습니다. 예를 들면, 어떤 국가의 국기나 군기 등과 동일하거나 유사한 상표(예 태극기, 국제적십자의 로고 등)는 상표등록을 받을 수 없습니다.

또한, 공서양속에 반하는 상표(예 욕설이나 외설적 표현, 범죄를 조장하는 표현 등)도 상표등록을 받을 수 없습니다.

제3장 상표권의 내용과 상표의 인접개념

요약노트

제3장
상표권의 내용과 상표의 인접개념

- **상표권의 효력**: 상표권자는 등록상표를 지정상품에 대해 독점배타적으로 사용 가능
  - ↳ 등록된 국가에서만 '10년간'
    - ↳ 갱신 가능
  - ↳ 일정한 경우 상표권의 효력이 제한될 수도 있음
    - ex 식별력 없는 상표, 상호 등

- **상표권의 소멸 사유**
  - ① 존속기간 만료
  - ② 무효 → 처음부터 없었던 것으로
  - ③ 취소 → 장래를 향해 소멸

- **상표의 종류**: 문자, 기호, 도형, 입체적 형상, 색채, 위치 등 제한 X

- **상표 이외의 표장**
  - 단체표장
  - 증명표장
  - 지리적 표시 → 지리적 표시 단체표장, 지리적 표시 증명표장
  - 업무표장

- **상표권 침해에 대한 구제**
  - 민사적 구제 ex 손해배상청구
  - 형사적 구제 ex 침해죄
  - 분쟁조정
  - 협상

확인학습

* 상표권의 효력과 내용은 어떻게 될까요?
* 상표권은 어떻게 소멸될까요?
* 상표법상 보호되는 표장에는 어떤 것들이 있을까요?

* 상표권 침해 시 구제 방법에는 어떤 것들이 있을까요?
* 상표와 인접한 개념에는 무엇이 있을까요?

01 상표권의 효력 및 내용

지금까지 우리는 상표란 무엇인지, 상표등록을 받기 위한 절차는 어떻게 되는지, 어떤 상표를 등록받을 수 있는지 알아보았습니다. 이제부터는 상표권의 효력과 그 내용에 대해 살펴볼 차례입니다.

아래는 상표권의 효력과 관련된 가상의 사례입니다. 가상의 사례이지만 우리가 쉽게 상상해 볼 수 있고, 우리 주변에 실제로 일어날 수도 있는 사례들입니다.

> **사례 1**
>
> 여정이는 의류를 지정상품으로 하는 상표 'X'의 상표권자입니다. 어느 날 여정이는 자기와 전혀 상관없는 업체에서 상표 'X'가 부착된 의류를 제조하여 판매하는 것을 발견하였습니다.

> **사례 2**
>
> 영철이는 어느 대학교 앞에서 복숭아의 과육을 이용해 과일주스를 만들어 "sweet peach"라는 문자가 인쇄된 일회용 컵에 담아 판매하고 있습니다. 어느 날 영철이는 친구로부터 "sweet peach"라는 상표가 이미 등록되어 있는지 확인해 봤냐는 질문을 받았습니다. 영철이는 갑자기 자신의 영업행위가 혹시 타인의 상표권을 침해하는 것이 아닌지 겁이 나기 시작하였습니다.

> **사례 3**
>
> 민수는 부모님이 운영하시는 작은 슈퍼마켓의 업무를 종종 도와드립니다. 그 슈퍼마켓의 이름은 '삼성슈퍼'인데, 민수는 어느 날 뉴스에서 대기업인 삼성이 자신의 상표를 지키기 위해 노력하고 있다는 보도를 보고, 혹시 부모님이 운영하시는 슈퍼마켓이 분쟁에 휘말리지는 않을지 걱정이 되었습니다.

다음에서 상표권의 효력과 그 내용에 대해 살펴보면서 이 사례들에 대한 정답을 알아보도록 하겠습니다.

상표권의 효력

상표권은 특허권, 디자인권과 마찬가지로 독점·배타적인 권리를 갖습니다. 즉, 상표권자는 지정상품에 대해 등록된 상표를 독점적으로 사용할 수 있습니다. 상표권자에게 허락을 받지 않은 타인은 무단으로 상표권자의 상표와 동일하거나 유사한 상표를 지정상품과 동일하거나 유사한 상품에 사용할 수 없습니다.

따라서 사례 1에서 여정이는 자신의 등록상표 'X'를 무단으로 사용하는 업체에 상표권 침해의 책임을 물을 수 있습니다.

상표권의 효력 범위

상표권의 효력은 해당 상표권이 등록된 국가의 영토 내에만 미칩니다. 따라서 우리나라에서 등록된 상표와 동일하거나 유사한 상표를 외국에서 사용할 경우, 그 외국에 별도의 등록된 상표가 없다면 상표권을 침해하는 것이 아니게 됩니다.

상표권은 설정등록에 의하여 발생하며, 상표권의 존속기간은 설정등록된 날로부터 10년입니다. 하지만 상표권은 특허권이나 디자인권과는 달리 존속기간갱신등록신청을 통해 10년씩 존속기간을 갱신할 수 있습니다. 존속기간갱신등록신청의 횟수에는 제한이 없으므로 상표권은 특별한 이슈가 없는 한 반영구적으로 존재할 수 있다는 특징이 있습니다.

상표권의 효력 제한

앞서 살펴본 바와 같이 상표권자는 자기의 등록상표를 독점적, 배타적으로 사용할 수 있습니다. 하지만 실제 등록된 상표와 동일하거나 유사하게 보이는 상표라고 하더라도 상표권의 효력이 미치지 않는 경우가 있습니다.

대표적으로, 식별력이 없는 상표를 특별하게 변형하지 않고 사용하는 경우에는 설령 타인의 등록상표가 있더라도 상표권은 침해하지 않습니다. 예를 들면, 보통명칭이나 기술적 표장을 일반적으로 표시하는 경우에는 상표권의 효력이 미치지 않습니다.

사례 2를 예로 들어 보겠습니다. 만약에 과일주스를 지정상품으로 하는 등록상표 "sweet peach"가 실제로 존재한다고 하더라도, 영철이가 단순히 글자로 "sweet peach"를 일회용 컵에 인쇄하여 영업을 하는 것이라면 상표권의 침해가 아닙니다. 왜냐하면, 과일주스를 사 마시는 수요자의 입장에서 sweet는 과일주스가 달콤할 것이라는 의미로 받아들여질 것이고, peach는 그 주스의 재료로 인식되기 때문입니다.

또한, 자신의 상호[21]를 특별하게 변형하지 않고 사용하는 경우에도 상표권의 효력이 미치지 않습니다. 따라서 사례 3에서 민수의 부모님이 슈퍼마켓의 간판에 단순히 "삼성슈퍼"라는 명칭만을 기재하여 사용하고, 이를 광고하거나 삼성슈퍼라는 단어를 특이하게 변형하지 않는 한 상표권의 효력은 미치지 않습니다.

---

21) 상호란 상인이 영업상 자기를 표시하기 위하여 사용하는 명칭을 의미합니다. 대표적으로, 사업자등록증에 등재된 명칭이나 가게의 간판에 쓰이는 명칭을 의미합니다.

02 상표권의 소멸

앞서 살펴본 바와 같이, 상표권의 존속기간은 존속기간갱신등록에 의해 10년씩 갱신되므로 반영구적인 특징을 갖습니다. 하지만 상표권도 도중에 소멸될 수 있습니다.

대표적으로, 상표권의 존속기간이 만료되었음에도 존속기간갱신등록을 하지 않는 경우 상표권은 당연히 소멸하게 됩니다.

또한 애초에 상표등록이 불가능했던 상표였음에도 착오로 등록된 경우 무효심판을 통해 소멸될 수 있습니다. 이 경우, 해당 상표권은 처음부터 없었던 것으로 보게 됩니다.

한편, 상표 제도는 특허, 디자인과는 달리 취소심판 제도를 두고 있습니다. 무효심판은 상표가 애초에 등록될 수 없었음을 이유로 처음부터 없었던 것처럼 소멸시키는 제도라면, 취소심판은 애초에 등록은 가능한 상표였지만 등록 후에 어떤 사유가 발생하여 장래를 향해 소멸시키는 제도입니다. 따라서 취소심판을 통해 상표등록의 취소심결이 확정되면 그 상표권은 장래를 향해 소멸하게 됩니다.

03 상표법상 보호되는 표장

상표의 종류

상표란 형식에 상관없이 자기의 상품과 타인의 상품을 식별하기 위해 사용하는 모든 표시를 의미한다고 배웠습니다. 그렇다면, 실제로 문자, 기호, 도형이 아닌 표시들이 실제 상표로 인정되는 사례는 무엇이 있을까요?
실제로 상표로 인정받을 수 있는 형식에는 제한이 없습니다.
입체적 형상, 색채, 위치, 동작, 홀로그램뿐만 아니라 소리와 냄새도 상표로 인정받을 수 있습니다.

대표적인 입체적 형상으로 된 상표는 빙그레의 바나나맛 우유가 있습니다.

[그림 4-5] 상표등록 제40-0645729호

색채만으로 된 상표로써 한국인삼공사가 홍삼을 주원료로 한 건강기능식품 등에 대해 상표등록을 받기도 하였습니다.

[그림 4-6] 상표등록 제40-1917854호

대표적인 위치 상표로는 크게 유행하였던 톰브라운의 상표가 있습니다.

[그림 4-7] 상표등록 제40-1644135호

또한 반드시 상표등록이 되지 않았다고 하더라도 상품의 출처표시로서 이용된다면 당연히 상표로서 인정받을 수 있습니다.

예를 들어, 세계적인 쥬얼리 브랜드 Tiffany and Company의 에메랄드색도 상표로서 기능할 수 있고, 아이다스의 옷의 옆라인을 따라 배치된 삼선 무늬도 상표로 기능할 수 있습니다. 또한, SKT의 통화연결음도 소리 상표로 인정받을 수 있고, 레이저 프린터 토너의 레몬향, 차량용 윤활유의 아몬드향도 냄새 상표로 인정받을 수 있습니다.

상표법상 보호되는 상표 이외의 표장

실제 우리 주변에는 상표는 아니지만, 상표와 유사한 기능을 수행하는 표시도 있습니다.
단체표장은 상품을 생산·제조·가공·판매하거나 서비스를 제공하는 자가 공동으로 설립한 법인이
직접 사용하거나 그 소속 단체원에게 사용하게 하기 위한 표장을 말합니다.

한국전기공업협동조합

사단법인 대한한의사협회

사단법인 국제청소년연합

대한가구산업협동조합연합회

한국기계공업협동조합연합회

사단법인 한국온천협회

[그림 4-8] 단체표장의 예시[22]

증명표장은 상품의 품질, 원산지, 생산방법 또는 그 밖의 특성을 증명하고 관리하는 것을 업으로 하는
자가 타인의 상품에 대하여 그 상품이 품질, 원산지, 생산방법 또는 그 밖의 특성을 충족한다는 것을
증명하는 데 사용하는 표장을 말합니다.

양모제품의 품질보증

식품위해요소중점관리기준

미국 전자제품 등의 안전인증

우리나라 국가통합인증

중국 품질·안전 강제인증

일본 전기용품 안전인증

[그림 4-9] 증명표장의 예시[23]

22) 특허청, 상표심사기준, 2022
23) 특허청, 상표심사기준, 2022

지리적 표시란 상품의 특정 품질·명성 또는 그 밖의 특성이 본질적으로 특정지역에서 비롯된 경우에 그 지역에서 생산·제조 또는 가공된 상품임을 나타내는 표시를 말하며, 우리 상표 제도는 지리적 표시를 지리적 표시 단체표장과 지리적 표시 증명표장을 통해 보호하고 있습니다.

지리적 표시 단체표장이란 지리적 표시를 사용할 수 있는 상품을 생산·제조 또는 가공하는 자가 공동으로 설립한 법인이 직접 사용하거나 그 소속 단체원에게 사용하게 하기 위한 표장을 말합니다.

장흥 표고버섯
44-0000001

고흥유자
44-0000002

이천도자기
44-0000011

보성녹차
44-0000018

영덕대게
44-0000054

한산소곡주
44-0000189

[그림 4-10] 지리적 표시 단체표장의 예시[24]

지리적 표시 증명표장이란 지리적 표시를 증명하는 것을 업으로 하는 자가 타인의 상품에 대하여 그 상품이 정해진 지리적 특성을 충족한다는 것을 증명하는 데 사용하는 표장을 말합니다.

업무표장은 영리를 목적으로 하지 아니하는 업무를 하는 자가 그 업무를 나타내기 위하여 사용하는 표장을 말합니다.

대한민국(특허청장)

대한민국(고용노동부장관)

서울특별시

한국장애인고용공단

사단법인 국제태권도연맹

국민연금공단

[그림 4-11] 업무표장의 예시[25]

24) 특허청, 상표심사기준, 2022
25) 특허청, 상표심사기준, 2022

04 상표권의 침해와 구제

앞선 사례 1에서 살펴본 바와 같이 여정이는 자신의 등록상표 'X'를 무단으로 사용하는 업체에 상표권 침해의 책임을 물을 수 있습니다. 그렇다면, 구체적으로 여정이는 자신의 상표권을 침해한 업체에 대하여 어떻게 상표권 침해의 책임을 물을 수 있을까요?

상표권의 침해가 성립하기 위해서는 정당한 권리가 없는 제3자가 등록상표와 동일하거나 유사한 상표를 지정상품과 동일하거나 유사한 상품에 사용하여야 합니다. 물론, 상표권의 효력이 제한된다는 등의 사유는 없어야 하죠.

상표권의 침해요건이 모두 성립한다면 상표권자는 상표권을 침해하는 자에게 책임을 물을 수 있습니다. 이때, 상표권의 침해에 대한 구제 방법은 앞서 살펴본 특허권 및 디자인권의 구제 방법과 같습니다. 즉, 상표권자는 협상에 의한 해결 방법으로서 화해나 조정의 방법을 선택할 수 있습니다.

또한 상표권자는 민사적 구제 방법으로서 침해금지청구소송이나 침해금지가처분신청, 손해배상청구소송, 부당이득반환청구소송, 신용회복청구소송 등을 선택할 수도 있고, 형사적 구제 방법으로서 침해죄 등을 물을 수 있습니다.

또한, 산업재산권 분쟁 조정 제도를 이용할 수도 있습니다.

상표법에도 특허법이나 디자인보호법과 마찬가지로 권리범위확인심판 제도가 마련되어 있습니다. 따라서 상표권자로서는 본격적으로 분쟁을 시작하기 전에 권리범위확인심판을 통해 타인이 사용한 상표가 자신의 상표권의 권리범위에 속하는지 여부를 확인해 볼 수 있습니다.

사례1 CJ vs 롯데의 상표분쟁

롯데온과 CJ ENM이 상표권 사용을 두고 서로 대립하고 있습니다. 이러한 대립은 롯데온이 내놓은 신규 플랫폼 '온앤더스타일'로부터 시작됩니다. CJ의 대표 패션플랫폼 '온스타일(ON STYLE)'이 성공가도를 달리고 있는 가운데 최근 롯데온이 출시한 신규 플랫폼 '온앤더스타일'이 그 구성과 디자인, 이름 등에서 '온스타일(ON STYLE)'과 유사하다는 지적이 나왔기 때문입니다. CJ는 '온(ON)'과 '스타일(STYLE)'의 같은 명칭을 사용하는 롯데온에 상표권 표절 의혹을 제기하고 있습니다.

사례2 빼빼로데이, 롯데 상표권의 침해인가

최근 롯데제과가 일부 플랫폼을 대상으로 '상표권 침해 모니터링'을 진행한 것으로 알려졌습니다. 이른 바 '빼빼로데이'(11월 11일)를 앞두고 '상표권 침해 논란'이 다시 불거진 것이라고 볼 수 있습니다. 이에 대하여, '기업의 정당한 권리 행사'라는 의견과 '빼빼로데이를 만든 것은 일반인들인데, 너무 과도한 대응'이라는 의견이 엇갈리고 있습니다.

05 상표의 인접개념

> **사례 1 삼성전자와 김밥집의 분쟁**
>
> 삼성전자가 자사의 노트북 브랜드인 '센스'를 지켰다고 밝혔습니다. 바로 일반인과의 도메인 소송에서 이긴 것인데요, 삼성전자가 자사 노트북 브랜드 '센스'의 이름을 딴 도메인이름(sens.co.kr)을 쓰지도 않으면서 오랫동안 가지고만 있던 일반인을 상대로 소송을 제기하여 승소함으로써 도메인을 돌려받게 된 것입니다.
>
> 소송의 발단은 김모 씨가 삼성전자를 상대로 'sens.co.kr'의 사용권을 주장하면서부터입니다. 김 씨는 김밥집을 운영하면서 'sens.co.kr'의 권리를 확인해달라면서 소송을 제기하였습니다.
>
> 그러나 법원은 삼성전자의 손을 들어줬습니다. 'SENS'처럼 대중에게 널리 알려진 유명 상표 등을 따와 만든 도메인이름을 미리 등록한 다음 거의 쓰지 않으면서 장기 보유하고 있었기 때문입니다.

> **사례 2 명품 브랜드의 명칭을 도메인으로 가질 수 있을까?**
>
> 인터넷 주소(도메인네임)를 먼저 등록했어도 이러한 인터넷 주소가 유명 상표명을 모방한 것이어서 이용자에게 영업주체의 혼동을 줄 수 있다면 등록을 말소해야 한다는 판결이 나왔습니다.
>
> 서울지법 민사합의12부(재판장 이흥기·李興基부장판사)는 '샤넬' 상호가 들어간 인터넷 주소로 향수 등을 팔아 상표권을 침해당했다며 유명 화장품·의류업체인 샤넬이 김모 씨를 상대로 낸 상표권 등 침해금지 청구소송에서 "피고는 샤넬 상호를 도메인네임이나 홈페이지에 사용해서는 안 된다"며 원고승소 판결을 내렸습니다.
>
> 재판부는 또 피고 측이 한국인터넷정보센터에 등록한 'chanel.co.kr'이라는 도메인네임의 등록을 말소하라고 판결하였습니다.

실제로 우리 주변에는 상표는 아니지만 마치 상표와 유사한 것처럼 느껴지는 것들이 있습니다. 대표적인 예가 상호와 도메인입니다. 상호, 도메인 상표는 엄연히 다른 개념이지만, 그 기능이 일부 유사한 면이 있기 때문이겠죠. 다음에서는 상표의 인접개념으로서 상호와 도메인에 대해 간략하게 알아보도록 하겠습니다.

상표와 상호

상표는 자기의 상품과 타인의 상품을 식별하기 위하여 사용하는 모든 표시를 의미합니다. 상호는 상인(법인 또는 개인)이 영업상 자기를 표시하기 위하여 사용하는 명칭으로서, 영업의 동일성을 표시하는 기능이 있습니다.

즉, 상호는 상인이 영업에 관하여 자기를 표시하는 명칭으로서 인적 표지의 일종이며, 문자로 표현되고 호칭되며 회사나 기업의 경우 상호의 사용은 강제적입니다. 반면, 상표는 자기의 상품과 타인의 상품을 식별하기 위해 사용하는 모든 표시로서 문자뿐만이 아니라 기호, 문자, 도형 등과 이들의 결합, 입체적 형상, 색채, 소리, 냄새, 동작, 홀로그램 등 그 형식에 제한이 없고, 상표의 사용에 있어서는 강제성이 없다는 점이 다릅니다.

그러나 상호를 동시에 상품의 명칭인 상표에 사용하는 것은 가능하며(상호상표), 역으로 "Hite"처럼 인기상품에 부착되어 있는 상표를 상호로 사용하는 경우도 있습니다.

상표와 도메인이름

상표는 자기의 상품과 타인의 상품을 식별하기 위하여 사용하는 모든 표시를 의미하는 것이고, 도메인이름은 인터넷상 호스트 컴퓨터의 주소에 해당하는 숫자로 된 주소(IP Address)에 해당하는 알파벳 및 숫자의 일련의 결합을 의미합니다.

따라서 상표는 상품의 출처표시기능으로부터 출발하였고, 도메인이름은 인터넷상 호스트 컴퓨터의 장소 표시의 기능에서 출발하였지만, 전자상거래의 활성화로 도메인이름 그 자체가 상품의 출처표시 기능도 하게 되었습니다. 그 과정에서 타인의 상표를 부정한 목적으로 등록하여 정당한 상표권자에게 비싼 값에 되팔려는 사이버스쿼팅(cybersquatting) 행위가 증가함에 따라 상표와 도메인이름 간의 분쟁도 꾸준히 일어나고 있습니다.

한편, 상표와 도메인이름은 원칙적으로 별개의 권리이므로 국내에 상표를 등록하였다고 해서 그 상표를 도메인이름으로 등록할 수 있는 권리가 인정되는 것은 아닙니다. 반대로 도메인이름을 등록하였다고 하여 그 도메인이름을 상표로 등록할 수 있는 권리가 인정되는 것도 아닙니다.

다만, 국내에 널리 알려진 주지·저명상표인 경우 부정경쟁방지법상의 상품주체 오인혼동행위 또는 영업주체 혼동행위에 해당한다면 부정경쟁방지법에 의해 당해 도메인이름의 사용이 금지될 수 있으며, 등록된 상표와 동일하거나 유사한 도메인이름으로 등록된 상표의 지정상품과 동일하거나 이와 유사한 지정상품과 관련된 영업행위를 할 경우 상표권 침해에 해당할 수도 있습니다.

04

학습평가

01 어떤 상품에 상표는 반드시 하나만 표시된다. ☐ ○ ☐ ×

02 상표는 물건의 출처를 표시하기 위해 이용되는 것일 뿐 특정 서비스에 대한 출처를 표시하기 위해서
이용될 수는 없다. ☐ ○ ☐ ×

03 하나의 상표등록출원을 통해 여러 개의 상표를 등록받는 것도 가능하다. ☐ ○ ☐ ×

04 어떤 제품의 포장지의 입체적 형상도 상표로 인정받을 수 있다. ☐ ○ ☐ ×

05 출원공고 제도란 심사관이 출원된 상표에 거절이유가 없는 것으로 판단하는 경우 그 출원의 내용을
일반 대중에게 일정 기간 동안 공개하는 제도를 말한다. ☐ ○ ☐ ×

06 해외에서 상표등록을 하는 방법에는 해당 국가에 직접 출원하는 방법, 파리조약에 기초해 출원하는
방법, 헤이그 협정에 의한 출원을 진행하는 방법이 있다. ☐ ○ ☐ ×

07 어떤 상표가 식별력이 없는 상표라면 이후 어떠한 경우에도 상표등록을 받을 수 없다. ☐ ○ ☐ ×

08 기술적 표장이란 그 상품의 산지, 품질, 원재료 등을 직접적으로 나타내는 것을 의미하며, 단순히
그 상품의 성질을 암시하는 데 지나지 않는 경우에는 기술적 표장이 아니다. ☐ ○ ☐ ×

09 타인이 먼저 출원하여 등록된 상표와 동일하거나 유사한 상표로서 그 지정상품과 동일하거나 유사한
상품에 사용하는 상표는 상표등록을 받을 수 없다. ☐ ○ ☐ ×

10 유명한 아이돌 그룹의 명칭을 포함하는 상표는 지정상품에 관계없이 상표등록을 받을 수 없다.

○ ×

11 등록된 상표와 동일하거나 유사한 상표를 사용하는 경우에는 어떤 경우에도 등록된 상표의 권리를 침해하는 것이 된다.

○ ×

12 상표권 침해행위에 대해 손해배상청구나 침해금지청구와 같이 민사적 구제는 가능하지만 형사처벌과 같은 형사적 구제는 불가능하다.

○ ×

04

13 상호란 기호, 문자, 도형 등 그 형식에 제한이 없이 상인이 영업에 관하여 자기를 표시하는 명칭으로 이용되는 인적 표지의 일종을 말한다.

○ ×

해설

01 하나의 물건에 여러 개의 상표가 표시되어 있을 수도 있습니다.

02 상표는 서비스에 대한 출처를 표시하기 위해서 이용될 수도 있습니다.

03 하나의 상표등록출원을 통해서는 하나의 상표만 등록받을 수 있습니다.

04 상표의 형식에는 제한이 없으며, 포장지의 입체적 형상도 상표로 인정받을 수 있습니다.

05 출원공고 제도란 심사관이 출원된 상표에 거절이유가 없는 것으로 판단하는 경우 그 출원의 내용을 일반 대중에게 일정 기간 동안 공개하는 제도를 말합니다.

06 해외에서 상표등록을 하는 방법에는 해당 국가에 직접 출원하는 방법, 파리조약에 기초해 출원하는 방법, 마드리드의정서에 의한 출원을 진행하는 방법이 있습니다. 헤이그 협정에 의한 출원은 해외에서 디자인등록을 받기 위한 방법 중 하나입니다.

07 애초에 식별력이 없는 상표라도 꾸준하게 사용된 결과 수요자들에게 널리 알려지게 된 경우에는 상표등록을 받을 수도 있습니다.

08 기술적 표장이란 그 상품의 산지, 품질, 원재료 등을 직접적으로 나타내는 것을 의미하며, 단순히 그 상품의 성질을 암시하는 데 지나지 않는 경우에는 기술적 표장이 아닙니다.

09 타인이 먼저 출원하여 등록된 상표와 동일하거나 유사한 상표로서 그 지정상품과 동일하거나 유사한 상품에 사용하는 상표는 상표등록을 받을 수 없습니다.

10 저명한 타인의 성명·명칭 등을 포함하는 상표는 지정상품에 관계없이 그 타인의 승낙이 없이는 상표등록을 받을 수 없습니다.

11 식별력이 없는 상표를 특별하게 변형하지 않고 사용하거나 자신의 상호를 특별하게 변형하지 않고 사용하는 경우에는 상표권의 효력이 제한되는 경우가 있습니다. 이 경우에는 타인의 상표권을 침해하지 않는 것이 됩니다.

12 상표권 침해행위에 대해 형사적 구제 방법으로서 침해죄를 물을 수 있습니다.

13 상호는 문자로 표현됩니다.

정답

1. X 2. X 3. X 4. O 5. O 6. X 7. X 8. O 9. O 10. O 11. X 12. X 13. X

여러분들은 저작권이라고 하면 어떤 것이 떠오르나요? 영화 등을 불법으로 다운로드하면 "저작권에 걸린다."라는 표현을 들어본 경험이 있을 것입니다. 그렇다면 문학작품, 미술작품, 가요, 영화, 연극 등 전문가들에 의하여 창작된 작품이 아닌 블로그에서 흔히 볼 수 있는 정보성 게시글은 어떨까요? 예를 들어, 수준이 매우 낮은 초등학생의 습작도 저작권법으로 보호받을 수 있을까요?

초등학생이 그린 습작이 저작권법으로 보호받기 위해서는 습작이 저작물의 요건을 만족해야 합니다. 이렇게 하여 습작이 저작물로 인정받는 경우 초등학생은 저작자가 되며 저작권이 발생하게 됩니다.
만약 여러분이 유치원 선생님이라면 유치원에서 아동의 습작을 학습 자료로 사용할 수 있을까요? 학습 자료로 사용하고자 한다면 어떤 조치를 취할 수 있을까요?
제5편에서는 저작자, 저작물뿐만 아니라 이를 이용하는 일반이용자까지 합리적으로 보호할 수 있는 저작권법에 대해 알아보겠습니다. 또한 저작권에 대한 침해 사례를 통해 저작권법에 대하여 깊이 이해해 보겠습니다.

저작권 제도의 이해

저작물과 저작자, 저작권의 구체적인 내용과 저작권자의 권리, 저작권의 제한 등에 대해 알아본다.

제1장과 제2장에서는 저작물과 저작자에 대해 알아보고, 제3장에서는 저작권의 효력과 제한, 제4장에서는 저작인접권에 대해 알아보기로 한다.

제1장 저작물

제1장
저작물

키워드

저작물

창작성

보호대상

2차적 저작물

편집저작물

보호받지 못하는 저작물

- **저작물**
  - 인간의: AI가 창작한 작품은 저작물성 인정 ✕ (국내 규정 ✕, 미국 인정 ✕)
  - 사상 또는 감정을: 단순한 아이디어는 보호 ✕
  - 표현한: 외부로 표현되어야 함
  - 창작물: 타인의 것을 모방하지 않고 저작자 자신의 개성이 있어야 함

- **보호대상 ○** ── 저작물 전체가 아닌 창작적인 표현만을 보호
  - 저작권법 제4조 (예시)
    - + 이 외에 저작물로 인정되는 다양한 형태의 창작물
  - 2차적 저작물: 기존 저작물을 이용해서 창작적으로 변형한 창작물
    - 영향✕
  - 편집저작물: 소재의 선택, 배열, 구성에 창작성이 있는 창작물
    - ㄴ 보호대상

- **보호대상 ✕** ── ① 헌법, 법률 등
  - ② 국가 or 지자체의 고시·공고 등
  - ③ 법원의 판결·결정 등
  - ④ 국가 or 지자체가 작성한 ①~③의 편집/번역물
  - ⑤ 사실의 전달에 불과한 시사보도

확인학습

* 저작물의 성립요건은 어떻게 될까요?

* 창작성이란 무엇일까요?

* 저작권법의 보호대상은 무엇일까요?

* 보호받지 못하는 저작물에는 무엇이 있을까요?

01 저작물의 개요

최근 온라인 및 SNS의 발달에 따라 SNS에 짧은 글을 올리거나 뉴스 기사에 댓글을 다는 일이 빈번해지고 있습니다. 대부분은 한두 문장으로 구성된 짧은 글일 것입니다. 그 짧은 글 중에서도 가끔 감동을 주거나 핵심을 찌르는 유머러스함으로 인해 대중 사이에 유명해지는 글이 있습니다. 그 글들은 저작물로서 인정받을 수 있을까요?

저작물은 인간의 사상 또는 감정을 표현한 창작물을 말합니다. 창작물을 만들었다고 해서 모두 저작권법으로 보호받을 수 있는 것은 아니며 무엇보다 창작성이 있어야 합니다. 다음에서는 저작물로 성립되기 위한 요건들을 하나씩 살펴보겠습니다.

인간의 사상 또는 감정을 표현

(1) 인간

사례

기자인 영민이는 인터넷 서칭 중 AI가 창작한 미술작품을 보고 감탄하여 이와 관련된 기사를 구상하였습니다. 영민이는 AI가 창작한 작품이니 저작자가 없다고 판단하여 무단으로 기사에 사용하려고 합니다. AI가 창작한 미술작품은 저작물일까요?

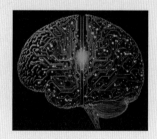

미국의 한 항소법원에서는 인간만이 저작권자가 될 수 있다고 판결을 내린 바 있습니다.[1] 한편, 우리나라는 현행법상 AI 저작물에 대한 명확한 규정이 없습니다. 저작권은 "인간이 만든" 창작물을 기준으로 하기 때문이죠. 그러나 이와 같은 규정을 엄격히 해석하면 비약적으로 발전하는 AI 관련 산업 성장을 저해할 수 있습니다.

이에 따라 세계적으로 AI 저작물을 보호할 수 있는 법제도 개선에 대한 논의가 이루어지고 있는데요. 우리나라도 2020년 12월 21일, AI 저작물에 관한 '저작권법 일부개정법률안'을 발의하는 등 꾸준히 논의를 이어가고 있습니다. AI가 창작한 미술작품, AI가 작곡한 음악 등을 구입하고 이용하는 것과 밀접한 관련이 있는 만큼, 이러한 논의에 꾸준히 관심을 가져보는 건 어떨까요?

---

1) Naruto v. Slater, 888 F.3d 418 (9th Cir. 2018)

(2) 사상 또는 감정을 표현

저작권법은 단순한 아이디어를 보호하지 않습니다. 저작물로 인정받기 위해서는 사상이나 감정이 일정한 형식을 통해 외부로 '표현'되어야 합니다.

여러분들은 혹시 특별한 날 요리를 하기 위하여 온라인에 업로드된 요리 영상을 참조한 적이 있나요? 타인이 자신의 사상 또는 감정을 표현한 요리 영상을 보고 그대로 따라하는 행위는 저작권의 침해일까요? 아닙니다. 예를 들어, 요리책을 그대로 복사하는 행위는 저작권 침해가 되지만 요리책 속에 쓰여진 방식대로 요리를 하는 것은 저작권법과 아무런 관계가 없습니다.

창작물

저작물로 인정받기 위한 가장 중요한 요건으로, 창작성이 있어야 합니다. 창작성이 있다는 것은 타인의 것을 모방하지 않은 자신만의 것이어야 하고, 그 내용에 있어서 저작자 나름대로의 개성이 있어야 함을 의미합니다. 쉽게 말해, 남의 것을 베끼지 않고 자신의 개성이 담겨 있어야 합니다.

SNS에 업로드한 게시글이나 광고 슬로건 등과 같이 한두 문장의 짧은 문구에 대해서도 저작물성을 인정할 수 있는지를 다음 두 가지 사례를 비교해 가며 살펴보겠습니다.

> **사례 1** 광고 슬로건 문구의 저작물성
>
> "가장 맛있는 온도가 되면 암반천연수 마크가 나타나는 OO, 눈으로 확인하세요."
>
> **사례 2** 트위터 단문의 저작물성
>
> "변명을 많이 할수록 발전은 느려지고 반성을 많이 할수록 발전은 빨라진다."[2]

사례 1과 사례 2에서 창작성이 느껴지시나요? 두 사례의 문구는 창작성 면에서 어떤 차이가 있을까요?

우리나라 법원은 사례 1에 나타난 광고 슬로건 문구가 단순한 내용을 표현하고 있고, 그 문구가 짧고 의미도 단순하여 '독창적인 표현형식'이 포함되어 있지 않다며 저작물이 아니라고 판단하였습니다.[3] 한편, 사례 2에 나타난 이외수 작가의 트위터 단문은 짧은 글귀 속에서 삶의 본질을 꿰뚫는 촌철살인의 표현 등 '독창적인 표현형식'이 포함되어 있고, 글귀마다 이외수 작가 특유의 함축적이면서도 역설적인 문체가 사용되어 그의 '개성'을 드러내기에 충분하다는 이유로 저작물성을 인정하였습니다.[4]

---

2) 이외수 트위터 단문
3) 서울고등법원 1998. 7. 7. 선고 97나15229
4) 서울남부지방법원 2013. 8. 30. 선고 2013노822

여러분이 트위터 등 SNS를 통해 '자신만의 독특한 개성'을 담은 짧은 문구를 업로드해 왔다면 이 또한 저작권법으로 보호받는 저작물이 될 수 있습니다. 그 저작물들에 대한 저작자로서 짧은 문구들을 모아 책으로 출간하여 수익을 창출할 수도 있겠죠?

> **사례** **데이터베이스의 창작성**
>
> 데이터베이스는 '소재를 체계적으로 배열 또는 구성한 편집물로서 개별적으로 그 소재에 접근하거나 그 소재를 검색할 수 있도록 한 것'입니다. 여기서 '소재'란 저작물이나 부호·문자·음·영상 그 밖의 형태의 자료를 의미합니다. 따라서 반드시 저작물일 필요는 없습니다. 소재에 대하여 발생하는 권리와 데이터베이스에 대하여 발생하는 권리는 서로 영향을 주지 않습니다. 따라서 소재에 대하여 A가 저작권을 주장하는 것과 별개로 B는 데이터베이스제작자의 권리를 주장할 수 있는 것입니다.
> '편집물'은 소재의 집합물을 의미하는데, 편집물은 창작성이 있는 편집저작물과 데이터베이스로 구분할 수 있습니다. 따라서 데이터베이스는 편집저작물이 요구하는 창작성을 갖출 필요가 없으며 창작성이 없더라도 저작물로 인정받을 수 있습니다.

05

02 저작권의 보호대상

저작물로 인정받았다 해도 저작권법은 저작물 전체가 아닌, 저작물의 창작적인 표현 부분만을 보호합니다. 또한 창작적인 표현이라 하더라도 기술적 제약 등으로 인해서 그렇게밖에 표현할 수 없었다면 저작권상의 보호를 받지 못합니다.
다음에서는 저작권의 보호대상에 대해서 알아봅시다.

보호되는 저작물

(1) 저작물의 예시

저작권법에서는 어문저작물, 음악저작물, 연극저작물, 미술저작물, 건축저작물, 사진저작물, 영상저작물, 도형저작물, 컴퓨터프로그램저작물을 저작물로 예시하고 있습니다. 하지만 이는 예시에 불과하며, 수많은 형태의 저작물이 있습니다.

사례 ▶ **컴퓨터프로그램저작물의 보호**

종래에 컴퓨터프로그램은 컴퓨터프로그램 보호법에 의해 보호받을 수 있었습니다. 그러나 2009년 4월 이 법이 저작권법과 통합됨에 따라 폐지된 이후, 컴퓨터프로그램은 저작권법상 저작물로 인정되어 저작권법의 보호를 받게 되었습니다. 컴퓨터 프로그램의 경우 공표자로 표시된 자가 저작권을 가지는 것으로 추정됩니다.

AI의 경우는 어떨까요? [그림 5-1]은 AI가 그린 에드몽 디 벨라미라는 그림으로, 뉴욕 크리스티 경매에서 5억 원에 낙찰되었습니다. 그림 하단에는 AI의 대표 알고리즘이 서명되어 있는데, 이 에드몽 디 벨라미는 저작권법상 보호를 받을 수 있을까요?

결론적으로, 현행법상 AI가 창작한 저작물은 저작권법의 보호를 받을 수 없습니다. AI가 창작한 저작물은 물론 AI의 알고리즘 자체도 컴퓨터프로그램저작물로 보호받지 못합니다. 알고리즘은 해법으로서 프로그램에서 지시·명령의 조합 방법을 나타내고 아이디어에 해당하기 때문입니다. 다만, 알고리즘에 따라 프로그래밍 언어로 나타낸 소스코드나 컴파일된 목적코드는 컴퓨터프로그램저작물로 보호받을 수 있습니다.

Edmond de Belamy

The first artwork created using Artificial Intelligence to be featured in a Christie's auction. It surpassed pre-auction estimates which valued it at $7,000 to $10,000, instead selling for $432,500. The image was created by an algorithm that referenced 15,000 portraits from various periods. It was produced by the organization called Obvious comprising three people, Pierre Fautrel, Hugo Caselles-Dupré and Gauthier Vernier, who are based in Paris, France.

$$\min_{G} \max_{D} E_x \left[\log(D(x)) \right] + E_z \left[\log(1 - D(G(z))) \right]$$

Part of the algorithm code

[그림 5-1] AI가 그린 에드몽 디 벨라미

2020년 12월에 발의된 '저작권법 일부개정법률안'에는 AI의 저작물에 관한 개념이 포함되어 있습니다. 법률안의 요지는 AI가 아닌 AI를 이용하여 저작물을 만든 창작자를 저작권자로 간주하고, AI 저작물에 대한 권리를 보호하는 것입니다. 4차 산업혁명 시대에 AI 기술은 이미 우리 일상 속에 녹아들어 있고, AI 관련 기술이 발전하면서 저작권법도 이에 대비할 필요가 있습니다. 따라서 이와 같은 개정법률안이 통과될 것인지 여부에 귀추가 주목되고 있습니다.

⑵ 2차적 저작물

J.K.롤링 작가의 소설인 해리포터 시리즈를 아시나요? 아마 몇몇 분들은 소설 ≪해리포터≫보다 워너 브라더스 제작사의 영화 〈해리포터〉가 더 익숙할 수 있겠습니다. 그 정도로 영화 〈해리포터〉는 이미 유명했던 소설 ≪해리포터≫를 넘어 큰 흥행을 일으키며 전 세계에 해리포터 신드롬을 불러 일으켰습니다.

앞서 저작물의 예시에서 본 것과 같이 소설 ≪해리포터≫가 어문저작물이고 J.K.롤링 작가가 소설 ≪해리포터≫의 저작자라면, 원작을 바탕으로 제작한 영화 〈해리포터〉의 저작자 또는 저작권자는 누가 될까요? 만약, 영화 〈해리포터〉가 소설 ≪해리포터≫를 원작으로 하여 제작된 것이라는 이유로 영화 〈해리포터〉의 저작권도 J.K.롤링 작가에게 속하게 된다면 원작을 변형하거나 재제작하려는 창작자의 의욕이 없어지지 않을까요?

[그림 5-2] 소설 ≪해리포터≫[5] 와 영화 〈해리포터〉[6]

저작권법은 기존 저작물의 변형을 통한 다양한 창작활동을 격려하기 위해서, 기존 저작물을 이용해 창작적으로 변형한 창작물을 단순한 복제물이 아닌 독자적인 저작물로서 보호합니다. 앞서 설명한 영화 〈해리포터〉처럼요.

만약, 영화 〈해리포터〉가 소설 ≪해리포터≫와 실질적으로 유사하지 않다면 아무도 영화 〈해리포터〉가 소설 ≪해리포터≫를 기반으로 제작된 것이라고 생각하지 않을 것입니다. 그렇다면 영화 〈해리포터〉는 2차적 저작물이 아닌 별도의 저작물이 됩니다. 또, 영화 〈해리포터〉에 새로운 창작성이 없을 경우, 소설 ≪해리포터≫의 단순한 복제물로서 소설 ≪해리포터≫의 저작권자의 허락 없이 영화를 제작했다면 저작권법을 위반한 행위에 해당할 수도 있습니다.

따라서 어떤 창작물이 2차적 저작물로 인정받기 위해서는, 원저작물과 실질적으로 유사하되, 새로운 창작성이 있어야 합니다.[7]

---

5)   교보문고(https://product.kyobobook.co.kr/detail/S000002700115)
6)   CGV(https://moviestory.cgv.co.kr/fanpage/mainView;jsessionid=00629A1B65B4A4F97FB3B83535E8191A.STORY_node?movieIdx=4830)
7)   대법원 2002. 1. 25. 선고 99도863

사례 2D 캐릭터를 3D로 만든다면?

최근 캐릭터를 이용한 콘텐츠가 마케팅에서 성공을 거두면서 캐릭터를 둘러싼 저작권 분쟁이 끊이지 않고 있습니다. 〈뽀롱뽀롱 뽀로로〉의 캐릭터인 루피의 경우 주식회사 오콘과 주식회사 아이코닉스에 저작인격권이 있는데, 만약 저작권자가 아닌 사람이 2D 루피 캐릭터를 3D로 만든 경우, 3D 캐릭터는 복제물일까요, 2차적 저작물일까요? 2차적 저작물에 해당한다면 원저작권자와의 관계는 어떻게 될까요?

[그림 5-3] 2D 캐릭터의 활용[8]

저작권법 제2조 제22호에 따르면, "복제"는 인쇄·사진촬영·복사·녹음·녹화 그 밖의 방법으로 일시적 또는 영구적으로 유형물에 고정하거나 다시 제작하는 것을 말합니다. 그러나 저작권법 제5조에 따른 2차적 저작물의 정의는 원저작물을 번역·편곡·변형·각색·영상제작 그 밖의 방법으로 작성한 창작물이라고 하여, '영상제작'이 포함되어 있습니다.

3D 캐릭터가 2D 캐릭터와 완전히 똑같이 제작되었다면 그 3D 캐릭터는 복제물일 뿐이어서 2D 캐릭터 저작자의 저작권을 침해한 것이 됩니다. 반대로 3D 캐릭터가 색상이나 모습 등에서 2D 캐릭터에 더하여 새로운 창작성이 부가되었다면 3D 캐릭터를 창작한 사람은 2D 캐릭터 저작권자의 2차적 저작물 작성권을 침해한 것일 뿐 그 3D 캐릭터는 2D 캐릭터와 별개로 독자적으로 보호되는 2차적 저작물에 해당합니다. 또한, 3D 캐릭터 창작자가 3D 캐릭터의 저작자가 될 것입니다. 그러나 저작권법 제5조 제2항에 따르면, 2차적 저작물의 보호는 그 원저작물의 저작자의 권리에 영향을 미치지 않으므로, 3D 캐릭터의 보호는 원저작물인 2D 캐릭터 저작자의 권리에 영향을 미치지 않습니다. 따라서 원저작물인 2D 캐릭터의 저작인격권 및 저작재산권에 아무런 영향이 없습니다.

---

(3) 편집저작물

앞서 학습한 내용들을 떠올려 보았을 때, 지식이나 정보를 주제별로 혹은 자모순으로 정리해 놓은 백과사전은 저작물로 인정받을 수 있을까요? 저작권법은 소재의 선택, 배열, 구성 등에 창작성이 있는 편집물을 독자적인 편집저작물로서 보호합니다. 소재 자체의 창작성이나 저작권 보호 여부를 떠나서 편집에 대한 창의적인 노력을 보호하기 위해서죠.

Tip

2차적 저작물과 편집저작물의 보호범위

① 2차적 저작물의 저작권이 미치는 범위를 원저작물에서 새롭게 부가한 창작적 표현에만 한정하고 원저작물의 창작적 표현에는 미치지 않는다.

② 2차적 저작물과 마찬가지로 편집저작물의 보호는 그 편집저작물을 이루는 소재의 저작권에는 미치지 않는다.

---

8) 신한카드(https://www.shinhancard.com/pconts/html/benefit/event/1216928_2239.html)

보호되지 않는 저작물

판사 A는 자신이 맡은 사건에 대해 최선의 판결을 내리기 위하여 밤낮없이 생각하여 아주 논리적이고 합당한 판결문을 작성하였습니다. 그리고 그 판결문의 내용으로 판결을 내렸죠. 그렇다면 그 판결문은 판사 A의 저작물이 될 수 있을까요?

저작권법에서는 공익적인 목적이 강한 판결문이나 국민의 알 권리를 충족시키고 단순한 사실의 전달에 불과한 시사보도 등은 보호범위에서 제외하고 있습니다. 그 내용은 [표 5-1]과 같습니다.

[표 5-1] 보호되지 않는 저작물

저작권법 제7조	내용
제1호	헌법·법률·조약·명령·조례 및 규칙
제2호	국가 또는 지방자치단체의 고시·공고·훈령 그 밖에 이와 유사한 것
제3호	법원의 판결·결정·명령 및 심판이나 행정심판절차 그 밖에 이와 유사한 절차에 의한 의결·결정 등
제4호	국가 또는 지방자치단체가 작성한 것으로서 제1호 내지 제3호에 규정된 것의 편집물 또는 번역물
제5호	사실의 전달에 불과한 시사보도

그렇지만 예외도 있습니다. [표 5-1]의 제5호에서 '사실의 전달에 불과한' 시사보도를 저작권법의 보호대상에서 제외한 만큼, 보도기사라고 하더라도 소재의 배열, 구체적인 용어의 선택, 어투, 문장 표현 등에 창작성이 있거나 작성자의 평가나 비판 등이 담겨 있는 경우에는 저작권법이 보호하는 저작물에 해당합니다.[9] 간단히 말해서 기자의 평가가 담긴 뉴스기사는 저작물이 될 수 있는 것이죠.

사례　연합뉴스사 사건

일간신문의 편집국장이 연합뉴스의 기사 및 사진을 복제하여 신문에 게재하였습니다.

이에 대해 대법원은 연합뉴스의 상당수 기사 및 사진 사본에 의하면 언론매체의 정형적이고 간결한 문체와 표현형식을 통하여 있는 그대로 전달하는 정도에 그치는 것임을 알 수 있어, 설사 일간신문의 편집국장이 이러한 기사 및 사진을 그대로 복제하여 일간신문에 게재하였다고 하더라도 이를 저작권법 위반이라 할 수 없다고 판단하였습니다.

---

9) 대법원 2009. 5. 28. 선고 2007다354

제2장　저작자

제2장
저작자

- **저작자** ── 저작물을 창작한 사람

　　　　└ 누군지 모를 때 → 저작자 추정

　　　　　　: 저작자로서 이름이 표시된 자

　── 저작자 VS 창작자 달라지는 경우

　① 업무상저작물 성립요건 ⟸ ┌ ⅰ) 법인 등의 기획하에　　　　창작자
　　　　　　　　　　　　　├ ⅱ) 법인 등의 업무에 종사하는 자가
　　　　　　　　　　　　　└ ⅲ) 업무상 작성하는 저작물

　　　　　　　　　　　　　　　　　　저작자
　　법인이 저작자 ⟸ ┌ ⅳ) 법인 등의 명의로 공표
　　　　　　　　　　　└ ⅴ) 다른 정함이 없음

　② 영상저작물　　사용자 저작자

　　　　　　　작가　감독
　　　　　　　배우　작곡가
　　　　　　　촬영자

　── VS 저작권자

　　　└ 저작재산권은 양도 가능, 저작자 지위는 양도/상속 불가능

　── VS 소유권자

　　　ex 소설 집필 → 소설책 발간 → 소설책 구입
　　　　저작권　　　　　　　　　　　소유권

확인학습

* 저작자란 무엇일까요?　　　　　　　　　　　* 업무상저작물이란 무엇일까요?

* 저작자를 추정하는 규정에는 무엇이 있을까요?　* 영상저작물이란 무엇일까요?

01 저작자의 개념

> **사례** 대필 작가가 쓴 자서전, 저작자는 누구인가?
>
> 유명한 변호사이자 국회의원인 권철수 씨는 자신의 정치인생을 회고하는 내용의 자서전을 발간해 보라는 주위의 권유에 따라 자서전을 발간하기로 하였습니다. 최근의 추세에 따라 대필 작가에게 집필하게 하고 권철수 씨의 이름으로 발간하면서 저작자를 자신으로 하기로 대필 작가와 합의를 하였습니다. 이러한 합의는 유효할까요? 이 경우 이 자서전의 저작자는 누구일까요?

저작자

저작자란 저작물을 창작한 사람을 말합니다. 창작자 A가 다른 사람 B에게 "B야, 네가 저작자인 것으로 우리끼리 약속하자."라는 계약을 했더라도 저작자는 여전히 창작자 A이며, A와 B 사이의 계약은 무효입니다. 이것을 '창작자주의'라고 합니다. 원칙적으로는 창작자가 저작자가 되는 것입니다.

저작물을 이용하기 전 저작자의 허락을 얻기 위해서는 저작자가 누구인지를 확인하는 것이 중요합니다. 하지만 실제로 저작물을 누가 창작했는지 알기 어려운 경우가 많을 것입니다. 저작권법은 저작자가 누구인지 알기 어렵기 때문에 발생할 수 있는 여러 복잡한 상황들을 방지하기 위해서 저작자에 대한 추정 규정을 두고 있습니다.

저작권법은 저작물에 저작자로서 이름이 표시된 사람을 저작자로 추정합니다. 또는, 저작물을 공연 등을 하면서 저작자로서 이름이 표시된 사람이 있다면 그 사람을 저작자로 추정합니다. 하지만 이는 말 그대로 추정이기 때문에 진정한 창작자가 자신이 저작물을 창작했다는 점을 증명하게 된다면 당연히 진정한 창작자가 저작자가 되겠죠?

만약, 저작물이나 저작물의 공연 시 저작자로서 이름이 표시된 사람이 없는 경우라면 저작물의 발행자나 공연자로 표시된 사람이 저작권을 가지는 것으로 추정합니다.

사례 분석

앞선 사례에서 저작물에 저작자로 표시된 권철수 씨가 저작자로 추정되고 저작자에 관한 합의는 무효입니다. 그러나 대필 작가가 진정한 창작자였고, 대필 작가가 자신이 그 저작물의 창작자라는 것을 입증하면 대필 작가가 저작자가 될 수 있습니다. 이 경우, 권철수 씨 본인이 자서전과 관련된 아이디어를 제공하는 정도에 그쳤다면 스스로 저작자가 될 수는 없지만, 집필의 방향이나 표현을 상세하게 지시하는 정도까지 개입하였다면 대필 작가와 공동저작자가 될 수는 있습니다.

02 저작자와 창작자

앞서 배운 내용에 따르면 창작자가 항상 저작자가 되지만, 저작권법에는 창작자주의에 대한 중대한 예외가 두 가지 있습니다. 바로 업무상저작물과 영상저작물입니다.

업무상서작물

회사에 속한 직원이 자신이 맡은 업무를 처리하면서 창작한 저작물은 별다른 약속이 없으면 회사를 저작자로 합니다. 업무상 작성한 창작물의 경우에 여러 명이 관여하는 경우가 많고 회사와 직원 사이에 누구를 저작자로 정할 것인지 곤란한 경우가 있기 때문에 일관되게 정하고, 예외의 경우 각자의 계약에 따라 처리하도록 하기 위함입니다.

다만 창작자주의의 예외이기 때문에 그 조건이 아주 까다로운데요, 회사가 저작물의 작성을 기획했고 회사의 근무자가 업무상으로 작성한 저작물이 회사의 명의로 공표되면 별다른 계약이 없는 경우, 그 회사가 업무상저작물의 저작자가 됩니다.

업무상저작물의 저작자가 법인 등이 되는 경우

정리하면, 업무상저작물의 저작자가 법인 등이 되려면 ① 업무상저작물의 성립요건과 ② 업무상저작물의 저작자 요건을 모두 만족해야 합니다.

① 업무상저작물의 성립요건은 저작권법 제2조 제31호에 따라 아래와 같다.
  • 법인 · 단체 그 밖의 사용자(이하 "법인 등"이라 한다)의 기획하에
  • 법인 등의 업무에 종사하는 자가
  • 업무상 작성하는 저작물

② 업무상저작물의 저작자는 저작권법 제9조에 따라 아래의 조건을 만족하면 법인 등이 된다.
  • 법인 등의 명의로 공표되는 업무상저작물
  • 계약 또는 근무규칙 등에 다른 정함이 없어야 함

05

영상저작물

영화와 같이 우리가 흔히 볼 수 있는 영상물을 떠올려 봅시다. 그 영상물을 제작하는 데에는 시나리오 작가, 감독, 배우, 촬영자, 작곡가 등을 포함해서 무수히 많은 사람들이 관여할 것입니다. 이때, 영상의 제작에 참여하는 사람들 중 누구를 저작자로 정할 것인지 문제가 되기 때문에 업무상저작물과 마찬가지로 회사, 즉 사용자가 저작자로 결정됩니다.

또한 원칙적으로 영상제작자가 권리를 양도받은 것으로 추정하여 이용에 필요한 권리를 행사합니다.

03 저작자와 저작권자

앞서 우리는 원칙적으로 창작자가 저작자가 된다고 배웠습니다. 그런데 저작자인 경우에는 저작물에 대한 모든 권리를 가지는 걸까요? 저작자가 자신의 저작물에 대한 저작권이나 자신의 저작물을 이용할 권리를 판매하고 싶으면 어떻게 할 수 있을까요? 다음 예시를 통해 저작자와 저작권자의 차이를 알아 봅시다.

여러분이 쓴 시나리오가 생각보다 재밌어서 시나리오에 대한 저작권을 다른 사람에게 유료로 판매하려는 경우를 상상해 봅시다. 그러면 저작자는 여러분 자신이지만 저작권자는 시나리오를 구매한 사람이 됩니다. 상속의 경우에도 마찬가지로, 저작자가 사망한 경우 저작권자는 상속에 의하여 상속자가 되지만 저작자의 지위는 상속되지 않습니다.

따라서 양도 또는 상속에 의하여 저작자와 저작권자가 분리되는 경우가 발생할 수 있습니다. 저작물을 창작한 저작자와, 저작물에 대한 권리를 가지는 저작권자가 서로 다른 개념이라는 것이 이해가 되시나요?

04 저작권과 소유권

> **사례**
>
> A 씨는 아이의 돌잔치를 기념하기 위해 돌사진 전문 스튜디오에서 100만 원을 들여 아이의 돌 사진 촬영을 하였습니다. 사진이 예쁘게 잘 찍혀서 사진을 영구 보존하기 위해 A씨는 돌 사진의 원판을 돌려달라고 사진관에 요구하였습니다. 그러나 사진관에서는 돌 사진의 저작권을 자신들이 가지고 있으므로 돌 사진의 원판을 반환할 수 없다고 거절하고 있습니다. 사진관의 행위는 정당한 것일까요?
>
>
>
> 이 경우 돌 사진은 창작성이 있는 사진저작물에 해당하고 저작자는 사진저작물을 창작한 사진관(사진작가)이 됩니다. 그러나 저작권의 효력은 사진저작물에만 한정되고 그것이 수록된 돌 사진 자체에까지 미치는 것은 아닙니다. 따라서 사진작품 자체는 저작권의 대상이지만 사진이 녹화된 원판은 유체물로, 소유권의 대상입니다. 즉, A 씨는 사진관과 돌 사진 원판에 대한 제작 및 소유권 이전에 대한 계약을 100만 원에 체결한 것이 되므로 사진관은 돌 사진 원판의 소유권을 A 씨에게 넘겨줄 의무를 지게 됩니다.
> 따라서 돌 사진 원판의 소유자는 A 씨가 되므로 사진관의 행위는 정당하지 않습니다.

사례에서 살펴본 것과 같이 저작권과 소유권은 다른 개념입니다. 소설의 저작권자가 소설책을 구매한 소비자에게 자신이 저작권자라는 이유로 책을 넘겨주지 않는다면 불합리한 결과가 펼쳐지게 될 것입니다. 저작권은 소설에만 미치는 것이고 소설이 수록된 개별 책에는 미치지 않습니다.

사례의 사진관과 같은 실수를 범하지 않기 위해서는 저작권과 소유권이 구분되는 개념이고, 저작권이 미치는 범위와 소유권이 미치는 범위가 다르다는 것을 이해해야 합니다.

제3장 저작권의 효력과 내용

제3장
저작권의 효력과 내용

- **저작권의 발생**: 저작물을 창작한 때(등록 무관)
  - 저작인격권 ── 공표권: 권리 for 공표/공표 ×
    - 성명표시권: 권리 for 성명/이명 표시
    - 동일성유지권: 권리 for 저작물동일성 유지
  - 저작재산권 ── 복제권: 권리 for 저작물 복제
    - ↳ 저작자 사망 시 or 공표 시로부터 70년
    - 공연권: 권리 for 저작물 공연
    - 공중송신권: 권리 for 저작물 공중송신
    - 전시권: 권리 for 저작물 원본/복제물 전시
    - 배포권: 권리 for 저작물 원본/복제물 배포
    - 대여권: 권리 for 상업용 음반 등 대여
    - 2차적 저작물 작성권: 권리 for 2차적 저작물 작성

- **저작권의** ── **효력**: 창작적 표현 부분만
  - **제한**: 교육을 위한 목적 등의 이용

- **저작권의** ── **침해**: 저작인격권, 저작재산권 침해
  - **구제**: 민/형사상

확인학습

* 저작권은 언제 발생할까요?
* 저작권의 존속기간은 몇 년일까요?
* 저작인격권이란 무엇일까요?

* 저작재산권이란 무엇일까요?
* 저작권의 효력과 제한은 어떻게 될까요?
* 저작권의 침해와 이에 대한 구제방안은 무엇일까요?

01 저작권의 발생

저작권은 특허권이나 상표권과 같이 등록을 해야만 권리가 생기는 것이 아니고, 저작물을 창작한 때부터 발생합니다. 그러니까, 여러분들이 번뜩이는 아이디어가 떠올라 연습장에 독특한 개성이 담긴 캐릭터를 그려나갔다면 창작의 순간 그 캐릭터에 대한 저작권이 발생하게 됩니다. 우리가 흔히 듣는 저작권의 등록은 다른 사람이 나의 저작물에 대하여 자신이 저작자라고 하는 등 문제가 발생한 경우를 대비하는 의미가 있을 뿐이죠. 이를 대항요건이라고 합니다.

저작권법은 저작권에 관한 일정한 사항을 등록할 수 있다는 규정을 두고 있는데요, 저작권을 등록하지 않아도 발생하는데 왜 등록에 관한 규정을 두었을까요?

저작권을 등록하는 경우 저작자로 실명이 등록된 경우 그 사람을 저작자로 추정하고, 창작연월일이나 맨 처음의 공표연월일이 등록된 경우 그 등록된 연월일에 창작이나 맨 처음 공표가 된 것으로 추정합니다. 이와 같이 등록된 저작물의 경우 저작자나 창작연월일이 추정되기 때문에 저작권에 대한 다툼이 있는 경우에 문제 해결이 훨씬 간단해지는 효과가 있습니다.

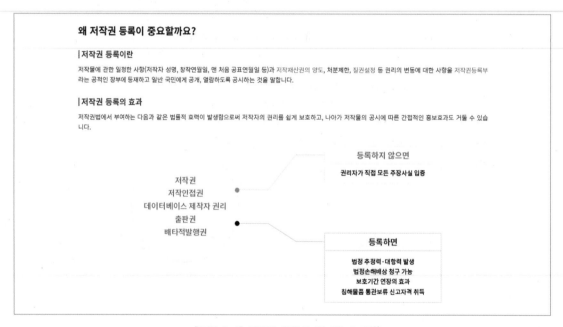

[그림 5-4] 저작권 등록의 의미와 효과[10]

---

10) 한국저작권위원회(https://www.cros.or.kr/psnsys/cmmn/infoPage.do?w2xPath=/ui/twc/reginf/copreg/copReg.xml)

저작권 등록은 한국저작권위원회에서 할 수 있습니다. 저작권 등록은 회원가입만 한다면 어렵지 않고 등록비용도 저렴합니다. 자신만의 독특한 개성이 담긴 저작물을 창작하여 저작권 등록을 해 보는 것도 특별한 경험이 되겠네요.

02 저작권의 내용

저작권은 저작인격권과 저작재산권으로 나뉩니다. 저작인격권과 저작재산권은 그 취지와 내용이 다르고 존속기간 및 양도 가능 여부 등 성질도 다릅니다. 여기에서는 저작권의 내용에 대해 알아보겠습니다.

[그림 5-5] 저작권

저작인격권

저작인격권이란 저작자가 자신의 저작물에 대해 가지는 인격적 권리를 말합니다. 이는 저작물을 저작자의 인격적인 발현으로 보고 저작물을 다룰 때 저작자의 인격이 훼손되지 않도록 보호하는 취지에서 만들어진 권리입니다.

저작인격권은 저작자에게만 전속합니다. 이를 어려운 말로 일신전속성이라고 합니다. 따라서 저작인격권은 저작자가 사망하면 사망 시에 소멸합니다. 하지만 저작자가 사망한 이후에 저작자의 인격을 훼손하는 행위에 대비하여 저작권법은 저작자의 사후 인격적 이익을 보호하는 규정을 두고 있습니다. 저작자의 사망 후에 그의 저작물을 이용하는 사람이 저작자가 생존했다고 가정했을 때 저작자의 저작인격권의 침해가 되는 행위를 할 수 없도록 규정한 것입니다.

저작인격권의 종류에는 공표권, 성명표시권, 동일성 유지권이 있습니다.

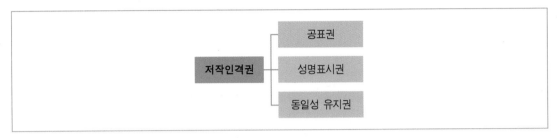

[그림 5-6] 저작인격권의 종류

(1) 공표권

저작자는 자신의 저작물을 공표하거나 공표하지 않을 것을 결정할 권리를 가집니다. 예를 들어, 저작자가 만든 영상물의 극장 개봉 여부를 결정할 권리입니다. 이것은 저작자가 자신의 저작물이 마음에 들지 않거나 생각이 바뀌어 공표를 원하지 않는 경우에도 저작물이 공표되어 저작자의 인격적 이익이 훼손되는 것을 방지하기 위함입니다. 따라서 공표권은 일단 공표된 이상 소멸한다는 것을 쉽게 이해할 수 있을 것입니다.

(2) 성명표시권

저작자는 저작물의 원본이나 복제물 또는 저작물이 공표된 매체에 저작자 자신의 실명 또는 이명을 표시할 권리를 가집니다. 예를 들어, 저작자가 만든 영상물에 저작자의 성명을 자막으로 입힐 수 있는 권리입니다. 이것은 저작자가 저작물에 자신의 이름이나 가명을 표시함으로써 자신이 저작자임을 상기시켜 주는 일종의 명예권에 해당합니다.

다만, 저작물의 성질이나 이용 목적, 형태 등에 비추어 성명을 표시하지 않는 것이 부득이한 경우 표시를 생략할 수도 있습니다. 부득이한 경우란 저작물을 이용할 때 기술적으로 한계가 있거나 이용하는 자의 능력에 한계가 있는 경우, 또는 공익적으로 필요하여 저작자의 권리를 제한해야만 하는 경우 등을 의미합니다.[11]

(3) 동일성 유지권

저작자는 그의 저작물의 내용, 형식 및 제호(제목)의 동일성을 유지할 권리를 가집니다. 예를 들어, 저작자가 만든 영상물을 누가 사갔더라도 여러 형태로 이용하는 과정에서 영상물의 제목이나 내용이 바뀌지 않도록 하는 권리입니다.

---

11) 서울고등법원 2008. 9. 23. 선고 2007나70720

동일성 유지권을 침해한 것으로 보기 위해서는, 저작자의 허락 없이 저작물의 내용이나 형식에 변경이 가해져서 저작물의 동일성에 손상이 가해져야 하고, 이와 같은 변경에도 변경 전 원저작물의 특성을 직접적으로 감득할 수 있어야 합니다. 간단히 말해서, 변경된 저작물을 경험한 제3자가 이것이 원저작물을 변경한 것이라는 것을 느낄 수 있을 만큼의 유사성은 가진 채로 변경되었다면 동일성 유지권의 침해로 보는 것입니다.

다음 사례들을 통해 저작인격권에 대해 더 깊게 이해해 봅시다.

사례 1 출판사가 작가의 원고를 마음대로 변경할 수 있는가? - 동일성 유지권의 문제

출판사가 어느 작가의 소설을 출판하기로 하고 집필을 의뢰하였는데, 작가의 원고가 미흡하다고 판단하여 마음대로 그 내용을 변경할 수 있을까요?

집필을 의뢰한 원고가 미흡하다고 해서 출판사 마음대로 변경하게 되면 저작자의 동일성 유지권이라는 저작인격권을 침해하는 것이 됩니다. 따라서 출판사는 저작자의 의사에 반하여 원고를 마음대로 변경할 수 없고, 만약 변경하고자 한다면 미리 저작자의 동의를 얻어야 합니다.

사례 2 원 음원을 편곡한 야구응원가는 저작인격권을 침해한 것인가?

프로야구 리그전에서 구단들이 음악의 악곡과 가사를 변경한 야구응원가를 사용하였습니다. 이들은 잘 알려진 대중가요의 몇 소절의 박자를 간소화하거나 템포를 빠르게 하는 등 일부를 변형하고, 가사를 해당 구단이나 선수의 이름을 넣어 새롭게 창작하는 방식으로 변형하여 사용하였습니다. 이 구단들은 음악저작물 저작권자의 저작인격권을 침해한 것일까요?

이 경우, 구단들이 저작권자의 동일성 유지권과 성명표시권을 침해한 것인지가 문제됩니다. 우리나라 판례의 태도는 다음과 같습니다.

① 악곡 변경의 경우 응원가로 사용되는 과정에 수반될 수 있는 통상적 변경이고 대중가요 특성상 저작자로서 어느 정도의 변경이나 수정을 감내할 필요성이 있으며 응원가로 사용되는 유명한 곡들은 응원가를 원곡 그 자체로 오인할 가능성이 크지 않은 점에 비추어 동일성 유지권 침해로 보기 어렵다고 하였습니다.

② 가사 변경의 경우 완전히 새로운 가사를 만든 경우이거나 기존 가사와 실질적 유사성이 없어 변경된 가사는 독립된 저작물로 볼 것이고 동일성 유지권을 침해한 것으로 볼 수 없다고 하였습니다.

③ 또한 음악저작물이 매우 짧은 시간 동안 사용되어 성명을 일일이 표시하는 것이 현실적으로 어려워 보이는 점에 비추어, 성명을 표시하지 않는 것이 부득이한 경우에 해당하므로 성명표시권의 침해에 해당하지 않는다고 하였습니다.

사례 2의 야구응원가 사례를 더 자세히 살펴봅시다.

야구응원가는 야구를 관람하는 관중들이 목청껏 응원하도록 흥을 돋우는 데 큰 역할을 합니다. 예를 들어, LG트윈스의 경우 드라마 〈시크릿 가든〉의 OST로 유명한 가수 김범수의 '나타나'를 "왜 내 눈앞에 나타나 ~ LG 박용택"과 같이 편곡하여 박용택 선수 응원가로 사용하고 있죠. 사실 프로야구 구단들은 응원가를 사용하기 위해 팀마다 연간 약 3,000만 원의 저작권료를 지불해 왔습니다. 그런데도 이러한 문제가 발생한 이유는 무엇일까요?

그 이유는, 구단들이 저작권자에게 지불한 저작권료는 저작재산권자에게 지급된 것이기 때문입니다. 저작권은 저작재산권과 저작인격권으로 구성되고 저작인격권은 저작재산권과 구별되는 권리입니다. 야구 응원가 사건으로 프로야구 구단들은 저작인격권에 대한 인식을 새로이 하는 계기가 되었을 것입니다.

다음에서는 저작인격권과 구별되는 저작재산권에 대하여 알아봅시다.

저작재산권

저작재산권이란 저작물을 일정한 방식으로 이용할 때 발생하는 경제적인 이익을 보호하기 위한 권리입니다. 저작재산권은 저작권법에 열거된 권리만 인정되고, 열거되어 있지 않은 경우는 비록 자신의 저작물과 관련된 행위라고 해도 이를 막을 수 없습니다.

저작재산권은 저작자의 사망 시로부터 70년간 존속합니다. 그러나 무명이나 널리 알려지지 않은 저작물, 업무상저작물, 영상저작물 등은 공표된 때부터 70년간 존속합니다. 이는 저작물이 선인들의 업적을 이용하여 창작된 것이고, 인류 공통의 문화유산이라는 점에서 영원히 사유하는 것을 방지하기 위함입니다. 따라서 저작권법에 의한 보호기간이 경과하면 누구든지 자유롭게 이용할 수 있습니다.

저작재산권의 **종류**에는 복제권, 전시권, 배포권, 대여권, **공연권**, **공중송신권**, 2차적 저작물 작성권이 있습니다.

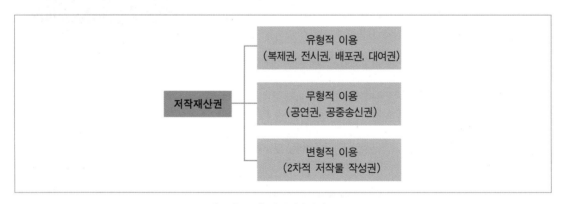

[그림 5-7] 저작재산권의 종류

(1) 복제권

저작자는 자신의 저작물을 복제할 권리를 가집니다. 이때, 복제란 인쇄, 사진촬영, 복사 등의 방법으로 일시적으로나 영구적으로 유형물에 고정하는 것(제작 포함)을 의미합니다.

(2) 공연권

저작자는 자신의 저작물을 공연할 수 있는 권리를 가집니다. 이때, 공연이란 저작물 등을 연주, 재생 등의 방법으로 공중에게 공개하는 것을 의미합니다. 공중은 가족이나 친척 등 사적인 관계로 연결되는 범위를 넘어서, 불특정 다수인을 의미합니다.

> **사례 | 노래방 운영과 공연권 문제**
>
> A 씨는 노래 반주기기를 판매하는 사업자이고 B 씨는 노래방을 운영하는 사업자입니다. A 씨는 음악저작물에 대한 저작권자에게 이용허락을 받아 최신 곡을 노래 반주기기에 입력하였고, B 씨는 A 씨가 판매하는 노래 반주기기를 이용하여 노래방을 운영하였습니다. 이때, B 씨도 음악저작물의 저작권자에게 이용허락을 받은 것으로 볼 수 있을까요?
>
>
>
> 이 사례의 경우, 노래방 운영자 B 씨는 저작자에게 이용허락을 받은 것으로 볼 수 없습니다.[12] 저작권자의 이용허락은 노래 반주기기에 수록하고 이를 판매 및 배포하는 범위에 한정되는 것으로 볼 수 있습니다. 따라서 노래 반주기기를 구입한 노래방 운영자가 일반 공중을 상대로 거기에 수록된 저작물을 '재생'하여 주는 방식으로 이용하는 데까지 미치는 것은 아닙니다. 따라서 B 씨는 저작권자에게 별도로 공연권에 대한 이용허락을 얻어야 합니다.

(3) 공중송신권

저작자는 자신의 저작물을 공중송신할 권리를 가집니다. 공중송신이란 쉽게 말해 방송이나 디지털로 음성을 송신하는 것 등을 의미합니다.

Tip

공중송신권의 종류와 비교

	수신의 동시성[13]	수신의 이시성[14]	쌍방향성[15]
방송	O	X	X
디지털음성송신	O	X	O
전송	X	O	O

공중송신권은 방송권(제2조 제8호), 디지털음성송신권(제2조 제11호) 및 전송권(제2조 제10호)으로 나뉩니다.
방송은 공중이 동시에 수신하게 할 목적으로 음원과 영상 등을 송신하는 것으로, 우리가 흔히 아는 '방송'을 의미합니다.
디지털음성송신권은 공중이 동시에 수신하게 할 목적으로 공중의 요청에 의해 개시되는 음원과 영상 등의 송신입니다.
마지막으로 전송권은 공중이 개별적으로 선택한 시간과 장소에서 접근할 수 있도록 저작물을 이용에 제공하는 것을 의미합니다. 예를 들어, 인터넷 스트리밍 등을 포함합니다.

디지털음성송신의 경우 저작재산권자에게만 이용허락을 받으면 되고, 이후에 배울 저작인접권자에게는 보상금만 지급하면 되기 때문에 이를 구별하는 것이 중요합니다.

---

12) 서울지방법원 2000. 12. 21. 선고 2000나835
13) 시비스를 이용하는 이용자 모두가 음원 또는 영상을 동시에 수신하는 것을 의미합니다. 예를 들어, 오후 8시가 되면 SBS에서는 무조건 뉴스가 나오며 이용자가 변경하거나 선택할 수 없습니다.
14) 서비스를 이용하는 이용자가 시간과 장소를 선택하여 서로 다른 시점에 음원 또는 영상을 수신하는 것을 의미합니다. 예를 들어, 음원을 듣고 싶은 사람이 자신이 선택한 시간과 장소에서 자신이 선택한 음원을 처음부터 들을 수 있는 스트리밍 서비스 등이 있습니다.
15) 웹사이트에 접속하거나 특정한 서비스의 메뉴를 클릭하는 등의 주문(요청)에 의하여 송신이 이루어지는지를 의미합니다.

(4) 전시권

저작자는 자신의 미술저작물 등의 원본이나 복제물을 전시할 권리를 가집니다. 전시는 공중이 자유롭게 관람할 수 있도록 저작물이 수록된 유형물을 진열하는 등의 행위를 의미합니다.

(5) 배포권

저작자는 자신의 저작물의 원본이나 복제물을 배포할 권리를 가집니다. 이때, 배포는 저작물의 원본이나 복제물을 공중에게 양도, 대여하는 것을 의미합니다.

Tip

배포권의 제한

저작권법은 거래의 안정성을 위해서 저작물의 원본이나 복제물이 저작재산권자의 허락에 따라 거래된 경우에는 저작재산권자가 더 이상 배포권을 행사할 수 없도록 제한하고 있습니다.

이때, ① 거래에 이용된 저작물이 원본이나 복제물에 해당하여야 하고, ② 저작권자의 허락을 받아 거래되어야 하며(불법 복제물은 해당되지 않음) ③ 판매 등의 방법(대여는 포함되지 않음)으로 거래되었어야 합니다.

---

(6) 대여권

저작자는 상업용 음반이나 상업용 프로그램을 영리를 목적으로 대여할 권리를 가집니다. 이는 최초판매 원칙의 예외에 해당합니다. 예를 들어, 만화책의 저작자는 만화책을 만화방 주인에게 최초로 판매한 이후에도 만화책을 상업적으로 대여할 수 있도록 허락하거나 상업적으로 대여하지 못하도록 금지할 권리를 가지는 것입니다.

(7) 2차적 저작물 작성권

저작자는 자신의 저작물을 원저작물로 하는 2차적 저작물을 작성하여 이용할 권리를 가집니다.

> **사례**
>
> 독일어 원작 소설을 영어로 번역한 것을 다시 한국어로 번역하려고 한다면, 누구의 허락을 받아야 할까요?
>
> 독일어 원작이 영어로 번역된 경우 영어 번역물은 원작의 2차적 저작물에 해당합니다. 2차적 저작물에는 원저작물과 독립적인 저작권이 발생합니다. 따라서 2차적 저작물인 영어 번역본을 이용하기 위해서는 원작품의 저작권자뿐만 아니라 2차적 저작물 작성자의 허락도 받아야 합니다. 즉, 독일어 원작자의 허락뿐 아니라 영어 번역자의 허락도 받아야 합니다.

03 저작권의 효력과 제한

저작권의 효력

저작물의 보호는 작품의 전체 내용이 아니라 창작적 표현 부분에만 미칩니다. 즉, 저작권법상 보호는 아이디어가 아닌 아이디어의 표현에만 미칩니다. 그리고 앞서 학습한 바와 같이, 창작적 아이디어의 표현이라 하더라도 표현상의 기술적·개념적 제약으로 인해 그렇게밖에 표현할 수 없었다면 보호받지 못합니다. 다음 사례를 살펴봅시다.

사례 **게임의 저작물성**

A사(원고)는 게임 사용자의 조작에 의해 일정한 시나리오와 게임 규칙에 따라 반응하는 캐릭터, 아이템, 배경화면과 이를 기술적으로 작동하게 하는 영상, 배경음악 등이 유기적으로 결합되어 있는 게임을 출시하였습니다. 그 이후 B사(피고)가 A사의 게임과 유사한 게임을 출시하자 A사는 이를 문제 삼아 소송을 제기하였습니다.

A사의 게임은 저작권으로 인정받아 B사의 게임에 효력을 미칠까요?

[그림 5-8] 원고 게임과 피고 게임의 비교 [16]

이 사례에서, 게임이라 할지라도 특정한 제작 의도와 시나리오에 따라 구현된 주요한 구성요소들이 선택, 배열되고 유기적인 조합을 이루어서 기존의 게임물과 확연히 구별되는 창작적 개성을 갖추었다면 저작물로서 보호대상이 됩니다.[17]

따라서 A사의 게임(원고 게임)이 이 요건을 만족한다면 B사의 게임(피고 게임)에 그 저작권의 효력이 미칩니다.

---

16) 대법원 재판연구관실, 보도자료(2019. 4. 8.자)
17) 대법원 2019. 6. 27. 선고 2017다212095

저작권의 제한

저작권법은 문화와 관련 산업의 발전과 저작물의 공공성을 고려하여 저작재산권에 대하여 일부 제한을 두고 있습니다. 대표적으로, 교육을 위한 목적의 사용과 사적 이용을 위한 복제가 있습니다.

고등학교 이하의 학교에서 교육 목적상 필요한 교과용 도서에는 공표된 저작물을 게시할 수 있습니다. 다만, 일정한 보상금을 저작재산권자에게 지급하여야 합니다. 또한, 법에서 정한 교육기관에서 수업 목적으로 필요하다고 인정되는 경우에도 공표된 저작물의 일부분을 복제, 배포 등을 할 수 있습니다. 마찬가지로, 교육을 받는 학생들도 수업 목적으로 필요한 경우 공표된 저작물을 복제하거나 전송할 수 있습니다. 이때, 전송은 원격 교육을 위하여 별도로 인정하고 있습니다.

공표된 저작물은 개인적으로 이용하거나 가정 등 한정된 범위 안에서 이용하려는 경우에 복제할 수 있습니다. 다만 이를 이용하여 수익을 얻으려는 영리를 목적으로 해서는 안 됩니다.

사례 ▶ 불법복제물 다운로드 문제

불법복제물 사이트에 업로드된 불법복제물을 다운로드하는 것은 사적 이용으로서 저작재산권의 효력이 제한되는 경우에 해당할까요?

파일공유 프로그램(P2P)이나 웹하드를 통해 파일을 공유할 수 있도록 업로드된 파일을 다운로드하는 행위는 개인적 목적이라면 사적 이용을 위한 복제로 볼 수 있습니다.

그러나 업로드된 영화파일이 명백히 저작권을 침해한 파일이고, 다운로더 입장에서 그 파일이 저작권을 침해한 불법파일임을 미필적으로나마 알고 있었다면 이를 다운로드하여 개인용 하드디스크 등에 저장하는 행위가 사적 이용을 위한 복제로서 적법하다고 할 수 없다고 하여, 불법성이 인정된 사례가 있습니다.[18]

---

18) 서울중앙지방법원 2008. 8. 5. 판결 2008카합968

04 저작권의 침해와 구제

저작권의 침해

저작권 침해는 저작권으로 보호되는 저작물을 저작권자의 허락없이 이용하는 행위를 의미합니다. 만약 저작물을 전시하기 위한 허락을 얻어 저작물을 배포하는 행위를 하면 당연히 저작권의 침해에 해당할 것입니다. 따라서 저작권자로부터 이용허락을 받았다고 하더라도 허락받은 이용 방법을 넘어 이용하면 이 또한 저작권 침해가 됩니다.

저작권의 침해가 발생하였다고 하기 위해서는 저작권이 있는 저작물의 모방이 있고 두 저작물 사이에 실질적인 유사성이 있어야 합니다.

저작물에 대한 모방 여부는 직접적인 판단이 어렵기 때문에 저작물에 대한 접근 가능성이 있었는지와 저작물과 유사한지에 따라 간접적으로 판단하게 됩니다. 예를 들어, 저작물이 유명할수록 쉽게 접근할 수 있었다고 할 수 있겠죠?

또 실질적으로 유사한지 여부는 저작물 전체로 판단하지 않습니다. 저작권의 보호대상이 저작자의 독창성이 표현된 부분에 미친다고 한 것과 같이, 두 저작물이 유사한지 판단할 때에도 '표현'된 '독창적인 부분'만을 가지고 대비하여야 할 것입니다.[19]

---

19) 대법원 1993. 6. 8. 선고 93다3073

침해에 대한 구제

저작권자는 자신의 저작권이 침해된 경우 민사상 구제와 형사상 구제를 받을 수 있습니다.

(1) 민사상 구제

저작권에 대한 침해 정지와 예방, 침해물의 폐기 등 침해정지청구 등을 할 수 있습니다. 또는, 저작권을 침해한 자의 고의나 과실을 증명해 낸다면 침해행위로 인한 손해에 대하여 금전적으로 배상받을 수 있습니다.[20] 만약 저작권을 침해한 자의 고의나 과실의 증명이 어려운 경우에는 저작권법상 구제는 아니지만 민법상의 부당이득반환청구를 이용하여 구제받을 수 있습니다.

(2) 형사상 구제

저작재산권 등 재산적 권리를 침해한 경우 침해자는 5년 이하의 징역 또는 5천만 원 이하의 벌금에 처합니다. 또한, 저작인격권을 침해하여 명예를 훼손한 자는 3년 이하의 징역 또는 3천만 원 이하의 벌금에 처합니다.

허위공표, 허위배포의 경우나 저작자의 명예 훼손 등의 행위를 저지른 자는 1년 이하의 징역 또는 1천만 원 이하의 벌금에 처합니다. 이 외에도 500만 원 이하의 벌금형이나 침해물의 몰수 등의 형벌에 처할 수 있습니다.

---

20) 민법 제750조 및 저작권법 제125조 등

제4장   저작인접권

제4장
저작인접권

- **저작인접권** ─┬─ 의미: 저작물을 해석하고 전달하는 사람에게 부여되는 권리
  └─ 저작인접권자: 실연자, 음반제작자, 방송사업자

실제로 하여 보이다

① 실연자 ─┬─ 의미: 저작물을 예능적 방법으로 표현하거나, 저작물이 아닌 것을
  │   이와 유사한 방법으로 표현하는 자
  │   └─ 지휘·연출·감독하는 자를 포함
  ├─ 예시: 가수, 배우, 무용수, 영화감독
  └─ 권리 ─┬─ 인격권: 성명표시권, 동일성유지권
           └─ 재산권: 복제권, 배포권, 대여권, 공연권, 방송권, 전송권

수록된 콘텐츠 자체

② 음반제작자 ─┬─ 의미: 음반을 최초로 제작할 때 전체적으로 기획하고 책임을 지는 자
  │   └─ 음을 마스터테이프에 최초로 고정하는 행위
  ├─ 예시: SM, JYP, YG, 빅히트, 개인음반제작자
  └─ 권리: 복제권, 배포권, 대여권, 전송권

③ 방송사업자 ─┬─ 의미: 방송을 업으로 하는 자
  │   └─ 권리: 복제권, 공연권, 동시중계방송권
방송되는
내용이
반드시 저작물일
필요 ✕

확인학습

* 저작인접권이란 무엇일까요?

* 실연자란 무엇일까요?

* 음반제작자란 무엇일까요?

* 방송사업자란 무엇일까요?

01 저작인접권의 개념

저작인접권은 저작물을 해석하고 전달하는 사람에게 부여되는 권리입니다. 예를 들어, 음악저작물에 대해서 이를 가창의 방법으로 전달하는 가수 등이 가지는 권리입니다.

가수는 작곡자는 아니지만 음과 가사를 여러분에게 전달할 때 뛰어난 가창력과 기술로 원곡 자체의 가치를 증대시키기도 합니다. 그러나 녹음과 녹화 기술이 발달하기 전에는 공연장에서 이들을 만나는 횟수가 많았지만 현재는 공연장에 가지 않고 온라인상에서도 쉽게 접할 수 있어 가수의 경제적 지위가 축소될 수 있습니다.

따라서 저작권법에서는 저작인접권자가 저작자는 아니지만 문화 발전에 기여한다는 점에서 이들의 지위를 법적으로 보호해 주기 위해 저작인접권을 인정합니다.

한편, 저작인접권은 실연자, 음반제작자 및 방송사업자에게 부여되는데, 다음에서는 이들에 대해 살펴봅시다.

02 실연자

실연자는 저작물을 연기, 무용, 연주, 가창 등의 예능적 방법으로 표현하거나 저작물이 아닌 것을 이와 유사한 방법으로 표현하는 자를 말합니다. 이때, 실연을 지휘, 연출하거나 감독하는 사람도 포함합니다. 실연이 '실제로 하여 보이다'라는 뜻을 가지고 있는 것을 생각한다면 가수, 배우, 무용수, 영화감독 등을 쉽게 떠올릴 수 있을 것입니다.

실연자는 인격권으로서 실연에 자신의 성명이나 이명(가명)을 표시할 권리인 성명표시권과, 실연의 내용과 형식의 동일성을 유지할 권리인 동일성 유지권을 가집니다. 또한, 재산권으로서 복제권, 배포권, 대여권, 공연권, 방송권, 전송권을 가집니다.

사례 ▶ **모창은 저작인접권의 침해?**

한 아버지가 유명 걸그룹의 노래를 모창하는 딸의 영상을 그 걸그룹의 허락 없이 온라인에 게시하였습니다. 모창 영상을 업로드하는 행위가 실연자인 걸그룹의 저작인접권을 침해하는 행위일까요?

아버지가 딸의 모창 영상을 온라인에 게시한 행위 자체는 전송행위에 해당하나, 이는 표현의 자유에 해당하고 원 실연자의 이름을 언급하는 등 적절한 출처 표시를 행하였으므로 저작인접권의 침해에 해당하지 않습니다.[21]

---

03 음반제작자

음반제작자는 음반을 최초로 제작할 때 전체적으로 기획하고 책임을 지는 자를 의미합니다. 이때, 저작권법상의 음반이란 우리가 일반적으로 말하는 CD를 의미하는 것이 아니고 수록된 콘텐츠 자체를 의미하는데요, MP3 등 디지털화된 파일도 음반에 해당합니다. 음반 제작은 음을 마스터테이프에 최초로 고정하는 행위이기 때문에 음반제작자는 우리가 흔히 아는 음반사와는 차이가 있습니다.

음반제작자는 복제권, 배포권, 대여권, 전송권과 소정의 보상금청구권을 갖습니다. 다만, 음반을 사용하여 방송 등을 하기 위해서 개별적인 음반제작자에게 일일이 허락을 받을 필요는 없고, 한국음원제작자협회에 보상금을 지불하고 사용할 수 있습니다.

04 방송사업자

방송사업자는 방송을 업으로 하는 자를 말합니다. 이때, 방송되는 내용이 반드시 저작물일 필요는 없습니다.

방송사업자는 복제권과 공연권, 그 방송을 동시중계방송할 권리를 가집니다.

---

21) 서울고등법원 2010. 10. 13. 판결 2010나35260

학습평가

01 저작권법은 단순한 아이디어도 보호한다.　　○ ×

02 저작물로 인정받기 위해서는 남의 것을 베끼지 않고 자신의 개성이 담겨 있어야 한다.　　○ ×

03 저작권법은 저작물 전체를 보호한다.　　○ ×

04 2차적 저작물의 보호는 그 원저작물의 저작자의 권리에 영향을 미친다.　　○ ×

05 저작권법은 저작자의 추정 규정을 두고 있다.　　○ ×

06 저작권법에는 창작자주의에 대한 중대한 예외가 있다.　　○ ×

07 저작자의 지위도 상속될 수 있다.　　○ ×

08 저작권은 저작물을 창작한 때 발생하며 등록과는 무관하다.　　○ ×

09 동일성 유지권이란 저작자의 이름을 동일하게 표시할 권리를 의미한다. ☐ O ☐ ✕

10 저작물을 해석하고 전달하는 사람은 저작권자가 아니므로 저작물에 대한 아무런 권리를 갖지 못한다. ☐ O ☐ ✕

11 저작권법에는 AI가 창작한 저작물을 보호하는 규정이 있다. ☐ O ☐ ✕

12 독창적인 표현형식이 포함되어 있고 저작자의 개성이 드러나 있다면, 짧은 글귀라 해도 창작성을 인정받을 수 있다. ☐ O ☐ ✕

13 공중송신권에는 방송권, 디지털음성송신권 및 스트리밍권이 있다. ☐ O ☐ ✕

해설

01 저작물로 인정받아 보호받기 위해서는 사상이나 감정이 일정한 형식을 통해 외부로 '표현'되어야 합니다.

02 타인의 것을 모방하지 않은 자신만의 것이어야 하고, 그 내용에 있어서 저작자 나름대로의 개성이 있어야 합니다.

03 저작권법은 저작물 전체가 아닌, 저작물의 창작적인 표현 부분만을 보호합니다.

04 2차적 저작물의 보호는 그 원저작물의 저작자의 권리에 영향을 미치지 않습니다.

05 저작권법은 저작물에 저작자로서 이름이 표시된 사람을 저작자로 추정합니다.

06 저작권법의 창작주의에 대한 두 가지 중대한 예외로 업무상저작물과 영상저작물이 있습니다.

07 저작자의 지위는 상속되지 않으며 양도도 불가능합니다.

08 저작권은 저작물을 창작한 때 당연히 발생합니다.

09 동일성 유지권이란 저작물의 내용, 형식 및 제호(제목)의 동일성을 유지할 권리를 말합니다.

10 저작권법은 저작물을 해석하고 전달하는 사람에게 부여되는 권리인 저작인접권을 규정하고 있습니다.

11 현행법상 AI 저작물에 관한 명확한 규정이 없습니다.

12 저작물로 인정받기 위한 요건 중 창작성을 만족한다면 짧은 글귀라 해도 저작물성을 인정받을 수 있습니다.

13 공중송신권은 방송권, 디지털음성송신권 및 전송권으로 나뉩니다.

정답

1. ✕ 2. O 3. ✕ 4. ✕ 5. O 6. O 7. ✕ 8. O 9. ✕ 10. ✕ 11. ✕ 12. O 13. ✕

특허가 세계에서 가장 빠르게 발명을 출원한 사람에게 그 발명의 독점권을 주는 제도인 만큼 먼저 특허출원하기 위한 경쟁이 치열한데요. 특허권을 행사하기 위해서는 그에 앞서 그 권리의 범위를 정하기 위해 규정된 서식과 방법에 따라 작성된 특허명세서를 제출해야만 합니다.

국내 대기업 A사는 2018년 초 표준기술에 대한 특허를 신속하게 출원하기 위하여, 국제 표준화 회의에서 제출하는 기술서를 그대로 출원할 수 있는 방법이 있는지 특허청에 문의하였습니다. 하지만 특허청은 정해진 출원 서식에 따라 제출하도록 규정하고 있기 때문에 이를 허용하지 않았습니다.
그래서 국제적으로 특허출원일을 빠르게 확보하기 위하여 미국의 가출원 제도를 이용하여 먼저 출원한 후, 이를 기초로 조약 우선권을 주장하여 국내에 다시 특허출원하는 전략을 사용한 사례가 있었습니다.

2020년 3월 30일부터 국내에도 '임시명세서 제도'가 도입되어 미국의 가출원과 유사한 제도로 활용되고 있지만, 특허권을 확보하기 위해서는 반드시 정해진 양식으로 보정하는 절차가 필요합니다.

제6편에서는 특허를 출원할 때 제출하는 특허명세서가 무엇인지 그 의의와 함께 특허명세서의 역할, 구성 그리고 특허청구범위에 대해 알아보겠습니다.

제**6**편

특허명세서의
이해와 작성

특허명세서의 역할과 구성, 특허청구범위에 대해 알아본다.

제1장과 제2장에서는 특허명세서의 역할과 구성에 대해 알아보고, 제3장에서는 특허청구범위의 의미와 특허권리범위의 해석, 특허청구범위의 작성 방법에 대해 알아보기로 한다.

제1장 특허명세서의 이해

제1장
특허명세서의 이해

키워드

특허명세서

심사, 심판 대상

권리서

기술문헌

특허명세서의 의의: 발명의 기술적 내용을 명확하고 상세하게 글과 도면을 통해 나타낸 것

  └ **예외** 임시명세서: 급하게 출원해야 되는 경우 기존의 논문이나 연구노트 등을 제출하여 출원일을 앞당길 수 있음

특허명세서의 역할 ┬ 심사, 심판의 대상
       ├ 권리서: 특허권의 보호범위 결정
       └ 기술문헌: 모두가 이용할 수 있도록 공개

임시명세서 제도
- ① 조건: 정규출원, 14개월 내 전문 보정 또는 12개월 내 후출원 및 우선권 주장 필요
- ② 출원 형식: 자유로운 형식으로 출원 가능(보정 필수)
- ③ 출원 인정: 임시명세서 제출 후 1년 내 출원할 경우 국내 우선권을 적용받아 출원일 인정
- ④ 수수료: 4.6만 원(전자출원)
- ⑤ 출원 비용: 후출원 20.7만원, 청구항당 가산료 4.4만 원

확인학습

* 특허명세서란 무엇일까요?
* 특허명세서의 역할은 무엇일까요?
* 임시명세서란 무엇일까요?

01 특허명세서의 의의

사례

연수는 무테안경에 사용될 수 있는 안경 렌즈 고정장치를 발명하였습니다. 이 고정장치를 판매하기 전에 특허를 받고자 하는데, 특허출원을 할 때는 출원서를 제출하는 것 외에 출원서에 '명세서'를 첨부해야 한다는 사실을 알게 되었습니다. 여기서 '명세서'는 특허에서 어떤 의미를 가지고, 무슨 역할을 하는 걸까요?[1]

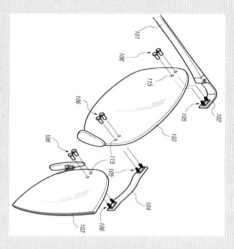

[그림 6-1] 무테안경용 렌즈 고정장치

특허명세서(이하 '명세서'라고도 하겠습니다.)란 특허를 받고자 하는 발명의 기술적 내용을 명확하고 상세하게 글과 도면을 통해 나타낸 서류를 말합니다.

특허는 아이디어(idea) 중 기술적 사상인 발명에 대하여 생기는 권리이기 때문에, 눈으로 보거나 손으로 만질 수 없는 발명을 문서를 통해 설명하는 것이 매우 중요합니다. 또한, 특허 제도는 발명을 한 사람에게 그 발명에 대하여 일정 기간 동안 독점할 수 있는 권리를 주는 대신, 그 발명을 공개하여 다른 사람이 이용할 수 있도록 한 제도이므로, 명세서에 그 발명의 내용을 명확하고 상세하게 적어야 합니다.

이러한 특허명세서는 ① 발명의 명칭, ② 발명의 상세한 설명, ③ 특허청구범위, ④ 도면으로 구성됩니다.

발명을 한 사람은 특허명세서에서 '발명의 상세한 설명'과 '도면' 부분에서 자신의 발명 내용을 설명하고, '특허청구범위' 부분에서 그 발명에 대하여 얻고자 하는 독점적인 권리의 내용을 다른 사람이 알기 쉽도록 명확하게 나타내어야 합니다.

---

1) 대한민국 등록특허 10-0877762를 예로서 기재, 제2장 '특허명세서의 구성'에서도 동일

■ **특허법 시행규칙** [별지 제15호서식] <개정 2022. 7. 1.>

특허로(www.patent.go.kr)에
서 온라인으로
제출가능합니다.

【명세서】

(앞쪽)

【발명(고안)의 설명】

　【발명(고안)의 명칭】

　【기술분야】

　【발명(고안)의 배경이 되는 기술】

　(【선행기술문헌】)

　　(【특허문헌】)

　　(【비특허문헌】)

　【발명(고안)의 내용】

　　【해결하려는 과제】

　　【과제의 해결 수단】

　　【발명(고안)의 효과】

　【도면의 간단한 설명】

　【발명(고안)을 실시하기 위한 구체적인 내용】

　　(【실시예】)

　(【산업상 이용가능성】)

　(【부호의 설명】)

　(【수탁번호】)

　(【서열목록】)

　【청구범위】

　　【청구항 1】

210㎜×297㎜[백상지 80g/㎡]

[그림 6-2] 특허명세서

02 특허명세서의 역할

심사, 심판 대상의 특정

명세서는 심사와 심판의 대상을 특정하는 역할을 합니다. 즉, 출원인이 특허명세서를 제출하면, 심사관은 '명세서'에 적힌 내용을 보고 그 발명에 대하여 심사를 합니다. 또한, 특허가 등록된 다음에 심판을 하게 되면, 심판관이 '명세서'에 적힌 내용을 보고 그 발명에 대하여 심판을 합니다.

권리서의 역할

특허를 등록받은 후 등록료를 납부하면 '특허권'이 생기는데요. 이러한 권리는 눈에 보이는 것이 아니기 때문에 그 범위를 정하는 것이 매우 중요합니다. 이때 명세서, 그중에서도 '특허청구범위'는 특허권의 보호범위를 결정하는 권리서의 역할을 합니다.

06

기술문헌의 역할

특허를 출원하면 그 명세서의 내용은 모두가 이용할 수 있도록 공개됩니다. 이렇게 명세서는 새로운 발명의 내용을 다른 사람에게 공개하는 기술문헌의 역할을 합니다.

03 임시명세서

2020년 3월 30일부터는 우리나라에서도 [그림 6-2]의 특허명세서 형식을 모두 갖추지 않더라도, '임시명세서'를 제출할 수 있게 되었습니다. 이를 통해 급하게 출원해야 되는 경우 기존의 논문이나 연구노트 등을 제출하여 출원일을 앞당길 수 있습니다.

이러한 임시명세서 제도는 미국의 가출원 제도와 유사한데요. 구체적인 기간이나 수수료 등에는 차이가 있지만, 둘 다 일정 기간 내에 특허명세서 형식을 모두 갖춘 정규출원을 해야 한다는 점에서는 같습니다.

[표 6-1] 임시명세서 제도와 미국의 가출원 제도

임시명세서(청구범위 제출유예)	구분	美 가출원
• 정규출원 • 14개월 내 전문 보정 또는 • 12개월 내 후출원 및 우선권 주장 필요	조건	• 임시적 출원 • 12개월 내 정규출원 필요
자유로운 형식으로 출원 가능(보정 필수)	출원 형식	자유로운 형식으로 출원 가능
임시명세서 제출 후 1년 내 출원할 경우, 국내 우선권을 적용받아 출원일 인정	출원 인정	가출원 후 1년 내 정규출원할 경우, 가출원된 내용은 가출원일로 인정
4.6만 원(전자출원)	수수료	$300(약 37만 원)
• 후출원 : 20.7만 원 • 청구항당 가산료 : 4.4만 원	출원 비용[2]	• 정규출원 : $1,820(약 225만 원) • 청구항당 가산료 : $480(약 60만 원)

2) 2023년 출원 관련 수수료 기준, 환율 : 2023년 1월 환율 기준

제2장
특허명세서의 구성

- **특허명세서**
  - 발명의 명칭: 발명의 내용을 간단히 적은 것
  - 발명의 상세한 설명
    - ① 기술분야: 넓은 범위와 구체적인 기술분야로 나누어 기재
    - ② 배경기술: 발명의 신규성과 진보성을 판단하는 데 기초가 될 선행기술
    - ③ 해결하려는 과제: 어떤 문제를 해결하고 싶은지 목적 작성
    - ④ 과제의 해결수단: 과제를 해결하기 위해 어떤 수단을 이용하는지 작성
    - ⑤ 발명의 효과: 발명의 새로운 효과, 특이한 효과 기재
    - ⑥ 도면의 간단한 설명: 도면의 명칭이나 도면의 중요한 부분에 대한
      도면 부호 설명
    - ⑦ 발명을 실시하기 위한 구체적인 내용: 발명의 목적을 이루기 위한 해결방법과
      그 내용을 구체적으로 기재
      ex 실시예, 변형예
  - 특허청구범위: 특허권의 보호범위 결정
    - ① 발명의 상세한 설명에 의하여 뒷받침될 것
    - ② 발명이 명확하고 간결하게 기재될 것
  - 도면: 평면도나 단면도

확인학습

* 특허명세서는 어떻게 구성되어 있을까요?
* 특허명세서의 작성 방법은 무엇일까요?

특허명세서는 다음과 같은 구성을 가집니다.

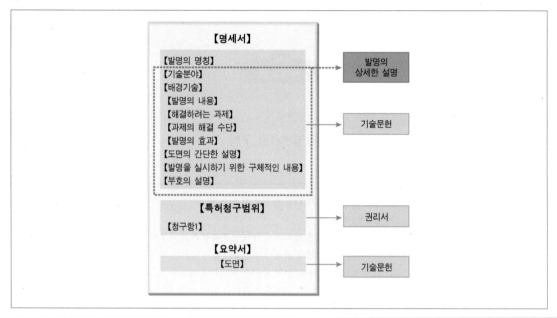

[그림 6-3] 명세서의 구성과 역할

특허명세서는 크게 ① 발명의 명칭, ② 발명의 상세한 설명, ③ 특허청구범위, ④ 도면으로 이루어져 있습니다.

제1장에서 배운 명세서의 역할을 명세서의 구성에 대응시켜 보면, 특허청구범위가 '권리서'의 역할을 하고, 발명의 상세한 설명과 도면이 '기술문헌'의 역할을 합니다.

다음에서는 특허명세서의 각 구성별로 구체적으로 어떤 내용을 적어야 하는지 알아보겠습니다.

01 발명의 명칭

발명의 명칭은 출원하고자 하는 발명을 분류하거나, 정리하고 검색하기 편하게 하는 역할을 합니다. 이를 위해서 발명의 명칭은 발명의 내용을 간단하게 적는 것이 좋습니다.

사례 발명의 명칭

무테안경용 렌즈 고정장치(FIXING DEVICE OF LENS FOR FRAMELESS SPECTACLES)

---

02 발명의 상세한 설명

일반적인 기재 방법

특허명세서는 다른 사람에게 그 발명의 내용을 공개하는 기술문헌의 역할을 한다고 배웠습니다. 특허명세서 내용 중에서도 '발명의 상세한 설명'이 기술문헌의 역할을 하는 부분입니다.

따라서 발명의 상세한 설명은 그 발명이 속하는 기술분야에서 통상의 지식을 가진 자(당업자)가 쉽게 실시할 수 있을 정도로 명확하고 상세하게 적어야 합니다. 쉽게 말해 초등학생부터 그 분야에 대해 잘 아는 교수까지 모두가 쉽게 알 수 있도록 적을 필요는 없지만, 그 발명의 기술분야에서 대략 대학원생 수준의 지식을 가진 사람이 발명의 상세한 설명만 보고도 그 발명의 내용을 그대로 따라할 수 있을 정도로 명확하고 자세하게 적어야 한다는 것입니다.

만약 막연히 추상적으로 그 발명을 설명하거나, 단순한 아이디어 정도만을 적은 경우에는 그 분야의 통상의 지식을 가진 사람이 쉽게 따라할 수 없으므로 특허를 받을 수 없습니다.

06

구체적인 기재 방법

(1) 기술분야

기술분야는 보통 넓은 범위와 구체적인 기술분야로 나누어 적습니다. 이때 발명이 속하는 기술분야를 너무 구체적으로 한정하는 것은 좋지 않으며, 가급적이면 관련된 기술분야까지 넓게 적는 것이 좋습니다.

> **사례 ◀ 기술분야**
>
> 본 발명은 무테안경용 렌즈 고정장치에 관한 것으로서 더욱 상세하게는 무테안경을 구성하는 렌즈와 다리 또는 코다리를 용이하게 고정할 수 있도록 개선한 볼트, 너트로 구성되는 고정장치의 제공에 관한 것이다.

(2) 배경기술

배경기술은 특허출원한 발명의 신규성과 진보성을 판단하는 데 기초가 될 선행기술을 의미합니다. 즉, 출원 전에 한국이나 외국에서 잡지에 실리거나 인터넷을 통해 공개되어 알 수 있는 선행기술을 의미합니다.

따라서 회사 내에서만 알려져 있고, 일반인들이 자료나 제품을 통해 알 수 없는 기술은 배경기술에 해당하지 않으므로 주의해야 합니다. 특히, 실제로 공개되지 않은 내용을 출원인 스스로 배경기술에 적은 경우에는, 출원인이 인정한 배경기술로 인정될 수 있기 때문에 주의해야 합니다.

> **사례** 〈 **배경기술**
>
> 일반적인 안경은 렌즈를 장착한 프레임의 양측과 중앙에 힌지와 노즈프레임이 용접 등의 방식으로 고정되고, 힌지의 후단부에는 다리의 선단부를 결합하여 다리가 접철 가능하게 구성하고 있다.
>
> 이러한 프레임안경의 범위를 벗어나 보다 미적인 감각을 높일 수 있도록 개발된 것이 무테안경이며, 이러한 무테안경은 렌즈의 중앙부와 양측에 노즈프레임과 다리를 장착한 힌지가 볼트와 너트로 결합되는 구성이다.

(3) 해결하려는 과제 및 과제의 해결 수단

해결하려는 과제에는 이 발명을 통해 어떤 문제를 해결하고 싶은지 그 목적을 적고, 과제의 해결 수단에는 그러한 목적을 이루기 위해서 어떤 방법(수단)을 이용하는지 적습니다.

> **사례 1** 〈 **해결하려는 과제**
>
> 상기와 같은 종래기술에서는 노즈프레임과 힌지에 2개의 볼트를 독립하여 용접고정하기 때문에 볼트를 고정하는 작업이 쉽지 않은 것은 물론, 고정된 볼트와 볼트와의 간격이 일정하지 않음으로써 렌즈에 형성된 볼트 공과 일치하지 않아 렌즈 고정이 불가능하게 되는 폐단이 있다.
>
> 또한, 용접을 통하여 고정된 볼트의 경우 그 크기가 아주 작기(약 2~3mm) 때문에 균일한 상태의 용접이 어렵고, 이로 인하여 용접부위의 손상을 초래하거나 심할 경우 볼트가 부러지게 되므로 역시 렌즈와의 체결성이 취약하게 된다.

> **사례 2** 〈 **과제의 해결 수단**
>
> 이에 본 발명에서는 상기와 같은 문제점들을 해결하기 위하여 발명한 것으로서, 후방에 다리를 가지는 힌지와 렌즈 중앙을 연결하는 노즈프레임에 용접고정되는 볼트와, 상기 볼트와 결합되어 렌즈를 단속하는 너트로 구성되는 무테안경용 렌즈 고정장치에 있어서;
>
> 상기 볼트는 판상 형태의 베이스 양측에 나사산을 형성한 볼트바디로 구성하고, 상기 너트는 볼트바디와 결합할 수 있도록 결합홀을 형성한 너트바디와, 상기 너트바디의 끝단에 일체로 형성되는 육각 형상의 헤드와, 상기 헤드와 헤드 사이는 렌즈 교환 시 쉽게 절단하여 두 개의 너트를 독립시켜 분리할 수 있도록 브리지로 연결하여 구성하는 것이 특징이다.

(4) 발명의 효과

발명의 효과에는 그 발명의 새로운 효과, 특이한 효과, 특징이 되는 점 등을 적습니다. 단순히 무조건 좋다고 적기보다는, 그 발명에 의해서 나타나는 기술적인 효과를 적어야 합니다.

기존에 존재하는 기술과 구성이나 구조에 있어서 별 차이가 없는 경우, 예를 들어 기존에 존재하는 자동차 타이어와 모양에서 큰 차이가 없다면, 새로 발명한 타이어가 가지는 새롭고 특이한 효과가 있다는 것을 보여 주면 특허를 등록받을 가능성이 높아지므로 예측 가능한 효과까지 모두 적는 것이 좋습니다.

> **사례** ▶ **발명의 효과**
>
> 본 발명은 2개의 볼트를 베이스로 연결하여 구성함으로써 용접 작업의 용이성을 제공하는 것은 물론 정확한 치수를 유지할 수 있으므로 조립성을 향상시킬 수 있고, 너트 또한, 해체 시 쉽게 분리될 수 있도록 구성함으로써 데모렌즈의 교환을 용이하게 할 수 있어 분해 조립성을 향상시키면서 안경 전체의 품질을 높일 수 있는 등 많은 효과를 가지는 발명이다.

(5) 도면의 간단한 설명

특허출원을 할 때 특허명세서의 발명의 상세한 설명만으로 발명의 내용을 충분히 설명하지 못하는 경우에는 도면을 선택적으로 제출할 수 있습니다. 보통 글보다는 그림이나 사진을 이용하는 것이 설명하기도 편하고, 이해하기도 편하기 때문입니다.

이렇게 도면을 제출하는 경우에만 도면의 간단한 설명을 적게 됩니다. 도면의 간단한 설명에는 각 도면의 명칭이나 도면의 중요한 부분에 대한 도면 부호를 설명합니다.

> **사례** ▶ **도면의 간단한 설명**
>
> 도 1은 본 발명의 기술이 적용된 무테안경용 렌즈 고정장치를 도시한 분해 상태의 사시도

(6) 발명을 실시하기 위한 구체적인 내용

발명의 목적을 이루기 위한 해결 방법(수단)과 그 내용을 구체적으로 적습니다.

그 발명의 일반적인 특징을 적는 한편, 구체적으로 어떻게 만들 수 있는지 '실시예'를 적기도 합니다. 보통 발명의 실시예는 도면을 이용해서 그 발명을 따라할 수 있도록 상세하게 적는데, 발명의 전체적인 내용을 먼저 쓰고 발명의 특징이 되는 부분을 상세하게 적습니다.

그리고 발명의 일부를 바꾸는 경우에도 비슷하거나 더 좋은 효과를 나타내는 경우가 있는데요. 이렇게 실시예에서 일부를 바꾼 변형예를 포함해서 다른 가능한 경우가 있다면 모두 적는 것이 좋습니다. 실시예가 다양하면 누군가 나의 특허를 침해했을 때 좀 더 쉽게 권리를 주장할 수 있기 때문입니다.

> **사례** ▶ **발명을 실시하기 위한 구체적인 내용**
>
> 도 1은 본 발명의 기술이 적용된 무테안경용 렌즈 고정장치를 도시한 분해 상태의 사시도, 도 2는 본 발명의 기술인 무테안경용 렌즈 고정장치의 핵심인 볼트와 너트를 발췌한 사시도, 도 3은 본 발명의 기술이 적용된 무테안경용 렌즈 고정장치의 사용상태 발췌단면도, 도 4는 본 발명의 기술이 적용된 무테안경용 렌즈 고정장치의 다른 사용상태 발췌단면도로서 함께 설명한다.

03 특허청구범위(claim)

특허청구범위는 특허권의 보호범위를 정하는 역할을 하는 매우 중요한 부분입니다. 특허는 눈에 보이지 않는 발명에 관한 것이기 때문에, 그 권리의 범위가 어디까지인지를 결정하는 일은 매우 중요하고도 어려운 일입니다. 이러한 특허의 속성을 고려해서 우리나라를 비롯한 대부분의 나라에서는 특허권의 보호범위를 특허청구범위에 따라 정하고 있습니다.

특허권의 보호범위가 발명의 상세한 설명이나 도면에 나타나는 내용에 의해 정해지는 것으로 알기 쉬우므로 주의해야 합니다. 또한, 일반적으로 특허법에서 정하는 발명은 '특허청구범위'에 적힌 발명을 말하는 것이며, 이 '청구범위'에 적힌 발명(발명의 상세한 설명이나 도면에 나타나는 내용이 아님)을 기초로 특허청에서 심사를 합니다.

특허청구범위는 다음의 원칙에 따라 작성되어야 합니다.

- 발명의 상세한 설명에 의하여 뒷받침될 것
- 발명이 명확하고 간결하게 기재될 것

이 외에도 특허청구범위는 보호를 받고자 하는 내용을 기재한 청구항을 2개 이상의 항으로 적을 수 있는데, 이 경우에는 특허법 시행령 제5조에서 정하는 기재 방법의 요건을 만족해야 합니다.

발명의 상세한 설명에 의하여 뒷받침될 것

특허청구범위가 발명의 상세한 설명에 의하여 뒷받침된다고 하기 위해서는 특허출원 당시의 기술 수준을 기준으로 하여 그 기술분야에서 통상의 지식을 가진 사람(에 대학원생)이 볼 때 그 특허청구범위와 발명의 상세한 설명의 내용이 같아서, 그 명세서만으로 특허청구범위에 속한 기술의 내용이나 효과를 쉽게 이해할 수 있어야 합니다.

다음과 같은 유형은 발명의 상세한 설명에 의하여 뒷받침되지 않는 것으로 보아 특허를 받을 수 없습니다.

- 청구항에 기재된 사항과 대응되는 사항이 발명의 상세한 설명에 적혀 있지 않고, 암시도 되어 있지 않은 경우
- 발명의 상세한 설명과 청구항에 기재된 발명 간에 단어가 통일되어 있지 않아서 대응 관계가 불명확한 경우
- 청구항에는 특정 기능을 하기 위한 수단이나 방법으로 적혀 있으나, 이들 수단이나 방법에 대응하는 구체적인 내용이 발명의 상세한 설명에 적혀 있지 않은 경우

발명이 명확하고 간결하게 기재될 것

특허청구범위에 의해 특허의 보호범위가 정해지기 때문에, 특허청구범위는 누가 봐도 같은 의미로, 그리고 쉽게 이해할 수 있어야 합니다. 따라서 특허청구범위에는 발명이 명확하고 간결하게 기재되어야 합니다.

다음과 같은 유형은 발명이 명확하고 간결하게 기재되지 않은 것으로 보아 특허를 받을 수 없습니다.

- 청구항에 적힌 내용이 불명확한 경우
- 청구항에 각 구성요소를 단순히 순서대로 적었을 뿐 그 구성요소가 결합된 관계가 적혀 있지 않아서 발명이 불명확한 경우
- 청구항에 기재된 발명의 카테고리(예 물건, 방법 등)가 불명확한 경우
- 청구항을 너무 길거나 이해하기 어렵게 적어 보호를 받고자 하는 발명의 내용이 불명확한 경우
- 청구항에 발명의 내용을 불명확하게 하는 표현이 있는 경우

사례 ❯ **특허청구범위**

청구항 1

후방에 다리(101)를 가지는 힌지(102)와 렌즈(103) 중앙을 연결하는 노즈프레임(104)에 용접고정되는 볼트(105)와;
상기 볼트(105)와 결합되어 렌즈(103)를 단속하는 너트(106)로 구성되는 무테안경용 렌즈 고정장치에 있어서;
상기 볼트(105)는 판상 형태의 베이스(107) 양측에 나사산(108)을 형성한 볼트바디(109)를 구비하고;
상기 너트(106)는 볼트바디(109)와 결합할 수 있도록 결합홀(110)을 형성한 너트바디(111)와;
상기 너트바디(111)의 끝단에 일체로 형성되는 육각형상의 헤드(112)와;
상기 헤드(112)와 헤드(112) 사이는 렌즈 교환 시 쉽게 절단하여 두 개의 너트(106)를 독립시켜 분리할 수 있도록 브리지(113)로 연결하여 구성하는 것을 특징으로 하는 무테안경용 렌즈 고정장치

06

04 도면

특허출원의 대상이 기계, 기구, 장치와 같은 물건에 대한 발명인 경우에는 반드시 도면을 작성해서 제출하여야 합니다. 도면을 첨부하지 않을 경우에는 등록이 거절될 수도 있습니다.

한편, 화학 발명이나 방법의 발명과 같이 눈으로 볼 수 없는 발명인 경우에는 도면을 반드시 제출할 필요는 없습니다. 도면은 평면도나 단면도 등을 사용할 수 있으며, 컬러나 흑백으로 제출할 수 있습니다.

사례 도면

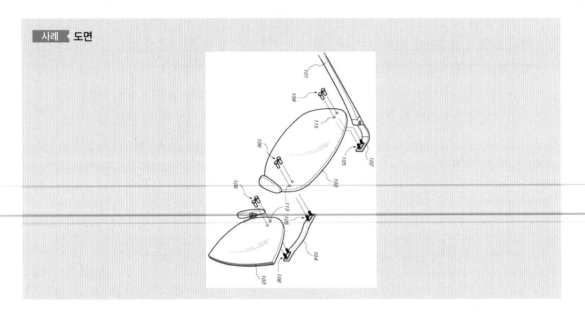

제2장에서는 특허명세서의 구성과 각 구성별로 어떻게 작성해야 하는지에 대해 알아보았습니다.

여기서 살펴본 사례 외에 좀 더 다양한 분야의 명세서 작성 예시를 알고 싶다면, 제8편에서 배울 선행기술조사를 통해 관심 있는 분야의 특허를 검색해 보거나 특허로 홈페이지(https://www.patent.go.kr)에 접속하여 고객지원−참고자료에 있는 명세서 작성 사례를 확인하는 방법을 활용해 보세요.

제3장 특허청구범위의 개요

제3장
특허청구범위의 개요

키워드

심사대상

보호범위

권리 발생단위

특허청구범위

기재사항 우선 원칙

발명의 상세한 설명
참작의 원칙

출원경과 참작의 원칙

특허청구범위의 의미
- 출원계속 중: 심사대상
- 등록 후: 보호범위 결정, 권리 발생의 단위

권리범위의 해석
- 원칙: 특허청구범위 기재사항 우선 원칙
- 보충
  - 발명의 상세한 설명 참작의 원칙: 특허청구범위에 적힌 내용이 불분명하거나 추상적인 경우 발명의 상세한 설명이나 도면 참고 가능
  - 출원경과 참작의 원칙: 출원인이나 특허청의 생각 참고

확인학습

* 특허청구범위는 어떤 의미를 가질까요?
* 권리범위는 어떻게 해석할까요?

01 특허청구범위의 의미

제2장에서는 특허명세서가 크게 발명의 명칭, 발명의 상세한 설명, 특허청구범위, 도면으로 이루어져 있다는 것을 배웠습니다. 그중에서도 '특허청구범위'는 발명의 특징을 나타내는 부분으로서, 특허의 권리범위를 판단하는 데 기준이 되는 매우 중요한 역할을 합니다.

특허청구범위의 법적 의미

특허청구범위는 출원 시와 등록 시에 다른 법적 의미를 가지고 있습니다.

특허출원 시에는 '특허청구범위에 적힌 발명'이 특허심사의 대상이 됩니다. 출원하는 과정에서는 심사관의 심사에 의해 거절되거나, 보정 요청을 받아 보정될 수 있으므로 그 권리범위가 아직 정해진 것은 아닙니다.

반면, 등록 후에는 특허권의 보호범위를 정하는 역할을 합니다. 한국은 특허청구범위를 하나의 항이 아닌 여러 항으로 적을 수 있는 '다항제'를 인정하고 있어, 각 청구항마다 특허발명의 보호범위가 정해집니다.

등록 후에 특허청구범위를 수정하는 것을 '정정'이라 하는데, 청구범위가 이렇게 수정될 경우 정당하게 기술을 사용하던 다른 사람이 특허를 침해하게 되는 등 피해가 발생할 수 있습니다. 따라서 특허청구범위의 정정은 특별한 경우에만 가능합니다.

출원 시 특허청구범위		등록 후 특허청구범위
• 특허심사의 대상 • 등록심사과정에서 수정 (보정)될 수 있음		• 특허권 보호범위 역할 • 각 청구항마다 독점권 • 등록 후 '정정' 어려움

[그림 6-4] 특허청구범위의 법적 의미

최근 짧은 거리를 이동할 때 이용하는 것으로 [그림 6-5]에 나타낸 세그웨이라는 제품이 판매되고 있습니다. 최신 이동수단으로 떠오르고 있는 세그웨이는 Deka Products의 제품으로서, 발판 위에 일어선 뒤 세그웨이의 몸체를 앞으로 기울이는 정도에 따라 이동 속도를 조절하면서 타고 다닐 수 있습니다. 세그웨이의 대표 특허[3]는 '개인용 균형 차량(balancing personal vehicle)'을 발명의 명칭으로 하여 미국, 호주, 캐나다, 유럽, 일본 및 한국 등에 등록되어 있습니다.

---

3) 대한민국 등록특허 10-0704800

> **사례**
>
> **청구항 1**
>
> 불균일할 수 있는 표면 위에서 사람을 수송하기 위한 차량이며,
>
> a. 전후방 및 측방면을 한정하고 승객을 지지하기 위한 지지 플랫폼과,
>
> b. 지지 플랫폼을 표면 위로 현가시키기 위해 지지 플랫폼에 피봇 가능하게 부착되고 정적 상태일 때 전후 방향 모두의 기울임에 대해 안정한 지면 접촉 모듈과,
>
> c. 표면 위에서 지면 접촉 모듈을 이동시키기 위해 지면 접촉 모듈 및 지지 플랫폼 중 적어도 하나에 장착된 동력 구동 장치와,
>
> d. 지면 접촉 모듈의 특정 가속을 일으키는 방식으로 동력 구동 장치를 작동시킴으로써 지지 플랫폼의 안정성을 동적으로 유지하기 위해 동력 구동 장치가 포함된 제어 루프를 포함하는, 불균일할 수 있는 표면 위에서 사람을 수송하기 위한 차량

[그림 6-5] 세그웨이 대표 특허의 구성

세그웨이 대표 특허의 청구항 1을 분석하여 각 구성요소별로 그 내용을 적으면 [표 6-2]와 같습니다.

[표 6-2] 세그웨이 대표 특허 청구항 분석

카테고리	구성요소	내용
불균일할 수 있는 표면 위에서 사람을 수송하기 위한 차량	지지 플랫폼	전후방 및 측방면을 한정하고 승객을 지지
	지면 접촉 모듈	지지 플랫폼을 표면 위로 현가시키기 위해 지지 플랫폼에 피봇 가능하게 부착되고 정적 상태일 때 전후 방향 모두의 기울임에 대해 안정
	동력 구동 장치	표면 위에서 지면 접촉 모듈을 이동시키기 위해 지면 접촉 모듈 및 지지 플랫폼 중 적어도 하나에 장착
	제어 루프	지면 접촉 모듈의 특정 가속을 일으키는 방식으로 동력 구동 장치를 작동시킴으로써 지지 플랫폼의 안정성을 동적으로 유지하기 위해 동력 구동 장치를 포함

따라서 세그웨이 대표 특허의 청구항에 기재된 구성요소(지지 플랫폼, 지면 접촉 모듈, 동력 구동 장치, 제어 루프)를 모두 포함하면서, 각 구성요소의 내용까지 같은 제품을 다른 사람이 판매하면 세그웨이 특허를 침해할 가능성이 있습니다.

02 특허권리범위의 해석

세그웨이 대표 특허의 청구항 1은 구성요소 중 하나인 바퀴를 '지면 접촉 모듈'로 적었습니다. 왜 이렇게 추상적인 단어를 특허청구범위에 기재하였을까요?

앞서 특허청구범위가 출원 계속 중과 등록된 이후에 어떤 의미를 가지는지 배웠습니다.

특허가 등록된 후 특허청구범위는 특허의 권리범위를 결정하는데, 구체적으로 어떻게 권리범위를 정하는지 그 해석 방법에 대해 알아보겠습니다.

특허청구범위 기재사항 우선 원칙

특허의 권리범위를 해석하는 경우에는 특허청구범위에 적힌 내용만으로 그 권리범위를 해석하는 것이 원칙입니다. 이는 특허발명의 보호범위를 해석할 때에는 먼저 특허청구범위에 적힌 내용을 기준으로 한다는 것을 의미합니다.

다만, 권리범위를 정확하게 해석하기 위해서는 특허청구범위에 적힌 내용뿐만 아니라 전체 특허명세서의 내용도 참고해야 합니다. 특허청구범위 내용만으로는 그 해석이 불명확한 경우가 많기 때문입니다.

발명의 상세한 설명 참작의 원칙

특허청구범위에 적힌 내용이 불분명하거나 추상적이어서 권리범위를 정하는 것이 어려운 경우에는, '발명의 상세한 설명이나 도면'을 참고해서 보호범위를 판단할 수 있습니다. 하지만 특허청구범위에 적힌 내용보다 더 넓게 해석해서는 안 됩니다. 이 경우에는 원래 특허권자가 가질 수 있는 권리보다 더 넓은 범위의 권리를 가지게 되기 때문입니다.

출원경과 참작(prosecution history)의 원칙

특허출원을 하면서 출원인이나 특허청의 생각을 참고해서 권리범위를 판단해야 합니다. 출원인이 보정서와 의견서 등에서 출원발명의 내용을 제한한 사항을 나중에 다시 넓은 범위로 해석하는 등 자신의 생각을 바꾸는 것은 허용되지 않습니다.

세그웨이 대표 특허를 예로 들면, 출원인이 의견서에서 '지지 플랫폼'의 재료를 금속이라고 제한해 놓고, 이후에 '지지 플랫폼'의 재료는 금속이 아닌 플라스틱이나 나무도 가능하다고 자신의 생각을 바꾸어 보호범위를 넓게 해달라고 하는 것은 허용되지 않습니다.

사례 분석

세그웨이 대표 특허의 청구항 1은 바퀴를 '바퀴'라 하지 않고, '지면 접촉 모듈'이라고 하였습니다. 이는 바퀴가 없는 다른 이동 수단, 예를 들면 [그림 6-6]과 같이 탱크에 사용되는 캐터필러(caterpillar, 무한궤도장치)를 바퀴 대신에 사용하는 경우도 세그웨이 대표 특허의 권리범위에 포함시키기 위한 것으로 해석됩니다.

즉, '바퀴'를 가지는 자전거나 자동차 같은 차량뿐 아니라 바퀴를 포함하는 일반적인 단어로서 '지면에 접촉할 수밖에 없는 모듈'을 사용하여, 바퀴가 없는 차량도 모두 세그웨이 대표 특허의 권리범위에 포함시키고자 한 것입니다.

캐터필러

[그림 6-6] 탱크의 캐터필러

03 특허청구범위의 작성 방법

앞서 특허청구범위가 명세서에서 어떤 의미를 가지는지, 그리고 특허권리범위를 어떻게 해석해야 하는지 배웠습니다. 이를 바탕으로 사례를 통해 특허청구범위는 구체적으로 어떻게 적어야 하는지 알아보겠습니다. 다음 사례를 읽고 작성사례를 보기 전에 직접 특허청구범위를 한번 적어 보는 것을 추천합니다.

> **사례**
>
> [그림 6-7]은 기존에 있는 의자로서 등을 기댈 수 있는 등받이가 없기 때문에, 이 의자에 오래 앉아 있는 경우 허리가 아프다는 문제가 있었습니다. 이와 같은 문제점을 해결하기 위해 등을 기댈 수 있는 등받이를 가지는 의자(그림 6-8)를 발명하여 출원하고자 합니다. 특허청구범위는 어떻게 적는 것이 좋을까요?

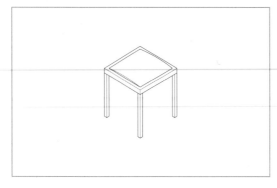

[그림 6-7] 기존 의자

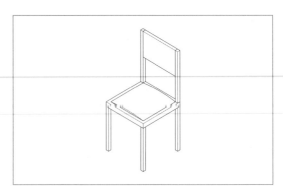

[그림 6-8] 특허발명의 실시예

> **작성사례 1**
>
> (ㄱ) 사람의 엉덩이를 걸치기 위한 사각형의 나무로 된 밑판과,
> (ㄴ) 상기 밑판에 부착되어 밑판을 지면으로부터 공중에 떠받치는 네 개의 다리와,
> (ㄷ) 상기 밑판의 한 변에 직각으로 부착되어 상기 밑판 위에 앉은 사람의 등을 지지하는 등받이를 포함하는 의자

작성사례 1의 특허청구범위는 도면에 나타낸 발명을 그대로 적은 것입니다. 특허청구범위에 적힌 내용은 그 발명에 꼭 필요한 구성요소로 보기 때문에, 이렇게 특허청구범위를 구체적으로 적으면 권리범위를 판단할 때 불리할 수 있습니다.

즉, 사례의 발명은 기존 의자에 등받이가 없어 오래 앉기 불편한 문제점을 해결하기 위한 것으로서, 기존 의자에서 '등받이'가 추가됐다는 것이 중요한 부분이지 그 의자가 나무로 이루어져 있는지, 다리가 꼭 4개여야 하는지 등은 크게 중요하지 않습니다.

작성사례 1의 청구항에 의하면 밑판이 '사각형의 나무'로 이루어져 있다고 하였는데, 만약 다른 사람이 원형의 나무라든지 사각형의 플라스틱 등으로 의자를 만들어 판매하는 경우에는 본 특허의 권리범위에 속하지 않을 가능성이 높습니다.

이 외에도 '4개의 다리'라든지 '한 변에 직각으로 부착되어' 등과 같은 내용은 본 발명의 중요한 특징 (등받이)과 상관없는 것이므로 권리범위를 작게 할 수 있습니다.

다음 작성사례 2는 작성사례 1과 달리 본 발명에서 중요하지 않은 부분을 제한하지 않고 청구범위를 적은 것입니다.

작성사례 2

(ㄱ) 엉덩이를 걸치기 위한 밑판과,
(ㄴ) 상기 밑판에 부착되어 밑판을 지면으로부터 공중에 떠받치는 다리와,
(ㄷ) 상기 밑판의 일부분에 부착되어 상기 밑판 위에 앉은 사람의 등을 지지하는 등받이를 포함하는 의자

작성사례 2는 어떤가요?

특허에 있어서 그 권리범위는 청구범위에 의해 정해진다는 사실을 몰랐다면, 작성사례 1과 같이 그 발명의 특징을 자세하게 적는 것이 더 좋다고 생각했을 수도 있습니다.

하지만 특허를 등록받고 그 권리의 범위를 최대한 넓게 가지기 위해서는 작성사례 1보다는 작성사례 2와 같이 발명의 중요한 특징이 아닌 부분(밑판의 재료, 다리의 개수 등)은 구체적으로 제한하지 않는 것이 중요합니다.

작성사례 2와 같이 등록을 받았다면, 누군가 나무로 된 밑판을 쓰든 플라스틱으로 된 밑판을 쓰든 상관 없이 (ㄱ)에서 (ㄷ)까지의 발명의 구성(밑판, 다리, 등받이)을 포함하는 의자를 만들어서 허락 없이 판매한다면 특허권 침해를 주장할 수 있습니다.

학습평가

01 특허명세서에서 권리서의 역할을 하는 것은 발명의 상세한 설명이다. ☐ O ☐ X

02 특허명세서는 기술문헌의 역할을 한다. ☐ O ☐ X

03 특허명세서에서 도면의 간단한 설명은 반드시 적어야 한다. ☐ O ☐ X

04 특허명세서에서 발명의 상세한 설명은 그 발명이 속하는 기술분야에서 통상의 지식을 가진 자가 쉽게 실시할 수 있을 정도로 명확하고 상세하게 적어야 한다. ☐ O ☐ X

05 특허명세서에서 발명의 효과에 적는 것은 그 발명의 실제 효과와 무관해도 된다. ☐ O ☐ X

06 청구항에 기재된 사항과 대응되는 사항이 발명의 상세한 설명에 적혀 있거나, 적어도 암시되어 있어야 한다. ☐ O ☐ X

07 특허의 권리범위 해석의 일반 원칙은 발명의 상세한 설명 참작의 원칙이다. ☐ O ☐ X

08 특허의 권리범위를 해석할 때는 출원 경과를 참작할 수 있다. ☐ O ☐ X

09 특허출원을 할 때에는 반드시 특허명세서 형식을 모두 갖추어야 한다. ○ ✕

10 특허명세서 작성 시 배경기술에 실제로 공개되지 않은 내용을 적을 때는 주의해야 한다. ○ ✕

06

해설

01 특허명세서에서 특허청구범위가 특허의 권리범위를 결정하므로, 권리서의 역할을 하는 것은 발명의 상세한 설명이 아닌 '특허청구범위'입니다.

02 특허를 출원하면 그 명세서의 내용은 모두가 이용할 수 있도록 공개됩니다. 따라서 명세서는 새로운 발명의 내용을 다른 사람에게 공개하는 기술문헌의 역할을 합니다.

03 디자인과 달리 특허출원 시에는 도면을 필수적으로 제출할 필요는 없습니다. 따라서 도면의 간단한 설명은 도면이 첨부된 경우에만 작성하면 됩니다.

04 발명의 상세한 설명은 누구나 그 발명을 실시할 수 있도록 적을 필요는 없고, 그 발명이 속하는 기술분야에서 통상의 지식을 가진 자가 쉽게 실시할 수 있을 정도로 명확하고 상세하게 적어야 합니다.

05 발명의 효과에는 그 발명의 새로운 효과, 특이한 효과, 특징이 되는 점 등을 적습니다. 단순히 무조건 좋다고 적기보다는, 그 발명에 의해서 나타나는 기술적인 효과를 적어야 합니다.

06 청구항은 발명의 상세한 설명에 의해 뒷받침되어야 하므로, 청구항에 기재된 사항과 대응되는 사항이 발명의 상세한 설명에 적혀 있거나, 적어도 암시되어 있어야 합니다.

07 특허 권리범위 해석은 청구범위에 적힌 내용만으로 해석하는 것이 원칙이며, 보충적으로 발명의 상세한 설명을 참작할 수 있습니다.

08 특허의 권리범위를 해석할 때는 출원 과정에서 나타낸 출원인이나 특허청의 의견을 참고할 수 있습니다.

09 임시명세서 제도를 활용하면 논문이나 연구 노트 등을 제출하여 출원할 수 있습니다.

10 실제로 공개되지 않은 내용을 출원인 스스로 배경기술에 적은 경우에는, 출원인이 인정한 배경기술로 인정될 수 있기 때문에 주의해야 합니다.

정답

1. ✕ 2. ○ 3. ✕ 4. ○ 5. ✕ 6. ○ 7. ✕ 8. ○ 9. ✕ 10. ○

"돌다리도 두들겨 보고 건너라."라는 속담이 있습니다. 이는 어떤 일을 하기 전에 미리 잘 살펴보라는 의미로, 무언가를 시도하기 전에 보다 신중하게 생각하고 결정하라는 의도로 사용되곤 합니다. 이러한 속담은 특허 또는 상표와 같은 지식재산권에도 마찬가지로 적용될 수 있습니다.

왜냐하면 특허권 등은 무체재산권으로, 특허권으로 보호받는 권리범위를 쉽게 파악하기가 어렵기 때문입니다. 따라서 내가 무심코 사용하거나 생산한 물건이 다른 사람의 특허권을 침해하는 문제가 발생하기 매우 쉽습니다.

또한, 심사과정에서 이미 등록받은 특허라도 추후 다른 선행문헌을 이유로 무효심판 등을 통해서 무효가 될 수 있습니다. 실제로 글로벌 제약기업들은 이를 바탕으로 타사의 특허와 유사한 선행문헌을 찾고, 이를 통해 타사의 특허를 무효화시키는 등의 전략을 많이 꾀하고 있습니다.

일례로, 스위스 제약회사인 로슈(ROCHE)의 자회사 제넨텍(Genentech)은 유방암 치료제의 일종인 허셉틴(Herceptin)과 관련한 특허를 보유하고 있었습니다. 허셉틴은 전 세계적으로 연간 68억 달러(약 7조 7천억 원) 이상의 수익을 발생시키는 제품으로, 로슈에게는 매우 중요한 기술이었습니다.

그러나 제네릭 제약회사의 입장에서는 유방암 치료제 시장에 진입하기 위해서는 로슈가 보유하고 있는 특허를 무효화시킬 필요성이 있었습니다. 이에 국내 제네릭 회사인 셀트리온은 로슈가 보유하고 있는 특허와 유사한 선행문헌을 찾고, 이를 기초로 무효심판을 청구하여 로슈의 특허를 무효화시킨 바 있습니다(대법원 2018. 12. 13. 선고 2016후1529 판결). 이를 통해, 셀트리온은 해당 의약에 대한 제네릭을 생산 판매하기 위한 절차에 효과적으로 돌입할 수 있었습니다.

즉, 타인의 특허권 침해의 문제로부터 자유롭기 위해서뿐 아니라, 기업의 경영 전략 수단으로도 내가 사용하고자 하는 기술 또는 다른 사람이 사용하는 기술과 동일 또는 유사한 내용을 가진 특허 등이 있는지에 대해 철저하게 검색하여야 할 필요성이 있습니다.

제7편

특허정보조사와
특허의 분류

학습 목표

특허정보조사 방법 및 특허분류 방법에 대해 알아본다.

제1장에서는 특허정보조사의 필요성, 유형 및 방법에 대해 알아보고, 제2장에서는 특허코드를 통한 특허분류 방법을 알아보기로 한다.

제1장 특허정보조사의 개요

제1장
특허정보조사의 개요

목적에 따라

- **특허정보조사** ─ 신기술 개발을 위한 조사

  개발대상 신기술 ⟹ 특허정보
  조사

  ─ 특허권 존재여부 조사

  출시예정 제품 ⟹ 특허 특허 특허 특허
  침해 가능성 조사

방법

- **특허등록 가능성 조사**

  특허조사결과 ⟹ 특허등록 가능성
  판단

  ─ 무효자료조사

  특허권의   무효심판   특허권자
  대항을 받는자 ⟸⟹
              등록특허에 기한
              특허침해금지청구의 소

- **특허정보조사 방법**
① 문헌번호조사: 특정 타깃을 대상으로 하여 조사 **ex** 특정 출원번호로 검색
② 선행기술조사: 해당 기술과 가장 밀접한 선행문헌 검색
③ 특허맵: 해당 기술의 발전동향 등 광범위한 특허정보를 분류하고 정리하여 시각화한 것

확인학습

* 특허정보조사를 목적에 따라 분류하면 어떻게 될까요?   * 선행미술조사란 무엇일까요?

* 문헌번호조사란 무엇일까요?   * 특허맵이란 무엇일까요?

01 특허정보조사의 필요성

2020년 한국의 총 연구개발비는 93조 717억 원으로 세계 5위 수준이고, GDP 대비 연구개발비의 비중은 약 4.81%로서 세계 2위 수준에 해당하는 것으로 조사되었습니다. 이렇게 막대한 자금이 투입되고 있는 국가연구개발과제의 효율화를 위해 국가연구개발과제의 선정 및 평가에서는 특허정보조사를 의무화[1] 하고 있습니다. 이는 이미 특허로서 권리화되거나 공개된 내용이 연구개발과제가 되지 않도록 함으로써 예산 절감을 꾀하는 데 그 취지를 가지고 있습니다. 이를 통하여 2006년에는 약 2,238억 원, 2007년 에는 약 3,600억 원의 예산이 절감된 것으로 보고되었습니다.

특허정보조사는 이러한 필요에 의해 행해지기도 하지만, 간단하게는 원하는 특허를 조사하여 그 내용과 서지사항 등을 파악하기 위해 수행되는 경우도 많습니다. 또한, 출원 전에 출원 내용의 특허성을 파악 하거나, 명세서를 작성할 때 참고되기도 합니다. 특허침해소송 등을 당하는 경우, 해당 특허를 무효화 하고자 하는 경우 등에서도 특허정보조사가 수행됩니다. 최근에는 출원 후 우선심사 신청 시에 선행 기술조사결과를 함께 제출하도록 하고 있습니다.

02 특허정보조사의 유형

특허정보조사의 유형은 특허정보조사 목적에 따라 크게 네 가지 정도로 나눌 수 있습니다. 예를 들면, 특허정보조사는 그 목적에 따라 신기술 개발을 위한 조사, 특허권 존재여부 조사, 특허등록 가능성 조사, 무효자료조사로 나눌 수 있습니다.

신기술 개발을 위한 조사

> **사례**
>
> 대학원생인 병규는 교수님과 상의하여 이번 학기에 이차전지 전극판에 사용되는 활물질에 대한 연구를 진행하기로 하였 습니다. 이에 병규는 교수님이 알려주신 논문 이외에 관련 선행특허들을 조사하여 현재 이차전지 전극판용 활물질로서 어떠한 소재들이 사용되고 있는지를 예비적으로 파악하고자 합니다. 병규가 이러한 정보를 얻을 수 있는 방법은 무엇이 있을까요?

---

1) 국가연구개발사업의 관리 등에 관한 규정 제3조(국가연구개발사업의 기획 등) 제2항 : 중앙행정기관의 장은 제1항에 따른 사전조사 또는 기획연구를 함에 있어서 응용연구단계 및 개발연구단계의 국가연구개발사업의 경우에는 국내외 특허 동향, 기술 동향 및 표준화 동향(연구개발결과와 표준화의 연계가 필요한 경우에만 해당한다)을 조사하여야 한다.

(1) 신기술 개발을 위한 조사 개요

특정기술조사는 개발대상 신기술이 있는 경우, 이에 대한 특허정보를 취득하기 위하여 이루어집니다. 앞서 설명한 바와 같이, 만약 개발대상인 신기술에 대한 특허가 이미 존재한다면 이것은 신기술이 아닌 공지된 기술이므로, 연구대상으로서의 가치가 없게 됩니다. 또한, 개발대상 신기술에 대한 특허가 존재하지 않더라도 이와 유사한 특허가 존재하는 경우, 그 내용을 신기술의 개발과정에서 활용할 수 있으므로 관련된 특허정보의 취득이 필요합니다.

(2) 사례 분석

[그림 7-1]과 같이, 병규는 이차전지 전극판용 활물질에 대한 선행문헌들을 조사하여 어떠한 유형의 신기술이 있는지 검토할 수 있습니다. 만약, 병규가 조사한 결과, 연구실의 연구 방향과 유사한 선행 특허문헌이 있다면 병규는 이를 참조하여 더욱 구체화된 아이디어를 얻을 수도 있습니다.

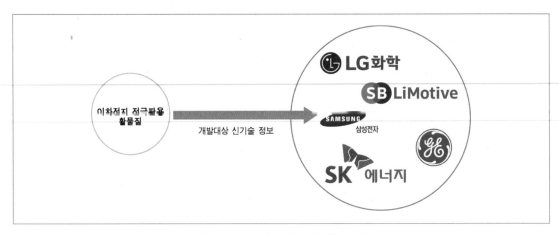

[그림 7-1] 신기술 개발을 위한 조사

특허권 존재여부 조사

> **사례**
>
> 대학원생인 예슬이는 이번에 대학교 연구실에서 개발한 신종플루 치료제를 제약업체에 기술이전하고자 합니다. 그런데 예슬이가 제약업체 담당자와 협의한 결과, 제약업체 담당자는 개발된 신종플루 치료제를 제약시장에 내놓을 경우, 다국적 의약업체에서 특허권 침해를 주장할 수도 있다고 염려하면서 개발한 신종플루 치료제와 관련된 선행특허들을 조사해 달라는 요청을 받았습니다. 예슬이는 어떻게 계획을 세워야 할까요?

(1) 특허권 존재여부 조사 개요

특허권 존재여부 조사는 시장출시가 예정된 제품을 출시하기 전에 특허침해 가능성이 있는 특허를 검색하여 사전에 특허분쟁을 방지하려는 목적에서 실시하게 됩니다. 즉, 개발예정제품이 있는 경우 이에 대한 유효특허가 있는지 여부를 청구항(claim)을 중심으로 조사하여 특허권에 저촉되는지 여부를 검토합니다. 따라서 포기·무효·취하·거절·소멸 등의 상태에 있는 특허는 조사대상에서 제외되며 출원 중이거나 등록된 특허만이 검색 대상이 됩니다.

개발예정제품이 해당 특허에 저촉되는 경우, 개발예정제품을 회피설계하여 개발예정제품이 해당 특허에 저촉되지 않도록 합니다. 이를 위해서는 특허청구범위 해석에 있어서 변리사 등 전문가들의 의견을 청취할 필요가 있습니다. 또한, 회피설계가 불가능한 경우에는 정보제공(출원 중인 특허인 경우)을 통하여 타인의 특허등록을 저지하거나 무효심판(등록특허인 경우)을 통하여 해당 특허를 무효화시키는 방법도 있습니다.

(2) 사례 분석

따라서 예슬이는 신종플루 치료제를 기술이전하려는 경우, 이에 대한 선행문헌을 조사한 후 만약 유효한 권리로서 존재하는 특허가 존재한다면 이 특허를 침해하지 않는 신종플루 치료제로 기술을 회피설계할 수 있어야 합니다.

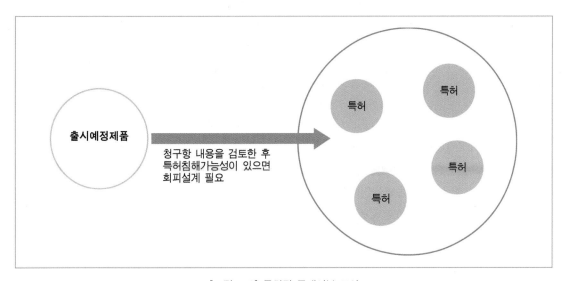

[그림 7-2] 특허권 존재여부 조사

특허등록 가능성 조사

> **사례**
>
> 대학원생인 원경이는 이번에 대학교 연구실에서 개발한 자동차 매연저감용 필터에 대한 특허출원을 하고자 합니다. 이에 원경이는 자동차 매연저감용 필터에 대한 발명 내용을 기재하여 발진대학교 산학협력단에 특허출원을 의뢰하였습니다. 발진대학교 산학협력단에서 원경이의 발명신고에 따라 해당 연구개발내용으로 특허출원 시 특허등록 가능한지 여부를 검토하는 방법은 무엇일까요?

(1) 특허등록 가능성 조사 개요

특허등록 가능성 조사는 특허조사 결과를 바탕으로 해당 기술이 과연 특허를 받을 수 있는 기술인지 여부를 판단하는 것입니다.

즉, 조사 대상 기술이 특허등록을 위해 가장 중요한 판단기준인 신규성 및 진보성 등의 요건을 만족하는지 여부를 선행기술조사를 통하여 예비적으로 판단할 수 있습니다. 출원된 발명은 심사를 통과해야 등록될 수 있으므로 출원 전에 선행기술조사를 통하여 해당기술의 특허등록 가능성이 낮다고 판단되는 경우, 특허등록 가능성을 높일 수 있는 방안을 집중적으로 부각시켜 명세서를 작성하여야 합니다. 이러한 절차를 거쳐서 특허출원하는 경우, 특허등록 가능성이 높아질 수 있으며, 그 결과 특허출원이 거절되어 시간과 비용이 낭비되는 것도 미리 방지할 수 있습니다.

한편, 한국발명진흥회 산하의 지역지식재산센터(www.ripc.org)에서는 선행기술조사를 통하여 특허등록 가능성이 높은 발명에 대해서는 출원 비용 등을 지원해 주고 있습니다. 따라서 지역지식재산센터를 이용하는 경우, 무료로 선행기술조사를 받을 수 있습니다.

(2) 사례 분석

발진대학교 산학협력단은 특허사무소 또는 특허정보분석기관에 해당 발명내용에 대한 선행문헌조사를 의뢰할 수 있습니다. 따라서 원경이는 자동차 매연저감용 필터를 제품화하는 것뿐만 아니라 이를 특허출원하려고 하는 경우, 특허등록을 받아서 독점적인 권리로서 인정받을 수 있는지 여부를 발진대학교 산학협력단을 통하여 미리 검토해 볼 수 있습니다.

무효자료조사

대학원생인 준수는 3년 전에 연구실에서 개발한 나노물질을 이용한 계면활성제 제조 기술을 생활용품 제조업체에 기술이전하였고, 생활용품 제조업체는 이 기술을 이용하여 비누를 제조해 판매하고 있었습니다. 그러던 어느 날 경쟁사로부터 해당 비누가 경쟁사의 등록특허를 침해한다는 경고장을 받은 생활용품 제조업체 담당자가 준수에게 이에 대한 해결책을 요구하였습니다. 준수는 이에 대하여 어떻게 대응할 수 있을까요?

(1) 무효자료조사 개요

특허권 침해 발생 시, 특허권자는 침해자에 대해 침해금지청구권 및 손해배상청구권을 행사할 수 있습니다. 이 경우 침해자, 즉 특허권의 대항을 받는 자는 등록특허에 대한 무효심판을 청구할 수 있습니다.

이때, 선행기술조사를 통해 채택된 선행문헌의 명세서 전체를 조사하여 무효자료로서 사용할 수 있습니다. 명세서 내용 중에 포함된 일부 내용이라도 무효자료로 사용할 수 있기 때문에 명세서 전문을 검색하는 것이 바람직합니다.

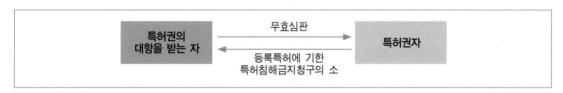

[그림 7-3] 무효자료조사

(2) 사례 분석

사례에서 준수가 등록특허의 최초 출원일 전에 공개되고 등록특허의 청구범위와 동일한 내용을 기재한 논문을 알고 있다면 문제는 쉽게 해결될 수 있습니다. 즉, 논문을 근거로 등록특허에 대한 무효심판을 청구하여 해당 특허를 무효화시킬 수 있습니다. 만약 해당 특허의 등록이 무효가 되는 경우, 소는 각하되기 때문입니다.

03 특허정보조사의 방법

특허정보조사 방법은 그 유형에 따라 문헌번호조사, 선행기술조사 및 특허맵(Patent Map, PM) 등으로 나눌 수 있으며, 문헌번호조사 ⇨ 선행기술조사 ⇨ 특허맵으로 갈수록, 조사되는 특허문헌의 범위는 점점 더 넓어집니다.

문헌번호조사

> **사례** ◀
>
> 진원이는 에센스 화장품 신제품을 사서 사용하였는데 피부가 상당히 좋아지는 것을 느꼈습니다. 대학교에서 화학을 전공하고 있는 진원이는 우연히 화장품 케이스를 보다가 특허출원번호를 발견하였습니다. 진원이는 특허출원번호를 이용하여 명세서를 찾은 후 명세서 내용을 분석하여 화장품에 적용된 발명이 무엇인지 파악하고자 합니다.

문헌번호조사는 특정 타깃에 초점을 맞춘 간단한 조사를 의미하며, 주로 간단한 특허정보를 얻기 위한 필드 서치를 통하여 관련 특허정보를 조사하는 것입니다.

예를 들면, 특정 출원인 또는 발명자에 대한 간단한 검색을 수행하거나, 출원번호, 공개번호, 등록번호 등의 특허문헌번호를 이용하여 해당 특허문헌을 검색하여 해당 명세서를 찾는 것입니다. 그리고 이를 통해 해당 특허문헌의 각국별 법적 상태 또는 패밀리(타국의 대응출원)들을 조사할 수 있습니다.

선행기술조사

> **사례** ◀
>
> 대학원생인 현준이는 중소기업과의 산학협동과제를 중소기업으로부터 의뢰받아 연구개발지원금 요청을 위한 제안서 작성에 대해 교수님과 협의하였습니다. 현준이는 중소기업을 방문하여, 연구개발과제가 금속기판에 세라믹을 도금한 방열 인쇄회로기판이라는 설명을 들었습니다. 현준이는 본 연구과제가 특허등록 가능성이 있어서 연구개발가치가 높다는 점을 제안서에서 강조하려고 관련 선행문헌을 조사하기로 하였습니다.

선행기술조사는 해당 기술에 대하여 10~20건 정도의 관련 특허문헌들을 조사하는 협의의 특허조사를 의미합니다. 해당 기술과 가장 밀접하게 관련된 특허문헌들만 조사하여 보고서를 작성하므로, 해당 기술의 특허등록 가능성을 쉽게 판단할 수 있다는 장점이 있습니다. 다만, 조사 대상 기술이 명확히 특정되어야 합니다. 조사 대상 기술이 명확히 특정되지 않는 경우, 선행기술조사를 실시해도 관련되는 선행문헌을 찾았다고 보기 어려워 별다른 의미가 없기 때문입니다. 따라서 이러한 경우에는 선행기술 조사보다는 특허맵을 작성하는 것이 바람직합니다.

선행기술조사는 검색식을 작성한 후에 관련 선행문헌들을 선별함으로써 이루어집니다. 따라서 선행기술조사를 통하여 관련 선행문헌들을 선별한 후에 해당 기술의 등록 가능성, 등록 가능성을 높이기 위한 방안 등의 내용을 선행기술조사 보고서에 기재하게 됩니다.

선행기술조사 보고서 양식의 구체적 예는 다음 표와 같습니다. 일반적으로 하나의 선행기술조사 보고서를 작성하기 위해서는 [표 7-1, 7-2, 7-3]을 모두 작성하여야 합니다.

[표 7-1] 선행기술조사 보고서 양식의 예시

선행기술조사 보고서(Search Report)			
발명의 명칭			
발명의 요지			
국제특허분류	IPC	IPC 설명	
키워드			
검색 결과			
검색 DB	검색식		
KIPRIS			
조사분석 결과			

No	국가	문헌번호	발명의 명칭	관련도
D1				
D2				
D3				

*관련도 : X-관련 높음, Y-관련 있음, A-관련은 없으나 참고할 자료

일반적으로 [표 7-1]은 선행기술조사 보고서의 맨 처음에 작성되며, 해당 발명의 요지, 선행기술조사를 수행하기 위해 활용한 검색식 등을 기재합니다. 이를 통해, 해당 발명을 얼마나 이해하고, 어떠한 관점으로 선행기술조사를 수행하였는지 알 수 있습니다. 또한, 선행기술조사를 통해 찾은 선행문헌들에 대한 간략한 정보를 기입하며, 선행기술과 본 발명이 얼마나 관련이 있는지에 대해 관련도를 기재합니다.

[표 7-2] 선행기술조사 보고서 양식의 예시

선행기술 세부 검토 결과 : D1			
공개번호 (공개일자)		관련도	
출원인		출원번호 (출원일자)	
명칭			
D1의 요지		본 발명과의 유사점 및 차이점	

[표 7-2]는 선행기술조사 보고서의 중간에 작성되며, 찾은 선행문헌에 대해 보다 자세한 정보를 기재합니다. 특히, 선행문헌의 요지가 무엇인지 파악하고, 이를 통해 본 발명과 선행기술과의 유사점, 차이점 분석 및 본 발명의 차별화 방안을 도출합니다.

만약 찾은 선행문헌이 3개인 경우, 3개 각각에 대하여 작성하여야 합니다.

[표 7-3] 선행기술조사 보고서 양식의 예시

종합 의견

보완 요청 사항

[표 7-3]은 선행기술조사 보고서의 가장 마지막에 작성되며, 앞에서 분석한 선행문헌에 대한 내용을 근거로, 본 발명의 등록 가능성 여부를 판단합니다. 이때, 본 발명이 등록받기 위해서 실험이 더 필요한 경우, 이에 대한 추가 데이터를 요청할 수 있습니다.

앞선 사례에서 현준이는 연구개발과제 중 단기과제[2] 제안서에 대한 평가를 선행기술조사를 통해 실시할 수 있습니다. 예컨대, 현준이는 선행기술조사 보고서를 통하여 선행문헌들의 내용을 파악한 후, 신청 기술이 어떠한 점에 있어서 선행문헌들에 기재된 발명들에 비해 우수한지를 제안서에 효율적으로 기재할 수 있습니다. 이를 통해, 제안의 채택 가능성을 좀 더 높일 수 있습니다.

---

2) 이를 'bottom-up' 방식이라고 하며, 이에 대비되는 중장기 연구개발과제('top down' 방식)가 존재합니다.

특허맵(Patent Map, PM)

특허맵은 조사 대상 기술에 대하여 수백 또는 수천 개의 관련 특허문헌들을 조사하는 특허조사를 의미합니다. 필요에 따라 학술논문도 조사대상에 포함될 수 있습니다. 이 경우, 특허문헌조사, 정량분석, 정성분석 및 결론 도출에 약 2개월 내지 6개월의 시간이 소요되는 광범위한 조사가 진행됩니다. 특허맵은 [그림 7-4]와 같은 순서로 작성되며, 이를 통해 해당 기술의 발전 동향, 경쟁업체의 기술개발 동향, 경쟁업체의 특허구축 현황[3] 및 공백 기술 분석 등 다각적인 분석이 이루어집니다.

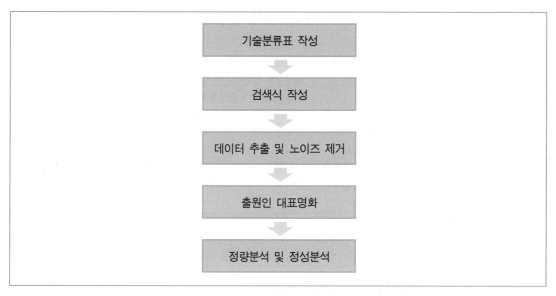

[그림 7-4] 특허맵 작성 순서

이러한 특허맵은 기업뿐 아니라, 정부기관 등에서 기술 동향을 분석하기 위해 가장 많이 활용되는 것으로, 구체적인 내용은 제9편에서 살펴보도록 하겠습니다.

---

3) 이를 특허포트폴리오(patent portfolio) 분석이라고도 합니다. 즉, 출원인이 보유한 특허가 어느 분야에 집중되고 있는지와 조사 대상 기술의 세부 기술에 대한 고른 특허분포 여부를 파악합니다.

제2장 특허의 분류

제2장
특허의 분류

• **특허분류의 필요성** ┬ 출원발명의 기술분야 명확화
└ 심사관의 전문지식에 따른 기술 배경
       ↳ 심사 효율성 도모

보완필요 ┬ ECLA
     ├ FI, F-Term
     └ UPC

• **특허분류의 종류**
IPC: 세계 각국이 이용할 수 있는 국제적으로 통일된 분류체계로, 발명의 기술분야
를 나타냄

ex G06T-005/20

물리학 산출논리 화상데이터 화상 로컬 오퍼레이터 사용
      연산   처리   증진/복원

• **INID 코드**: 특허문헌의 서지적 사항의 식별기호
↓
출원인, 출원번호, 등록번호 등
71   21   11

확인학습

* IPC 코드란 무엇일까요?

* IPC 코드를 보완해 주는 분류체계에는 무엇이 있을까요?

* INID 코드란 무엇일까요?

특허권은 속지주의 성격을 가지지만 파리조약, 국제특허협력조약(Patent Cooperation Treaty, PCT), 특허법 조약(Patent Law Treaty, PLT) 등 다양한 국제협력조약들에 기인한 국제적인 성격도 가집니다. 또한, 특허심사기준 등에 있어서 통일화를 기하려는 국제적인 노력이 지속적으로 행해지고 있으며, 이에 따라 타국의 심사자료를 자국에서 인정하여 심사를 촉진하는 PPH(Patent Prosecution Highway, 특허심사하이웨이)도 도입되었습니다.

이렇듯 세계 각국의 특허를 효과적으로 활용하기 위해서는 특허를 분류함에 있어서 국제적으로 통일된 분류체계를 확립하는 것이 중요합니다. 이에, 특허분류에 사용되는 특허코드 등은 국제적으로 통일화되어 있습니다.

01 특허분류의 필요성

특허분류는 출원된 발명이 속하는 기술분야를 보다 명확하게 해줍니다. 이를 통해, 심사관은 심사를 위한 선행기술조사를 보다 쉽게 수행할 수 있고, 심사관 개개인의 전문 지식과 관련이 있는 분야의 출원 발명을 심사관에게 배정하게 함으로써 전문적인 심사가 가능하도록 도와줍니다.

또한, 특허문헌의 수집, 정리 및 검색의 수단으로 사용되어 특허문헌이 기술정보로 활용될 수 있도록 도와줍니다.

07

02 특허분류의 종류

특허를 분류하기 위한 가장 대표적인 수단으로는 국제특허분류(IPC) 코드를 통한 분류가 있습니다. 다만, IPC만으로는 완벽한 분류가 어렵기 때문에 이를 보완하기 위해 유럽특허분류(ECLA), 일본독자분류(FI와 F-Term), 그리고 미국특허분류(UPC)도 함께 이용되고 있습니다.

국제특허분류(IPC) 코드를 통한 분류

> **사례**
>
> 대학원생인 준성이는 연구과제인 클라우드 컴퓨터 네트워크 기술에 대한 선행특허문헌들을 검색하는 중에 특이한 것을 발견하였습니다. 모든 특허문헌들의 첫 페이지 중 식별항목(51)에 붙은 코드들이 전부 G06T-005/20으로서 동일하였습니다. 따라서 준성이는 선행특허문헌들을 검색 시 IPC 코드가 G06T-005/20인 것만을 찾아볼까 고려하는 중입니다. 준성이가 관련 IPC 코드를 추출할 수 있는 방법은 무엇이 있을까요?

(1) IPC 코드 개요

대학교 도서관에서는 대개 모든 책들을 KDC 코드(Korean Decimal Classification code, 한국십진분류법)에 따라 분류하고 있습니다. 예를 들면, 000은 총류, 100은 철학, 200은 종교, 300은 사회과학, 400은 순수과학, 500은 기술과학, 600은 예술, 700은 어학, 800은 문학, 900은 역사를 의미합니다. 이와 유사하게 특허문헌에도 그 특허문헌의 기술적 카테고리를 기준으로 특정 코드를 붙여 특허문헌을 분류할 수 있습니다. 대표적인 예로서, 세계 각국이 이용할 수 있도록 국제적으로 통일된 특허분류체계를 IPC 코드, 국제특허분류코드(International Patent Classification code)라고 합니다.

IPC 코드는 1968년 유럽조약에 따라 제1판이 발행된 후 기술 발전에 따라 꾸준히 개정되고 있습니다. IPC 코드의 섹션(section)은 [표 7-4]와 같이 분류되고, 섹션 ⇨ 클래스 ⇨ 서브클래스 ⇨ 메인그룹 ⇨ 서브그룹 순으로 기재됩니다. 기술이 어느 IPC 코드에 분류되어 있는지 여부를 확인함으로써 해당 기술의 관련 특허문헌들을 쉽게 검색할 수 있습니다. 다음 [표 7-4]는 IPC 코드의 각 섹션들을 나타냅니다.

[표 7-4] IPC 코드의 각 섹션 설명[4]

섹션	내용
A	생활필수품
B	분리; 혼합
C	화학; 야금
D	섬유; 지류
E	고정구조물
F	기계공학; 조명; 가열; 무기; 폭파
G	물리학
H	전기

(2) 사례 분석

준성이가 검색한 IPC 코드 G06T-005/20의 각 코드가 의미하는 내용을 간단하게 정리하면 [그림 7-5]와 같습니다. [그림 7-5]에서 나타낸 바와 같이, IPC 코드의 하위분류로 갈수록 그 내용이 좀 더 구체적으로 세분화됩니다.

---

4) 특허청(www.kipo.go.kr) ⇨ 분류/코드 조회 ⇨ 국제특허분류코드(IPC)에서 볼 수 있습니다.

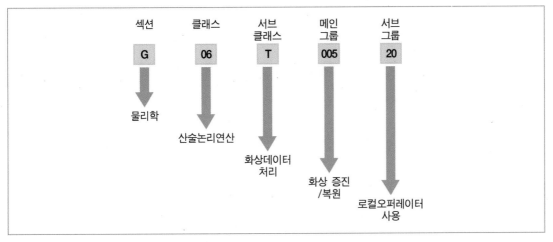

[그림 7-5] G06T-005/20의 의미

준성이처럼 키워드를 이용한 특허검색을 실시하는 경우, 해당기술에 해당하는 IPC 코드를 가지는 특허 문헌만을 검색할 수 있습니다. 그러나 검색식으로 삽입된 IPC 코드 이외의 다른 IPC 코드로 분류된 특허문헌들이 전부 제외되므로 유의해야 합니다. 왜냐하면 IPC 코드는 사람이 부여하는 것이므로, 사람에 따라 해당 기술에 예상과 다른 IPC 코드가 부여될 수도 있기 때문입니다.

유럽특허분류(European Classification, ECLA) 코드를 통한 분류

(1) ECLA 개요

ECLA는 유럽특허청(EPO)에서 사용하는 독자적인 분류로, 국제특허분류(IPC)를 좀 더 자세히 분류한 것입니다. 이러한 ECLA는 유럽특허청 심사관에 의해 부여됨으로써 분류가 비교적 정확하고 체계적이라는 장점이 있습니다. ECLA는 유럽 특허뿐 아니라, 미국이나 일본, 한국 등의 특허문헌에도 부여되고 있습니다.

(2) ECLA의 구조

ECLA는 [표 7-5]와 같이 IPC 코드에 영문자나 숫자를 추가로 부가함으로써 더욱 세분화하고 있습니다.

[표 7-5] ECLA의 예시

IPC	ECLA
A01B33/08	A01B33/08B
	A01B33/08B2
	A01B33/08D

일본독자분류(FI와 F-Term) 코드를 통한 분류

(1) FI(File Index) 개요

일본에서 사용하는 분류체계로, IPC를 그대로 사용하는 경우 일본 고유의 기술, 또는 다른 나라에 비해 좀 더 진보된 기술에 대해 효과적인 분류가 어렵다는 문제를 개선하기 위해 IPC를 기초로 세분화한 것을 의미합니다.

(2) FI의 구조

FI는 [표 7-6]과 같이 IPC 코드에 3자리의 숫자 및/또는 1자리의 영문자를 추가로 부가함으로써 더욱 세분화하고 있습니다.

[표 7-6] FI의 예시

IPC	FI	비고
G11B5/1	G11B5/10 A	IPC+분책식별기호(A)
G11B20/12	G11B20/12, 103	IPC+전개기호(103)
G11B20/18	G11B20/18, 501 A	IPC+전개기호(501)+분책식별기호(A)

(3) F-Term 개요

기술이 발전함에 따라 다양한 기술의 복합화 및 융합화가 이루어지고 있습니다. 이러한 현대 기술 동향에 대처하기 위해 효율적 선행기술조사를 수행하고자 컴퓨터 검색용으로 F-Term이 개발되었으며, 일본특허청은 이것을 일본 고유의 기술분류체계로 사용하고 있습니다.

F-Term은 기술분야의 문헌을 다각적 기술관점(목적, 용도, 구조, 재료, 제법, 처리조작 방법, 제어수단 등)으로 분류하여, 이를 통해 선행기술의 범위를 좁히는 것을 목표로 하고 있습니다.

예를 들어, 액정구동 시 응답시간을 제어하기 위한 목적을 갖는 특허문헌을 조사하기 위해서는 "2H093CA32"의 F-Term을 활용할 수 있습니다.

(4) F-Term의 구조

F-Term은 [표 7-7]과 같이 테마코드(5자리)+관점(영문 2자리)+전개(숫자 2자리)로 구성되며, 통상 테마코드를 제외한 "관점(영문 2자리)+전개(숫자 2자리)"를 텀(Term)코드라고 부릅니다.

[표 7-7] F-Term의 예시

테마코드(Theme code)		텀코드(Term code)	
(5자리)		관점(영문 2자리)	기술전개(숫자 2자리)
F-Term	2H093	CA	32
의미	액정구동	목적	응답시간의 제어

미국특허분류(UPC) 코드를 통한 분류

(1) UPC 개요

UPC는 미국에서 사용되는 특허분류로서 응용분야, 기능, 효과, 구조의 관점으로 분류됩니다. 분류 개수는 약 15만 개로 화학, 전기전자, 기계분야를 망라하고 있습니다.

(2) UPC의 구조

UPC는 유사한 기술 주제를 큰 그룹으로 묶어놓은 클래스와 그 하위계층인 서브클래스로 구성되며, 가장 기본적인 구조는 클래스 3자리와 서브클래스 3자리로 구성됩니다. 클래스와 서브클래스는 "349/106"과 같이 사선(/)을 이용하여 구분합니다.

[표 7-8] UPC의 예시

구분		계층구조
Class	349	Liquid crystal cells, elements and systems particular structure
SubClass	56	Particular structure
SubClass	84	· Having significant detail of cell structure only
SubClass	104	· · Filter
SubClass	106	· · · Color filter

[표 7-8]에서 도트(dot) 개수는 특허분류를 계층 구조로 표시하기 위한 것으로, "349/106"은 도트 개수가 하나씩 적은 서브클래스 104, 84, 56을 하나의 연속된 계층 구조로 보아야 합니다.

03 INID 코드

> **사례**
>
> 대학원생인 현택이는 연구개발을 위해 다수의 특허문헌들을 검색, 출력하여 명세서 내용을 보던 중에 흥미로운 공통점을 발견하였습니다. 명세서의 첫 페이지 서지사항의 각 항목 앞에 숫자가 붙어 있었던 것입니다. 그러나 러시아어를 모르는 현택이는 해당 특허문헌만으로 출원인이 누군지 파악하기가 어려웠습니다. [그림 7-6]의 러시아 특허문헌에서 현택이는 어떻게 출원인을 파악할 수 있을까요?

[그림 7-6] 러시아 특허문헌

INID 코드 개요

모든 나라가 IPC 분류를 통해 특허문헌을 분류한다고 하더라도, 해당 특허문헌은 각국이 사용하는 언어로 작성되기 마련입니다. 예를 들면, 우리나라의 특허문헌은 국어로, 미국의 특허문헌은 영어로, 일본의 특허문헌은 일본어로 작성됩니다. 만약 다른 나라의 언어를 모르는 경우라면, 그 나라의 특허문헌의 서지사항 중에서 출원일, 출원인, 출원번호, 등록번호 등을 파악하기 어려울 수 있습니다.

이에, WIPO에서는 특허문헌의 서지적 사항의 식별 기호인 INID(International agreed Numbers for the Identification of Data) 코드를 부여하여 국제적으로 통일되게 사용하도록 하고 있습니다. 따라서 특허문헌의 서지사항 중 동일한 항목에 대해서는 동일한 INID 코드를 부여함으로써 그 특허문헌에 기재된 언어를 모르더라도 서지사항을 쉽게 식별할 수 있습니다.

(19) 대한민국특허청(KR) (12) 공개특허공보(A)	(11) 공개번호 10-2008-0022379 (43) 공개일자 2008년03월11일
(51) Int. Cl. *H01L 21/027* (2006.01) (21) 출원번호 10-2006-0085735 (22) 출원일자 2006년09월06일 심사청구일자 없음 전체 청구항 수 : 총 4 항 (54) 반도체 소자의 노광 장치	(71) 출원인 **주식회사 하이닉스반도체** 경기 이천시 부발읍 아미리 산136-1 (72) 발명자 **전성민** 부산 서구 토성동5가 27-1, 한성빌라 702호 (74) 대리인 **신영무**

[그림 7-7] INID 코드의 예

[그림 7-7]에서 빨간색 동그라미 부분은 INID 코드의 예를 보여 주며, 보다 구체적인 INID 코드의 상세 내역은 [표 7-9]로 나타내었습니다.

[표 7-9] 주요 INID 코드

INID 코드	내용	INID 코드	내용
10	문헌의 표시	58	서치 분야
11	등록번호	60	법률상 관련된 다른 국내특허문헌의 표시
12	문헌 종류의 간결한 언어 표시	61	추가에 의한 관계
19	문헌 발행국의 ICIREPAT 국명 코드 또는 다른 식별 명칭	62	분할에 의한 관계
20	국내출원 데이터	63	계속에 의한 관계
21	출원번호	64	재발행에 의한 관계
22	출원일	65	동일 출원에 관하여 이전에 공표된 문헌의 관계
23	박람회에 출품한 날짜 및 가명세서를 제출한 후에 완전한 명세서를 제출한 날짜를 포함, 그 밖의 출원관련일	70	문헌에 관계된 자의 표시
24	공업소유권의 효력 발생일(공고일)	71	출원인명
25	공개된 출원이 최초로 제출되었을 때의 언어	72	발명자명
26	출원 공표 시의 언어	73	권리자명
30	우선권 데이터	74	대리인명
31	우선권 주장 번호	75	출원인 겸 권리자 겸 발명자명
32	우선권 주장일	80	파리조약 이외의 국제조약에 관한 데이터의 식별
33	우선권 주장국	81	PCT 지정국

40	공중의 이용에 의한 날	82	PCT 선택국
50	기술적 제공	83	부다페스트 조약에 따른 미생물 기탁에 관한 정보
51	국제특허분류(IPC)	84	유럽특허조약에 기한 지정체약국
52	자국분류	85	PCT에 기한 국내 절차를 개시하기 위한 PCT 제22조 및/또는 제39조의 요구를 충족하는 날짜
54	발명의 명칭	86	광역 또는 PCT 출원 데이터, 즉 출원번호, 공표된 출원이 최초에 제출되었을 때의 언어, 출원일
55	키워드	87	광역 또는 PCT 출원의 공개 데이터, 즉 공개번호, 출원이 공개되어진 때의 언어, 공표일
56	본문과 별도로 기재된 선행기술문헌 리스트	88	서치 리포트의 지연 공개 발간일
57	요약 또는 특허청구범위		

사례 분석

앞선 사례에서, 현택이는 러시아어를 모르더라도 INID 코드를 통하여 출원인을 확인할 수 있습니다. 예를 들면, [그림 7-8]과 같이 현택이는 러시아 공보에서 INID 코드 71번을 통해 출원인이 누구인지 쉽게 알 수 있습니다.

РОССИЙСКАЯ ФЕДЕРАЦИЯ

(19) **RU** (11) 2012 115 410 (13) **A**

(51) МПК
A23F 3/34 (2006.01)
A23L 1/30 (2006.01)

ФЕДЕРАЛЬНАЯ СЛУЖБА
ПО ИНТЕЛЛЕКТУАЛЬНОЙ СОБСТВЕННОСТИ

(12) **ЗАЯВКА НА ИЗОБРЕТЕНИЕ**

(21)(22) Заявка: 2012115410/13, 18.04.2012

Приоритет(ы):
(22) Дата подачи заявки: 18.04.2012

(43) Дата публикации заявки: 27.10.2013 Бюл. № 30

Адрес для переписки:
109129, Москва, 8-ая ул. Текстильщиков, 13, корп.2, кв.279, А.Н. Бертовой

(71) Заявитель(и):
Бертова Анна Николаевна (RU)

(72) Автор(ы):
Бертова Анна Николаевна (RU)

(54) **КОМПОЗИЦИЯ ФИТОЧАЯ**

(57) Формула изобретения
Композиция фиточая, содержащая высушенные и измельченные фрагменты растений, в качестве которых использованы цветки акации белой, смородина черная, листья лимонника китайского, а также черный чай в равных частях.

[그림 7-8] INID 코드를 통한 러시아 특허 출원인 파악

04 주요 국가의 특허공보 예시

대한민국

 (19) 대한민국특허청(KR)
(12) 등록특허공보(B1)

(45) 공고일자   2015년02월27일
(11) 등록번호   10-1497656
(24) 등록일자   2015년02월23일

(51) 국제특허분류(Int. Cl.)
    H04B 1/40 (2015.01)
(21) 출원번호   10-2008-0027282
(22) 출원일자   2008년03월25일
    심사청구일자   2013년03월22일
(65) 공개번호   10-2009-0102055
(43) 공개일자   2009년09월30일
(56) 선행기술조사문헌
    US20010050659 A1*
    US20050253778 A1*
    US20060164398 A1*
    US20060214873 A1*
    *는 심사관에 의하여 인용된 문헌

(73) 특허권자
    삼성디스플레이 주식회사
    경기도 용인시 기흥구 삼성2로 95 (농서동)
(72) 발명자
    카즈히로 마츠모토
    일본국, 도쿄도, 미나토쿠, 롯뽄기 3-1-1, 롯뽄기
    T-CUBE
(74) 대리인
    박영우

전체 청구항 수 : 총 19 항   심사관 :   임동우

(54) 발명의 명칭 **듀얼 표시방법, 이를 수행하기 위한 듀얼 표시장치 및 이를갖는 듀얼표시 핸드폰**

(57) 요 약

제조단가를 감소시킬 수 있는 듀얼 표시방법, 이를 수행하기 위한 듀얼 표시장치 및 이를 갖는 듀얼표시 핸드폰이 개시된다. 듀얼표시 핸드폰은 내부에 중앙 처리유닛을 구비하는 메인몸체 및 메인 표시유닛과 서브 표시유닛을 구비하는 듀얼 표시장치를 포함한다. 메인 표시유닛은 메인몸체와 전기적으로 연결되어 초고속 직렬 인터페이스 방식으로 메인신호를 주고받고, 메인신호에 응답하여 메인영상을 표시한다. 서브 표시유닛은 메인 표시유닛과 전기적으로 연결되어 서브신호를 주고받고, 상기 서브신호에 응답하여 서브영상을 표시한다. 이와 같이, 메인 몸체와 초고속 직렬 인터페이스 방식으로 통신을 하는 메인 표시유닛이 메인몸체와 서브 표시유닛 사이를 연결시키는 허브 기능을 더 수행함에 따라, 듀얼표시 핸드폰은 고속 통신을 수행하면서 낮은 제조단가를 가질 수 있다.

대 표 도 - 도1

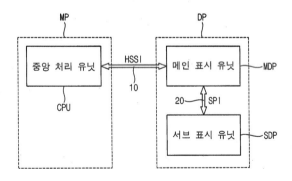

[그림 7-9] 대한민국 특허공보

[그림 7-9]는 삼성디스플레이 주식회사가 가지고 있는 대한민국 등록특허(KR 10-1497656)의 특허공보의 첫 페이지를 일부 발췌한 것입니다. 여기서 등록번호인 "10-1497656"에서 "10"은 특허를 나타냅니다.[5]

---

5) 실용신안은 20, 디자인은 30, 상표는 40으로 구분합니다.

[표 7-9]에서 살펴본 바와 같이, IPC 코드에 대한 INID 코드는 "51"번이며, [그림 7-9]에서 51번은 "H04B 1/40"[6]으로 분류되어 있어, 해당 발명은 전기통신기술 중 특히 회로에 관련이 있는 발명임을 쉽게 알 수 있습니다.

또한, 심사 과정에서 회로 분야에 전문적인 지식이 있는 심사관으로 하여금 심사할 수 있도록 배정되어, 보다 효율적인 심사를 도모할 수 있게 됩니다.

미국

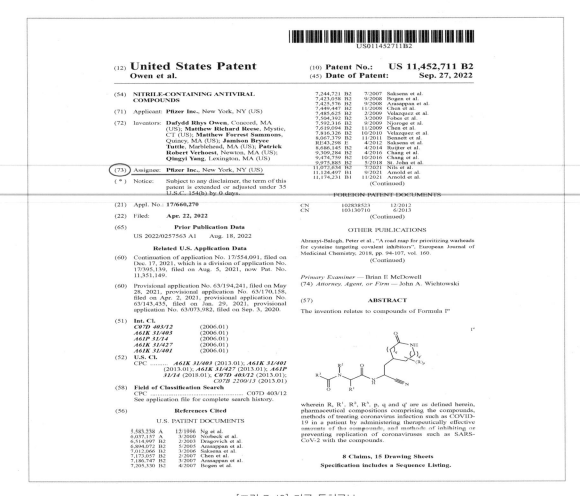

[그림 7-10] 미국 특허공보

[그림 7-10]은 미국의 어느 한 제약회사가 보유하고 있는 코로나 치료제에 대한 미국 등록특허(US 11,452,711) 공보의 첫 페이지를 일부 발췌한 것입니다.

이 특허를 보유하고 있는 제약회사는 어디일까요?

---

6) "H04B 1/40"에서 "H"는 '전기(electricity)'를, "04"는 '전기통신기술'을, "B"는 '전송'을, "1/40"은 '회로'를 의미합니다.

영어에 익숙하더라도 [그림 7-10]과 같은 문서를 처음 접하게 되면, 특허권자가 누구인지 한번에 파악하는 것이 쉽지 않을 것입니다. 하지만, INID 코드를 활용하면 보다 쉽게 찾을 수 있습니다.

[표 7-9]에서 살펴본 바와 같이, 특허권자에 대한 INID 코드는 73번입니다. [그림 7-10]에서 73번을 찾아보면 "Pfizer"라고 되어 있는 것을 알 수 있습니다. 즉, INID 코드를 통해 해당 특허는 화이자가 보유하고 있는 특허임을 확인할 수 있습니다.

또한, 이 화이자의 특허는 IPC 코드가 5개 부여된 것을 확인할 수 있습니다. 다만 이 코드는 모두 제약과 관련된 IPC 코드[7])로, 심사 과정에서 제약과 관련된 전문 지식이 있는 심사관으로 하여금 심사를 받을 수 있도록 부여된 것을 알 수 있습니다.

일본

[그림 7-11] 일본 특허공보

---

7) "C07D–403/12"는 유기 화학과 관련된 것으로 이종원자를 함유하는 고리 화합물 관련 기술을 의미하고, "A61K–031/403", "A61K–031/427", "A61K–031/401"는 의약용 제제에 관한 것으로 각각 탄소환과 축합한 것, 축합하지 않고 이종환이 더 있는 것, 또는 프롤린을 의미하며, "A61P–031/14"는 RNA 바이러스 치료제에 관한 것을 의미합니다.

[그림 7-11]은 어느 일본 회사의 일본 특허공보(JP 7138688)의 첫 페이지를 일부 발췌한 것입니다. 일본어에 익숙하지 않은 경우, 이 문헌만 보고서는 어떠한 발명에 관한 것인지 쉽게 파악이 되지 않을 것입니다. 하지만 INID를 활용하면 해당 기술의 분야 등을 대략적으로 알 수 있습니다. 예를 들면, INID를 통해, 해당 기술은 "소니 그룹"의 "광원용 렌즈"와 관련된 기술임을 보다 쉽게 파악할 수 있습니다.[8]

또한, INID 코드 57번은 해당 특허의 청구항과 관련된 코드인 바, 57번에 기재된 내용을 통해 해당 특허가 어떠한 기술에 대한 특허인지를 보다 자세히 파악할 수 있습니다.

---

8) 발명의 명칭 관련 INID 코드는 54번, 특허권자 관련 INID 코드는 73번입니다.

학습평가

01 문헌번호조사는 특허정보조사 방법으로 바람직하지 않다. ○ ×

02 해당 기술의 발전 동향, 경쟁업체의 기술개발 동향, 경쟁업체의 특허구축 현황 및 공백 기술 분석 등 다각적인 분석을 수행하는 특허조사 방법을 특허맵이라고 한다. ○ ×

03 특허등록 가능성 조사를 수행할 때, 이미 소멸된 특허는 조사하지 않아도 된다. ○ ×

04 세계 각국이 이용할 수 있도록 국제적으로 통일된 특허분류체계를 IPC라고 한다. ○ ×

05 국제적으로 통일된 특허분류체계 외에도 각 국가에서 독자적으로 사용하는 특허분류체계가 존재한다. ○ ×

06 INID 코드는 나라마다 조금씩 달라, 각 나라별 INID 코드를 외울 필요가 있다. ○ ×

07 특허청은 출원 후 우선심사 신청 시에 선행기술조사결과를 함께 제출하도록 하고 있다. ○ ×

08 선행기술조사 보고서에서 관련도는 X, Y 및 A 등으로 표시할 수 있다. ○ ×

해설

01 특허정보조사 방법은 그 유형에 따라 크게 문헌번호조사, 선행기술조사 및 특허맵으로 나눌 수 있습니다.

02 특허맵을 통해 해당 기술의 발전 동향, 경쟁업체의 기술개발 동향, 경쟁업체의 특허구축 현황 및 공백 기술 분석 등 다각적인 분석을 수행할 수 있습니다.

03 이미 소멸된 특허라도 신규성 및 진보성 판단의 선행문헌으로 사용될 수 있어, 소멸된 특허도 조사하여야 합니다.

04 IPC는 국제특허분류로, 발명의 기술분야를 나타내는 국제적으로 통일된 특허분류체계를 의미합니다.

05 예를 들면, 유럽의 ECLA, 일본의 FI, F-Term, 미국의 UPC 등이 있습니다.

06 모든 나라가 동일한 INID 코드를 사용하고 있습니다.

07 특허법 시행령 제9조를 참조하면, 최근 우선심사 신청 시에 선행기술조사결과를 함께 제출하도록 하고 있습니다.

08 관련 높음은 X, 관련 있음은 Y, 관련은 없으나 참고할 자료는 A 등으로 표시할 수 있습니다.

정답

1. X 2. O 3. X 4. O 5. O 6. X 7. O 8. O

만약 여러분이 어떠한 기술을 발명하였다면, 이를 곧바로 실시하거나 출원하여도 아무런 문제가 발생하지 않을까요? 정답은 "그렇지 않다."입니다.

내가 발명한 기술과 동일 또는 유사한 기술이 이미 공개되어 있는 경우, 나의 발명은 이를 이유로 특허등록을 받지 못할 수 있으며, 내가 실시하고자 하는 기술과 동일 또는 유사한 기술이 이미 특허로 등록되어 있다면, 특허침해의 문제가 발생할 수 있기 때문입니다.

따라서 이러한 문제를 방지하기 위해서는 나의 기술과 동일 또는 유사한 기술이 공개되어 있는지 여부를 조사하는 과정이 필수적으로 수행되어야 하는데, 이 조사 과정을 선행기술조사라고 합니다.

그리고 이러한 선행기술조사를 효과적으로 수행하기 위해서는 특허문헌뿐만 아니라, 다양한 자료들, 예를 들면, 논문, 서적, 인터넷 게시글, 영상 자료 등 광범위한 자료에 대한 조사를 진행하여야 합니다.

실제로, 2011년 애플과 삼성의 특허 및 디자인 침해 소송에서, 삼성은 영화* 속 한 장면을 증거로 제출하였습니다. 이 영화 속에는 애플의 아이패드와 매우 유사한 '뉴스패드'**가 등장합니다.

이에 삼성은 증거 제출과 함께, 해당 영화는 애플의 아이패드 출시일보다 42년이나 앞선 1968년에 공개된 선행기술에 해당하는 것으로, 애플의 아이패드는 선행기술과 매우 유사하여 전혀 독창적이지 않다고 주장하였습니다.

비록 삼성이 증거로 제출한 영화 속 장면이 미국 법원에서는 증거로 채택되지는 않았으나, 이 사례에서 알 수 있듯이, 선행기술조사에 사용될 수 있는 자료의 형식은 무궁무진하며, 별다른 제약을 받지 않습니다.

이러한 선행기술조사를 통하여 원하는 선행문헌, 예를 들면, 특허문헌 또는 논문을 검색하고자 하는 경우, 키워드를 사용하여 선행문헌을 조사하는 방법이 흔히 사용됩니다.

키워드는 문장이나 문단에서 핵심이 되는 단어 또는 어구를 의미하며, 선행문헌의 검색은 해당 기술을 잘 나타내는 핵심적 기술용어 또는 어구를 통하여 동일 또는 유사한 선행문헌을 찾는 것을 의미합니다.

따라서 키워드를 적절히 선정하고 이를 조합함으로써 원하는 선행문헌을 찾을 수 있습니다.

----

* 2001 스페이스 오디세이(2001: A Space Odyssey), 감독: 스탠리 큐브릭, 1968
** 원작 소설인 아서 C.클라크의 《2001 스페이스 오디세이》에서는 해당 기기를 '뉴스패드'라고 지칭하며, 이를 통해 신문 등을 볼 수 있다고 묘사하고 있습니다.

제**8**편

선행기술조사
방법과 연습

 키워드를 이용한 선행기술조사 방법을 알아보고, 구체적 예시를 통해 선행기술조사 방법을 습득할 수 있다.

제1장에서는 키워드를 활용한 특허정보조사 방법에 대해 알아보고, 제2장에서는 검색 DB의 활용 방법에 대해 알아보고, 제3장에서는 기타 검색 DB는 어떠한 것들이 있는지 알아본다. 나아가, 제4장에서는 이들을 활용한 선행기술조사 실습을 수행해 본다.

제1장　키워드를 이용한 특허정보조사

01　검색식의 의미

선행기술조사를 효과적으로 수행하기 위해서는 검색식을 작성하여야 합니다. 이러한 검색식은 '키워드'와 '검색연산자'를 적절히 활용하여 하나의 식의 형태로 작성한 것을 의미합니다.

'키워드'란 해당 기술을 가장 잘 나타낼 수 있는 핵심적인 기술용어 또는 어구를 의미하며, 적절한 키워드를 선정하여 검색식을 작성하는 경우 원하는 특허문헌을 효과적으로 검색할 수 있습니다.

'검색연산자'는 키워드 간의 상호관계를 지정해 주는 것으로, 조사범위를 확장 또는 한정할 수 있는 것을 의미합니다. 검색연산자는 특허검색 DB마다 조금씩 다르므로, 해당 특허검색 DB에 사용되는 검색연산자를 미리 숙지하는 것이 중요합니다.

특허 제도의 목적상 발명을 공개함으로써, 새로운 발명창출에 대한 동기를 유발하고 그에 따라 산업발전을 도모한다는 측면이 있기 때문에 각국 특허청을 중심으로 특허정보를 무료로 제공하는 경우가 많이 있습니다.

또한, 기업이나 지식재산 분야에 종사하는 사용자를 대상으로 좀 더 편리한 인터페이스, 부가 기능, 공공 DB와 차별화된 서비스(발명평가, 소송 이력 등)를 지원하는 대신 유료로 운영하는 상용 DB도 있습니다.

공공 DB와 상용 DB는 다음과 같은 특징을 가지고 있습니다.

[표 8-1] 공용 DB와 상용 DB의 특징

구분	장점	종류
공공 DB	• 비용 발생이 없음 • 데이터 업데이트가 빠름 • 빠르고 정확한 법적 상태(legal status) 정보 • 파일포대(file wrapper) 제공	• KIPRIS(KR) • USPTO(US) • J-PlatPat(JP) • Espacenet(EP) • Google patent
상용 DB	• 편리한 인터페이스(batch view, history search) • 풍부한 연산자(Proximity operators) • 폭넓은 검색(stemming, thesaurus, semantic search, multi-lingual search) • 검색 가이드(assignee tree, 키워드 추천) • 데이터 다운로드 및 분석 도구(네트워크 분석, 다차원 분석)	• 윕스(KR) • 위즈도메인(KR) • Derwent(US) • Total Patent(US) • PatBase(GB) • Questel/Orbit(FR)

02 검색식의 작성 방법

키워드를 선정하여 검색식을 작성하고자 하는 경우는 먼저 해당되는 기술 대상을 선정한 후 대상의 핵심이 되는 키워드를 포착하고, 복수의 키워드들을 추출할 수 있습니다.

다음으로, 각 키워드에 대한 확장 키워드를 추출하여 각 키워드마다 확장 키워드를 병렬 관계로 나열하면서 모든 키워드들을 and 조합으로 묶음으로써 검색식을 작성할 수 있습니다.

작성된 검색식을 이용하여 검색(서치)을 실시하고 검색한 결과를 바탕으로 검색식을 다시 수정하는 과정을 반복함으로써 검색식을 이용하여 원하는 특허문헌들을 찾을 수 있습니다.

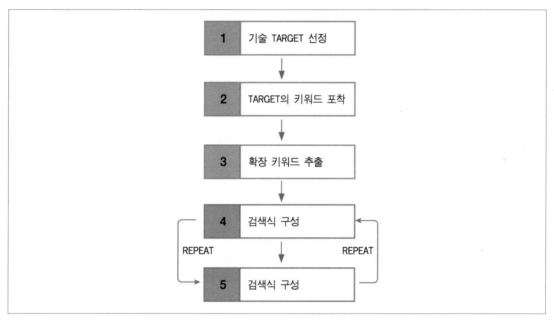

[그림 8-1] 검색식의 작성 방법

키워드 도출

검색식을 작성하기 위해서는 먼저 해당 기술의 핵심적인 내용으로부터 키워드를 도출해야 합니다. 여기서, 키워드란 기술의 핵심적인 내용을 나타내는 단어 또는 어구 등을 의미하며, 키워드는 기술의 전체적인 요지 또는 발명의 목적에 맞게 선정해야 합니다.

복수의 키워드들을 선정하는 경우, 서로 다른 유형에 해당되어야 합니다. 동일한 카테고리에 속하는 키워드의 경우, TARGET 범위가 너무 넓어서 검색이 비효율적으로 이루어집니다.

예를 들면, [그림 8-2]와 같이 전자와 통신을 함께 키워드로 선정하는 경우, 통신을 키워드로 사용하는 검색식에는 일반적으로 전자가 함께 포함되어 있는 경우가 많으므로, 바람직하지 않은 선택이 됩니다.

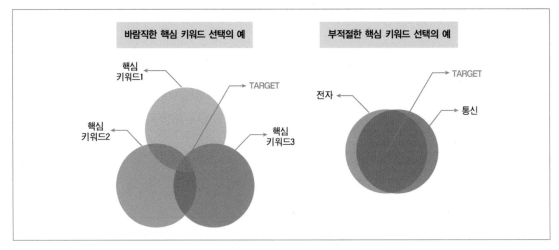

[그림 8-2] 핵심 키워드 선택 방법

키워드를 도출할 때는 발명의 명칭, 청구항, 요약서를 대상으로 하면 효과적으로 도출할 수 있습니다. 발명의 명칭 및 청구항은 주로 발명의 구성을 포함하는 경우가 많고, 요약서는 발명의 목적, 구성 및 효과가 기재되어 있어 핵심 키워드를 도출할 수 있습니다.

확장 키워드 추출

동일한 기술적 내용이라도 다양한 방식으로 표현될 수 있습니다. 따라서 이미 선정한 키워드를 확장하는 단계가 필요합니다.

만약 하나의 키워드만을 사용하여 검색하는 경우, 동일한 기술적인 내용이라고 하더라도 검색에 사용한 특정 키워드가 포함되지 않은 문헌은 검색되지 않기 때문입니다.

예를 들면, '휴대폰'은 경우에 따라 '휴대전화, 휴대단말기, 이동전화, 핸드폰, 셀룰러폰, 모바일폰, cellular phone, mobile phone' 등으로 표기될 수 있습니다. 만약, '휴대폰'만을 이용하여 검색식을 작성하고 선행기술조사를 수행한다면, '셀룰러폰'으로 표시한 선행문헌은 검색되지 않아, 효과적인 선행기술조사를 수행할 수 없게 됩니다.

검색식 구성

각 검색 DB는 저마다 조금씩 다른 검색연산자를 제공하고 있는데, 그 특성과 사용법에 맞도록 검색식을 작성해야 합니다.

가장 대표적으로 사용되는 검색연산자로는 'AND', 'OR', 'NOT'이 있습니다. 'AND'는 두 키워드를 모두 포함해야 하는 경우, 'OR'는 두 키워드 중 하나 이상의 키워드를 포함해도 되는 경우, 'NOT'은 두 번째 키워드는 제외한 검색 결과를 보고 싶을 때 사용합니다.

검색연산자는 각 DB에서 지원하는 연산자를 사용해야 하며, 다음은 KIPRIS의 연산자를 사용한 검색식의 예시입니다.

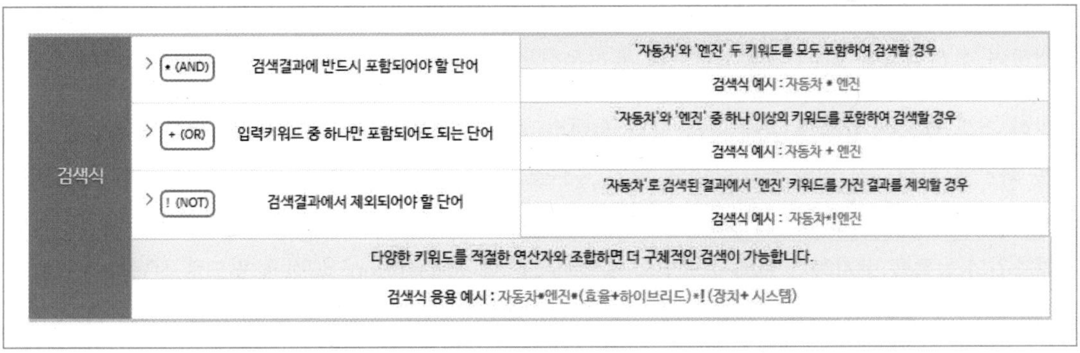

[그림 8-3] KIPRIS의 연산자를 사용한 검색식의 예시

이러한 검색연산자 외에도 다양한 검색연산자들이 있습니다. [표 8-2]는 주요 공공 DB에서 지원하는 검색연산자로, 각 DB를 활용하는 경우 바르게 사용을 해야 원하는 결과를 검색할 수 있습니다.

[표 8-2] 주요 공공 DB에서 지원하는 검색연산자

구분	연산자	항목 한정	구문검색	절단기호	디폴트연산
KIPRIS (KR)	*, +, !, ^n	필드코드=[ ]	" "	자동절단	and 연산
USPTO (US)	and, or, andnot	필드코드/	" "	$, ?	지원 안 함
Espacenet (EP)	and, or, not, prox/distance〈n, prox/unit =sentence	필드코드=	" "	*, ?	and 연산
J-PlatPat (JP)	검색방식 콤보박스에서 선택	좌측 콤보 박스에서 선택	지원 안 함	? (특허분류에 한함)	검색방식 콤보박스에서 지정

검색 필드의 한정

검색 DB들은 명세서에 기재된 내용을 텍스트 마이닝(text mining)함으로써 원하는 특허들이 검색될 수 있도록 합니다. 명세서는 요약서, 발명의 명칭 등 다양한 필드로 구분되어 있기 때문에 검색 필드를 한정하여 특허검색을 하는 경우, 원하는 특허문헌들을 좀 더 쉽고 빠르게 찾을 수 있습니다.

이러한 검색 필드는 검색 목적에 따라 달리 선택될 수 있습니다. 예를 들어, 검색 대상과 관련된 문헌들을 빠르게 검색하기 위해서는 발명의 명칭 필드로 한정하는 방법, 특정 기술에 해당하는 특허권이 존재하는지 여부를 확인하기 위해서 청구항만으로 한정하는 방법, 등록특허를 무효화시키거나 해당 특허출원의 등록을 방지하기 위해서 발명의 설명(detailed description)을 검색 필드로 선택하여 폭넓게 검색하는 방법 등이 있습니다. 다만, 발명의 설명의 내용은 워낙 방대하여 검색에 많은 시간이 소요되므로, 목적에 따라 적절하게 특허검색을 실시하는 것이 바람직합니다.

KIPRIS를 예로 들어, 검색 필드를 청구항으로 한정하고, 청구항에 '스마트폰'이라는 단어가 포함된 특허문헌만을 검색하기 위한 예시를 들어 보겠습니다. 청구항에 해당하는 검색 필드는 CL에 해당하므로 검색식에 "CL=[스마트폰]"과 같은 부분을 추가함으로써 검색 필드를 한정하여 검색을 수행할 수 있습니다.

03 검색식의 편집 및 수정

하나의 기술용어가 여러 기술분야에서 사용되는 경우, 그 기술용어를 키워드로 하여 특허문헌을 검색한다면 원하지 않는 기술분야의 특허문헌도 함께 검색될 수 있습니다. 이처럼, 원하지 않는 기술분야의 특허문헌을 '노이즈'라고 부르며, 선행문헌조사에서는 이러한 노이즈를 효과적으로 제거하는 것이 매우 중요합니다. 노이즈가 많다면, 조사해야 하는 선행문헌의 수가 과도하게 증가하여 많은 시간과 노력이 소요될 뿐 아니라, 제대로 된 선행기술조사를 수행하기 어렵기 때문입니다.

따라서 검색 결과에 노이즈가 많이 존재하는 경우, 작성한 검색식을 다시 편집 및 수정하여 노이즈를 최소한으로 줄이는 과정이 필요합니다.

제2장 검색 DB의 활용

01 KIPRIS를 통한 검색

한국특허청 산하의 한국특허정보원은 특허정보 검색서비스인 KIPRIS를 통하여 일반인들이 산업재산권과 관련된 정보를 검색할 수 있는 무료 DB를 제공하고 있습니다.

KIPRIS의 초기 화면은 [그림 8-4]와 같습니다.

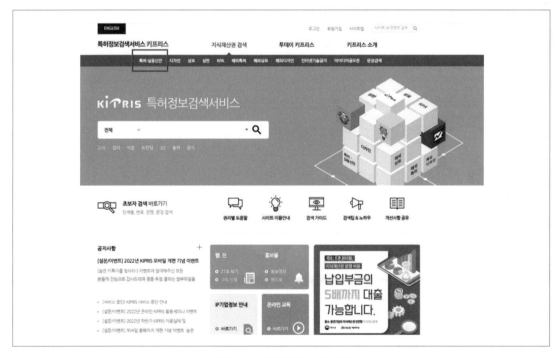

[그림 8-4] KIPRIS의 초기 화면

[그림 8-4]에서 특허·실용신안 탭을 클릭하면 [그림 8-5]와 같은 화면이 나오게 됩니다. 이 화면에서, 검색어 입력란에 작성한 검색식을 입력하고 검색하면 원하는 선행문헌을 검색할 수 있습니다.

[그림 8-5] KIPRIS의 특허·실용신안 검색 화면

다음에서 구체적 예시를 통해, 보다 자세히 알아보도록 하겠습니다.

폴더블 핸드폰 검색

진수는 공장에서 폴더형 핸드폰을 만들어서 판매하고 있습니다. 그러던 어느 날 뉴스를 보다가 다른 사람의 특허를 침해하여 사업을 접은 자영업자의 인터뷰를 접하게 되었습니다. 그리고 문득 진수는 "내가 판매하고 있는 핸드폰이 다른 사람의 특허를 침해하고 있나?"라는 의문이 들게 되었고, 이에 폴더형 핸드폰 관련 특허를 검색하고 싶어졌습니다.

이때, 진수가 어떻게 하면 효과적으로 선행문헌을 검색할 수 있는지 다음 단계를 통해 확인해 보겠습니다.

STEP 1 검색식 작성

폴더형 핸드폰에 관련된 선행문헌을 검색하고자 하는 경우, 우선 폴더형 핸드폰과 관련된 기술을 검색하기 위한 검색식[1]을 작성하여야 합니다.

STEP 2 검색식 입력

작성된 검색식을 검색어 입력란에 입력하게 되면, 다음과 같이 폴더형 핸드폰에 대한 특허를 검색할 수 있습니다.[2]

---

1) (휴대전화+휴대단말기+이동전화+핸드폰+셀룰러폰+모바일폰)*(폴더+폴더블+접이식)
2) 여기에서 검색되는 예시 화면들은 필자가 작성한 당시에 검색되는 화면들로, 독자들이 본서를 참고하여 검색하는 시기에는 다른 화면이 나타날 수 있습니다.

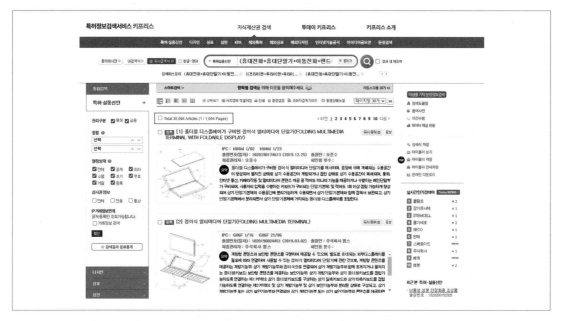

[그림 8-6] KIPRIS를 통한 폴더블 핸드폰에 대한 특허 검색 화면(2022. 12. 27. 기준)

이 같은 방법으로 조사한 결과, 검색된 특허문헌의 수는 30,094개로, 매우 많은 수가 검색된 것을 알 수 있습니다. 또한, [그림 8-7]과 같이, 이러한 검색 결과에는 핸드폰 케이스 또는 거치대와 같은 노이즈가 섞여 있는 것을 알 수 있습니다.

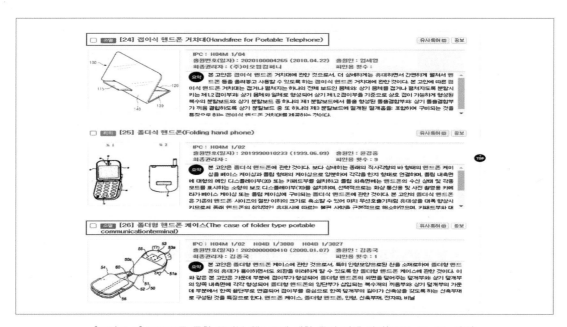

[그림 8-7] KIPRIS를 통한 폴더블 핸드폰에 대한 특허 검색 화면(2022. 12. 27. 기준)

따라서 노이즈를 적절히 제거하면서 검색된 특허문헌의 수를 줄이는 과정이 추가적으로 필요합니다.

STEP 3 IPC[3] 분류 등의 활용

노이즈를 제거하고 검색된 특허문헌의 수를 적절히 조절하기 위하여 IPC 분류를 활용할 수 있습니다. IPC를 반영하지 않고 검색식을 작성하는 경우, IPC 분류와는 상관없이 검색조건을 만족하는 모든 분야의 발명들이 검색됩니다. 목표하는 기술분야를 특정하여 IPC를 추가하여 검색을 진행하면, 이러한 노이즈들이 상당부분 감소할 수 있습니다.

전화기의 구조적 특징과 관련된 IPC 코드인 H04M1/2를 검색식에 반영하여 다시 검색[4]을 해 보면 [그림 8-8]과 같이, 검색 건수가 2070건으로 거의 1/10 수준으로 줄어드는 것을 확인할 수 있습니다.

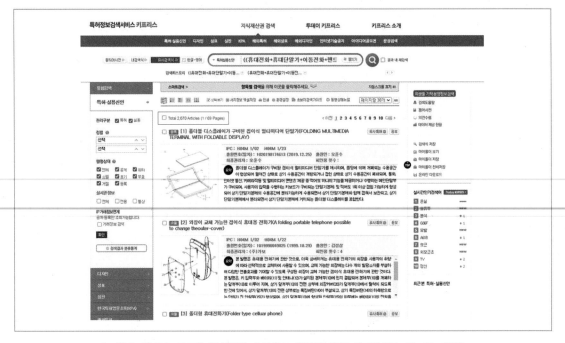

[그림 8-8] IPC 코드를 검색식에 추가하고 검색한 검색 결과(2022. 12. 27. 기준)

STEP 4 목적에 따라 다양한 기능의 활용

진수가 선행기술조사를 수행하는 목적은 진수가 현재 판매하고 있는 핸드폰이 다른 사람의 특허에 침해가 되는지 여부를 판단하기 위함입니다. 따라서 이미 취하 또는 거절되었거나, 존속기간 만료로 소멸한 특허는 특별히 조사하지 않아도 되는 선행문헌들입니다.

따라서 이러한 특허들을 제외하고 현재 출원 중이거나, 등록된 특허들만을 선별하는 과정이 필요하며, 이는 [그림 8-9]의 행정상태란을 통해 선별할 수 있습니다.

---

3) 특허청 홈페이지에 따르면 "IPC(International Patent Classification)란 발명의 기술분야를 나타내는 국제적으로 통일된 특허분류체계"를 의미합니다.
4) ((휴대전화+휴대단말기+이동전화+핸드폰+셀룰러폰+모바일폰)*(폴더+폴더블+접이식))*IPC=[H04M1/2]

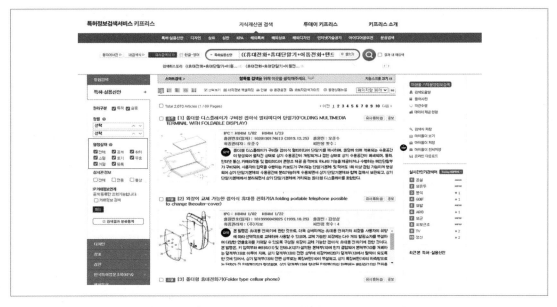

[그림 8-9] 검색 시 행정상태를 활용(2022. 12. 27. 기준)

[그림 8-9]에서 찾고자 하는 선행문헌의 행정상태인 공개와 등록에만 체크를 하고, 나머지는 체크 해제를 합니다. 그리고 이를 바탕으로 다시 검색을 하면 [그림 8-10]과 같이, 검색된 선행문헌 수가 108개로 현저히 줄어드는 것을 확인할 수 있습니다.

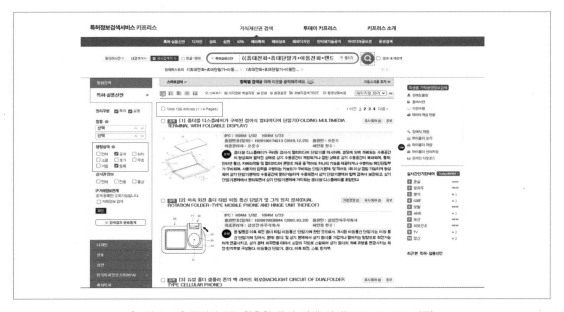

[그림 8-10] 행정상태를 활용환 특허 검색 화면(2022. 12. 27. 기준)

따라서 진수는 검색된 108개의 특허를 조사하여 자신이 판매하고 있는 핸드폰이 다른 사람의 특허에 침해가 되는지 여부를 보다 쉽게 파악할 수 있습니다.

S사의 이어폰 검색

소영이는 새로운 이어폰 개발 프로젝트를 수행하던 중, 경쟁 업체인 S사의 이어폰 관련 기술에 대한 조사 업무를 맡게 되었습니다. 이 경우, 소영이가 어떻게 하면 효과적으로 검색을 할 수 있는지 다음 단계를 통해 확인해 보겠습니다.

STEP 1 검색식 작성
우선 이어폰 관련 기술을 검색하기 위한 검색식5)을 작성합니다.

STEP 2 검색식 입력
작성된 검색식을 검색어 입력란에 입력하면, [그림 8-11]과 같이 이어폰에 대한 특허를 검색할 수 있습니다.

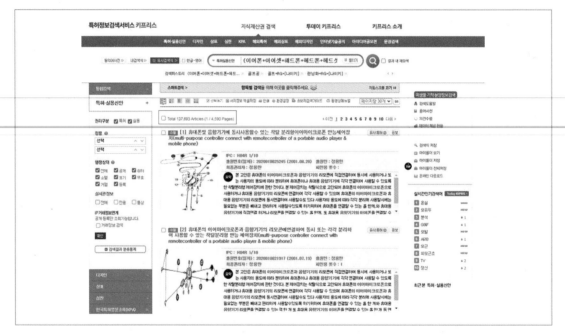

[그림 8-11] KIPRIS를 통한 이어폰에 대한 특허 검색 화면(2022. 12. 27. 기준)

이 방법으로 조사한 결과, 검색된 특허문헌의 수는 137,693개로, 매우 많은 수가 검색된 것을 알 수 있습니다. 또한, [그림 8-12]와 같이, 이 검색 결과에는 음향기기 거치대, 또는 노래방용 스피커와 같은 노이즈가 섞여 있는 것을 알 수 있습니다.

---

5) 이어폰+이어셋+해드폰+헤드폰+헤드셋+해드셋+스피커+마이크로폰+음향기기+"이어 폰"+"이어 셋"+"해드 폰"+"헤드 폰"+"헤드 셋"+"해드 셋"+ "마이크로 폰"+"음향 기기"

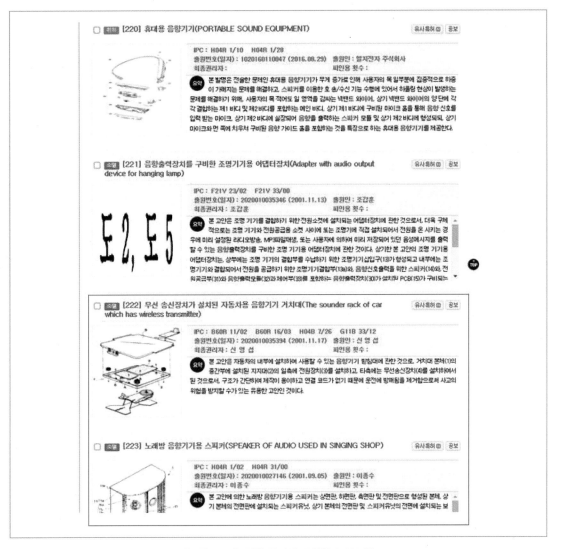

[그림 8-12] 검색 결과에 포함된 노이즈들

따라서 노이즈를 적절히 제거하면서 검색된 특허문헌의 수를 줄이는 과정이 추가적으로 필요합니다.

STEP 3 IPC 분류의 활용

노이즈를 제거하고 검색된 특허 문헌의 수를 적절히 조절하기 위하여 IPC 분류를 활용할 수 있습니다. 이어폰의 구조적 특징과 관련된 IPC 코드인 H04R을 검색식에 반영하여 다시 검색6)을 해 보면 [그림 8-13]과 같이, 검색 건수가 7158건으로 거의 1/20 수준으로 줄어드는 것을 확인할 수 있습니다.

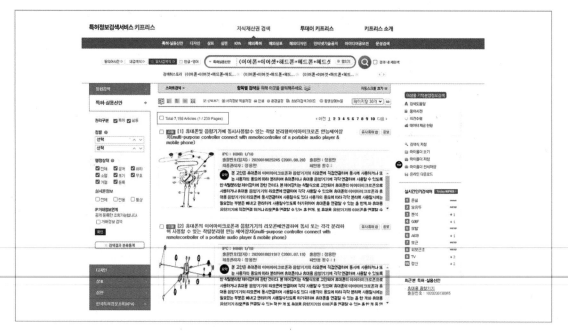

[그림 8-13] IPC 코드를 검색식에 추가하고 검색한 결과(2022. 12. 27. 기준)

STEP 4 목적에 따라 다양한 기능의 활용

소영이의 목적은 S사의 이어폰 관련 기술을 조사하는 것입니다. 따라서 검색된 선행문헌 중 출원인 또는 특허권자가 S사인 것을 선별하여야 합니다.

이에 출원인 또는 특허권자를 S사로 설정하여 검색식7)을 수정하고, 이를 통하여 검색하는 경우, [그림 8-14]와 같이 S사의 이어폰 관련 특허는 442개가 있음을 알 수 있습니다.

---

6) (이어폰+이어셋+해드폰+헤드폰+헤드셋+해드셋+스피커+마이크로폰+음향기기+"이어 폰"+"이어 셋"+"해드 폰"+"헤드 폰"+"헤드 셋"+"해드 셋"+"마이크로 폰"+"음향 기기")*IPC=[H04R]

7) (이어폰+이어셋+해드폰+헤드폰+헤드셋+해드셋+스피커+마이크로폰+음향기기+"이어 폰"+"이어 셋"+"해드 폰"+"헤드 폰"+"헤드 셋"+"해드 셋"+"마이크로 폰"+"음향 기기")*IPC=[H04R]*AP=[삼성]*RG=[삼성]

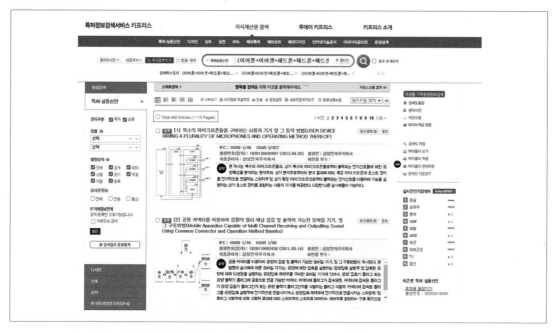

[그림 8-14] 출원인 및 발명자 정보를 검색식에 추가하고 검색한 결과(2022. 12. 27. 기준)

따라서 소영이는 검색된 S사의 442개의 특허를 분석하고 이를 새로운 이어폰 개발 프로젝트에 활용할 수 있습니다.

02 검색 예시

> **사례**
>
> 도준이는 손잡이 때문에 프라이팬이 싱크대나 오븐에 들어가지 않아 불편을 겪었습니다. 이에, 손잡이를 분리하였다가 다시 부착할 수 있는 프라이팬이 있으면 좋겠다고 생각하였습니다.

검색 대상 기술

탈착식 프라이팬은 손잡이를 자유롭게 분리 및 결합할 수 있습니다. 따라서 손잡이를 떼서 그릇을 차곡차곡 정리할 수 있을 뿐만 아니라 손잡이를 분리할 수 있으므로, 오븐, 냉장고 또는 식기세척기에서도 사용이 간편합니다. 이러한 손잡이 분리형 프라이팬에 대한 선행문헌을 다음과 같은 과정을 거쳐서 검색해 보고자 합니다.

STEP 1

먼저 손잡이 분리형 프라이팬에 대한 선행문헌이 존재하는 경우, 선행문헌에 반드시 나올 만한 키워드를 추출하는 작업이 필요합니다. 일반적으로, 손잡이 분리형 프라이팬에 대한 선행문헌에는 프라이팬, 손잡이, 탈착 등의 키워드가 언급되었을 가능성이 높습니다. 따라서 전술한 키워드로부터 [표 8-3]과 같은 검색식[8]을 구성할 수 있습니다.

[표 8-3] 키워드로부터 확장 키워드 추출

no	키워드	확장 키워드
1	프라이팬	프라이팬+후라이팬+후라이펜+프라이펜+frypan
2	손잡이	손잡이+핸들+헨들+handle
3	탈착	탈착+착탈+붙었+분리+remov+detach+separat

---

8) 검색식은 KIPRIS를 기준으로 구성하였습니다.

STEP 2

다음으로 구상한 검색식을 바탕으로 어떤 키워드를 어떤 필드에 넣을 것인지를 판단합니다. 대표적인 필드로서 '발명의 명칭', '요약서' 및 '특허청구범위'가 있습니다.

앞서 도출한 키워드인 '프라이팬'의 경우, 이 3개의 필드에 전부 포함되어 있을 가능성이 높아서 어떤 필드를 사용해도 무방할 것으로 예상됩니다. 그러나 '손잡이'의 경우, 발명의 명칭보다는 요약서 또는 특허청구범위에 포함되어 있을 가능성이 높습니다.

왜냐하면, 선행문헌에서 '손잡이'를 발명의 명칭에 넣은 경우, 경쟁업체가 쉽게 해당 특허를 검색할 수 있어, 선행문헌의 출원인이 발명의 명칭에서 일부러 손잡이를 넣지 않았을 가능성이 있기 때문입니다. 따라서 '손잡이'는 청구범위에 삽입하는 것이 바람직합니다.

한편, '탈착' 키워드는 발명의 명칭, 초록 및 청구범위를 모두 포함하는 자유검색(전문) 필드를 이용하여 검색하는 것이 바람직합니다.

이때, 스마트 검색을 활용하면 보다 쉽게 검색할 수 있습니다. 스마트 검색은 [그림 8-15]와 같이 활용할 수 있습니다.

[그림 8-15] KIPRIS의 스마트검색 활용(2022. 12. 27. 기준)

[그림 8-15]에서 스마트 검색을 클릭하면 [그림 8-16]과 같은 화면이 나옵니다. 이 화면에서 각 필드에 해당 키워드를 조합하여 검색식을 넣은 후 검색을 클릭[9]합니다.

[그림 8-16] KIPRIS를 통한 탈착식 손잡이를 구비한 프라이팬에 대한 검색(2022. 12. 27. 기준)

STEP 3

그 결과 [그림 8-17]과 같이, 손잡이 분리형 프라이팬과 관련된 884개의 선행문헌들이 나타나는 것을 확인할 수 있습니다. 하지만 노이즈도 다수 발생한 것을 알 수 있습니다.

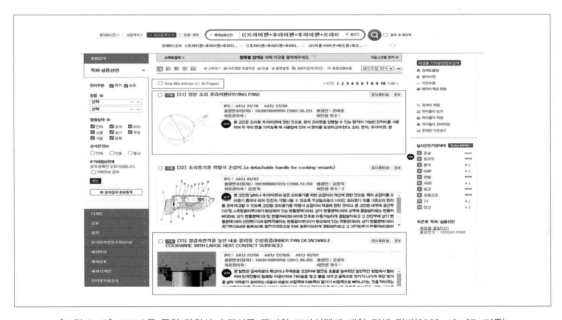

[그림 8-17] KIPRIS를 통한 탈착식 손잡이를 구비한 프라이팬에 대한 검색 결과(2022. 12. 27. 기준)

---

9) 여기에서 검색되는 예시 화면들은 필자가 작성한 당시에 검색되는 화면들로, 독자들이 본서를 참고하여 검색하는 시기에는 다른 화면이 나타날 수 있습니다.

이에, 추가로 분리식 손잡이와 관련된 IPC 코드인 A47J 45/07을 추가하여 다시 검색을 하면, [그림 8-18]과 같이 노이즈를 효과적으로 줄일 수 있습니다.

[그림 8-18] KIPRIS를 통한 탈착식 손잡이를 구비한 프라이팬에 대한 검색 결과(2022. 12. 27. 기준)

도준이는 이와 같은 과정을 통해 손잡이가 분리 가능한 프라이팬에 대한 선행문헌을 검색할 수 있으며, 검색된 선행문헌을 검토하여 손잡이와 프라이팬과의 결합 구조를 어떻게 하는 것이 좋은지를 검토할 수도 있습니다.

또한, 이러한 검토 결과를 토대로 아이디어를 더욱 개량하여 손잡이의 탈착 구조가 매우 우수한 프라이팬을 고안할 수도 있습니다.

제3장　기타 검색 DB

01　USPTO

미국특허청인 USPTO(United States Patent and Trademark Office)에서도 KIPRIS와 유사한 무료 특허 검색 DB를 제공하고 있으며, basic search[10) 또는 advance search[11)를 통해서 특허를 검색할 수 있습니다. USPTO에서는 'and', 'or', 'andnot' 등의 연산자를 활용하여 미국 특허를 찾아볼 수 있습니다. USPTO의 장점으로는 빠른 DB 업데이트, 다양한 연산자의 활용 및 빠른 검색 속도가 있습니다.

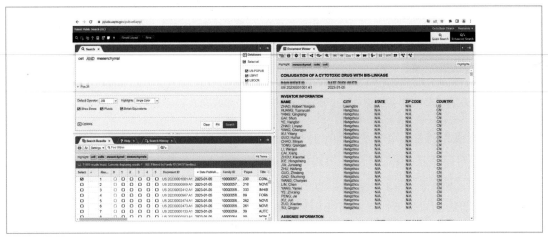

[그림 8-19] USPTO의 advance search 검색 화면

02　EPO

유럽특허청인 EPO(European Patent Office)에서도 KIPRIS와 유사한 무료 특허 검색 DB를 제공하고 있습니다. 이를 활용하여 유럽 등 세계 각국의 영문특허를 검색할 수 있습니다. EPO의 장점으로는 빠른 DB 업데이트 및 빠른 검색 속도가 꼽힙니다. 반면, 사용 가능한 연산자가 'and'와 'or'이고, 연산자의 개수가 제한되며, 최근 몇 년간의 DB만 제공한다는 단점이 있습니다.

---

10) 특허번호, 출원인 이름 등을 통한 간단한 검색이 가능합니다.
11) 검색식을 통한 검색이 가능합니다.

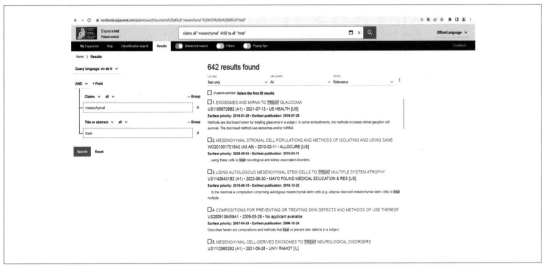

[그림 8-20] EPO의 특허 검색 화면

03 GOOGLE patent

구글에서도 무료 특허 검색 DB를 제공하고 있어 보다 쉽게 세계 각국의 특허를 검색할 수 있습니다.

[그림 8-21] GOOGLE patent의 특허 검색 화면

04 기타 유료 DB

무료 DB 이외에도 특허를 검색할 수 있는 유료 DB로는 윕스온, 키워트, 윈텔립스, DWPI 등이 있습니다.

제4장 선행기술조사 실습

> **사례**
>
> 피부 미백에 대한 관심이 지속적으로 증가함에 따라 Z그룹의 진양철 박사는 미백 기능성 화장품의 개발을 위해 다양한 기능성 원료들을 연구하고 있습니다. 수많은 실험 끝에 진양철 박사는 홍차 줄기의 추출물이 피부 미백에 도움이 된다는 연구 결과를 얻게 되었습니다.
> 이에, 진양철 박사는 홍차 줄기의 피부 미백 효과와 관련된 특허가 이미 공개되어 있는지 여부를 검색하고자 합니다.

실습 1

진양철 박사가 작성할 수 있는 바람직한 검색식을 도출해 보겠습니다.

실습 2

실습 1에서 도출한 검색식을 바탕으로, KIPRIS를 통해 선행기술조사를 수행해 보겠습니다.

[표 8-4] 선행기술조사 보고서 양식의 예시

선행기술조사 보고서(Search Report)		
발명의 명칭		
발명의 요지		

국제특허분류	IPC	IPC 설명
키워드		

검색 결과	
검색 DB	검색식
KIPRIS	

조사분석 결과				
No	국가	문헌번호	발명의 명칭	관련도
D1				
D2				
D3				

* 관련도 : X-관련 높음, Y-관련 있음, A-관련은 없으나 참고할 자료

[표 8-5] 선행기술조사 보고서 양식의 예시

선행기술 세부 검토 결과 : D1			
공개번호 (공개일자)		관련도	
출원인		출원번호 (출원일자)	
명칭			
D1의 요지		본 발명과의 유사점 및 차이점	

[표 8-6] 선행기술조사 보고서 양식의 예시

종합 의견

보완 요청 사항

답안 예시

<u>실습 1</u>

STEP 1 기술 내용 파악

홍차 줄기 추출물이 피부의 미백 증진에 효과가 있다는 것입니다. 이를 통해 화장품, 건강기능식품 등으로 확장할 수 있습니다.

STEP 2 조사 방향

홍차 줄기 추출물의 피부 미백 효과를 개시하고 있는 문헌을 조사합니다. 단, 줄기가 아니더라도 홍차의 다른 부위, 예를 들면, 잎과 같은 부위에 대한 피부 미백 효과를 개시하고 있는 문헌도 포함하여 조사합니다.

STEP 3 핵심 키워드 도출

진양철 박사의 발명은 홍차 줄기 추출물의 피부 미백 효과에 관한 것으로, 해당 발명의 핵심 키워드는 '홍차', '줄기' 그리고 '미백'으로 도출할 수 있습니다.

STEP 4 확장 키워드 도출

'홍차'의 영문 명칭인 'black tea' 또는 'red tea'를 확장 키워드로 도출할 수 있습니다. 또한, 홍차는 일반적으로 '얼그레이', '루이보스' 등과 혼용되어 사용하는 경향이 있어, 이를 확장 키워드로 도출할 수도 있습니다. 또한, '미백'과 관련하여는 미백 효과를 말할 때 일반적으로 사용되는 다른 용어들, 예를 들면, '화이트닝', '멜라닌' 등과 같은 용어들까지 확장할 수 있습니다.

'줄기'에 대해서는, 진양철 박사가 비록 홍차 줄기의 효능에 대해 연구를 하였으나, 줄기 이외의 다른 식물 부위도 광범위하게 조사를 하여야 합니다. 왜냐하면, 줄기 이외의 다른 부위에서 미백 효과가 있음이 이미 알려진 경우, 이를 이유로 진보성의 거절이유가 발생할 수 있기 때문입니다.

다만, 선행문헌 등에서 줄기와 같은 식물 부위에 대해 구체적으로 언급하지 않은 경우도 있을 수 있으므로, 줄기와 관련된 키워드는 검색 건수에 따라 적절히 취사선택하는 것이 바람직합니다.

이를 종합하면, [표 8-7]과 같습니다.

[표 8-7] 키워드로부터 확장 키워드 추출

no	키워드	확장 키워드
1	홍차	홍차+black tea+red tea+얼그레이+earl grey+루이보스+rooibos
2	줄기	줄기+stem+잎+leaf+뿌리+root
3	미백	미백+화이트닝+white+멜라닌+melanin

STEP 5 최종 검색식 도출

도출한 확장 키워드를 바탕으로 검색식을 작성해 보면, [표 8-8]과 같은 형태의 검색식을 작성할 수 있습니다.

[표 8-8] 최종 검색식의 예

no	검색식의 예
검색식 1	(홍차+(black*tea)+(red*tea)+얼그레이+(earl*grey)+루이보스+rooibos)*(미백+화이트닝+white+멜라닌+melanin)
검색식 2	CL=[(홍차+(black*tea)+(red*tea)+얼그레이+(earl*grey)+루이보스+rooibos)*(미백+화이트닝+white+멜라닌+melanin)]*IPC=[A61Q]
검색식 3	CL=[(홍차+(black*tea)+(red*tea)+얼그레이+(earl*grey)+루이보스+rooibos)*(미백+화이트닝+white+멜라닌+melanin)]*DS=[(줄기+stem+잎+leaf+뿌리+root)]

검색식 1은 홍차와 미백에 관련된 확장 키워드만으로 검색식을 작성한 것으로, 이를 활용해 검색해 보면 [그림 8-22]와 같이 1,939건이 검색되는 것을 확인할 수 있습니다. 즉, 검색식 1은 바람직한 검색식이 아닙니다.

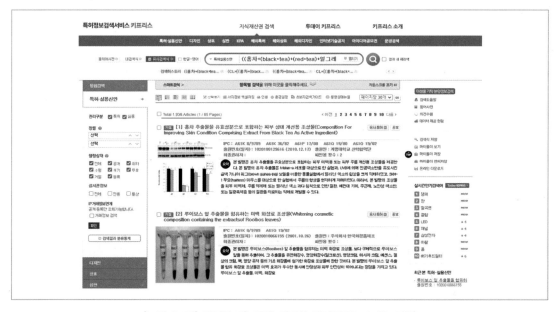

[그림 8-22] 검색식 1을 통해 검색한 결과(2023. 1. 16. 기준)

따라서 검색식 1을 통해 검색된 결과에서 노이즈를 적절하게 줄일 필요가 있습니다. 이에 검색식 2와 같이, 검색필드로 청구항을 특정하고, IPC 분류 코드를 활용하여 검색식을 작성해 볼 수 있습니다. 검색식 2를 통해 검색하는 경우, [그림 8-23]과 같이 21건이 검색되는 것을 확인할 수 있습니다. 즉, 검색식 2를 활용한다면 노이즈를 효과적으로 줄일 수 있고, 보다 효과적인 검색을 수행할 수 있습니다.

만약, 특허문헌에서 명시적으로 줄기 등을 개시하고 있는 선행문헌을 찾고 싶다면, 검색식 3과 같은 형태로 줄기와 관련된 키워드의 검색 필드를 명세서 전체로 설정하고, 이를 바탕으로 검색을 수행할 수도 있습니다.

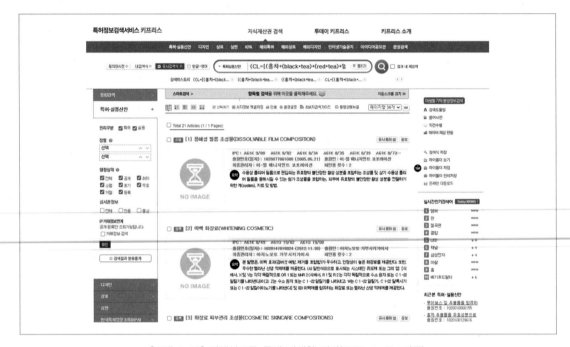

[그림 8-23] 검색식 2를 통해 검색한 결과(2023. 1. 16. 기준)

실습 2

STEP 1 선행문헌의 추출

검색식 2를 사용하여 검색된 21건의 특허문헌 중 홍차의 미백 효과와 가장 근접한 문헌을 찾습니다. 선행문헌의 개수에는 특별한 제한이 없지만 일반적으로 3개 이상의 선행문헌을 조사하는 것이 바람직합니다.

그 결과, ① "홍차 추출물을 유효성분으로 포함하는 피부 상태 개선용 조성물"을 발명의 명칭으로 하는 대한민국 공개특허(10-2012-0089407), ② "홍차 흑효모 발효물을 유효성분으로 포함하는 피부 항산화, 미백, 항노화용 화장료 조성물"을 발명의 명칭으로 하는 대한민국 공개특허(10-2018-0091991), ③ "루이보스 잎 추출물을 함유하는 미백 화장료 조성물"을 발명의 명칭으로 하는 대한민국 공개특허(10-2003-0034537)가 가장 유사한 선행문헌으로 검색되었습니다.

STEP 2 선행문헌과 본 발명의 비교

① KR 10-2012-0089407(이하, 선행문헌 1)

선행문헌 1은 다음과 같이 청구항 1에서 홍차 추출물을 유효성분으로 포함하는 피부 미백용 조성물을 권리범위로 하고 있습니다.

특허청구의 범위
청구항 1
홍차 추출물을 유효성분으로 포함하는 피부 미백용 또는 주름 개선용 조성물[12]

또한, 다음과 같이 홍차 추출물을 제조하기 위해, 홍차를 증류수와 함께 가열하여 농축한 후, 동결건조하여 분말 형태로 제조하였습니다.

[0046] **2. 추출물 재료**

[0047] 녹차(green tea, GT), 백차(white tea, WT), 및 홍차(black tea, BT)는 대구에 있는 한약재료시장에서 구입하였다. GT, WT 및 BT 각각 600g을 6L의 증류수와 함께 가열 추출기(COSMOS-660, Kyungseo Machine Co., Korea)에서 2시간 동안 끓이고, 농축시켰다. 이어서, 수용성 추출물을 동결건조사하여 분말로 만들었다. 이 표본을 다양한 농도의 부형제[프로필렌글리콜 : 에탄올 : 물 (5 : 3 : 2)]에 녹여 실험에 사용하였다.[13]

그리고 이렇게 제조된 홍차 추출물(BT)의 멜라닌 합성 억제 효과를 구체적 실험을 통해 확인하고, 이를 도 6에 나타내었습니다.

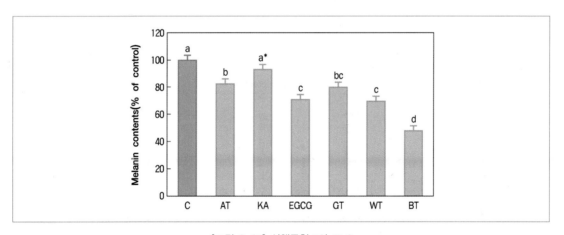

[그림 8-24] 선행문헌 1의 도 6

즉, 선행문헌 1을 통해, 홍차의 피부 미백 효과는 이미 공지되어 있음을 알 수 있습니다.

---

12) 선행문헌 1의 청구항 1
13) 선행문헌 1의 명세서 일부 발췌

② KR 10-2018-0091991(이하, 선행문헌 2)

선행문헌 2는 다음과 같이 청구항 1에서 홍차 흑효모 발효물을 유효성분으로 포함하는 화장료 조성물을 개시하고 있고, 청구항 8에서 상기 조성물은 미백용인 것으로 기재하고 있습니다. 즉, 선행문헌 2는 홍차 흑효모 발효물을 포함하는 미백용 화장료 조성물을 권리범위로 하고 있습니다.

청구범위

청구항 1

홍차 흑효모 발효물을 유효성분으로 포함하는 화장료 조성물

청구항 8

제1항에 있어서,
상기 조성물은 미백용 화장료 조성물[14)

또한, 다음과 같이 홍차 흑효모 발효물을 제조하기 위해, 홍차 잎을 추출하여 홍차 추출물을 제조하였습니다. 그 후, 홍차 추출물에 흑효모 균사체를 접종하여 발효시킴으로써 홍차 흑효모 발효물을 제조하고 있습니다.

[0034] 이하, 본 발명의 일 양태에 따른 홍차 추출물의 흑효모 발효물의 제조방법에 대하여 구체적으로 설명한다.
[0035] 본 발명의 일 양태에 따른 홍차 추출물의 흑효모 발효물은 선별된 홍차 잎을 추출용매로 추출하여 홍차 추출물을 제조한 후 이를 정제수 대신 투입하여 흑효모 균사체 배양용 배지를 제조하는 단계; 상기 배지에 흑효모 균사체를 접종한 후 발효시키는 단계; 및 상기 발효 완료 후 가열하여 반응을 종료하고, 발효액을 수득하는 단계;를 포함하는 방법으로 제조될 수 있다.[15)

그리고 이렇게 제조된 홍차 흑효모 발효물의 멜라닌 생합성 억제 평가를 확인하고, 이를 도 5에 나타내었습니다.

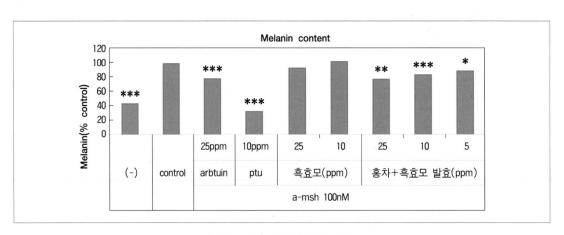

[그림 8-25] 선행문헌 2의 도 5

즉, 선행문헌 2를 통해, 홍차 잎 추출물의 흑효모 발효물의 피부 미백 효과는 이미 공지되어 있음을 알 수 있습니다.

---

14) 선행문헌 2의 청구항 1 및 청구항 8
15) 선행문헌 2의 명세서 일부 발췌

③ KR 10-2003-0034537(이하, 선행문헌 3)

선행문헌 3은 다음과 같이 청구항 1에서 루이보스 잎 추출물을 포함하는 미백 화장료 조성물을 개시하고 있습니다.

> **청구의 범위**
> **청구항 1**
> 루이보스(Rooibos) 잎 추출물을 1 내지 15 중량% 포함하는 것을 특징으로 하는 미백 화장료 조성물[16)]

또한, 루이보스 잎 추출물의 멜라닌 생성 억제 효과를 구체적으로 확인하고 이를 표 1에 나타내었습니다.

[표 1] 멜라닌 생성 억제효과 측정 결과

SAMPLE명	농도(V/V%)	Melanin생성억제율(%)
루이보스 잎 추출물	2	89
	1	62
	0.5	15
	0.1	7

즉, 선행문헌 3을 통해, 루이보스 잎 추출물의 피부 미백 효과는 이미 공지되어 있음을 알 수 있습니다.

STEP 3 선행기술조사 보고서 작성

조사한 내용을 종합하여 볼 때, 홍차 줄기 추출물의 피부 미백 효과를 구체적으로 개시하고 있는 선행문헌은 검색되지 않았습니다.

다만, 홍차 잎의 피부 미백 효과는 이미 공지되어 있는 것을 알 수 있습니다. 만약 홍차 잎에 피부 미백 효과가 있음이 이미 알려져 있다면, 잎과 밀접한 관련성이 있는 줄기에서도 이와 유사한 효과가 발생할 것이라는 것은 충분히 예상할 수 있습니다.

따라서 홍차 줄기 추출물의 피부 미백 효과에 대해 권리화를 시도하는 경우, 선행문헌 1 내지 3을 이유로 진보성의 거절이유가 발생할 수 있습니다.

다만, 출원발명이 선행문헌과 구성이 서로 상이하고, 이에 따른 현저한 효과의 차이가 발생한다면 진보성을 인정하고 있습니다.

앞서 살펴본 바와 같이, 홍차 줄기와 홍차 잎은 서로 유사하나, 명백히 서로 다른 부위에 해당합니다.

따라서 만약 홍차 줄기 추출물의 미백 효과가 홍차 잎 추출물의 미백 효과보다 우월하다면, 진보성이 인정될 수 있습니다.

---

16) 선행문헌 3의 청구항 1

이러한 점을 바탕으로 선행기술조사 보고서를 작성해 보면 다음과 같습니다.

선행기술조사 보고서(Search Report)		
발명의 명칭	홍차 잎 추출물을 포함하는 피부 미백용 조성물	
발명의 요지		
본 발명은 홍차 잎 추출물을 포함하는 피부 미백용 조성물에 관한 것임		
국제특허분류	IPC	IPC 설명
	A61Q-019/02	화학적으로 피부를 표백 또는 미백하기 위한 것
키워드	홍차, black tea, red tea, 얼그레이, earl grey, 루이보스, rooibos, 미백, 화이트닝, white, 멜라닌, melanin, 줄기, stem, 잎, leaf, 뿌리, root	
검색 결과		
검색 DB	검색식	
KIPRIS	CL=[(홍차+(black*tea)+(red*tea)+얼그레이+(earl*grey)+루이보스+rooibos)* (미백+화이트닝+white+멜라닌+melanin)]*IPC=[A61Q]	

조사분석 결과					
No	국가	문헌번호	발명의 명칭	관련도	
D1	KR	KR 10-2012-0089407	홍차 추출물을 유효성분으로 포함하는 피부 상태 개선용 조성물	Y	
D2	KR	KR 10-2018-0091991	홍차 흑효모 발효물을 유효성분으로 포함하는 피부 항산화, 미백, 항노화용 화장료 조성물	Y	
D3	KR	KR 10-2003-0034537	루이보스 잎 추출물을 함유하는 미백 화장료 조성물	Y	

* 관련도 : X-관련 높음, Y-관련 있음, A-관련은 없으나 참고할 자료

선행기술 세부 검토 결과 : D1			
공개번호 (공개일자)	KR 10-2012-0089407 (2012.08.10.)	관련도	Y
출원인	계명대학교 산학협력단	출원번호 (출원일자)	KR 10-2010-0129616 (2010.12.17.)
명칭	홍차 추출물을 유효성분으로 포함하는 피부 상태 개선용 조성물		

D1의 요지	본 발명과의 유사점 및 차이점
홍차 추출물을 유효성분으로 포함하는 피부 미백용 조성물에 관한 것으로, 홍차 추출물의 멜라닌 색소의 합성 억제 효과를 개시함(D1의 요약, 청구항 1 및 도 6 참조) **청구범위** **청구항 1** 홍차 추출물을 유효성분으로 포함하는 피부 미백용 또는 주름 개선용 조성물 도면 6 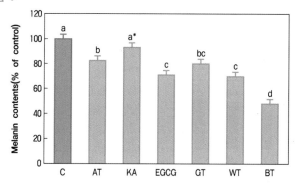 (도 6은 본 발명 시료의 멜라닌 합성 억제효능을 측정한 결과를 나타낸 그래프임)	**• 유사점** 홍차 추출물의 피부 미백용 조성물을 개시하고 있다는 점에서, 본 발명과 일부 유사함 **• 차이점** 그러나 D1은 홍차 추출물을 제조함에 있어서, 홍차의 특정 부위를 사용하고 있지는 않으며, 구체적으로 홍차 줄기를 개시하고 있지 않다는 점에서, 일부 차이가 있음(D1의 식별번호 [0046] 추출물 재료 참조)

선행기술 세부 검토 결과 : D2			
공개번호 (공개일자)	KR 10-2018-0091991 (2018.08.17.)	관련도	Y
출원인	㈜모아캠, 주식회사 메가코스제조	출원번호 (출원일자)	KR 10-2017-0016709 (2017.02.07.)
명칭	홍차 흑효모 발효물을 유효성분으로 포함하는 피부 항산화, 미백, 항노화용 화장료 조성물		

D2의 요지	본 발명과의 유사점 및 차이점
홍차 추출물의 흑효모 균사체 발효물을 포함하는 화장료 조성물에 관한 것으로, 상기 발효물은 미백 효과를 가짐을 개시함(D2의 청구항 1, 청구항 8 및 도 5) **청구범위** **청구항 1** 홍차 흑효모 발효물을 유효성분으로 포함하는 화장료 조성물	• 유사점 홍차 추출물의 흑효모 발효물의 미백 효과를 개시하고 있다는 점에서, 본 발명과 일부 유사함
청구항 8 제1항에 있어서, 상기 조성물은 미백용 화장료 조성물 도면 5 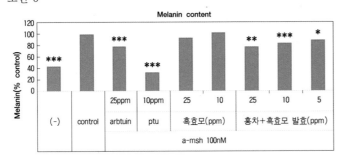 (도 5는 홍차 추출물의 흑효모 발효물의 멜라닌 생합성 억제 평가를 나타낸 그래프)	• 차이점 그러나 D2는 홍차 추출물을 제조함에 있어서, 홍차 잎을 사용하고 있으며, 홍차 줄기에 대해서는 아무런 개시를 하고 있지 않다는 점에서, 일부 차이가 있음(D2의 식별번호 [0036] 및 실시예 1 참조) 또한, 흑효모로 발효하지 않은 홍차 추출물(비교예 2)의 미백 효과에 대해서는 개시하고 있지 않음

선행기술 세부 검토 결과 : D3			
공개번호 (공개일자)	KR 10-2003-0034537 (2003.05.09.)	관련도	Y
출원인	한국화장품주식회사	출원번호 (출원일자)	KR 10-2001-0066155 (2001.10.26.)
명칭	루이보스 잎 추출물을 함유하는 미백 화장료 조성물		

D3의 요지	본 발명과의 유사점 및 차이점
루이보스 잎 추출물을 포함하는 피부 미백용 조성물에 관한 것임(D3의 청구항 1 참조) **청구의 범위** **청구항 1** 루이보스(Rooibos) 잎 추출물을 1 내지 15 중량% 포함하는 것을 특징으로 하는 미백 화장료 조성물 루이보스 잎 추출물의 멜라닌 생성 억제 효과를 구체적 실험을 통해 확인함(D3의 표 1 참조)	**· 유사점** 루이보스 잎 추출물에 대해서 개시하고 있다는 점에서, 본 발명과 일부 유사함 **· 차이점** 그러나 D3는 홍차 줄기를 개시하고 있지 않다는 점에서, 일부 차이가 있음

[표 1] 멜라닌 생성 억제효과 측정 결과

SAMPLE명	농도(V/V%)	Melanin생성억제율(%)
루이보스 잎 추출물	2	89
	1	62
	0.5	15
	0.1	7

종합 의견

홍차 줄기 추출물의 피부 미백 효과에 대해 선행기술조사를 수행한 결과, 표 1과 같이 홍차 추출물의 피부 미백 효과에 대해 개시하고 있는 선행문헌이 검색되었습니다.

[표 1]

구성	본 발명	D1	D2	D3
홍차	홍차 줄기	홍차	홍차 잎 추출물의 흑효모 발효물	루이보스 잎
피부 미백	피부 미백	피부 미백	피부 미백	항산화

보다 구체적으로,

D1은 홍차 추출물을 포함하는 피부 미백용 조성물에 관한 것으로, 홍차 추출물의 멜라닌 합성 억제 효과를 개시하고 있습니다(D1의 요약, 청구항 1 및 도 6 참조).

그러나 D1은 홍차 추출물을 제조함에 있어서, 구체적으로 홍차의 어떠한 부위를 사용하였는지 개시하고 있지 않으며, 홍차 줄기에 대해서도 구체적으로 개시하고 있지 않습니다(D1의 식별번호 [0046] 추출물 재료 참조).

D2는 홍차 잎 추출물의 흑효모 발효물의 피부 미백 효과를 개시하고 있으나, 홍차 줄기에 대해서는 아무런 암시 또는 개시를 하고 있지 않고, 흑효모로 발효하지 않은 홍차 추출물(D2의 비교예 2)의 미백 효과에 대해서도 아무런 개시를 하고 있지 않습니다(D2의 식별번호 [0036] 및 실시예 1 참조).

D3는 루이보스 잎 추출물의 피부 미백 효과를 개시하고 있으나, 줄기에 대해서는 아무런 암시 또는 개시를 하고 있지 않습니다.

즉, D1 내지 D3 모두 홍차 줄기 추출물의 피부 미백 효과에 대해서는 아무런 개시를 하고 있지 않은 바, 홍차 줄기 추출물을 포함하는 피부 미백용 조성물에 대해 권리화를 시도해 볼 수 있을 것으로 판단됩니다.

단, D1 내지 D3가 홍차 추출물의 피부 미백 효과를 개시하고 있으며, 홍차 추출물의 제조에 잎뿐 아니라 줄기도 통상적으로 사용될 수 있는 점에 비추어볼 때, D1 내지 D3를 이유로 진보성의 거절이유가 발생할 수 있을 것으로 판단됩니다.

이 경우, ① D1 내지 D3는 홍차 줄기에 대해서 아무런 암시 또는 개시를 하고 있지 않고 ② 식물은 부위마다 특정 성분들의 함량 및 종류가 상이하게 포함될 수 있어, 특정 식물의 잎이 미백 효과를 갖는다고 하더라도, 그 식물의 다른 부위, 예를 들면, 줄기, 뿌리 등에서 반드시 동일한 미백 효과가 나타난다고 단정할 수 없음을 주장함으로써 심사관의 의견에 대응해 볼 수 있을 것으로 판단됩니다.

다만, 본 발명의 진보성을 효과적으로 주장하기 위해서는, 홍차 줄기가 홍차 잎보다 피부 미백 효과가 현저히 뛰어남을 보여 주는 비교실험 데이터가 필요할 것으로 판단됩니다.

보완 요청 사항

홍차 줄기 추출물이 홍차 잎 추출물보다 피부 미백 효과가 현저히 뛰어남을 보여 줄 수 있는 비교실험 데이터를 요청드립니다.

학습평가

01 KIPRIS에서 A와 B를 동시에 포함하고 있는 선행문헌을 검색하고자 하는 경우, 사용 가능한 적절한 검색식은 'A+B'이다. ☐ O ☐ X

02 특정 키워드가 포함되지 않은 선행문헌만을 선택하여 검색할 수는 없다. ☐ O ☐ X

03 모든 키워드에 대해 확장 키워드를 추출하여야 한다. ☐ O ☐ X

04 IPC 코드를 통해 노이즈를 효과적으로 제거할 수 있다. ☐ O ☐ X

해설

01 KIPRIS에서 A와 B를 동시에 포함하고 있는 선행문헌을 검색하고자 하는 경우 사용 가능한 적절한 검색식은 'A*B' 입니다. 검색연산자 '+'는 입력된 키워드 중 1개라도 포함된 것을 검색하기 위한 것입니다.

02 KIPRIS에는 검색연산자 '*!'를 통해 특정 키워드가 포함되지 않은 선행문헌만을 선택하여 검색할 수 있습니다.

03 키워드는 작성하는 사람에 따라 다양한 단어로 표현될 수 있습니다. 따라서 모든 키워드에 대해 확장 키워드를 추출하지 않는다면, 놓치는 선행문헌이 많아져 적절한 선행기술조사를 수행할 수 없게 됩니다. 따라서 이를 효과적으로 방지하기 위해서는 모든 키워드에 대해 확장 키워드를 추출하여야 합니다.

04 기술 내용이 유사한 특허문헌들은 동일한 IPC 코드를 가지나, 기술 내용이 서로 상이한 특허문헌은 서로 다른 IPC 코드를 가집니다. 즉, 검색하고자 하는 기술의 IPC 코드를 활용하는 경우 기술 내용이 유사한 특허문헌들만 선택하여 검색할 수 있어, 노이즈를 효과적으로 제거할 수 있습니다.

정답

1. X 2. X 3. O 4. O

IP-R&D란, 그동안 제품을 단순한 '부품결합체'로 바라보던 시각에서 '특허복합체'로 바라보는 새로운 시각으로 전환하고, 연구개발 시 미래 시장을 선점할 수 있는 최강의 지식재산권 포트폴리오를 확보하는 전략을 의미합니다.*

정부, 기업, 대학 등에서 지금까지 지식재산 관리를 해 왔던 전문인력뿐만 아니라 이제는 여러 분야의 광범위한 인력들에게도 특허정보의 이용은 불가피한 것이 되었고, 동시에 그 전략적 활용도 중요해지고 있습니다. 특허정보에 대해 문외한이었던 경영자나 연구원 또는 영업담당자 등에게도 이제는 특허정보가 단순한 권리정보 또는 기술정보로서의 가치를 넘어서 소송, 경영계획 수립 등 다양한 분야에서 필수적으로 활용되어야 하는 정보 중의 하나라는 인식이 확산되고 있는 것입니다.

이렇게 특허정보 이용이 주목받게 된 배경에는 특허정보의 활용범위가 점점 넓어지고 있다는 점을 꼽을 수 있습니다. 예를 들면, 특허정보가 단순히 개별 특허기술(권리) 내용을 추출하는 데에만 이용되는 것이 아니라 특허정보를 군집화 형태로 파악하고, 그것을 체계화함으로써 하나의 특허만으로는 파악할 수 없었던 기술 동향, 기업 동향, 산업 동향 또는 권리가 취득되고 있지 않은 기술분야를 발견하는 데에도 이용될 수 있다는 것입니다.

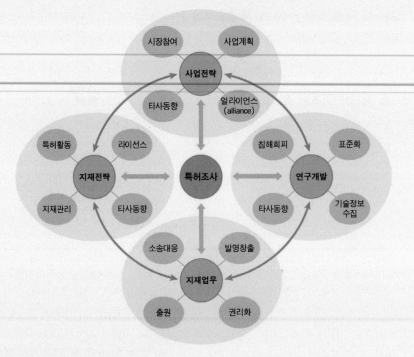

특허조사를 둘러싼 기업 활동**

그만큼 특허맵은 기술을 실제로 이용하는 사업가나 기술자, 새롭게 발명한 제품의 특허등록 가능성을 알고 싶은 출원인, 특정 기술의 동향을 분석하고자 하는 관련 산업 종사자 등 다양한 사람에게 다양한 정보를 제공할 수 있는 조사 방법이라고 할 수 있습니다.

_____

* 국가과학기술위원회, 2009
** 특허뉴스(https://www.e-patentnews.com/5711)

제**9**편

특허정보의
활용과 특허맵

학습
목표
특허맵의 의미와 특허맵을 작성하는 세부적인 과정에 대해 알아본다.

제1장에서는 특허맵의 의미와 분석에 대하여 알아보고 제2장과 제3장에서는 특허맵을 작성하는 세부적인
과정과 지식재산권 확보 전략을 알아본다.

제1장   특허맵의 의미와 분석

요약노트

제1장
특허맵의 의미와 분석

- **특허맵(Patent Map)**
  - 의미: 조사대상기술에 대하여 200~6,000건 정도의 관련 문헌들을 조사하는 특허조사
  - 요건 ① 특허에 관한 정보가 이용목적에 맞게 압축
      ② 특허에 관한 정보가 가공되어 시각적으로 표현

- **특허맵의 분석**
  - 개별 특허내용 분석
  - 1군의 특허정보 분석
    - ① 특허맵 작성자 의도 반영
    - ② 한눈에 파악

- **특허맵의 활용**
  - 경영/기획
    - 개발동향 파악
    - 시장참여 현황
    - 경쟁사 동향 파악
    ⋮
  - 특허관리
    - 특허침해 가능성
    - 특허망 분석
    - 출원전략 수립
    - 특허매입/라이선싱
    ⋮
  - 연구/개발
    - 기술동향 파악
    - 기술분포 현황
    - 개발방향 설정
    - 공백기술 발굴
    - 문제특허/회피/설계
    ⋮

확인학습

* 특허맵이란 무엇일까요?
* 특허맵의 분석 방법은 어떻게 될까요?
* 특허맵은 어떻게 활용할 수 있을까요?

01 특허맵의 의미

09

> **사례**
>
> 변리사이자 공학박사인 김진발 교수는 계면공학을 응용하여 플렉서블 디스플레이에 대한 연구를 하고 있고, 이 기술분야에서 후발업체인 발진사에 기술자문을 하고 있습니다. 어느 날 발진사 김 사장이 찾아와 이 기술분야의 선도업체인 진흥디스플레이가 관련 특허들을 많이 보유하고 있는 것 같아 향후에 특허분쟁에 일어날 가능성을 염려하면서 어느 분야의 기술이 유망한지와 진흥디스플레이 특허들에 대한 대응방안에 관한 자문을 구하였습니다. 김진발 교수는 어떠한 방법으로 발진사에 자문을 할 수 있을까요?

이 사례에서 발진사의 김 사장은 접히는 태블릿이나 휴대폰을 제조하여 본격적으로 판매하려고 합니다. 그렇다면 플렉서블 디스플레이와 관련된 기술에 이미 등록된 특허권이 있는지 살펴보아야 할 것입니다. 그렇지 않으면 사업에 많은 돈을 투자하고도 진흥디스플레이와 같은 선두주자의 특허권으로 인하여 사업이 중단될 위험이 있기 때문이죠.

이때 김진발 교수가 발진사에 도움을 줄 수 있는 특허조사 방법 중 하나가 특허맵입니다. 특허맵 작성을 통하여 진흥디스플레이뿐만 아니라 플렉서블 디스플레이와 관련되어 먼저 등록된 특허권이나 기술 개발이 얼마나 이루어졌는지 쉽게 파악할 수 있습니다. 김진발 교수가 특허맵을 작성한 결과, 발진사가 자체적으로 개발한 기술이라고 생각하였던 플렉서블 디스플레이 기술 중 하나가 사실은 이미 특허권으로 등록된 기술일 수도 있습니다.

특허맵은 조사 대상 기술에 대하여 200~6,000건 정도의 관련 특허문헌들을 조사하는 특허조사를 의미합니다.

우리는 길을 찾고자 할 때 내가 있는 위치부터 가고자 하는 목적지까지에 대한 정보를 알려주는 지도를 자주 이용합니다. 마찬가지로 어떤 기술의 특허 동향에 대해서 알고 싶을 때에는 내가 알고자 하는 기술과 경쟁사들의 관련 특허권 등에 대한 정보를 알려주는 지도를 이용할 수 있습니다. 쉽게 말해서, 특허맵은 '어떤 기술에 대한 특허정보 지도(map)'라고 할 수 있습니다.

특허맵에 해당하기 위해서는 특허에 관한 정보가 이용 목적에 맞게 압축되어 있어야 하고, 가공되어 시각적으로 표현되어 있어야 합니다.

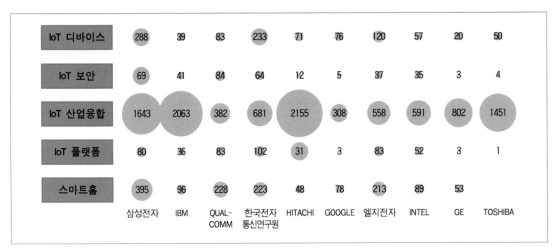

[그림 9-1] 특허맵의 예[1]

[그림 9-1]은 사물인터넷 기술 분야별 주요 기업의 출원 동향을 나타낸 특허맵입니다. 사물인터넷 기술분야에서 특허출원이 얼마나 활발한지 주요 출원인, 즉 경쟁사가 누구인지 알고자 하는 사람이 한눈에 알 수 있도록 도식화되어 있습니다.

02 특허맵의 분석과 활용

보통 특허맵은 기업에서 많이 이용합니다. 기업은 기술개발을 위해서 관련 기술분야를 탐색하거나 제품을 제조하기 전 기획하는 단계에서 침해를 회피하기 위해 이용하는 경우가 많습니다. 또는 다른 회사가 가지고 있는 특허권을 구입(양수)하기 위해서 특허권의 가치가 얼마인지 평가하는 경우나 다른 회사의 특허권과 관련된 전략을 알아보고 싶은 경우 이용하기도 합니다.

하지만 특허맵은 기업만 활용하는 것이 아닙니다. 도입부에서 알아본 것과 같이 등록 가능성을 알고 싶은 출원인, 기술 동향을 분석하고자 하는 관련 산업 종사자, 연구에 착수하려는 대학 교수 그리고 특허출원을 심사하는 특허청의 심사관까지 특허맵을 활용할 수 있습니다.

---

1) 특허청, 사물인터넷 기술 분야별 주요 기업 출원동향

기존에 자주 쓰여 왔던 개별적인 특허기술의 내용을 분석하는 것뿐만 아니라 특허정보를 덩어리(군, 群)로 파악해서 특허맵 작성자의 의도를 반영하고, 한눈에 파악할 수 있습니다. 특허맵이 관련 기술에 대한 특허 동향을 압축해서 보여주기 때문에 지식재산에 관심이 없어 취급하지 않았던 일반인들도 특허 정보에 쉽게 접근할 수 있습니다.

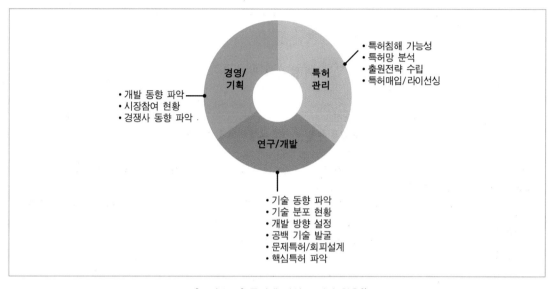

[그림 9-2] 특허맵 작성 목적과 활용[2]

이와 같이 특허권이 수적으로 많아지고 질적으로도 향상되면서 특허맵의 중요성은 나날이 증가하고 있습니다. 제2장에서는 특허맵의 작성 과정을 알아보겠습니다.

---

2) e-특허나라(http://biz.kista.re.kr/patentmap/front/diy.do?method=m02L4)

제2장   특허맵 작성 과정

제2장
특허맵 작성 과정

- **특허맵 작성 순서**
  - ① 기술분류표 작성: 특허맵 작성 대상을 세분화
    ↓
  - ② 검색식 작성: 소분류별 키워드를 선정한 후, 이를 기초로 검색식을 작성
    ↓
  - ③ 데이터 추출 및 노이즈 제거: 검색식을 이용해서 특허검색 DB로부터 데이터를 추출
    ↓
  - ④ 출원인 대표명화: 각국별 출원인명을 통일
    ↓
  - ⑤ 정량분석 및 정성분석: 특정 데이터 항목을 추출하여 테이블로 만든 뒤
    도식화(정량)
    특정 출원인, 발명자, 기술에 대한 기술 발전도 등을
    작성(정성)

- **특허맵 종류** : 랭킹/점유/시계열/레이더/매트릭스/상관/신규진입/기술발전/요지/
  구성부위/뉴키워드/클레임 맵

확인학습

* 기술분류표(테크트리)란 무엇일까요?
* 특허맵은 어떤 순서로 작성될까요?
* 특허맵의 종류에는 어떤 것들이 있을까요?

특허맵의 작성은 크게 기술분류표 작성, 검색식 작성, 데이터 추출 및 노이즈 제거, 출원인 대표명화, 정량분석 및 정성분석의 순서로 이루어집니다.

01 기술분류표 작성

특허를 조사할 때는 분류 항목·기술 구분을 설정하는 것이 중요합니다. 어떤 특정한 기술에 대해 수집하고자 하는 경우, 분류 항목·기술을 분류하여 기술분류표를 작성하는 것이 선행되어야 합니다. 기술분류표는 테크트리(tech-tree)라고도 하며, 대분류, 중분류, 소분류로 구분합니다.

이러한 분류를 통해서 조사할 대상을 특정 지으면, 그 후 그 분류에 맞게 조사 및 분석을 실시합니다.

02 특허정보조사

기술분류표를 기준으로 중분류 또는 소분류별 핵심 키워드를 선정하고, 이를 기초로 검색식을 작성합니다. 검색식 작성은 앞서 제8편에서 학습한 내용을 참조하시면 됩니다.

03 데이터 추출 및 노이즈 제거

검색식을 이용해서 특허검색 데이터베이스로부터 데이터를 추출하면, 우리가 관심 있는 관련 건만 선별하고, 노이즈는 제거해야 합니다.

예를 들어, IPC를 기반으로 관련된 분야가 아닌 특허를 제거하거나 특허청구범위나 요약서를 보고 우리가 찾고자 하는 관련 기술만을 유효특허로 추출할 수 있습니다. 이러한 유효특허를 추출하는 방법은 제3장에서 자세히 설명하겠습니다.

04 출원인 대표명화

특허는 출원하는 국가나, 상황 등에 따라서 동일한 출원인이어도 출원인 명을 달리할 수 있습니다. 우리나라의 '케이뷰티'라는 회사가 한국에 출원인 명을 '케이뷰티', 미국에는 'K-Beauty'로 하여 두 국가에 유효특허를 출원하였다고 가정해 봅시다. 이 경우 출원인 명을 '케이뷰티'와 'K-Beauty' 중 하나의 명칭으로 통일하지 않는다면 서로 다른 회사로 인식되어 실질적인 출원인 파악에 어려움이 발생할 수 있습니다.

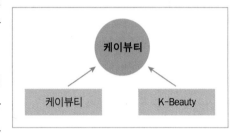

[그림 9-3] 대표명화

따라서 특허맵 작성 대상 기술의 정량분석 및 정성분석 전에 예비적인 가공 작업으로, 출원인 대표명화가 필요합니다. 예를 들어 '케이뷰티'와 'K-Beauty'의 출원인 대표명을 '케이뷰티'로 하여 대표명화하는 방법이 있습니다.

출원인 대표명화를 위한 툴로, 특허청에서 제공하는 PIAS2.0의 출원인 대표명화 기능이 있습니다. 메뉴에서 자료관리/대표명화를 클릭하면 통일된 대표명화가 가능하고 PIAS2.0에서는 대표명화되지 않는 출원인으로 다시 내보내는 'Clear' 기능, 대표명 삭제 기능 등을 제공하고 있습니다.

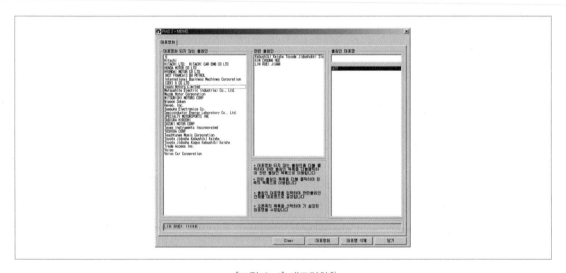

[그림 9-4] 대표명화[3]

PIAS2.0 이외에 WIPS에서 제공하는 ThinKlear 프로그램에서도 대표명화를 위한 툴을 제공합니다.

---

3) 특허청, 특허정보분석시스템 매뉴얼

05 정량분석 및 정성분석

정량분석은 특정 데이터 항목을 추출하여 테이블로 만든 후 도식화하는 과정입니다. 주로 출원연도, 출원인, 출원국, 기술분류 등의 필드(field)를 사용하여 관련 그래프를 작성하는데요, 테이블과 그래프의 작성은 흔히 쓰는 엑셀 등의 스프레드시트를 사용할 수 있습니다.

[그림 9-5]는 특허맵 작성 과정에 포함될 수 있는 정량분석 그래프의 예시로, 정량분석을 통해 기술별로 특허출원 수의 증감 정도를 파악할 수 있습니다.

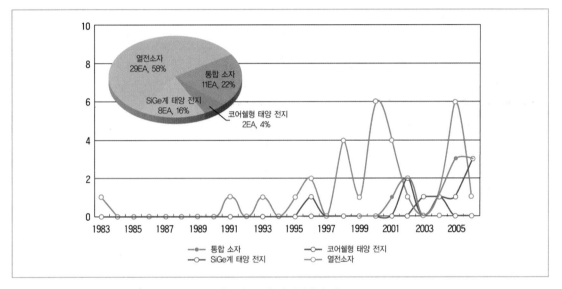

[그림 9-5] 정량분석의 예

정성분석은 개별 특허들을 그룹화하고 가공해 분석하는 것입니다. 예를 들어, 기술의 흐름을 체계화해 작성하는 기술발전도 등이 있습니다. 정성분석은 특허맵 작성 대상 기술에 대한 통찰력을 주기 때문에 정성분석의 품질은 특허맵의 완성도에 실질적으로 가장 큰 영향을 미칩니다.

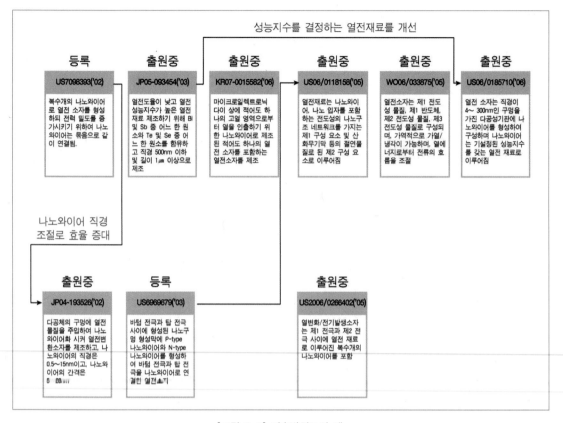

[그림 9-6] 기술발전도의 예

[그림 9-6]와 같은 경쟁 업체의 기술발전도를 작성하면 경쟁 업체가 시간이 흐름에 따라 어떤 부분에 초점을 맞춰서 기술을 개발하고 있는지와 앞으로 어떤 방향으로 기술을 개발할 것인지 등을 예측할 수 있습니다.

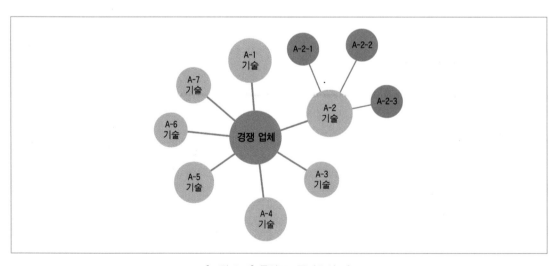

[그림 9-7] 특허포트폴리오의 예

또한 [그림 9-7]과 같은 특허포트폴리오 분석을 통해 경쟁 업체 등에서 특정 기술에 대한 특허들을 어떤 식으로 포진시켰는지 파악할 수 있으며, 특정 기술에 대한 특허들을 주제에 따라 세분화할 수 있습니다.

만약 경쟁 업체가 해당 기술에 대한 선도 업체이고 미래에 경쟁 업체와 특허 분쟁이 예상되는 경우라면, 특허포트폴리오 분석을 통해서 경쟁 업체의 출원 수가 적은 세부기술에 대한 특허출원에 집중하는 전략을 세울 수 있습니다. 예를 들어, [그림 9-7]에서 A-3 기술의 개발전망이 비교적 밝다면 경쟁 업체의 출원 수가 적으므로 이 부분에 출원을 집중해서 특허등록 가능성을 높이는 전략을 펼칠 수 있습니다.

06 특허맵의 종류

[표 9-1]은 특허맵의 종류를 나타낸 것입니다. 앞서 살펴본 기술발전도는 특허맵 중 하나인 것이죠.

[표 9-1] 특허맵의 종류와 그 개요[4]

특허맵의 명칭	개요
랭킹 맵 (ranking map)	기술요소 혹은 권리자·출원인마다의 출원 건수를 랭킹으로 나타내는 것이다.
점유 맵 (share map)	특허정보의 각 분야나 항목이 차지하는 비율, 즉 점유 비율에 따라서 특허 상황을 파악하는 것이 가능하다.
시계열 맵 (time series map)	출원 건수 등의 추이를 시간축상에 시계열적으로 나타낸 것이다.
레이더 맵 (radar map)	시계열분석의 결과를 별 모양이나 구름 형상 등으로 표현한 맵이다.
매트릭스 맵 (matrix map)	각 출원인과 각 기술 분류의 매트릭스 등, 2차원이나 3차원으로 복수의 특허정보를 데이터베이스화한 이른바 작전도(陣取圖)이다.
상관 맵 (co-relation map)	각 데이터 사이에 어떤 상관관계가 있는가를 분석하기 위해 이용된다. 일반적으로 분류상관 맵, 출원인상관 맵, 발명자상관 맵 및 키워드상관 맵 4개로 분류된다.
신규진입 맵 (new entry map)	시장에 신규로 참가하고 있는 기술 분류, 출원인, 발명자 등에 중점을 두어 신규 참여 실태를 파악하기 위해 이용된다.
기술발전 맵	기술의 흐름을 체계화해 작성하는 것이다.
요지 맵	특허의 서지정보와 함께 구체적 내용을 나타내는 요약 혹은 대표도면이 첨부되는 맵이다.
구성부위 맵	일러스트를 이용해 기술요소별 특허망을 나타내는 것으로 각각의 요소에 어떠한 특허가 출원되고 또는 권리화되어 있는지를 표시하는 맵이다.
뉴키워드 맵	특정 회사에 의해 개발된 독자 기술을 나타내도록 작성된 맵을 말한다.
클레임 맵	클레임(특허청구범위)을 동일 속성의 클레임 키워드 등으로 분류하여 자사 특허의 강약을 기계적으로 체크하기 위해 작성된 맵을 말한다.

4) 대한민국 정책브리핑, 중소기업 특허경영 매뉴얼, 2007

제3장 유효특허 추출 및 지식재산권의 확보 가능성 검토[5]

제3장
유효특허 추출 및 지식재산권의 확보 가능성 검토

키워드

유효특허 추출

핵심특허 추출

지식재산권 확보 가능성 검토

- **유효특허 추출**
  : 검색된 특허 중 특허맵 작성 대상 기술과 유사한 특허를 추출
  ↓
- **핵심특허 추출**
  : 유효특허 중, 연구개발 목표 기술이 침해할 가능성이 높은 특허를 추출
  ↓
- **지식재산권의 확보 가능성 검토**

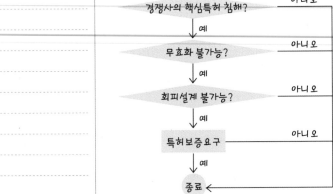

확인학습

* 유효특허란 무엇일까요?
* 핵심특허란 무엇일까요?
* 지식재산권의 확보 가능성을 검토하는 방법은 무엇이 있을까요?

---

5) 국가지식재산위원회, 연구자를 위한 알기 쉬운 지식재산 활용 지침서 개정판, 2021

01 유효특허 추출

유효특허 추출이란 검색식을 활용하여 검색된 특허 중 특허맵 작성 대상 기술과 유사한 특허를 추출하는 과정입니다. 검색식을 잘 작성한다 해도 검색 결과에는 노이즈가 포함되어 있을 수밖에 없습니다. 그러므로 노이즈 제거 기준을 만들어서 기준에 부합되지 않는 특허는 제거하여야 합니다.

노이즈 제거를 위해서는 키워드 검색, IPC 검색, 출원인 검색 등을 적절히 사용하여 노이즈 수를 최대한 줄이는 방법이 있습니다. 예를 들어, 뷰티와 관련된 유효특허를 추출하고자 하는데 검색된 어떤 특허의 IPC분류가 처리조작 및 운수에 해당한다면 그 기술은 노이즈에 해당할 확률이 매우 높습니다. 따라서 해당 IPC로 분류되는 특허를 삭제함으로써 노이즈를 제거할 수 있습니다.

사례

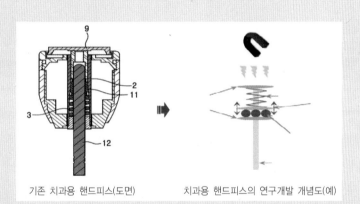

기존 치과용 핸드피스(도면)   치과용 핸드피스의 연구개발 개념도(예)

치과용 기계를 생산하는 A사의 강주석 연구원은 오른쪽 그림의 치과용 핸드피스를 특허맵 작성 대상 기술로 하여 특허맵을 작성하려고 합니다. 따라서 키워드를 버, 고정, 이탈, 방지 및 자성으로 하여 다음과 같이 검색식을 작성하였습니다.

구분	검색식 수정(예)
기본	버 and 고정 and 이탈 and 방지 and 자성
확장	((버 or 바 or 스틱 or 막대 or 핀 or 고정버 or 고정바 or 고정스틱 or 고정핀 or 록킹버 or 록킹바 or 록킹스틱 or 록킹핀 or 락킹버 or 락킹바 or 락킹스틱 or 락킹핀 or 잠금버 or 잠금바 or 잠금스틱 or 잠금핀) w/2 (고정* or 홀드 or 록* or 락* or 잠금*)) AND ((이탈 or 분리 or 록킹해제 or 락킹해제 or 해제 or 떨어*) w/2 (방지 or 없* or 않* or 간편* or 용이*)) AND (자석* | 자성* | 자기력* | 자력* | 마그넷* | 마그네* | 전자석* | 전자기*))

그러나 강주석 연구원의 예상과 달리, 치과용 장치보다는 차량용 장치 및 측정 장치에 관한 발명이 노이즈로 많이 포함되어 있었습니다. 이에 강주석 연구원은 치과용 장치 관련 분야에 한정하여 특허맵을 작성하기 위하여 노이즈 제거 기준으로 메인 IPC를 제한하기로 하였습니다. 강주석 연구원은 자신이 이용하는 특허검색 데이터베이스에서 위생학, 의학 또는 수의학과 관련된 메인 IPC가 'A61'에 해당함을 확인하였습니다.

따라서 강주석 연구원은 위 검색식에 더하여 메인 IPC를 A61로 제한하여 노이즈를 제거할 수 있었습니다.

만약 메인 IPC 검색으로도 노이즈 제거가 충분하지 않다면, A61 중 수의용 기구, 기계, 기구 또는 용법의 메인 IPC인 'A61D'로 IPC의 범위를 더욱 제한하여 검색식을 작성해 볼 수 있습니다.

유효특허는 검색식을 통해 검색된 특허검색뿐 아니라 관련 분야의 시장 동향이나 업계 동향이 분석된 주요 경쟁회사의 정보를 통해 추가적으로 선정할 수 있습니다. 따라서 유효특허임에도 노이즈로 제거되는 경우를 방지하기 위해서는 기업 환경 분석을 함께 병행하는 것이 효과적입니다.

02 핵심특허 추출 및 지식재산권의 확보 가능성

핵심특허는 유효특허 중 연구개발 목표 기술이 침해할 가능성이 높은 특허를 의미합니다. 특히 특정 기술을 사용하거나 특정 기술을 이용하여 제조하려는 사람은 연구개발 목표 기술을 사용함으로써 다른 특허를 침해할 가능성이 있는지에 관심이 많을 것입니다. 이를 장벽도가 높은 특허라고도 하는데, 핵심특허는 유효특허 중 장벽도가 '중' 등급 이상인 것을 대상으로 선정합니다.

[표 9-2] 유효특허의 장벽도 판단 방법

등급	장벽도
상	청구항의 구성요소가 연구개발 목표와 실질적으로 유사함
중	청구항의 구성요소 중 일부가 연구개발 목표(안)와 일치하지 않으나 균등침해의 해석 여지가 있음
하	청구항의 구성요소와 현재 연구개발 목표와 일치하지 않음

유효특허 또는 핵심특허를 선정하였다면 무효조사, 회피설계 등을 통해서 지식재산권의 확보 가능성을 판단하여야 합니다.

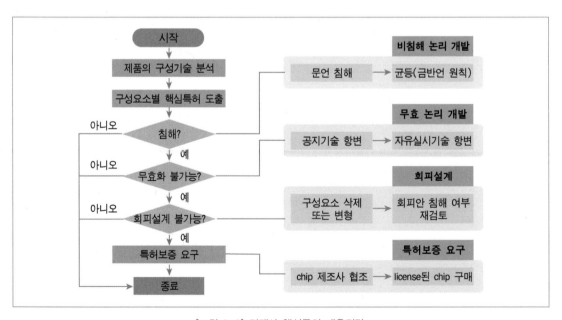

[그림 9-8] 경쟁사 핵심특허 대응전략

먼저, 경쟁사의 핵심특허 침해 여부를 판단하여야 합니다.

만약 대상 기술이 경쟁사의 특허권을 침해한다면 그 특허권을 무효화할 가능성이 있는지 검토하여야 합니다. 이로써 사업을 시작하기 전에 특허 분쟁이 일어날 만한 경쟁사의 권리를 소멸시켜서 분쟁을 미리 예방할 수 있습니다.

만약 대상 기술이 경쟁사의 핵심특허를 침해하고, 경쟁사의 핵심특허를 무효화할 가능성도 낮다면, 경쟁사의 핵심특허를 회피할 수 있도록 대상 기술을 설계하여야 합니다. 만약 회피설계까지 불가능하다면 사업에 활용하려는 기술의 수정이 불가피할 것입니다.

이와 같은 과정을 통해 목표 대상 기술을 활용할 수 있는지 파악하는 것을 넘어 미래의 지식재산권 확보 가능성에 대해서도 판단할 수 있습니다. 그리고 관련 기술분야의 동향을 전체적으로 파악하여 자체적인 성과를 보호할 수 있는 방안도 미리 수립할 수 있습니다.

이에 따라 공백으로 파악된 기술은 자유롭게 사용하여 수익을 창출하거나 독점적인 권리로 등록받을 수 있고, 경쟁사의 것으로 파악된 기술은 기술이전계약 등을 통해서 계약 범위 이내에서 사업에 필요한 수준에서 활용할 수 있습니다.

학습평가

01 특허맵은 조사대상기술의 출원인이 거주하는 지역을 나타낸 지도(map)다. ○ ×

02 특허맵의 분석은 개별 특허내용을 분석하는 방법으로만 이루어진다. ○ ×

03 자신의 기술을 출원하려는 자도 출원 전 등록 가능성을 판단하기 위하여 특허맵을 활용할 수 있다.
○ ×

04 기술분류표는 테크트리라고도 한다. ○ ×

05 정량분석 및 정성분석은 특허맵 작성 과정의 마지막 단계이다. ○ ×

06 특허맵의 종류는 기술발전 맵 한 가지이다. ○ ×

07 유효특허란 검색식을 이용하여 검색된 특허 중 특허맵 작성 대상 기술과 유사한 특허를 의미한다.
○ ×

08 핵심특허란 검색식을 이용하여 검색된 특허 중 유효특허를 제외한 특허를 의미한다. ○ ×

09 확보하려는 지식재산권이 경쟁사의 핵심특허를 침해하는지 판단하여야 한다. ☐ ◯ ☐ ✕

10 침해 가능성이 있는 경쟁사의 핵심특허를 무효화시킬 수 없다고 판단된다면, 특허보증을 요구하여야만 한다. ☐ ◯ ☐ ✕

해설

01 특허맵은 조사 대상 기술에 대하여 200~6,000건 정도의 관련 특허문헌들을 조사하는 특허조사의 한 종류입니다.

02 특허맵의 분석은 개별적인 특허기술의 내용을 분석하는 것뿐만 아니라 특허정보를 덩어리(군, 群)로 파악하여 1군의 특허정보를 분석하는 방법도 있습니다.

03 등록 가능성을 알고 싶은 출원인도 특허맵을 유용하게 활용할 수 있습니다.

04 기술분류표는 특허맵 작성 대상 기술을 세분화한 것으로, 테크트리(tech-tree)라고도 합니다.

05 특허맵의 작성은 크게 기술분류표 작성, 검색식 작성, 데이터 추출 및 노이즈 제거, 출원인 대표명화, 정량분석 및 정성분석의 순서로 이루어집니다.

06 특허맵의 종류는 랭킹 맵, 점유 맵, 시계열 맵, 레이더 맵, 매트릭스 맵, 상관 맵, 신규진입 맵, 기술발전 맵, 요지 맵, 구성부위 맵, 뉴키워드 맵, 클레임 맵 등 매우 다양합니다.

07 유효특허란 검색식을 이용하여 검색된 특허 중 특허맵 작성 대상 기술과 유사한 특허를 의미합니다.

08 핵심특허란 유효특허 중 연구개발 목표 기술이 침해할 가능성이 높은 특허를 의미합니다.

09 지식재산권의 확보 가능성 검토의 첫 번째 단계로 경쟁사의 핵심특허 침해 여부를 판단하여야 합니다.

10 특허보증을 요구하기 전에 회피설계 가능성이 있는지 먼저 판단하는 것이 좋습니다.

정답

1. X 2. X 3. ◯ 4. ◯ 5. ◯ 6. X 7. ◯ 8. X 9. ◯ 10. X

어떤 영업장에서 사용하던 영업방식이나 기술이 일정 요건을 만족하면 영업비밀로 인정되고, 이 영업비밀은 관련 법에 의하여 보호받을 수 있습니다. 또한, 영업장에서 종업원 등이 자신의 직무로 발명을 하는 경우 등 일정 요건을 만족하면 직무발명으로 인정되고, 이 직무발명도 관련 법에 따라 각자의 권리의무가 정해집니다.

사례 ⟩ 발명자가 발명을 사용하는 것도 영업비밀의 침해?!

A 씨는 B 회사의 발명 X를 창작한 발명자이고, 발명 X는 '갭 조절수단, 감속기, 스토퍼' 등을 그 구성으로 포함하고 있는 발명입니다. 한편, B 회사의 영업비밀 Y에는 발명 X의 이러한 구성과 관련하여 최적의 작용효과를 도출하기 위한 구체적인 수치, 모양, 배치, 설계 및 작동의 노하우(know-how) 등 영업활동에 유용한 기술정보가 포함되어 있습니다. 이때 A 씨가 발명 X의 발명자라고 하더라도 영업비밀 Y에 관한 권리까지 갖는 것은 아닙니다. 또한, 비록 발명 X가 특허출원되어 공지된다고 하더라도 영업비밀 Y의 구체적인 기술적 내용까지 함께 공지되는 것은 아닙니다.

따라서 A 씨가 발명 X에 관한 영업비밀 Y를 무단으로 사용하거나 공개한 행위는 B 회사의 영업비밀을 침해한 행위에 해당합니다.

- 서울고등법원 2015. 11. 27. 선고 2014나12203 참조
_____

이 사례는 실제 사례를 요약한 것으로, 법원이 발명자 A 씨가 회사의 영업비밀 Y를 침해한 것으로 판단한 사례입니다. A씨는 단순히 자신이 발명 X의 발명자이고, 영업비밀 Y는 발명 X에 관한 것이므로 이를 사용하거나 공개하는 행위가 영업비밀을 침해하는 행위라고 판단하지 못하였을 수 있습니다.

제10편

영업비밀과
직무발명

영업비밀의 의미와 영업비밀의 침해, 그리고 영업비밀을 보호할 수 있는 제도를 알아본다. 직무발명으로 인정되기 위한 요건과 직무발명으로 인정되는 경우 회사와 종업원 사이에 어떤 권리의무가 있는지를 알아본다.

제1장에서는 신지식재산권의 영업비밀에 대해 알아보고 제2장에서는 직무발명 제도에 대해 알아본다.

제1장 영업비밀

제1장
영업비밀

키워드

영업비밀

영업비밀 성립요건

침해의 유형

침해의 구제수단

• **영업비밀**
  - ① 세상에 널리 '알려져 있지 ✗'
  - ② '경제적' 가치 ○
  - ③ 노력에 의해 '비밀'로 유지
  - ④ 영업에 유용한 기술적 '정보'

  만족 시 영업비밀 성립!

비교	특허권	VS	영업비밀
공개?	공개		비공개
성격	독점·배타 ○		독점·배타 ✗
보호 대상	발명		①②③④
보호 기간	출원일~20년		비밀로 유지·관리기간
보호 방법	특허법상 민/형		(계약, 부경법, 산업기술보호법)민/형

• **침해의 유형**
  - ①: 부정취득 or 부정취득하여 사용/공개
  - ②: 알면서/중대한 실수로 모르고 ①
  - ③: 부정취득 후에 ① or ②
  - ④: 비밀유지의무人이 부정한 목적의 사용/공개
  - ⑤: ④ 사실을 알면서/중대한 실수로 모르고 취득/사용/공개
  - ⑥: 영업비밀 취득 후 ⑤

구제?

민사상
형사상
계약상

침해분쟁의 예방

확인학습

* 영업비밀이란 무엇일까요?

* 영업비밀의 성립요건은 무엇일까요?

* 특허권과의 차이는 무엇일까요?

* 영업비밀 침해의 유형은 무엇일까요?

* 영업비밀 침해의 구제수단에는 어떤 것이 있을까요?

01 영업비밀의 의미

영업비밀

영업비밀은 단어가 주는 의미대로 영업에 관한 비밀입니다. 영업이란 제품이나 서비스를 팔기 위한 활동을 하는 직무를 뜻합니다. 즉, 영업비밀은 제품이나 서비스를 팔기 위한 활동에 관련된 비밀이라고 이해할 수 있습니다. 영업비밀이 관련 법의 보호를 받기 위해서는 일정 요건을 만족하여야 합니다.

이에 관한 법조항을 살펴보면, "영업비밀"이란 공연히 알려져 있지 않고 독립된 경제적 가치를 가지는 것으로 상당한 노력에 의하여 비밀로 유지된 영업활동에 유용한 기술상 또는 영업상의 정보를 말합니다. 간단히 말해서 가치 있는 영업상 정보가 비밀로 유지되고 있으면 영업비밀에 해당할 수 있습니다.

> **Tip**
>
> **영업비밀로 성립하기 위한 요건**
> ① 비공지성 : 공공연히 알려져 있지 아니함
> ② 경제적 유용성 : 독립된 경제적 가치를 가짐
> ③ 비밀유지성 : 상당한 노력에 의하여 비밀로 유지됨
> ④ 정보성 : 영업 활동에 유용한 기술상 또는 경영상의 정보

(1) 비공지성

영업비밀은 정보를 보유하고 있는 사람을 통해서만 영업비밀을 입수할 수 있는 상태여야 합니다. 만약 국내에서 비밀로 유지되고 있다 하더라도 해외에서 공개되었거나 사용된 정보는 공개된 것으로 간주되어 영업비밀에 해당하지 않습니다.

(2) 경제적 유용성

영업비밀로 인정되기 위해서는 정보를 보유하고 있는 사람이 그 정보를 통해 경쟁회사 등에 대해서 이익을 얻을 수 있거나, 그 정보의 취득·개발을 위해서 일정 이상의 노력을 필요로 한다는 점이 인정되어야 합니다.

(3) 비밀유지성

영업비밀은 그 정보가 비밀이라고 인식할 수 있는 표시 등을 해서 그 정보에 접근할 수 있는 사람 또는 접근 방법을 제한하거나, 정보에 접근한 사람에게 비밀유지의무를 부과하는 등의 방법을 통해서 비밀로 유지·관리되고 있다는 것을 인식할 수 있어야 합니다.

(4) 정보성

영업비밀은 생산 방법, 판매 방법, 기타 영업 활동에 유용한 기술상 또는 경영상의 정보여야 합니다. 시각적으로 관찰할 수 있거나 물품과 같이 구체화된 유형적인 정보뿐만 아니라 기능이나 작용과 같은 무형적인 정보도 포함됩니다.

영업비밀의 장단점

영업비밀은 특허법상의 보호가 불가능하고 영업비밀보호법으로 보호받기 위한 조건이 비교적 엄격하므로 영업비밀이 유출된 경우 법적 보호가 어려울 수 있습니다. 또한 발명을 공개하지 않으면 발명의 이용을 도모할 수 없어 산업발전에 이바지할 수 없다는 점에서 공익적인 측면의 단점도 있습니다.

그러나 영업비밀은 비밀로 유지되기 때문에 유출되지 않는 한 자신만의 기술로 간직할 수 있어 타사가 쉽게 베낄 수 없다는 장점이 있습니다. 또한 특허와 달리 별도의 출원 절차가 없고 권리화에 비용이 들지 않습니다.

특허권과의 비교

[표 10-1]을 통해 특허권과의 차이점을 구체적으로 알아봅시다.

[표 10-1] 특허와 영업비밀의 비교

구분	특허	영업비밀
공개 여부	공개 원칙	비공개 원칙
성격	독점·배타성	독점·배타성 없음
보호 대상	발명(자연법칙을 이용한 기술적 사상의 창작으로서 고도한 것)	공공연히 알려져 있지 않으며 독립된 경제적 가치를 지니는 것으로서, 비밀로 관리된 기술상 또는 경영상의 정보
보호 기간	출원일로부터 20년간	비밀로 유지되고 관리되는 동안
보호 방법	특허법상 민형사상 조치	계약에 의한 보호(부정경쟁방지 및 영업비밀보호에 관한 법률, 산업기술의 유출방지 및 보호에 관한 법률)
장점	특허권 존속기간 동안 독점·배타적으로 행사할 수 있고 침해자에 대해 민사적·형사적으로 강력한 구제수단을 확보할 수 있음	비밀로 유지하는 한 기간 제한 없이 법적 보호를 받을 수 있으며, 특허권으로 보호받기 어려운 기술적 정보나 비밀로 간직하고 있는 관리 비결 등 경영정보 및 영업상의 아이디어 등도 보호 가능

[표 10-1]을 통해 특허와 영업비밀은 각각의 장점과 단점이 확연히 다르다는 것을 알 수 있습니다. 따라서 자신이 발명한 기술적 사상의 창작을 어떤 방식으로 보호받을 것인지는 개별적인 사정에 따라 판단하는 것이 좋습니다.

Tip

영업비밀 vs 특허, 어떤 방법으로 보호받을까?

- 영업비밀로 보호받는 것을 추천!
  - 타사의 독자개발이 어려운 기술
  - 타사가 역설계로 발견하기 어려운 기술

- 특허로 보호받는 것을 추천!
  - 기술적 진보가 큰 기술
  - 분해 등으로 역설계가 비교적 쉬운 기술
  - 외부에 생산 현장을 보여줄 필요가 있는 기업
  - 인력의 이동이 잦은 기업

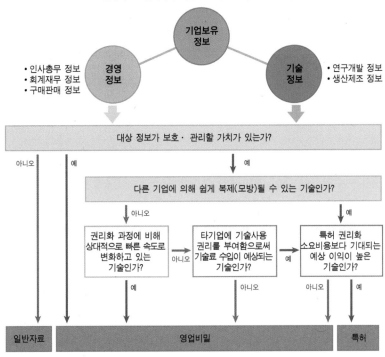

[그림 10-1] 기업 보유정보 보호수단 선택 프로세스[1]

---

1) 특허청·한국지식재산보호원, 기술보호의 초석 영업비밀 보호제도, 2019

02 영업비밀과 기술 유출

사례 국내 조선 업체 선박 기술의 해외 유출 우려

OO조선해양의 선박 조립 관련 기술이 해외로 유출되고 있는 정황이 포착돼 관계 기관이 조사에 나섰습니다. 이 같은 사실은 최근 XX사의 OO조선해양 인수과정에서 드러난 것으로 파악되었습니다. 업계에 따르면 유출된 기술은 선박 저장 시설 조립 관련 기술로 유출 경로는 관련 업체 관계자가 휴대전화 등으로 설비 공정 등을 촬영해 해외 업체에 전달한 것으로 의심되고 있습니다. 관계 기관들은 이 자료가 현재 중국 측 조선 업계에 최종 전달된 것으로 추정하고 있습니다.

관련 수사 기관은 목격자 등을 상대로 유출 기술과 의심 정황 등에 대한 수사를 진행한 것으로 알려졌습니다. 조사 과정에서 촬영 의심자는 OO조선해양의 협력 업체 임직원들인 것으로 추정되고 있으며, 관련 기술은 프랑스 등이 가지고 있는 원천 기술을 실제 선박 저장 시설 조립 등에 적용하는 '한국의 독자적인 기술'로 중국 후발 업체들과의 '핵심 격차 기술' 중 하나로 전해졌습니다.

특히 최근 수년간 진행된 OO조선해양의 기업 인수합병 과정에서 '유사 사례가 잇따르고 있는 것으로 보고 관련 조사 확대를 검토 중입니다. 정부와 관련 업계는 최근 기술인력의 지속적인 이탈과 전직으로 도덕적 해이와 보안경계 소홀 등을 틈타 국가 기간 산업에서의 기술 빼돌리기 등 국부 유출이 없는지 심각하게 우려하고 있습니다.

드라마나 영화에서는 주인공에 대한 개인적인 감정으로, 또는 회사에 복수하기 위하여 회사의 기술을 유출하는 사례를 종종 볼 수 있습니다. 기술력은 한 회사의 존폐와 국가 발전에 막대한 영향을 미치고 있는 만큼, 기술의 중요성에 따라 기술 유출에 따른 피해는 그 규모가 매우 클 수도 있습니다. 따라서 이 사례와 같이, 기업과 정부는 영업비밀의 유출로 인한 피해를 막기 위하여 다방면으로 노력하고 있습니다.

다음에서는 기술 유출을 포함한 영업비밀 침해행위의 유형을 알아봅시다.

03 영업비밀 침해행위의 유형

관련 법에는 영업비밀을 침해하는 행위가 크게 여섯 가지로 규정되어 있습니다.

① 절취, 기망, 협박 기타 부정한 수단으로 영업비밀을 취득하는 행위(부정취득행위) 또는 그 취득한 영업비밀을 사용하거나 공개(비밀을 유지하면서 특정인에게 알리는 것 포함)하는 행위

영업비밀을 '부정으로 취득'하여 이를 사용, 공개하는 것도 영업비밀 침해행위이지만 영업비밀을 부정으로 취득한 것만으로도 침해행위로 인정됩니다. 즉, 영업비밀을 부정으로 취득하여 소지하고 있는 것만으로도 침해행위에 해당합니다.

기업이 다른 업체의 영업비밀에 해당하는 기술정보를 습득한 사람을 스카웃하였다면 그 회사는 특별한 사정이 없는 한 해당 영업비밀을 취득하였다고 보아야 합니다.[2]

사례 취득한 영업비밀을 사용하지 않아도 부정취득만으로 침해?[3]

A 회사는 국내 업체들이 개발한 모바일콘텐츠를 해외에 판매하는 사업을 하는 회사입니다. A 회사의 해외 마케팅 팀장인 B 씨는 수출을 위한 시장조사, 해외바이어 발굴, 상담 및 고객관리, 수출계약 진행 및 계약서 작성 업무를 수행해 왔습니다. A 회사는 C 회사의 모바일게임을 A 회사가 해외에 판매하는 사업제휴계약을 모바일게임 개발 업체인 C 회사와 체결한 바 있습니다.

그러던 중 B 씨는 A 회사를 사직하고 C 회사로 이직하겠다는 의사를 밝혔고, 다음 날 사무실에 들어가 자신이 사용하던 컴퓨터에 저장되어 있던 문서파일인 'Mobile게임사업제안서', 'X 회사에 대한 사업실행 계획서', 'Mobile Content Inquiry 현황', '중국 Y 회사와의 핸드폰게임 수출계약서' 등의 문서를 CD 3장에 복사한 후 가지고 나왔습니다.

B 씨는 C 회사로 이직을 한 후 모바일게임을 수출하는 업무를 담당하였는데, C 회사로부터 지급받은 노트북컴퓨터에 이 CD에 들어있는 문서들을 그대로 복사하여 보관하였습니다.

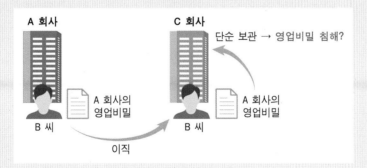

법원은 이 사건에서 영업비밀 부정취득행위의 경우 그 취득한 영업비밀을 실제 사용하였는지 여부에 관계 없이 부정취득행위 그 자체만으로 영업비밀의 경제적 가치를 손상시킴으로써 영업비밀 보유자의 영업이익을 침해하여 손해를 입힌다고 판단하였습니다.

---

2) 대법원 1996. 12. 23. 선고, 96다16605
3) 특허청·영업비밀보호센터, 꼭 알아야 할 영업비밀 핵심판례, 2012

② 영업비밀에 대하여 부정취득행위가 개입된 사실을 알거나 중대한 과실로 알지 못하고 그 영업
　 비밀을 취득하는 행위 또는 그 취득한 영업비밀을 사용하거나 공개하는 행위

영업비밀이 부정으로 취득된 것을 '알거나 자신의 중대한 잘못으로 알지 못하고' 그 영업비밀을 취득, 사용 또는 공개하는 행위는 영업비밀 침해행위로 인정됩니다.

③ 영업비밀을 취득한 후에 그 영업비밀에 대하여 부정취득행위가 개입된 사실을 알거나 중대한
　 과실로 알지 못하고 그 영업비밀을 사용하거나 공개하는 행위

부정취득행위가 있었다는 것을 '영업비밀 취득 후에' 알게 되었다면 그때부터는 영업비밀을 사용하거나 공개하지 않아야 합니다. 그렇지 않으면 영업비밀 침해행위로 인정됩니다.

④ 계약관계 등에 따라 영업비밀을 비밀로서 유지하여야 할 의무가 있는 자가 부정한 이익을 얻거나
　 그 영업비밀의 보유자에게 손해를 입힐 목적으로 그 영업비밀을 사용하거나 공개하는 행위

비밀유지의무가 있는 사람이 '이익을 얻거나 영업비밀 보유자에게 손해를 입히기 위해' 그 영업비밀을 사용, 공개하는 것은 영업비밀 침해행위에 해당합니다.

⑤ 영업비밀이 ④에 따라 공개된 사실 또는 그러한 공개행위가 개입된 사실을 '알거나 중대한 과
　 실로 알지 못하고' 그 영업비밀을 취득하는 행위 또는 그 취득한 영업비밀을 사용하거나 공개
　 하는 행위

④의 침해행위에 따라 영업비밀이 공개된 사실을 알면서, 또는 자신의 중대한 잘못으로 알지 못하고 그 영업비밀을 취득, 사용 또는 공개하는 행위는 영업비밀 침해행위에 해당합니다.

⑥ 영업비밀을 취득한 후에 그 영업비밀이 ④에 따라 공개된 사실 또는 그러한 공개행위가 개입된
　 사실을 알거나 중대한 과실로 알지 못하고 그 영업비밀을 사용하거나 공개하는 행위

③의 침해행위와 비슷하게, ④의 침해행위가 있었다는 것을 '영업비밀 취득 후에' 알게 되었다면 그때부터는 영업비밀을 사용하거나 공개하지 않아야 합니다. 그렇지 않으면 영업비밀 침해행위로 인정됩니다.

04 영업비밀 침해의 구제수단

영업비밀로 인정되는 정보에 대해서 영업비밀 침해행위가 일어났다면, 어떤 방식으로 구제받을 수 있을까요?

민사적 구제

피해를 입은 당사자는 침해행위를 한 사람이나 침해행위가 있을 우려가 있는 행위를 한 사람에게 침해행위를 금지하도록 하는 조치나, 예방에 필요한 조치를 청구할 수 있습니다.

또한 침해행위로 인하여 손해가 발생하였다면 손해에 대한 배상액을 산정하여 청구할 수 있습니다. 만약 침해행위로 인하여 영업상 신뢰, 신용에 피해가 발생하였다면 신용을 회복하기 위한 조치나 손해배상액을 청구할 수도 있습니다.

형사적 구제

부정한 이익을 얻으려 하거나 피해 당사자에게 손해를 입히기 위해서 영업비밀 침해행위를 한 경우에는 형사적으로 처벌받을 수 있습니다.

먼저, 국내의 영업비밀에 대하여 국내에서 취득, 사용하거나 잘못된 목적으로 다른 사람에게 누설한 사람은 5년 이하의 징역이나 5천만 원 이하의 벌금형에 처해집니다. 만약 해외에서, 국내에서 영업비밀이 사용될 것을 알고도 영업비밀을 취득, 사용 또는 제3자에게 누설하는 사람은 10년 이하의 징역이나 1억 원 이하의 벌금형에 처해집니다.

그럼에도 불구하고 영업비밀을 사용하거나 누설해서 얻은 이익이 벌금보다 많아서는 안 되겠죠? 따라서 벌금형에 처해지는 사람이 영업비밀 침해행위로 인해서 얻은 이익의 10배에 해당하는 금액이 1억 원을 넘는다면 그 이익의 2배에서 10배 사이의 벌금으로 계산해서 처벌받게 됩니다.

계약상 구제

만약 영업비밀 침해행위가 일어날 것에 대비하여 회사와 종업원, 개인과 개인 간에 별도의 계약을 맺은 사실이 있다면 그 계약에 따라서도 구제받을 수 있습니다.

영업비밀 침해 분쟁의 예방

구조조정을 앞둔 기업의 경우에는 큰 규모의 인력 이동이 예상되기 때문에 미리 예방책을 만들 필요가 있습니다. 예를 들어, 회사의 전산 시스템을 미리 통제하는 방법, 사내 보안에 관한 규정을 보완하는 방법, 종업원을 대상으로 보안 관련 교육을 하거나 영업비밀 침해와 관련된 새로운 계약을 맺는 방법 등이 있습니다.

또한 기업뿐만이 아니라 개인으로서도 분쟁에 휘말리지 않도록 예방이 필요합니다. 단순히 퇴사 후 동종 업계로 이직하였을 뿐인데도 영업비밀을 침해하였다고 문제제기를 당할 수 있기 때문이죠. 따라서 퇴사 전에 자료 유출이 없었다는 점을 관련 서류에 명확히 해 두는 등의 개인적인 노력이 함께 이루어져야 할 것입니다.

제2장 직무발명 제도

제2장
직무발명 제도

키워드

직무발명 성립요건

제도 도입 시 효과

종업원/사용자 권리의무

직무발명의 보상

직무발명 ─┬─ ① 종업원 등이 그 직무에 관해
├─ ② 사용자 등의 업무범위 내
└─ ③ 종업원 등의 현재 or 과거 직무에 속함

도입 시 ─┬─ 효과 ─┬─ 종업원: 완성 시 즉시 통지
│   └─ 사용자: 권리 승계 여부 안내(if 기간 내 미안내 시 자동 '포기')
│
└─ 권리의무 ─

종업원	VS	사용자
권리 for 특허		권리 for 통상실시권(무상)
권리 for 보상		권리 for 예약승계
의무 of 완성통지		의무 of 승계통지
의무 of 비밀유지		의무 of 보상

보상

출원유보보상금 ◄──[×] 출원 [○]──► 출원보상금

↓

등록 ──► 등록보상금

↙ ↘

실시보상금 ◄── 실시 처분 ──► 처분보상금

↖ ↗

권리만료

확인학습

* 직무발명이 성립하기 위한 요건에는 어떤 것이 있을까요?
* 직무발명 제도 도입 시 효과와 그 권리의무는 어떻게 될까요?
* 직무발명 보상금의 종류에는 무엇이 있을까요?

2014년 방영된 tvN의 드라마, 〈미생〉을 아시나요? 〈미생〉은 주인공 장그래가 원 인터내셔널에 신입사원으로 취직하여 겪는 직장인의 삶과 애환을 그린 드라마입니다. 방영된 지 몇 년이 흘렀지만, 아직도 신입사원들의 필수 드라마로 꼽히는 작품이죠.

만약, 장그래가 원 인터내셔널에서 자신의 직무를 수행하다가 회사에 도움이 되는 영업상 발명을 한 경우, 그 발명은 종업원인 장그래가 수행한 발명이므로 장그래의 발명일까요? 아니면 원 인터내셔널의 직무로써 한 발명이므로 원 인터내셔널의 발명일까요? 그 답은 장그래가 한 발명이 직무발명에 해당하는지 여부에 달려 있습니다.

직무발명 제도는 직무발명을 한 종업원에게는 정당한 보상을 하여 발명자의 연구의욕을 고취시키고, 종업원의 우수한 발명을 권리화해서 회사에는 이익을 증대시키는 선순환 구조를 마련하기 위한 제도입니다.

제2장에서는 직무발명이 성립하기 위한 요건과, 직무발명이 성립한 경우에 사용자인 원 인터내셔널과 종업원인 장그래가 서로 어떤 권리의무를 가지는지에 대하여 알아봅시다.

01 직무발명의 정의

직무발명은 종업원 등이 그 직무에 관하여 발명한 것이 사용자의 업무범위에 속하고, 발명행위가 종업원 등의 현재 또는 과거의 직무에 속하는 발명입니다. 즉, 종업원이 회사일로써 한 발명을 의미합니다. 만약, 회사의 업무범위에 속하지 않는다거나 종업원의 직무에 속하지 않는 경우 직무발명에 해당하지 않습니다. 대신 이를 '자유발명'이라고 합니다.

다음에서 직무발명의 각 요건에 대하여 자세히 살펴보도록 합시다.

종업원 등이 그 직무에 관하여 한 발명일 것

종업원 등이란, 고용계약에 의해서 다른 사람의 사업에 종사하는 사람을 의미합니다. 예를 들어, 종업원, 법인의 임원, 공무원 등이 있습니다. 임시 고용자라 하더라도 사용자의 실질적인 감독 아래에 있다면 상근직, 비상근직을 불문하고 종업원에 해당합니다.
직무란 종업원 등이 담당하고 있는 일을 의미합니다.

발명의 성질상 사용자 등의 업무범위에 속할 것

사용자 등은 타인을 고용하는 자로 사람과 법인을 모두 포함합니다. 법인은 일반 회사뿐만 아니라 국가나 지방자치단체도 포함됩니다.

업무범위는 사용자 등이 수행하는 사업의 범위입니다. 법인인 경우에는 사업의 목적을 달성하기 위한 부수적인 사업까지 포함됩니다.

발명을 하게 된 행위가 종업원 등의 현재 또는 과거의 직무에 속할 것

발명을 하게 된 행위란, 발명을 의도하고 했는지에 상관없이 종업원이 자신의 직무와 관련하여 이루어진 발명행위를 의미합니다. 이때, 자신의 직무에는 현재의 직무는 물론이고 과거의 직무도 포함됩니다. 하지만 퇴직 후에 완성된 발명은 원칙적으로는 자유발명으로 직무발명에 해당하지 않습니다.

02 직무발명 제도의 절차

직무발명 제도란 종업원이 개발한 직무발명을 기업이 승계·소유하도록 하고, 종업원에게는 직무발명에 대한 정당한 보상을 해 주는 제도를 말합니다.

직무발명에 대한 보상에 대해서는 발명진흥법 제15조 1항에 "종업원 등은 직무발명에 대하여 특허 등을 받을 수 있는 권리나 특허권 등을 계약이나 근무규정에 따라 사용자 등에게 승계하게 하거나 전용실시권을 설정한 경우에는 정당한 보상을 받을 권리를 가진다."라고 규정되어 있습니다.

즉, 직무발명 제도는 발명을 창출할 수 있는 기반인 연구개발(R&D) 투자와 시설 등을 제공한 사용자 등과 창조적인 노력으로 발명을 완성한 종업원 등 간의 이익을 합리적으로 조정하게 함으로서, 사용자(기업)는 기술축적과 이윤창출로 인한 기업 성장의 원동력을 확보하고, 종업원에게는 기술개발 의욕을 제고할 수 있도록 하여, 산업의 기술 경쟁력을 높이고 나아가 국가경제 발전에 이바지할 수 있게 합니다.

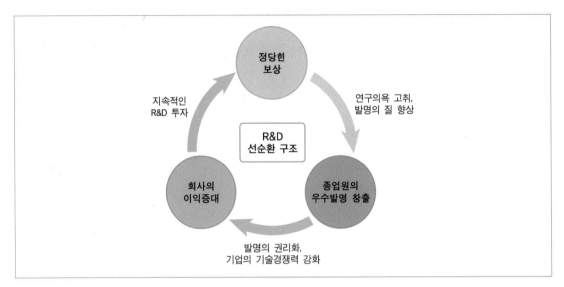

[그림 10-2] 합리적 이익 조정을 위한 직무발명 제도

직무발명 신고·승계 절차

종업원 등이 직무발명을 완성한 경우 지체 없이 그 사실을 사용자에게 문서로 통지하여야 하고, 사용자가 그 직무발명을 출원할 때까지 그 발명에 관한 비밀을 유지해야 할 의무가 있습니다.

사용자는 종업원의 발명 완성사실통지 4개월 이내에 그 발명에 대한 권리 승계 여부를 결정하여 종업원 등에게 문서로 알려야 하며, 승계한 경우 종업원에게 정당한 보상을 해야 할 의무를 부담하게 됩니다. 승계할 것을 알린 경우 그때부터 사용자 등에게 발명에 대한 권리가 승계된 것으로 보고, 만약 정해진 기간 안에 사용자 등이 승계 여부를 알리지 않은 경우에는 권리의 승계를 포기한 것으로 봅니다.

[그림 10-3] 직무발명 승계 절차

직무발명에 대한 권리는 원시적으로 발명자인 종업원에게 귀속됩니다. 그러나 일반적으로 사용자 등에게 직무발명에 관한 근무규정을 마련하였거나 별도의 계약이 있는 경우에는 사용자 등에게 귀속될 수 있습니다.

종업원의 권리와 의무

만약 종업원 등의 직무발명이 성립하였다면 [표 10-2]와 같은 권리와 의무가 종업원 등과 사용자 등에 각각 발생합니다.

[표 10-2] 직무발명에 따른 권리와 의무

구분	권리	의무
종업원	• 발명자 게재 권리 • 보상을 받을 권리	• 직무발명 완성사실 통지의무 • 비밀유지의무
사용자 (기업)	• 법정통상실시권 • 예약승계를 통한 권리 취득 • 특허권 포기 및 정정심판 청구 시 동의할 수 있는 권리	• 직무발명에 대한 승계 여부 통지의무 • 정당한 보상을 할 의무

03 직무발명과 보상

이원화된 보상체계

첫째, 계약 또는 근무규정에서 직무발명에 대한 보상에 대하여 정하고 있는 경우에는, 그 정한 바에 따라 사용자와 종업원이 협의하여 결정한 보상이 합리적 절차에 의한 것으로 인정되면 이를 정당한 보상으로 인정합니다. 즉, 직무발명에 대한 합리적인 보상규정을 두고 있다면 그에 따라 보상할 수 있습니다.

둘째, 계약이나 근무규정에서 직무발명에 대한 보상을 정하고 있지 않거나, 정하고 있어도 정당한 보상으로 볼 수 없는 경우에는 보상액을 별도로 결정합니다. 보상액을 결정할 때에는 발명에 의해 사용자 등이 얻을 이익과 발명의 완성에 사용자 및 종업원 등이 기여한 정도를 고려합니다.

그림 [10-4]는 직무발명 제도의 보상금을 나타낸 것입니다.

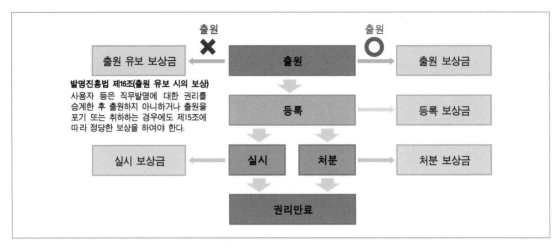

[그림 10-4] 직무발명제도 보상금[4]

> ### 사례 ▶ 약 18억 원을 직무발명 보상금으로 인정한 사례[5]
>
> 원고 A는 피고회사 B에 2007년 입사하여 2014년 퇴사하였습니다. 당시 B사의 팀에서 팀원 X와 공동으로 직무발명을 수행하였던 A는 B사에 직무발명 보상금을 요구하였습니다.
>
> 서울중앙법원은 B사의 완성품에 들어가는 A와 X의 직무발명에 의한 제품이 80%의 기여도를 가진다고 판단하였고 그로 인한 이익률 또한 적지 않다고 판단하였습니다. 또한 A의 발명자로서의 기여도를 산정함에 있어 직무발명의 기술분야가 대규모 투자를 통한 생산 공장과 설비가 필요한 분야이고, 해당 기술분야에서 피고가 갖춘 물적·인적 자원에 기초한 것으로 보이므로 발명자들(A와 X)의 기여도는 10%라고 판단하였습니다. 또한 직무발명을 신고할 당시 A와 X의 지분율이 각각 30%와 70%로 기재되어 있는 점을 고려하여 30%를 그대로 인정하였습니다. 이와 같은 보상액 산정에 따라 약 18억 2천만 원에 달하는 금액을 직무발명 보상금액으로 인정하였습니다.

---

4) 한국발명진흥회, 직무발명제도 홈페이지(http://www.kipa.org/ip-job/index.jsp)
5) 서울중앙지법 2018. 10. 26. 선고 2017가합500551

04 직무발명보상 우수기업 인증제

특허청과 한국발명진흥회는 직무발명보상규정의 도입 촉진과 발명자에 대한 정당한 보상을 통해 창조적인 기술개발 유도 및 기업 경쟁력을 강화하기 위해 직무발명보상을 모범적으로 실시하는 중소·중견기업을 대상으로 '직무발명보상 우수기업 인증제'를 시행하고 있습니다.

[그림 10-5] 직무발명보상 우수기업 인증 절차

직무발명 제도 보상규정을 보유하고, 최근 2년 이내에 직무발명보상 사실이 있는 중소·중견기업은 누구나 인증을 신청할 수 있으며, 인증을 받은 기업들에 대해서는 다음과 같은 혜택이 있습니다.

[표 10-3] 직무발명보상 우수기업 인증 기업에 대한 혜택

인센티브	세부 내용
특허, 실용신안, 디자인 우선 심사대상	우선 심사를 신청할 수 있는 대상이 됨 (선행기술조사 수수료 대략 50만 원 정도를 절감할 수 있음)
특허, 실용신안, 디자인 4~9년차 등록료 20% 추가 감면	인증 유효기간(2년) 동안, 보유한 등록권리의 등록료 납부 시 중소기업은 70%, 중견기업은 50%까지 등록료를 감면받을 수 있음
특허청 등 정부지원 사업 선정심사 시 우대가점	• 특허청 : 사업화연계 지식재산 평가지원 사업, IP 제품혁신 지원 사업, 우수발명품 우선구매추천 사업, 중소기업 IP 바로지원 사업, 지재권 연계 연구개발(IP R&D) 전략지원 사업, 우수특허기반 혁신제품 지원 사업 • 과학기술정보통신부 : 글로벌SW전문기업 육성 사업 * 우대가점 부여는 각 부처의 사업운영 상황에 따라 변경될 수 있음
SGI서울보증 혜택 부여	• 보증한도 확대(등급별 최대 30억 원) • 보험료 10% 할인 • 신용관리 컨설팅 무상 제공 • 중소기업 임직원 교육플랫폼(SGI Edu-Partner) 지원

학습평가

01　영업에 관한 모든 비밀은 영업비밀로 보호받을 수 있다. ☐ O ☐ X

02　무형적인 정보도 영업비밀로 보호받을 수 있다. ☐ O ☐ X

03　영업비밀도 특허와 같이 권리화에 비용이 필요하다. ☐ O ☐ X

04　영업비밀은 비밀로 유지되기 시작한 날로부터 20년간 보호받을 수 있다. ☐ O ☐ X

05　인력의 이동이 잦은 기업은 특허로 기술을 보호받는 것이 바람직하다. ☐ O ☐ X

06　영업비밀을 부정으로 취득하였으나 사용 또는 공개하지 않는다면 영업비밀의 침해행위에 해당하지 않는다. ☐ O ☐ X

07　종업원 등이 그 직무에 관하여 발명하였으나 회사의 업무범위에 속하지 않는 경우 직무발명에 해당하지 않고 자유발명에 해당한다. ☐ O ☐ X

08　직무발명에 관한 근무규정이 있는 경우 종업원 등은 직무발명을 완성하였을 때 그 완성 사실을 사용자 등에게 통지하여야 한다. ☐ O ☐ X

09　사용자 등이 정해진 기간 안에 완성된 직무발명에 대하여 승계 여부를 알리지 않았다면 권리의 승계를 포기한 것으로 본다. ☐ O ☐ X

10 근무규정에서 정하고 있는 직무발명에 대한 보상이 정당한 보상으로 볼 수 없는 경우라도 정당한 보상액으로 인정된다. ○ ×

11 영업비밀로 성립하기 위한 요건에는 비공지성, 경제적 유용성, 비밀유지성, 진보성이 있다. ○ ×

10

12 타사가 역설계로 발견하기 어려운 기술은 특허로 보호받는 것이 좋다. ○ ×

13 특허청과 한국발명진흥회는 직무발명보상규정의 도입 촉진을 위한 제도를 시행하고 있다. ○ ×

해설

01 영업비밀은 네 가지의 성립요건(비공지성, 경제적 유용성, 비밀유지성, 정보성)을 모두 만족하여야 인정되고 보호받을 수 있습니다.

02 영업비밀은 시각적으로 관찰할 수 있거나 물품과 같이 구체화된 유형적인 정보뿐만 아니라 기능이나 작용과 같은 무형적인 정보도 포함됩니다.

03 영업비밀은 특허와 달리 별도의 출원 절차가 없고 권리화에 비용이 들지 않습니다.

04 영업비밀은 비밀로 유지하는 한 기간 제한없이 법적 보호를 받을 수 있습니다.

05 인력의 이동이 잦은 기업은 기술의 공개에 대한 위험이 더 크므로 특허로 보호받는 것이 바람직합니다.

06 영업비밀을 부정으로 취득한 것만으로도 침해행위로 인정됩니다(부정경쟁방지 및 영업비밀보호에 관한 법률 제2조 제3호).

07 종업원 등의 발명이 직무발명의 성립요건을 만족하지 못하는 경우 자유발명에 해당합니다.

08 직무발명에 관한 근무규정이 있는 경우 종업원 등은 직무발명을 완성하였을 때 그 완성 사실을 사용자 등에게 문서로 알릴 의무를 집니다.

09 정해진 기간 안에 사용자 등이 승계 여부를 알리지 않은 경우에는 권리의 승계를 포기한 것으로 봅니다.

10 계약이나 근무규정에서 직무발명에 대한 보상을 정하고 있지 않거나, 정하고 있어도 정당한 보상으로 볼 수 없는 경우에는 보상액을 별도로 결정합니다.

11 영업비밀로 성립하기 위한 요건에는 비공지성, 경제적 유용성, 비밀유지성, 정보성이 있습니다.

12 타사가 역설계로 발견하기 어려운 기술은 공개하는 것보다 비밀을 유지하는 것이 더 유리하므로 영업비밀로 보호받는 것이 좋습니다.

13 직무발명보상을 모범적으로 실시하는 중소/중견 기업을 대상으로 '직무발명보상 우수기업 인증제'를 시행하고 있습니다.

정답

1. X   2. O   3. X   4. X   5. O   6. X   7. O   8. O   9. O   10. X   11. X   12. X   13. O

20세기 중반, 인터넷과 컴퓨터기술의 발달로 3차 혁명이 이루어졌으며, 이를 통해 21세기는 정보화 시대에 이르게 되었다는 이야기를 들어보셨나요? 이러한 정보화 시대는 그 표현이 낯설어 보일 수 있지만, 다음과 같이 생각해 보면 한층 이해하기 쉽습니다.

여러분들은 어떤 과정을 거쳐 컴퓨터 등의 물건을 구매하나요? 사람들마다 그 과정은 다르겠지만 아마 상당수의 사람들은 인터넷 또는 메신저를 이용하여, 주변의 친구들을 통하여, 여러 사이트들을 이용하여, 동일한 품목이지만 다양한 성능과 가격들을 하나하나 비교해 가면서 보다 합리적인 소비를 하기 위해 많은 노력을 기울일 것입니다.

이와 같이 정보화 시대에는 종전(20세기 이전)에는 공급업자에게 있던 시장의 지배력이 수요자(고객)들에게로 이동하게 되었습니다. 이러한 정보화 시대에 공급업자들이 시장 내에서 어떠한 보호수단 없이 사업을 수행하게 되면, 그 공급업자들은 사업을 과연 지속적으로 잘 수행해 낼 수 있을까요?

공급업자들은 잠시 동안은 경쟁력이 있어서 수익을 얻을 수 있지만, 특허나 기타 비즈니스 모델을 통해 시장을 보호받지 못하는 한 막대한 자금력을 동반하여 더 낮은 가격을 제시하는 경쟁자에게 결국에는 고객을 빼앗기게 되고, 이와 같은 경쟁을 지속하기 위해 치킨게임을 하게 될 것입니다.

삼성과 애플의 특허소송을 비롯하여 코오롱(Kolon)과 듀폰(Dupont)의 영업비밀 침해소송 등 천문학적인 손해배상 및 침해금지의 특허소송이 빈번하게 발생하고 있습니다. 이러한 상황에서 지식재산 경영은 기업의 사활을 쥐고 있는 문제이며, 국가적인 의제(agenda)가 되어 가고 있는 것이 현실입니다.

또한, 지식재산의 통합적 경영을 통하여 기업들은 지속적인 이노베이션(innovation)과 가치(value)의 창출을 꾀하고 있고, 이 가운데 지식재산으로 무장한 애플, 아마존 리딩 기업(leading company)들은 전 세계적으로 성장하고 있습니다.

이에, 지식재산 경영을 추진하는 전략을 어떻게 세울 것인지에 대해 고민할 필요가 있으며, 이를 통한 사업의 자유도 확보, 지식재산의 위험관리, 지식재산을 통한 가치창출 등의 전략적 사고를 제11편에서 보다 구체적으로 살펴보겠습니다.

제11편

지식재산의 활용

**학습
목표**
지식재산의 활용방안과 기술이전을 이해할 수 있다.

제1장에서는 지식재산 경영에 대해서, 제2장에서는 기술이전에 대해 알아보기로 한다.

제1장 지식재산 경영

제1장
지식재산 경영

- **지식재산 경영**: 조직의 목표와 일치된 지식재산의 창출, 보호, 활용에 대한 전략에 따라 조직의 경영을 추진하는 것

- **기술의 혁신성에 따른 분류**: 4단계에 따라 분류가 가능

- **지식재산 경영전략**
  ① 법률적 관점에서의 경영전략
    - 공격적 전략 ─ 경쟁사들이 핵심기술의 인근에 권리를 확보하는 것을 방지
    　　　　　　 └ 권리범위가 다소 중첩되거나 보완적인 특허권들을 확보
    - 방어적 전략 ─ 스스로의 법적 정당성을 주장하기 위해 출원을 진행
    　　　　　　 └ 대체기술을 개발하거나 방어적인 특허풀을 형성

  ② 산업분야에 따른 관점에서의 지식재산 경영전략
    - 식품산업 ─ 비교적 낮은 수준의 기술의 산업군
    　　　　　 └ 상표권 및 서비스표권 라이선싱을 통한 시장 점유율 확대
    - 화학산업 ─ 경기변동에 특히 민감
    　　　　　 ├ 과거 영업비밀(노하우) 선호도가 높음
    　　　　　 └ 최근 특허를 활용한 보호가 중요
    - 소재산업 ─ 일반적으로 B2B 기업들이 위치
    　　　　　 ├ 공정노하우에 대해 영어비밀 보호 선호하는 경향
    　　　　　 └ 특허활동 기업 중 대기업 비중이 낮은 특징
    - 전자산업 ─ 빠른 기술발전 속도에 따라, 짧은 제품 주기
    　　　　　 ├ 경쟁사들 간의 낮은 기술격차로 인해 경쟁이 심화되는 경향
    　　　　　 └ 원천특허의 중요성 높아, 표준특허 전략
    - 기계산업 ─ 짧은 기술수명을 가지고 있어, 영업비밀(노하우) 활용도가 높은 경향
    　　　　　 └ 공동연구 및 공동출원 경향은 낮음

- **기업의 생존사이클 관점에서의 지식재산의 경영전략**
  - 스타트업: 외부 전문기관들을 활용함이 바람직
  - 중소기업: 자체적인 관리와 외부 전문가들의 병행이 바람직
  - 대기업: 자체적인 지식재산의 전담부서를 운영하는 것이 바람직

- **기술창업 방법**: 기술 또는 제품의 산업성 이용 가능성과 진보성 등에 대한 검증을 거쳤다는 점에서, 일반 창업과는 차별화

확인학습

* 법률적 관점에서의 지식재산의 경영전략은 무엇일까요?
* 산업분야에 따른 지식재산의 경영전략은 어떻게 될까요?
* 기업의 생존사이클 관점에서의 지식재산의 경영전략은 어떻게 될까요?

01 지식재산 경영

경영에 대하여 브리태니커 백과사전은 "재정 분야를 뺀 가계·기업 등의 국민경제를 구성하는 개별 경제단위, 또는 그 개별 경제단위를 운영하는 일"이라고 정의하고 있습니다. 경영학에서 경영은 "조직의 목표를 설정, 고도의 업무 수행을 위한 조직의 재·자원의 효율적이고 효과적인 사용에 관한 의사결정을 행하는 행동"을 의미합니다. 따라서 경영이란 조직의 목표 설정으로 시작하여 실행에 이르는 과정이라고 볼 수 있습니다.

이러한 경영의 관점에서 볼 때, 지식재산 경영은 조직의 목표와 일치된 지식재산의 창출, 보호, 활용에 대한 전략에 따라 조직의 경영을 추진하는 것을 의미한다고 볼 수 있을 것입니다.[1]

1871년 제지업으로 시작한 노키아는 1992년부터 통신사업을 주력사업으로 추진하면서 지식재산권에도 본격적인 투자를 하게 됩니다. 특히 1998년 노키아가 세계 휴대전화 시장에서 1위에 등극하면서, 더욱더 많은 비용을 R&D와 지식재산권 확보를 위해 사용하였습니다.

2010년대에 들어서 시장예측 실패 등 여러 가지 경영 실패로 노키아는 휴대전화 시장에서 퇴장하게 되었습니다. 그러나 그동안 확보한 지식재산권을 통해 애플, 구글, HTC와의 특허소송으로 로열티 수입을 얻었고 이는 노키아가 5G 통신장비 제조로 제기할 수 있는 중요한 기반이 되었습니다.

구글, 아마존 같은 혁신적인 기업의 등장은 과거 제조업 중심, 유형자산 중심의 경영 환경에서 지식재산 중심의 경영으로 그 패러다임을 급속히 변화시켰습니다. 이제는 지식재산이 단순히 창의적 성과물이 아니라 하나의 중요한 경영자산이자 미래의 가치를 창출하는 중요한 옵션(option)으로 여겨지게 된 것입니다.

지식재산 경영전략은 기업의 성장 단계, 기업의 특성과 대내외 시장 환경 변화 등에 따라 끊임없이 수정하고 발전시켜 나가야 합니다. 그렇지 않으면 기업의 발전 단계와 지식재산 전략이 서로 일치하지 않아 지속적인 혁신에 걸림돌이 될 수도 있습니다.

스타트업(start-up) 기업들은 CEO가 중심이 되어 소수의 지식재산 권리를 보유하고는 있지만, 인적자원이 많지 않아 자제적인 관리체계를 가지고 운영하기보다는 외부 전문기관을 통해 관리하는 것이 효율적입니다.

중소기업들은 다수의 지식재산권을 보유하게 되는데, 이때부터는 자체적인 관리와 함께 전문인력을 채용하여 외부 전문기관의 활용을 병행하는 것이 보다 효율적이고 체계적으로 지식재산권을 관리할 수 있는 방안이 될 것입니다.

---

1) "지식재산 경영"이란 특허·실용신안·디자인·상표·영업비밀 등 지식재산을 기업의 자산으로 활용하는 경영전략을 통해 수익을 창출함으로써 기업 가치를 높이는 경영 활동을 말합니다(특허청 지식재산 경영인증 요령 제2조).

대기업들은 특허뿐 아니라 상표, 저작권, 영업비밀 등 다양한 형태의 지식재산권을 창출하고, 특허침해소송 등 다양한 소송에도 휘말릴 수 있기 때문에 지식재산 전담 부서를 운영하여 전략적으로 지식재산을 관리하는 것이 일반적입니다.

> **사례** 　**국내 지식재산 경영기업**
>
> ㈜클리노믹스는 2011년 설립된 맞춤의료/헬스케어 혁신 기반의 바이오빅데이터 플랫폼 전문기업으로서, 다중오믹스 기반 암/질병 조기진단, 빅데이터/AI 활용의 암/노화 치료, 액체생검 기술을 통한 암 진단/모니터링 서비스를 제공하는 기업입니다. 기업의 지식재산 경쟁력 강화를 위해 직무발명보상규정 제정(2019년), 지식재산 자체교육 운영 및 다양한 IP-R&D 정책지원을 통해 64건의 국내외 특허등록, 177건의 국내외 등록상표를 보유하게 되었고, 이는 기업의 매출이 대폭 상승하는 효과를 가져오게 되었습니다. 2020년에는 지식재산 경영의 정착을 위해 IP관리 전담부서를 신설하고, 변리사 등 전문인력을 자체적으로 조직하여 운영하고 있습니다.

지식재산 경영의 요소 내지 기본 전략으로는 지식재산 관리 부서의 설치 및 운영, 지식재산 감사(audit), 지식재산의 상업화로 구분해 볼 수 있습니다.

지식재산 관리부서의 설치 및 운영

연구 개발자나 기술자가 만들어 낸 발명 등을 효과적으로 권리화하고, 체계적으로 관리하기 위한 전담부서를 의미하며, 전담부서의 설치가 여의치 않은 경우에는 이미 설치된 총무부서나 기획부서 등의 기업 내 다른 부서에 지식재산 관리 전담직원을 두어 사내의 지식재산을 관리하게 하는 것도 하나의 방안이 될 수 있습니다.

지식재산 감사

지식재산 경영에서의 위험관리(risk management)는 대표적으로 자사의 지식재산권이 타사에 의해 침해당하거나, 타사가 지식재산권 소송을 통해 침해주장을 해 오는 경우입니다.

이러한 지식재산 리스크 관리를 위해서는 가장 먼저 자사가 보유하고 있는 지식재산권 및 보유하지 못한 지식재산권을 정확히 파악하는 것이 선행되어야 합니다. 이와 같이 지식재산의 현황에 대해서 파악하는 것을 흔히 지식재산 감사(intellectual property audit)라고 표현합니다.

이러한 감사에는 지식재산의 보유, 사용, 취득에 대한 감사뿐 아니라 이의 관리, 유지, 활용 등이 모두 해당됩니다.

지식재산의 상업화

Stevens and Burley(Research Technology Management 1997)에 의하면, 기업의 경우에 3,000건의 원시 아이디어 중에서 평균적으로 1건만이 상업적으로 성공할 수 있다고 분석하였습니다. Hammerstedt and Blach(2008)이 조사한 바에 따르면 기업이 1개의 성공적인 기술사업화 성과를 창출하는 데에는 중간단계별 실패 비용까지 고려할 때 사업화 비용(4~7단계, $21.1M)은 연구개발 비용(1~3단계, $3.42M)의 약 6.2배가 소요된다고 하였습니다.[2]

그래서 기업들은 제품에 대한 상용화를 추진하기 전에 사업타당성 평가, 기술평가 등을 통해 성공 가능성 여부를 확인하는 절차가 반드시 필요합니다.

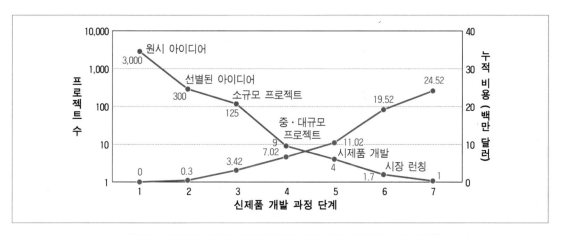

[그림 11-1] 기술사업화 프로젝트의 단계별 평균 생존율과 소요 비용[3]

02 기술의 분류

연구자들의 기술개발이나 이를 이용한 창업에 대한 뉴스에서 '세계 최고' 또는 '세계 최초'를 강조하는 경우를 자주 접할 수 있습니다.

이와 같은 '세계 최초'의 발명들이 모두 시장의 지배력이 뛰어날까요? 또 '세계 최초'의 발명들이 모두 우수한 발명들에 속하게 될까요? 답은 X입니다. 세계 최초의 발명일지라도 그 구체적인 내용에 따라서는 사업의 성패에 큰 영향을 끼치지 않을 수 있습니다.

컨설팅 및 투자회사인 Morgan Stanley에서 2003년에 발간한 〈The Technology IPO Yearbook〉에서는 기술들을 혁신성에 따라 다음과 같이 5등급으로 분류하고 있습니다.

---

2) 한국과학기술기획평가원, 중소기업의 기술사업화 추진실태와 정책제언, 2020
3) Stevens and Burley(1997), Hammerstedt and Blach(2008)

[표 11-1] 기술 혁신성에 따른 분류

등급	내용
1등급	• 세상에 존재하지 않았던 기술이며 이를 상업화하여 만들어진 제품 역시 새로운 시장을 형성하게 되는 기술을 의미합니다. • 예를 들어, 전자사진(xerography), microprocessor(CPU), Web browser, 공인인증키(public-key crytography), 웹 운영을 위한 분산캐싱 소프트웨어(Distributed caching software for Web servers), 고온초전도체(high temperature superconductor) 등이 여기에 속합니다.
2등급	• 새로운 기술이지만 만들어진 제품군은 기존에 있는 제품을 의미합니다. 이 중에는 시장에 나와 있는 기존 제품을 밀어내 버리는 파괴적 기술(disruptive technology)이 포함되어 있습니다. • 예를 들어, 기존 광통신망 장비들이 다중분배(multiplexing)되지 않아서 통신서비스에 제한이 있었던 문제를 해결한, 광대역통신망의 핵심부품인 파장분할광배분기(wavelength-division optical multiplexing equipment) 등이 있습니다. 이 회사 제품은 광통신부품에 속하지만 기존 제품이 가지고 있지 못한 월등한 성능을 가진 제품으로, 출시되고 나서 MCI나 Sprint 등의 통신서비스 회사에서 기존 제품을 몰아내면서 시장을 장악하였습니다.
3등급	• 기존 기술에서 상당한 진보를 이루어낸 기술(nontrivial technical improvement)을 의미하며, 기술적인 측면에서 중간 정도의 혁신성을 가지고 있으며 현실적으로 대학에서 연구하고 있는 기술 또는 과제의 상당부분이 여기에 해당합니다. • 예를 들어, 반도체 공정에서 선폭 0.18nm를 개선한 0.13nm 선폭구현 기술 등이 있습니다.
4등급	기존 기술에서 일반적인 진보를 이루어낸 기술을 의미하며, 해당분야에서 기술적인 혁신을 이루어냈다기보다는 다른 분야에서 이미 사용하고 있는 기술을 해당분야로 끌어들인, 흔히 말하는 high touch에 해당하는 분야입니다.
5등급	새로운 기술이 아닌 기술을 의미합니다.

이 분류표상으로, 1등급 내지 4등급 분류에 속하는 기술들은 모두 기존에는 없던 기술들로 '세계 최초'의 기술들에 속하게 됩니다. 그러나 '세계 최초'의 기술이라 할지라도 이를 통해 반드시 사업적 성공을 이끄는 것은 아니라는 점을 알 수 있습니다. 3등급 분류에 속하는 기술들은, '세계 최초'의 기술들에는 속하지만, 시장에서의 상업성이 확인되지는 않은 기술들이기 때문입니다.

반대로, 5등급에 속하는 기술들이라 할지라도, 그 비즈니스 모델에 따라서 충분히 시장 내에서의 지배력을 확보할 수 있으며, 이를 통해 사업의 성공을 도출해 낼 수도 있습니다. 5등급에 속하면서도 사업적 성공을 이끌어 낸 사례로는 구직자 사이트인 Hotjob을 예로 들 수 있습니다.

발명(기술)을 개발할 때, "노벨상을 받아야 한다!", 또는 "세계 최초의 기술을 개발해야 한다."와 같은 과도한 부담은 가지지 않는 것이 좋겠죠?

03 지식재산 경영전략

앞서 그 혁신성의 정도에 따라 분류되는 기술들을 살펴보았으며, 여기에서는 이와 같은 지식재산을 활용한 경영전략에 대해 알아보겠습니다.

지식재산의 전략은 지식재산권의 확보, 라이선싱, 실시 등을 모두 포함합니다. 가업들은 미래 니즈를 예상하고, 특허 전략의 선택에 따른 기회와 비용에 대해 검토를 진행한 뒤, 기업이 취할 지식재산 전략을 선택하게 됩니다.

법률적 관점에서의 지식재산의 경영전략

먼저, 이와 같은 지식재산의 경영전략을 산업재산권의 법률적인 활용 관점에서 공격적 전략과 방어적 전략으로 구분할 수 있습니다. 공격적 전략은, 시장에서의 독점적 지위를 보다 견고하게 유지하기 위해 산업재산권을 활용하는 전략입니다. 그 구체적인 방법으로는 특허권과 같은 산업재산권을 출원 및 등록받은 뒤, 그 권리범위 내에서의 경쟁사의 침해행위에 권리행사를 하는 것입니다.

한편, 이와 같은 공격적 전략에 있어서, 기업들은 자신의 핵심기술과 관련하여 경쟁사들이 핵심기술의 인근영역에 출원을 통해 권리를 확보하는 것을 방지하기 위해 권리범위가 다소 중첩되거나 보완적인 특허권들을 확보하는 경향이 있습니다.

반대로 방어적 전략은, 다른 경쟁사의 권리범위를 침해하지 않는 범위 내에서 스스로의 법적 정당성을 주장하기 위한 출원을 진행하기 위해 산업재산권을 활용하는 전략입니다. 그 구체적인 방법으로는 대체기술 개발, 방어적 특허풀 형성 등이 있으며, 이는 다른 산업재산권의 권리자가 권리행사를 하는 상황에 대비하여 스스로의 방어수단을 마련해 두는 것입니다.

산업분야에 따른 관점에서의 지식재산의 경영전략

지식재산의 경영전략은, 산업분야에 따라서도 다른 관점으로 접근해 볼 수 있습니다. 이와 같은 산업분야들의 종류로는 식료품제조산업, 화학산업, 소재산업, 전자산업, 기계산업, 자동차산업 등이 있습니다.[4]

식품산업의 경우, 비교적 낮은 기술 수준의 산업군이며, 영세기업의 비중이 높아 비교적 낮은 혁신역량이 요구된다는 특성이 있습니다. 이와 같은 기술분야의 경우에는, 영업비밀(노하우) 선호도가 높으며, 상표권 및 서비스표권 라이선싱을 통하여 시장 점유율을 확대하려는 경향이 있습니다.

---

4) 특허청·한국지식재산연구원, 지식재산과 경영전략, 2015. 12.

화학산업의 경우, 경기변동에 특히 민감하다는 특성이 있습니다. 또한, 화학산업을 소품종 대량생산하는 석유화학, 다품종 소량생산하는 정밀화학으로 나눴을 때, 석유화학의 경우에는 소규모 자본투자가 가능한 반면, 정밀화학의 경우에는 높은 연구개발 비용 대비 짧은 life-cycle을 가진다는 특징이 있습니다. 이 외에도 과거에는 영업비밀(노하우) 선호도가 높았으나, 최근 특허를 활용한 보호가 중요해지고 있으며, IT, BT, NT 등과의 융합 가속화가 진행되고 있다는 특징도 보입니다.

소재산업의 경우, 일반적으로 B2B 기업들이 위치하는 산업군으로 시장선점 전략이 유효한 산업군에 해당합니다. 일반적으로 규모의 경제가 더욱 적용되는 산업군이기도 합니다. 공정노하우에 대해 영업비밀 보호를 선호하는 경향이 있으며, 특허활동 기업 중 대기업 비중이 낮다는 특징이 있습니다.

전자산업의 경우, 빠른 기술발전 속도에 따라, 짧은 제품주기를 가지게 된다는 특징이 있습니다. 또한, 그 발전이 급진적이며 불연속적인 혁신이 일어난다는 특징도 있습니다. 이 기술분야의 경우에는 경쟁사들 간의 낮은 기술격차로 인해 경쟁이 심화된 경향이 있으며, 브랜드, 디자인 등과 같이 비기술적 요인에 의해 시장 점유율이 차이난다는 특징이 있습니다. 원천특허의 중요성이 높아, 표준특허 전략을 취하고 있으며, 특허활동을 하는 기업의 비중이 비교적 높은 경향이 있습니다. 이 외에도 다른 산업군들에 비해, 평균 출원, 등록 건수, 유효특허 수가 가장 많습니다.

기계산업의 경우, 수요 대기업-중소기업의 수직통합체계를 가지며, 전문화 및 계열화가 되었다는 특징이 있습니다. 짧은 기술수명을 가지고 있어, 영업비밀(노하우) 활용도가 높은 경향이 있으며, 공동연구 및 공동출원 경향은 낮습니다. 한편, 특허활동을 하는 기업들은 다른 산업군들에 비해 높으나, 그 기업들 내에서 대기업이 차지하는 비중은 낮은 경향이 있습니다.

기업의 생존사이클 관점에서의 지식재산의 경영전략

지식재산의 경영전략을 기업체의 생존주기의 관점에서도 접근해 볼 수 있습니다. 특허청과 한국지식재산연구원의 한 분석[5]에 의하면, 특허의존도는 기업의 생존과 성과에 유의미한 영향을 미치지는 않는다고 합니다. 다만, 기업의 성장 단계별로는 다른 결과를 나타내는데, 창업 초반에는 특허출원을 통해 기술력에 대한 시그널로 투자 유치나 정책자금 등의 지원을 받음으로써 자금 유동성을 확보할 수 있습니다.

---

5) 특허청·한국지식재산연구원, 지식재산과 경영전략, 2015. 12.

04 기술창업

여기에서는 창업의 한 방법으로서 기술창업에 대해 알아보겠습니다.

창업은 일반적으로 영리를 목적으로 개인이나 법인회사를 새로 만드는 일 또는 창업자가 사업 아이디어를 가지고 자원을 결합하여 사업활동을 시작하는 일이라고 정의할 수 있습니다.

창업의 방법 중 하나로, 기술창업이라 함은 일반적으로 벤처, 기술혁신, 혁신선도, 기술집약형 기업 등과 같이 핵심기술을 가지고 사업을 시작하는 창업을 의미합니다. 지식재산권 기반 창업의 경우, 기술 또는 제품의 산업성 이용 가능성과 진보성 등에 대한 검증을 거쳤다는 점에서, 일반 창업과는 차별화됩니다.

또한, 지식재산권을 바탕으로 담보대출, 투자 유치 및 보증 등이 가능하여 다양한 방법으로 자금을 조달할 수 있습니다. 한 통계에 의하면, 특허 기반 창업기업은 일반 창업기업에 비해 3.8배 많은 금액을 투자받은 것으로 나타났다고 합니다.[6] 이와 같이 초기 창업기업의 성장에 있어서 자금여력이 결정적인 영향을 미치는 것을 고려하면, 지식재산권을 기반으로 한 창업은 초기 성장의 여건을 마련하기에 굉장히 유리하다고 볼 수 있습니다.

한편, 특별한 기술 또는 지식재산권을 가지고 사업을 시작하기만 하면 항상 성공을 할 수 있을까요? 당연히 그렇지 않습니다. 창업을 시작하기에 앞서, 창업자는 시장에 대한 전망, 기술의 발전 방향, 발전속도와 기술 이외에도 비즈니스 모델, 함께 사업을 진행할 구성원들 등등까지도 꼼꼼하게 준비해야 합니다.

다음에서는 창업과 관련하여 사용할 수 있는 연구개발과 관련된 주요 지원 사업들에 대해 간략하게 알아보겠습니다.[7] 창업의 단계에 따라, 연구개발 기획 및 수행 단계에서 사용할 수 있는 지원 사업도 있으며, 성과관리 및 활용 단계에서 활용 가능한 지원 사업도 있습니다.

먼저, 연구개발 기획 및 수행 단계에서 활용 가능한 지원 사업들에 대해 살펴보겠습니다.

연구개발 기획 및 수행 단계에서 활용 가능한 지원 사업

(1) IP 나래 프로그램(소관기관 : 특허청)[8]

창업기업이 창업 초기부터 IP 문제를 극복하고 안정적으로 시장에 진입하여 중소·중견기업으로 성장하도록 기업의 지식재산 경영체계 고도화를 지원합니다. 특허 전문가의 밀착 컨설팅을 통한 강한 특허를 창출하도록 하며, 지원기업이 가장 필요한 것을 진단하여 적재적소에 맞춤형 솔루션 제공합니다.

---

6) 국가지식재산위원회, 연구자를 위한 알기 쉬운 지식재산 활용 지침서 개정판, 2021
7) 국가지식재산위원회, 연구자를 위한 알기 쉬운 지식재산 활용 지침서 개정판, 2021
8) http://www.ripc.org

⑵ 지재권 연계 연구개발 전략 지원(소관기관 : 특허청)[9]

중소기업이 R&D 효율성을 높이고 핵심 원천 특허를 선점할 수 있도록 기술 개발 현장에 맞춤형 특허 전략을 지원합니다. 연구조직을 보유한 중소기업기본법 제2조에 따른 중소기업만이 이용할 수 있으며, 한국특허전략개발원의 지재권전략전문가(PM)와 지재권분석전문 기관이 전담팀을 구성하여 기업 맞춤형·밀착형 특허전략을 수립, 지원하는 방식으로 지원합니다.

⑶ 중소기업 R&D 역량 제고(소관기관 : 중소벤처기업부)[10]

동법 제2조의 규정에 의한 중소기업만이 이용할 수 있으며, R&D 기획역량 강화를 위해 교육하며, 맞춤형 기술파트너를 지원해 줍니다. 위기지역·위기업종 중소기업의 신제품 개발 및 제품 고도화를 위한 현장 맞춤형 진단과 R&D 지원도 가능합니다.

⑷ 발명평가수수료 지원 사업(주관기관 : 한국발명진흥회)[11]

등록된 특허·실용신안에 대한 성능분석 및 비교분석, 사업타당성 검토 등 그 가치를 평가하는 데 소요되는 비용을 지원하는 정책이며, 지식재산의 사업화 및 활용 촉진에 활용할 수 있도록 객관적인 평가 결과를 제공합니다. 개인 및 중소기업으로서, 등록된 특허·실용신안의 권리자 및 전용실시권자만이 지원 가능합니다.

다음으로 성과관리 및 활용 단계에서 활용 가능한 주요 지원 사업들에 대해 살펴보겠습니다.

성과관리 및 활용 단계에서 활용 가능한 주요 지원 사업

⑴ 지식재산 거래 지원(소관기관 : 특허청)[12]

특허기술 도입 등 지식재산(IP) 거래를 희망하는 개인, 중소기업에 특허거래전문관이 중개 서비스를 지원하고 특허거래정보 활용 촉진을 통한 민간 중심의 IP 거래 활성화를 지원하는 사업입니다. 기술 분야 및 권역별 특허거래전문관 운영, 지식재산 거래 관련 정보의 온·오프라인 제공, 특허거래전문 관 운영을 통해 특허기술 거래에 필요한 상담, 특허기술 매칭 중개 협상 및 계약 체결을 위한 법률 검토 등을 지원하게 됩니다.

---

9) http://biz.kista.re.kr/ippro
10) http://www.smtech.go.kr
11) https://www.kipa.org/kipa/ip001/kw_business_0601.jsp
12) https://www.ipmarket.or.kr

⑵ 공공기관 보유특허 진단 지원(소관기관 : 특허청)[13]

정부 R&D 특허성과의 활용성 제고를 위해 공공기관에서 보유하고 있는 특허를 진단하여 전략적으로 관리·활용할 수 있도록 컨설팅을 지원합니다. 대학 산학협력단(산학협력법 제25조) 또는 공공연구기관(지식재산기본법 제3조 제4호)이 지원할 수 있습니다. 기관이 보유한 미활용 특허를 분석·진단하여 활용(기술이전·사업화) 전략과 처분(유지 또는 포기) 전략을 제시해 줍니다.

⑶ IP 금융 연계 평가 지원(소관기관 : 특허청)[14]

기업이 보유한 지식재산권의 가치평가를 통하여 IP를 기반으로 보증·담보 대출·투자 등 자금을 조달할 수 있도록 평가비용을 지원하는 사업입니다. 신청일 현재 등록된 특허권 보유 및 사업화하여 활용하고 있는 중소기업이 이용할 수 있으며, 특허청 지원 발명평가기관을 통해 지식재산 가치평가를 수행하고 금융기관의 투·융자 의사결정에 활용할 수 있도록 평가 결과를 제공하게 됩니다.

⑷ 중소기업 기술사업화 역량 강화(소관기관 : 중소벤처기업부)[15]

사업화가 안 된 정부 R&D 성공판정 기술 또는 특허등록 기술을 보유하고 시장진입을 희망하는 중소벤처기업만이 이용할 수 있으며, 사업화 가능성을 진단하여 기술 사업화를 지원해 주는 사업입니다. 개발 기술의 시장성 보완을 위해 기획 지원, 기술 지원, 마케팅 지원 등 분야별 2개 이상의 항목을 종합적으로 지원합니다.

⑸ 특허기술가치 평가보증(소관기관 : 중소벤처기업부)[16]

특허권을 사업화하는 중소기업으로 기술사업평가등급 'B등급' 이상인 기업이 이용할 수 있습니다. 특허권의 기술가치평가를 통한 사업화자금 보증을 지원해 주며, 신청 특허기술의 사업화와 관련된 자금들 일부를 지원하는 사업입니다. 특허권의 기술가치평가금액 이내(업체당 최대 10억 원)에서 지원합니다.

⑹ 지식재산경영인증(주관기관 : 한국발명진흥회)[17]

지식재산 경영을 중소기업의 보편적 경영방식으로 확산시키고, 지식재산 경영기업의 신뢰성을 제고하기 위한 사업입니다. 이는 중소기업기본법 제2조에 따른 중소기업을 그 대상으로 합니다. 지식재산 경영인증을 받은 기업은, 특허권 등을 출원할 때와 그 등록 후에 중소벤처기업부의 정책자금 융자 등의 다양한 혜택을 얻을 수 있습니다.

---

13) http://www.kista.re.kr
14) https://www.kipa.org
15) http://www.kosmes.or.kr
16) https://www.kibo.or.kr
17) https://ipcert.or.kr/mainPage3

제2장 기술이전

제2장
기술이전

키워드

기술이전

권리의 이전

라이선싱 계약

- **기술이전**: 기술에 대해 가지는 권리를 이전하거나, 기술에 대해 가지는 권리는 유지하면서, 이를 사용할 권리만을 이전하는 방법들을 모두 포함하는 개념

- **권리의 이전**
  - 무상 증여계약: 발명자가 타인에게 특허를 받을 수 있는 권리 또는 그 지분권을 무상으로 양도하는 계약을 의미. 특허권자가 타인에게 특허권 또는 그 지분권을 무상으로 양도하는 계약을 의미
  - 유상 매매계약: 발명자가 타인에게 특허를 받을 수 있는 권리 또는 그 지분권을 유상으로 매매하는 계약을 의미. 특허권자가 타인에게 특허권 또는 그 지분권을 유상으로 매매하는 계약을 의미. 이와 같이, 유상으로 기술을 매매하려는 경우, 그 기술의 가치를 평가하는 것을 '기술가치평가'라 함

- **라이선싱 계약**
  - 공통적인 내용: 산업재산권자가 그 재산권은 소유한 채, 다른 사람에게 사용할 권한을 부여하는 계약을 의미
  - 전용권 설정계약: 산업재산권의 소유권자도, 그 계약범위 내에서는 사용권한이 제한되며, 전용권자는 제3자의 침해행위에 대해 민형사상 권리주장을 할 수 있음
  - 통상권 설정계약: 산업재산권의 소유권자는 그 계약범위 내에서 사용권한이 제한되지 않으며, 통상권자는 제3자의 침해행위에 대해 민형사상 권리주장을 할 수 없음

확인학습

* 기술이전의 방식은 어떤 것들이 있을까요?
* 권리의 이전 방법에는 어떤 것들이 있을까요?
* 라이선싱 계약은 어떤 종류들이 있을까요?

기술이전이라 함은, 기술에 대해 가지는 권리 자체를 제3자에게 이전하는 형태 또는 소유권은 스스로 가지고 있으며 그 기술을 사용할 권리만을 제3자에게 이전하는 형태를 모두 포함하는 표현입니다.

권리이전을 하는 방법은 어떻게 되며, 이렇게 권리를 이전하는 경우에 주의해야 할 사항에는 어떤 것들이 있는지 다음에서 살펴보겠습니다.

01 권리의 이전

산업재산권상 특허등록을 받기 전의 특허를 받을 수 있는 권리 및 특허등록을 받은 뒤의 특허권 등은 모두 이전이 가능한 재산권입니다. 이에, 발명자가 발명을 완성한 이후에는 출원을 전후로 하여 언제든지 그 권리를 타인에게 이전할 수 있습니다.

이와 같은 권리의 이전(양도) 형태로는 발명자가 상대방에게 무상으로 양도하는 증여계약과 발명자와 상대방이 유상으로 양도하는 매매계약 등이 있습니다.

한편, 매매계약으로 특허권을 이전하려는 경우, 특허권은 얼마를 주고 매입하게 되는 걸까요? 특허권은 무체의 재산권으로 그 특허권의 가치에 맞는 매매대금을 산정하는 것은 굉장히 어려운 일입니다. 이와 같은 특허권의 가치를 판단하는 방법들을 '기술가치평가'라고 합니다.

특허권의 가치를 판단할 때에는, 굉장히 다양한 고려요소들을 반영하게 됩니다. 그 대표적인 고려요소로는, 특허권의 청구범위의 권리범위, 특허권의 무효 가능성, 특허권의 존속기간의 잔존기간, 청구범위에 기재된 사항을 독점하는 경우 얻을 수 있는 이익 등이 있습니다.

02 라이선싱 계약

기술이전의 다른 한 방법으로, 산업재산권의 소유권은 유지한 채, 그 산업재산권을 사용할 권리만을 타인에게 설정해 주는 것이 있습니다. 이것을 라이선싱 계약[18]이라고 합니다.

라이선싱 계약은, 실시(사용권자)가 취득하는 법률상의 지위에 따라 크게 두 가지로 구분할 수 있습니다. 그중 하나는 전용권[19]을 설정하는 방법이며, 다른 하나는 통상권[20]을 설정하는 방법입니다.

먼저, 전용권을 설정받는 경우, 전용권자는 통상권자에 비해 훨씬 강력한 법률상의 지위를 가지게 됩니다. 전용권을 설정해 준 범위 내에서는 산업재산권의 소유권자 역시 그 산업재산권을 사용할 수 없게됩니다. 또한 전용권을 설정받는 전용권자는 제3자의 산업재산권의 침해행위에 대해 직접 침해금지청구를 하는 등의 권리행사를 할 수 있습니다.

반면 통상권을 설정받는 경우, 통상권자는 전용권자에 비해 비교적 약한 법률상의 지위를 가지게 됩니다. 통상권을 설정해 주더라도 산업재산권의 소유권자는 여전히 그 산업재산권을 사용할 수 있습니다. 또한, 통상권을 설정받은 통상권자는 제3자의 산업재산권의 침해행위에 대해 직접 침해금지청구를 할수 없습니다.

한편, 라이선싱 계약을 체결하는 자들 사이의 법률관계에 대한 관점에서도 생각해 볼 수 있습니다. 앞선 사례에서는 산업재산권자(A)가 상대방(B)에게 특허권 1에 대해 라이선싱 계약을 설정해 주기만 하였습니다. 하지만 산업재산권자(A)가 상대방(B)이 가지는 다른 특허권 2의 사용을 필요로 하는 경우도 있습니다.

---

18) 특허법과 디자인보호법상으로는 "실시권" 설정이라고 하며, 상표법상으로는 "사용권" 설정이라고 표현합니다.
19) 특허법과 디자인보호법상에서는 "전용실시권", 상표법상에서는 "전용사용권"이라고 표현합니다. 다만, 본문의 기재에서는 이들을 포괄하는 표현으로 '전용권'이라 칭하였습니다.
20) 특허법과 디자인보호법상에서는 "통상실시권", 상표법상에서는 "통상사용권"이라고 표현합니다. 다만, 본문의 기재에서는 이들을 포괄하는 표현으로 '통상권'이라고 칭하였습니다.

이와 같이 A와 B 각자가 가지는 산업재산권에 기반하여 상대방에게 라이선싱 계약을 체결하게 하는 것을 크로스-라이선싱이라고 합니다. IT분야 또는 통신분야의 경우에는 뛰어난 기술력을 가진 업체들이 무수히 많이 존재하며, 이들이 각자의 제품을 제조하기 위해서는 상대방 특허권의 침해가 불가피한 경우도 많습니다. 이럴 때, A와 B뿐만이 아니라 C, D, E 등등이 모여 여럿이서 공동으로 합의하여 서로 간의 침해행위에 대해 권리주장을 하지 않도록 형성하는 특허권의 모음을 특허풀(pool)이라고 합니다.

최근, LG전자가 라이선싱 계약을 통해 8,000억 원이라는 큰 수익을 낸 사례가 있습니다. LG전자는 종전에 스마트폰 사업을 수행하고 있었기에 LG전자의 특허권들이 포함되어 있는 특허풀 계약에 참여하고 있었습니다. 그러나 스마트폰 사업을 철회하면서, 특허풀 계약에 더 이상 참여할 필요가 없어졌습니다. 이에 다른 경쟁사들과 라이선싱 계약을 체결함에 따라, 8,000억 원이라는 큰 수익을 내게 되었던 것입니다.

학습평가

01 스타트업 기업들은 자체적인 관리를 통해 지식재산의 경영을 도모하는 것이 바람직하다.

$\boxed{O} \boxed{\times}$

02 중소기업들은 자체적인 관리와 외부 전문가들에 의해 지식재산의 경영을 병행하는 것이 바람직하다.

$\boxed{O} \boxed{\times}$

03 대기업들은 외부 전문기관들에 지식재산의 경영을 의존하는 것이 바람직하다.

$\boxed{O} \boxed{\times}$

04 기술의 혁신성에 따른 분류상 5등급의 기술로는 창업 시 성공할 수 없다.

$\boxed{O} \boxed{\times}$

05 전용권자는 제3자의 특허침해행위에 대해 침해금지청구가 가능하다.

$\boxed{O} \boxed{\times}$

06 전용실시권을 설정한 경우, 특허권자는 그 범위 내에서 특허권을 실시할 수 없다.

$\boxed{O} \boxed{\times}$

07 통상실시권자가 제3자의 침해행위에 대해 권리행사를 할 수 있는 경우는 없다.

$\boxed{O} \boxed{\times}$

08 특허풀을 형성한 경우, 특허풀 계약에 참여한 당사자들은 그 특허풀 내의 특허권들을 자유로이 사용할 수 있다.

$\boxed{O} \boxed{\times}$

09 통상권을 설정한 경우, 특허권자는 그 범위에서 실시할 수 없다. ☐ O ☐ X

10 특허풀을 형성한 뒤 그 특허풀에서 이탈하는 경우, 특허풀에서 이탈하는 특허권자는 특허풀에 잔존한 특허권자들에게 권리주장이 가능한 경우가 있다. ☐ O ☐ X

11 특허권 또는 특허를 받을 수 있는 권리는 유상으로 양도해야 한다. ☐ O ☐ X

11

해설

01 스타트업 기업들은 일반적으로 여러 부서를 운영하는 데 경제적인 제한사항이 있습니다. 이에, 자체적인 관리를 통해 지식재산의 경영을 도모하는 것보다는, 외부 전문가들에 의해 지식재산의 경영을 도모하는 것이 바람직합니다.

02 중소기업들은 여러 지식재산권을 보유하게 되며, 지식재산을 경영하기 위한 경제적인 여건도 마련되어 있습니다. 이에, 자체적인 관리를 도모하면서, 지식재산권의 확보 등의 목적을 위해 외부 전문가들에 의한 경영을 병행하는 것이 바람직합니다.

03 대기업들은 여러 지식재산권을 보유하며, 사업도 다각화됨에 따라 지식재산의 분쟁 등이 발생할 가능성이 높습니다. 이에, 외부 전문기관에 경영을 의존하기보다는, 자체적인 지식재산 전담부서를 설립하여, 외부 전문가들과 병행하여 지식재산을 경영하는 것이 바람직합니다.

04 기술의 혁신성에 따른 분류상 5등급의 기술은 공지된 기술입니다. 그러나 공지된 기술로 창업하더라도, 비즈니스 모델 등에 따라 창업 시 성공할 수 있습니다.

05 특허법 제126조 제1항, 상표법 제107조 등에 의하면, "특허권자 또는 전용실시권자"와 "상표권자 또는 전용사용권자"는 자기의 권리를 침해한 자 또는 침해할 우려가 있는 자에 대하여 그 침해의 금지 또는 예방을 청구할 수 있습니다. 이에, 전용권자는 제3자의 특허침해행위에 대해 침해금지청구가 가능합니다.

06 특허법 제94조 제1항에서는, "특허권자는 업으로서 특허발명을 실시할 권리를 독점한다. 다만, 그 특허권에 관하여 전용실시권을 설정하였을 때에는 제100조 제2항에 따라 전용실시권자가 그 특허발명을 실시할 권리를 독점하는 범위에서는 그러하지 아니하다."라고 규정하고 있습니다. 이와 같이, 전용실시권을 설정한 경우, 특허권자는 전용실시권자가 독점하는 권리범위 내에서는 실시할 수 없습니다.

07 통상실시권 설정계약 중, 독점적 통상실시권을 설정받은 경우, 통상실시권자는 제3자의 침해행위에 대해 권리행사를 할 수 있습니다.

08 특허풀은 다자간에 설정되는 크로스-라이선싱 계약의 일종입니다. 이에, 특허풀을 형성한 경우, 특허풀 계약에 참여한 당사자들은 그 특허풀 내의 특허권들을 자유로이 사용할 수 있습니다.

09 통상권을 설정하더라도, 특허권자는 그 범위에서 실시할 수 있습니다.

10 특허풀에서 이탈하는 경우, 특허권자는 잔존한 특허권자들에게 권리주장을 할 수 있습니다.

11 특허권 또는 특허를 받을 수 있는 권리는 무상으로 양도가 가능합니다.

정답

1. X 2. O 3. X 4. X 5. O 6. O 7. X 8. O 9. X 10. O 11. X

인기 드라마 〈일타 스캔들〉에서 남자 주인공은 시간당 1억 원을 버는 일타강사이지만, 섭식장애를 앓고 있어서 마음껏 먹을 수 있는 음식은 여자 주인공이 만든 1만 원짜리 도시락이 유일합니다.
여자 주인공이 만든 도시락의 가격은 1만 원이지만, 남자 주인공에게 그 도시락이 갖는 가치는 얼마나 될까요?

드라마에서처럼 어떠한 물품이나 재화가 가지고 있는 가격과 가치는 불변적인 값이 아니라 상황에 따라 변할 수 있는 것입니다.

18세기 경제학자 아담 스미스(Adam Smith)는 가치는 "사용가치(value in use)"를 의미하고, 가격은 "교환가치(value in exchange)"를 나타내는 것으로 정의를 내렸고, 영국의 경제학자 알프레드 마셜(Alfred Marshall)은 수요공급의 법칙을 통해서 재화의 가격은 소비자의 수요와 생산자의 공급에 의하여 결정된다고 설명하였습니다.

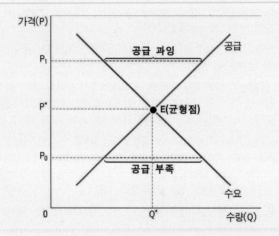

지식재산권은 건물, 토지 같은 부동산처럼 고정된 것이 아닌 무형재산으로 현재의 가치에 대한 평가보다는 과학과 기술의 발전, 시장의 변화 등을 반영한 미래에 발생할 이익에 대한 조건부 평가로, 조건에 대한 타당성 검증과 객관적인 평가가 쉽지 않습니다.
지식재산권과 관련한 분쟁에서 다수의 소송이 발생하는 이유는 이러한 지식재산권의 가치가 가지는 특성이 반영되었기 때문입니다.

제12편에서는 지식재산 가치평가가 가지는 특성과 평가요소, 평가절차 등에 대해서 이해하고, 가치평가 보고서에 대해 자세히 알아보겠습니다.

제12편

지식재산 가치평가

지식재산 가치평가의 의미를 이해하고, 구체적인 사례를 통해 지식재산 가치평가의 목적 및 용도를 파악해
본다.

제1장에서는 기술평가의 개요를 알아보고, 제2장에서는 지식재산 가치평가의 내용을 알아본다.

제1장　지식재산 가치평가의 개요

제1장
지식재산 가치평가의 개요

- **가치(value)**
  - 사용가치: 어떤 재화에 대해 가치가 있다고 하면 그 재화를 직접적으로 사용함으로써 얻어지는 가치
  - 교환가치: 다른 재화 등과 교환될 수 있는 가치
  - 공정가치: 자발적인 수요자와 공급자 모두가 해당기술에 대해 모든 사실을 이해하고 쌍방이 거래에 대한 '강요'가 없는 상황에서 거래가 성사될 수 있는 가액
  - 내재가치: 평가대상에 내재한 본질적인 가치
  - 청산가치: 현재 시점에서 청산할 경우 회수 가능한 금액의 가치
    (=처분가치=매각가치)

- **지식재산 가치평가** – 지식재산의 가치를 평가하는 일로 지식재산의 권리성, 기술성, 시장성, 사업성을 분석
  - IP

  vs

- **기술가치평가** – 차이 ┬ IP의 포함 여부: 기술가치평가는 평가 대상으로 IP를 반드시 포함하지 않아도 됨
  - IP+노하우
  └ 권리성 측면: 지식재산 가치평가는 평가대상이 '권리' 자체이므로 권리안정성이 매우 중요

  ↳ 지식재산 가치평가는 평가 대상으로 IP 반드시 포함

확인학습

* 지식재산 가치평가란 무엇일까요?
* 지식재산 가치평가와 기술가치평가의 차이는 무엇일까요?

01 IP가치평가의 정의

많은 사람들이 가격(price)과 가치(value)란 단어를 혼용해서 사용하곤 합니다. 경제학에서는 가격이 가치를 반영하여 양자가 일치하는 것을 가정하고 있지만, 현실에서 가격과 가치는 불일치합니다.

'가성비가 좋다'라는 표현을 사용하는 경우가 종종 있습니다. 이는 어떤 물품이 가격에 비하여 가지고 있는 가치가 높을 때 사용하는 말로, 그 가치는 구매하는 사람마다 다르게 적용될 수 있습니다. 가령, 휴대폰의 경우 가격 대비 성능이 좋다는 의미로 사용될 수 있고, 식료품의 경우 가격 대비 물품의 질이 좋거나 양이 많다는 의미로 사용될 수 있는 것입니다.

이처럼 유형의 물품(자산)에 대해서도 그 가치에 대해 사람마다 다르게 평가하는데, 무형의 지식재산의 가치는 어떻게 평가해야 할까요?

지식재산 기본법 제27조 제1항에서 정부는 지식재산에 대한 가치평가를 객관적으로 하기 위하여 지식 재산가치의 평가 방법을 정해야 한다고 규정하고 있습니다. 그러나 지식재산의 가치평가가 무엇인지, 어떻게 이루어져야 하는지는 정하고 있지 않습니다.

'지식재산 가치평가'는 '지식재산'에 대한 가치평가로 해석될 수 있으나, 실무상에서 '지식재산' 또는 'IP'라는 용어는 종종 '지식재산권'의 의미로 사용되곤 합니다.
이에 따라, 여기에서는 '지식재산 가치평가'는 '지식재산권'이 가지고 있는 경제적 가치를 일반적으로 인정된 가치평가 방법에 따라 평가하는 것으로 정의하기로 합니다.

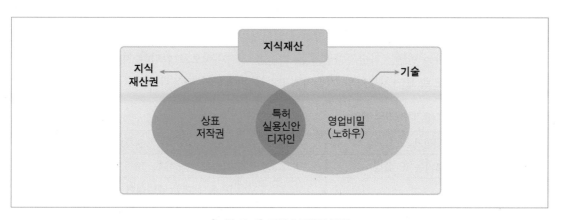

[그림 12-1] 지식재산권의 범위

거래 가능성 측면에서 지식재산은 재산권으로서 독립적 거래가 가능하지만, 기술은 지식재산과 노하우 등을 포괄함으로써 독립적 거래가 어렵다는 특성이 있습니다.
또한, 기술과 지식재산은 모두 사업주체 의존성이 높아 사업주체에 따라 가치창출능력이 다른 경우가 많고 가치의 객관성 정도가 낮습니다.

지식재산권과 기술이 가치평가에서 가지는 특성은 [표 12-1]과 같습니다.

[표 12-1] 지식재산권(특허, 실용신안, 디자인)과 기술의 비교

비교 항목	제품, 유형자산 등	기술	지식재산권 (특허, 실용신안, 디자인)
거래 가능성	독립적인 거래 가능	IP와 노하우 등을 포괄함으로 독립적인 거래 곤란	재산권으로서 독립(개별)적인 거래 가능
동질성	동질성 정도 높음	동질성 정도 낮음	동질성 정도 낮음
사업주체 의존성	• 낮음 • 가치창출능력의 동질성	• 매우 높음 • 가치창출능력의 차별화	• 높음 • 가치창출능력의 차별화
가치의 객관성	객관성 정도 높음	객관성 정도 낮음	객관성 정도 낮음
가치의 기원	사용가치 등	사업화 가치(수익 가치) +권리보호 가치 +노하우 가치 등	사업화 가치(수익 가치) +권리보호 가치
경제적 수명	별도의 기준 없음	IP 포함 시 권리기간 내	권리기간 내

02 IP가치평가와 기술가치평가의 비교

'기술가치평가'란 사업화하려는 기술이나 사업화된 기술이 그 사업을 통해 생기는 경제적 가치를 일반적으로 인정된 가치평가 방법에 따라 평가하는 것입니다.[1]

'IP가치평가'와 '기술가치평가'는 가치평가 방법에 있어서 비슷한 점이 많습니다. 다만, 'IP가치평가'는 IP를 평가대상으로 하는 반면, '기술가치평가'는 기술을 평가대상으로 한다는 차이점이 있습니다. 이러한 차이점을 중심으로 IP가치평가와 기술가치평가를 비교하면 다음과 같습니다.

[표 12-2] IP가치평가와 기술가치평가의 차이

IP가치평가	구분	기술가치평가
법령 등에 의하여 보호되는 IP 한정	평가대상	기술로서 노하우, IP를 모두 포함
IP 권리가 보장되어야 평가 가능	권리성 분석	IP 등에 대한 권리성이 없어도 미래의 경제적 가치가 인정되면 평가 가능
IP가 가지는 상대적 비중 고려	IP기여도	IP의 비중을 별도로 계산하지 않음

---

1) 산업통상자원부, 기술평가기준 운영지침 제2조 제2호(산업통상자원부 고시 제2016-114호)

IP의 포함 여부

기술가치평가의 평가대상은 '기술'로서, 노하우(또는 영업비밀)와 IP를 모두 포함합니다. 반면, IP가치평가의 평가대상은 법령 등에 의하여 보호되는 IP에 제한됩니다.

권리성 분석의 역할

노하우와 IP 모두를 평가대상으로 하는 기술가치평가에서는 특허권과 같은 IP 권리에 문제가 있더라도, 노하우만으로 미래 경제적 가치가 인정되면 가치를 평가할 수 있습니다.

그러나 IP가치평가에서는 평가대상이 '권리' 자체이므로 IP 권리에 문제가 있다면 가치를 평가하는 것이 의미가 없을 수 있습니다. 따라서 IP가치평가에서는 권리성 분석의 역할이 기술가치평가에 비하여 훨씬 중요합니다.

IP기여도

기술가치평가의 경우 기술사업을 통해 생긴 경제적 가치 중 '기술자산'이 차지하는 상대적 비중을 고려합니다. '기술자산'의 '상대적 비중'을 결정할 때에는 IP 비중을 별도로 계산하지 않는 것이 일반적입니다.

반면, IP가치평가에서는 평가대상이 IP이므로 경제적 가치에서 'IP'가 차지하는 상대적 비중(IP기여도)을 고려해야 합니다.

03 발명의 평가기관

'IP가치평가'는 다양한 관점에서 다양한 분야의 전문가가 평가해야 합니다. 특허청은 발명진흥법에 근거하여 평가 전문인력 및 평가모델 보유 등 일정 기준을 갖춘 기관들을 '발명의 평가기관'으로 지정하고 있습니다.

[표 12-3] 발명의 평가기관 지정 기준

구분	세부 내용
전문인력 상시고용	가. 변리사, 회계사, 기술사, 박사학위 소지한 사람 : 2명 이상 나. 발명의 평가 관련 업무에 3년 이상 종사한 사람 : 3명 이상 * 가, 나목의 전문인력을 모두 포함한 총 5명 이상
평가 전담조직 보유	발명의 평가사업을 수행하기 위한 전담조직 보유
평가기법(평가모델) 보유	발명의 평가와 관련한 평가기법(평가모델) 보유
평가 정보망 보유	발명의 평가에 필요한 정보의 수집, 분석, 유통 등을 위한 정보망 보유
평가수행 인프라 보유	평가 수수료 산정기준, 평가수행 업무 매뉴얼 등 평가 관련 지침 보유
시험장비 보유	시험·성능분석을 위한 시험장비 등 보유 * 시험·성능분석을 전문으로 하는 평가기관에 한정

발명의 평가기관 지정은 특허청에서 공고하고, 한국발명진흥회에서 신청접수 및 심의위원회를 운영하고 최종적으로 특허청에서 지정 고시를 하는 절차를 거쳐 이뤄집니다.

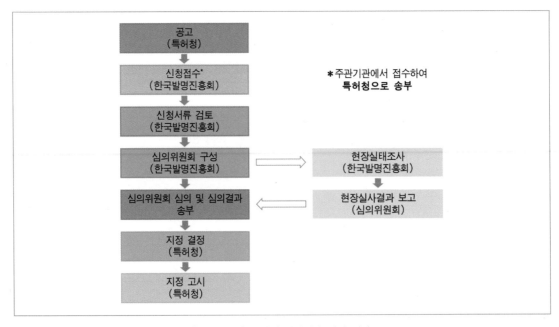

[그림 12-2] 발명의 평가기관 지정 절차

2023년 기준 발명의 평가기관 지정 기준을 충족하여 특허청에서 고시한 기관은 총 23개 기관으로, 다양하고 새로운 기술에 대한 평가를 위한 전문인력을 모집·운영하고 있습니다.

[표 12-4] 발명의 평가기관 지정 현황

구분	평가기관	지정일	비고	전화번호
1	한국건설생활환경시험연구원	'07. 02.	공공	02-3415-8854
2	한국기계전기전자시험연구원	'07. 02.	공공	02-428-7575
3	한국화학융합시험연구원	'07. 02.	공공	02-2164-0167
4	기술보증기금	'07. 02.	공공	02-2155-3774
5	한국과학기술정보연구원	'07. 02.	공공	02-3299-6023
6	한국산업은행	'07. 02.	공공	02-787-6166
7	한국발명진흥회	'07. 02.	공공	02-3459-2854
8	한국농업기술진흥원	'12. 08.	공공	063-919-1343
9	㈜윕스	'15. 06.	민간	02-3153-7928
10	특허법인 다래	'15. 06.	민간	02-3475-7871
11	특허법인 다나	'16. 10.	민간	02-6957-9931
12	나이스평가정보㈜	'17. 09.	민간	02-2124-6822
13	㈜이크레더블	'17. 09.	민간	02-2101-9243
14	신용보증기금	'18. 09.	공공	053-430-4378
15	특허법인 도담	'18. 09.	민간	031-605-4134
16	㈜케이티지	'18. 09.	민간	042-335-1946
17	한국평가데이터㈜	'19. 11.	민간	02-3215-2384
18	㈜나이스디앤비	'19. 11.	민간	02-2122-1340
19	㈜국민은행	'22. 04.	민간	02-2073-0311
20	농협은행 주식회사	'22. 04.	민간	02-2080-2757
21	㈜우리은행	'22. 04.	민간	02-2002-3206
22	유미특허법인	'22. 04.	민간	02-3458-0716
23	주식회사 주원아이피	'22. 04.	민간	02-6953-1716

12

제2장   지식재산 가치평가의 내용

제2장
지식재산 가치평가의 내용

키워드

IP가치평가

약식형 가치평가

- **IP가치평가**
  - 목적: IP 매매, IP 담보대출, IP 현물출자, 손해배상액 산정
  - 방법: 예비평가 ──→ 본평가

    평가대상 IP 관련 자료수집 등 검토

    ┌ 사업타당성평가 - 권리성, 기술성, 시장성, 사업성 분석
    └ IP 가치평가 - IP 가치산출

  - **정식형 VS 약식형**
    - 평가의뢰자의 요구에 따라 일부 평가요소를 통합하거나 분석을 간소화

- **IP가치평가 원칙**
  - 시장가치 원칙 적용
  - 평가조건의 설정 및 사용 원칙의 적용
  - 목적과 용도의 명시
  - 평가의 범위, 가정 및 한계 제시

- **IP가치평가 절차**
  - 상담, 접수 및 계약
  - 예비평가
  - 본평가 ┬ 기술실사
    - 평가요인 분석
    - 평가심의회의
    - IP가치평가
    - 평가품질 관리
    - IP가치평가서 제출

확인학습

* IP가치평가의 목적은 무엇일까요?
* IP가치평가의 방법은 무엇일까요?
* 약식형 IP가치평가란 무엇일까요?

01 IP가치평가의 목적과 원칙

지식재산권이 널리 사용됨에 따라, 특허권, 상표권, 실용신안권 등에 대한 가치를 정확하게 평가하는 것이 요구되고 있습니다. 이러한 지식재산권에 대한 가치평가는 현재 여러 분야에서 다양한 목적으로 이루어지고 있습니다.

그 대표적인 예로 지식재산을 팔고자 하는 기업 등에서 이루어지는 지식재산에 대한 가치평가가 있습니다. 그 밖에도 여러 목적에 따라 지식재산에 대한 가치평가가 이루어지는데, 그 구체적인 목적은 다음과 같습니다.

- IP 비즈니스를 위한 IP의 매매 또는 라이선스 가격 결정
- IP 기반 대출 등 IP 금융을 위한 IP 담보금액 결정
- IP 현물출자를 위한 IP의 가치 산정
- IP 침해소송에 있어서의 손해배상액 산정
- 기타 IP를 독립된 재산권으로 획득·활용·처분하는 경우

이러한 IP가치평가는 IP가 가진 독자적 활용가치를 평가하는 것을 목적으로 합니다. IP가치평가는 지식재산권으로 보호받는 기술에 대한 평가이므로, 가치평가의 대상이 되는 IP의 권리범위를 확정하여 권리범위 내의 기술을 대상으로 평가해야 합니다. 따라서 권리로 보호되지 않는 기술적 노하우는 IP와 구분해야 합니다.

또한, IP가치평가는 대립되는 이해관계자, 평가목적, 국제적 호환성 등을 고려하여야 합니다. 따라서 다음과 같은 원칙과 가정하에 평가를 합니다.

- 시장가치 원칙 적용
- 평가조건의 설정 및 사용 원칙의 적용
- 목적과 용도의 명시
- 평가의 범위, 가정 및 한계 제시

평가자는 실태조사를 통해 대상 IP기술을 확인해야 하는 것이 원칙이나, 객관적이고 신뢰할 수 있는 자료를 충분히 확보할 수 있는 경우에는 실태조사를 생략할 수 있습니다.

02 IP가치평가의 단계

IP가치평가의 단계는 예비평가와 본평가로 나눌 수 있으며, 본평가는 다시 사업타당성평가와 IP가치평가로 구분할 수 있습니다.

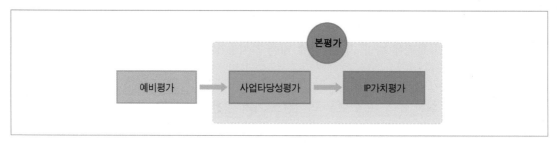

[그림 12-3] IP가치평가의 단계

예비평가

예비평가는 본평가(사업타당성평가 및 IP가치평가)에 앞서서 최소한의 분석결과에 따라 IP의 사업타당성을 판단하기 위해 평가하는 단계입니다. 기술성, 사업성 등에 관한 기초적인 사항을 분석합니다.

사업타당성평가

평가대상IP의 사업타당성을 평가하기 위한 심층평가로서, 평가대상IP에 대한 기술성 분석, 권리성 분석, 시장성 분석, 사업성 분석 등을 통하여 사업타당성을 판단합니다.

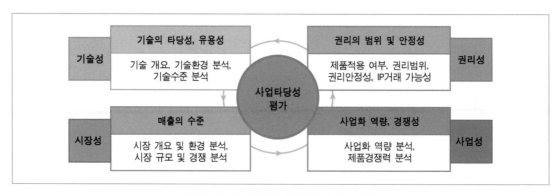

[그림 12-4] 사업타당성 평가요소 및 내용

IP가치평가

사업타당성평가에 따라 IP가치를 평가하는 과정을 의미합니다.

03 IP가치평가의 절차

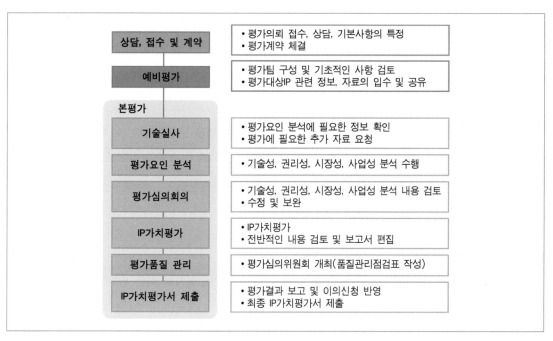

[그림 12-5] IP가치평가의 절차

[그림 12-5]에 나타낸 바와 같이 IP가치평가의 절차는 크게 ① 상담, 접수 및 계약, ② 예비 평가, ③ 본평가로 구분됩니다.

상담, 접수 및 계약

사업을 하는 사람이 직접 평가를 요청하는 경우와, 평가지원사업(사업화연계, IP투자연계, IP보증연계, IP담보 대출연계 등)을 통하여 평가 요청을 받는 경우로 구분할 수 있습니다. 사업을 하는 사람이 직접 평가를 요청하는 경우에는 다음과 같은 기본사항을 확인해야 합니다.

- 의뢰자
- 평가대상IP
- IP가치평가의 목적
- 평가기준일
- IP가치평가의 조건
- 평가 결과 유형 및 활용(가액, 등급, 점수 등)
- 수수료 및 평가에 소요되는 경비에 관한 사항

IP가치평가는 목적에 따라 평가방법, 보고서 분량, 평가기간 및 비용 등이 달라질 수 있습니다. 또한, 앞선 기본사항을 잘못 파악하는 경우에는 평가비용, 기간 등에서 큰 차이가 발생할 수 있으며, 원하는 바를 이루지 못할 수도 있으므로 기본사항을 잘 파악하여야 합니다.

예비평가

평가를 추진할 평가추진팀장(Project Manager, PM)을 정하고, 평가추진팀장은 평가요인(기술성, 권리성, 시장성, 사업성, 가치산정)에 따라 전문가를 정하여 평가팀을 구성합니다. 이후, 평가추진팀장은 평가일정, 평가의 목적, 분석범위와 내용, 보고 형태 등의 정보를 평가참여자(전문가)에게 공유하고, 이를 바탕으로 기술을 확인할 때 고려할 사항을 정리합니다.

기술실사(사업장 방문)

평가추진팀이 평가요인을 분석하기 전에 사업장을 방문하여 기술실사를 하는 단계로, 기술실사는 기술을 직접 확인하는 것입니다. 대상 업체 또는 기관의 대표자 및 기술책임자와의 면담을 진행합니다. 기술실사를 통해 기술적 내용, 평가대상IP에 관련된 생산설비, IP가 적용된 제품 및 성능, 평가대상IP의 보유 현황 등 평가요인 분석에 필요한 정보를 확인하고, 필요한 추가 자료를 대상 업체 또는 기관에 요청할 수 있습니다.

평가요인 분석(사업타당성 분석)

평가대상IP의 사업타당성을 평가하기 위하여 심층평가를 진행합니다. 각 평가요인에 따라 평가참여자들이 각자 맡은 기술성 분석, 권리성 분석, 시장성 분석, 사업성 분석 업무를 하게 됩니다.

평가심의 회의(중간보고)

작성한 기술성, 권리성, 시장성, 사업성 분석 내용을 검토하는 평가심의회의를 진행합니다. 평가심의 회의 결과에 따라 각 평가요인별 평가서를 수정하고, 특히 각 평가요인별로 서로 반대되는 내용이 있는지를 확인하여 이를 합리적으로 조정합니다.

IP가치평가(평가보고서 편집)

작성된 기술성, 권리성, 시장성, 사업성 분석 내용을 토대로 IP가치를 평가합니다. 편집 담당자는 각 평가요인별 내용과 IP가치평가 내용을 전반적으로 검토하면서 전체 평가서를 편집합니다.

품질관리

품질관리용 점검표를 활용하여 전체 평가서 내용을 내부적으로 검토 및 점검하고, 필요할 경우 수정합니다. 필요에 따라 평가심의위원회를 열어 전문가의 검토를 받을 수 있습니다.

최종 IP가치평가서 제출

평가 의뢰인에게 평가결과를 보고하며, 평가 의뢰인의 이의신청이 있는 경우, 이를 검토하여 최종 IP가치평가서를 제출합니다.

04 IP가치평가의 내용

IP가치평가에 있어 고려해야 할 주요 요소로는 기술성, 사업성, 시장성 및 권리성이 있으며, 이 중에서도 특히 권리성에 대한 분석이 먼저 이루어져야 합니다.

권리성 분석

권리성 분석은 지식재산이 법적인 권리를 가지고 있는 상태를 분석하는 것을 의미합니다. 권리성을 분석하기 위해서는 먼저, 권리의 내용특성, 권리의 적용범위, 분쟁발생 가능성 등을 바탕으로 기술의 권리형태에 대한 검토가 필요합니다.
다음으로는, 대체할 수 있거나 유사한 기술이 있는지를 평가하기 위해 기술의 신규성, 기술모방 난이도, 개발기술의 독창성 등에 대한 정보를 평가합니다.
마지막으로, 독점권리 확보 예상기간, 권리 예상수명 등을 검토함으로써 기술권리의 예상수명에 대해 평가합니다.

이를 종합하면, [표 12-5]와 같습니다.

[표 12-5] 권리성 평가의 주요 항목[2]

평가항목	평가내용	
기술의 권리 형태	• 권리의 보유 형태 • 권리의 확보 상태 • 분쟁발생 가능성	• 권리의 내용특성 • 권리의 적용범위
대체·유사 기술의 존재성	• 기술의 신규성 • 개발기술의 독창성	• 기술모방 난이도
기술권리의 예상수명	• 독점권리 확보 예상기간 • 권리 파생 가능성	• 권리 예상수명

그러나 지식재산권은 한번 등록받으면 영원히 존재하는 것이 아니고, 언제든지 무효가 될 가능성이 존재합니다. 따라서 이러한 권리성 분석에는 권리 안정성에 대한 평가가 매우 중요합니다.

시장성 분석

시장성 역시 주요 고려요소가 되는데, 시장성은 최종 소비자가 해당 기술이 반영된 제품을 얼마나 원할지 등을 고려해야 합니다.
이러한 구매동기의 정도를 파악하는 데에는 경쟁제품이 있는지가 중요합니다. 따라서 경쟁제품이 어떤 것인지 정확하게 파악하는 것이 중요합니다.

예를 들어, '환타'와 '쌍화탕' 중 '사이다'의 경쟁제품은 무엇일까요?
여러분이 지금 햄버거와 함께 마실 음료를 고르고 있다고 해 봅시다. '사이다'를 주문하려는 찰나에, '사이다'가 품절이 되었습니다. 그래서 다른 것을 골라야 하는데, 고를 수 있는 음료가 '쌍화탕'과 '환타' 밖에 없습니다. 그러면 여러분은 어떤 것을 고르실 건가요?
대부분의 사람들은 '환타'를 고를 것입니다. 그렇다면 '사이다'의 경쟁제품은 '환타'가 되는 것입니다.

이렇듯, 경쟁제품은 일반 수요자의 수요에 의해 결정되기 때문에, 시장에서 소비자의 수요를 정확하게 파악하는 것이 중요합니다.
또한, 시장성 분석에는 구매동기 외에도 시장규모와 매출액의 예상치가 시장성 판단의 추가적인 고려 대상이 될 수 있습니다.

---

[2] 서상혁·박현우·이승호, 기술마케팅, 산업기술재단, 2007

05 약식형 가치평가

약식형 가치평가의 개요 및 정의

약식형 가치평가는 평가 의뢰자의 요구에 따라 일부 평가요소를 합치하거나 분석을 간단하게 하는 평가 방법입니다.

약식형 가치평가를 할 때 평가의 수준을 유지하기 위해 정식(표준) 가치평가의 평가 세부요인을 똑같이 하되 분석 내용만을 간단하게 하는 것이 가장 바람직하지만, 필요에 따라 평가세부요인을 줄일 수도 있습니다.

분석 내용 축약에 있어 추정근거의 핵심은 반드시 포함하여 평가 의뢰자 및 이용자가 충분히 이해할 수 있도록 작성되어야 하고, 평가의 품질수준이 낮아지지 않도록 유의하여야 합니다.

약식형 가치평가의 주요 내용 및 작성 방법

[표 12-6] 정식형 가치평가와 약식형 가치평가의 비교

구분	정식형	약식형
기술성	**1. 기술성 분석** • 기술성 분석 요약 • 기술의 개요 • 기술 동향 • 기술의 유용성 및 경쟁성	**1. 기술성 분석** • 기술성 분석 요약 • 기술의 개요 • 기술 동향 • 기술의 유용성 및 경쟁성
권리성	**2. 권리성 분석** • 권리성 분석 요약 • 평가대상특허 개요 • 선행기술 분석 • 평가대상특허의 권리범위 분석	**2. 권리성 분석** • 권리성 분석 요약 • 평가대상특허 개요 • 선행기술 분석(생략 혹은 간소화) • 평가대상특허의 권리범위 분석
시장성	**3. 시장성 분석** • 시장 개요 • 시장환경 분석 　- 시장규모 및 성장성 　- 시장수요 전망 • 시장경쟁 분석 　- 경쟁업체 현황 및 시장 점유율 　- 경쟁제품 비교 분석	**3. 시장 사업성 분석** • 시장 개요 • 시장환경 분석 　- 시장규모, 시장 경쟁구조 • 사업주체 개요 • 매출액 추정(평가대상 평균매출액 기반 추정으로 간소화)
사업성	**4. 사업성 분석** • 사업주체 개요 • 사업화 역량 • 제품경쟁력 • 매출액 추정	

세부 작성 방법

(1) 분석 요약

① 평가결과 : 평가결과를 간단하게 작성

[표 12-7] 평가결과 작성 예시

지식재산권 가치 평가액	1,000백만 원 (평가기준일 : 2020년 0월 0일)

② 평가목적 및 용도 : 평가보고서의 목적 및 용도를 간단하게 작성

[표 12-8] 평가목적 및 용도 작성 예시

본 가치산정의 목적은 특허권 담보대출 시 특허권의 적정 가치를 산정하여, 그 결과를 금융기관에 제공함으로써 자본조달을 원활하게 하는 데 있으며, 본 목적 이외의 용도로 사용할 수 없음

③ 평가대상IP : IP에 대해서 기본적인 정보 기재

[표 12-9] 평가대상IP 작성 예시

발명의 명칭	~ 방법 및 장치
출원번호(등록번호)	10-2020-1234567(10-1234567)
출원일(등록일)	2019.00.00.(2019.00.00.)
특허권자	홍길동
존속기간(예정일)	2039.00.00.

본 평가는 "~방법 및 장치"를 대상으로 하였으며, IPC 분류상 0000, 한국표준산업분류코드상 0000에 해당하는 IP임

④ 평가조건 및 가정 : 평가 주요 조건 및 가정을 기재

[표 12-10] 평가조건 및 가정 작성 예시

평가방법(모형)	로열티 공제법 모델 II
산정기준	IP가치평가 실무가이드(특허청, 2020), 000 기준
사업주체	홍길동
매출액	홍길농의 평균 매출액, 농종업계 평균 매출액 및 평균 성장률을 근거로 ~ 예상이 되며, ~

본 평가는 약식형 평가로 사업주체가 제공한 사업계획서, 사업전망 및 동종업계의 평균 매출, 평균 성장률로 매출액을 산정하였으며, 가치평가 전문가의 제한적인 자문을 통해 이루어져 사용된 가정의 현실성 등에서 일정한 한계를 가짐

⑤ IP가치 산정표 : IP가치 산정표 작성

[표 12-11] IP가치 산정표 작성 예시

평가대상IP의 명칭	~ 방법 및 가치			
IP의 경제적 수명	00년(매출액 추정기간 00년)			
매출액	20×1년	20×2년	⋯	20×N년
	000백만 원	000백만 원	⋯	000백만 원
로열티율	0.00%			
로열티 수입	20×1년	20×2년	⋯	20×N년
	000백만 원	000백만 원	⋯	000백만 원
법인세 등	20×1년	20×2년	⋯	20×N년
	000백만 원	000백만 원	⋯	000백만 원
세후 로열티 수입	20×1년	20×2년	⋯	20×N년
	000백만 원	000백만 원	⋯	000백만 원
할인율	00.00%			
현가계수	20×1년	20×2년	⋯	20×N년
	0.×××	0.×××	⋯	0.×××
현재가치	20×1년	20×2년	⋯	20×N년
	000백만 원	000백만 원	⋯	000백만 원
IP가치	000백만 원			

(2) 기술성

① 기술의 개요 : 기술의 특징, 구성, 내용 등 작성

독립항 중심으로 기술의 내용을 설명하고, 각각의 특징을 작성

[표 12-12] 기술의 개요 작성 예시

기술의 개요	본 기술은 ~ 방법 및 장치로, ~ 목적의 기술임
기술의 내용	독립항 1
	독립항 2
기술의 특징	~ 에 적합한 최적의 기술임 ~ 성능이 우수함

② 기술의 동향 : 국내외 기술 동향, 기술적용 현황, 타 제품 현황 작성

독립항 중심으로 기술의 내용을 설명하고, 각각의 특징을 작성

[표 12-13] 기술의 동향 작성 예시

국내외 기술 동향	국내에서는 ~ 방법 및 장치와 관련하여 ××개의 유사 업체가 있고, 미국, 유럽에서는 유사한 제품의 기업들이 있으며 ~
기술적용 현황	~ 방법 및 장치는 ○○○ 제품에 적용되어 ~ 되고 있으며, ~
타 제품 현황	유사한 제품으로는 A와 B가 있고, ~

③ 기술의 유용성 및 경쟁성 : 평가대상IP의 모방 난이도 등 작성

[표 12-14] 기술의 유용성 및 경쟁성 작성 예시

기술의 유용성 및 경쟁성	평가대상IP의 모방 난이도는 보통 수준이며, 기술 수명주기는 성장기로 급격한 성장을 하고 있어, 앞으로 활용도가 높을 것으로 판단됨

(3) 권리성

① 권리성 개요 : 평가대상IP의 서지사항 및 권리범위 작성

[표 12-15] 평가대상IP 서지사항 작성 예시

발명의 명칭	~ 방법 및 장치
출원번호(등록번호)	10-2020-1234567(10-1234567)
출원일(등록일)	2019.00.00.(2019.00.00.)
특허권자	홍길동
존속기간(예정일)	2039.00.00.
심사경과	• 2018.00.00. : 의견제출통지 • 2019.00.00. : 등록결정
청구항	6개(독립항 3, 5, 6)
해외출원	-
권리상태	

[표 12-16] 평가대상IP 권리범위 작성 예시

권리범위(대표청구항)	~ 이 기술의 ~
구성 1	이 기술의 ~
구성 2	이 기술의 ~
구성 2-1	이 기술의 ~
구성 3	이 기술의 ~

② 권리 안정성 : 선행기술 분석, 무효화 가능성 등 작성

[표 12-17] 선행기술 검색 작성 예시

검색식	[(홍차+(black*tea)+(red*tea)+얼그레이+(earl*grey)+(루이보스+rooibos)*(미백+화이트닝+white+멜라닌+melanin)]*IPC=[A61Q]		
검색범위	조사대상 국가	■KIPO ■JPO ■USPTO ■EPO □SIPO	
	조사기간 및 범위		
	DB		
검색결과	한국	××× 기술 외 ○○건	
	미국	××× 기술 외 ○○건	
	일본	××× 기술 외 ○○건	
	유럽	××× 기술 외 ○○건	

[표 12-18] 선행기술 분석 작성 예시

연번	선행기술	유사점	차이점	비고
1				
2				
3				
4				
종합의견				

[표 12-19] 권리 안정성 분석 작성 예시

무효화 가능성	매우 낮음	낮음	보통	높음	매우 높음
			○		
	무효화 가능성은 보통으로, ~				
회피설계 가능성	매우 낮음	낮음	보통	높음	매우 높음
			○		
	회피설계 가능성은 보통으로, ~				
권리범위 광협	매우 낮음	낮음	보통	높음	매우 높음
					○
	평가대상IP는 현재 등록 유지 상태로, 가장 넓은 권리범위를 ~				
제품 적용성	매우 낮음	낮음	보통	높음	매우 높음
			○		
	평가대상IP는 ~ 방법 및 장치에 관한 것으로, 특허가 제품에 적용되어 보호받을 수 있는 수준이 보통으로 ~				

⑷ 시장성 및 사업성

① 시장 개요 : 대상IP의 시장 정의, 시장 특성(전망) 분석

[표 12-20] 시장의 정의 및 개요 작성 예시

시장 정의	본 평가대상IP는 ~ 방법 및 장치에 적용되어 ~을 위한 기술이다. 따라서 본 평가에서는 국내외 ○○○○시장 및 ×××시장으로 시장 분석을 진행함		
관련 사업 연관도	후방산업	해당산업	전방산업
	~~	○○○○시장	~~
주요 적용대상 및 수요처	IP제품	주요 적용분야	수요처
	~	~~	~~~

② 시장환경 분석 : 목표 시장 규모, 시장진입 가능성 등 작성

[표 12-21] 시장환경 분석 작성 예시

시장 규모	국내 ○○○○시장은 ~ 향후 ~ 정도 성장할 것으로 전망된다.				
시장 경쟁구조	국내 ○○○○시장은 ○○개 업체가 시장을 구성하고 있으며 ~, 아래의 시장 점유율을 보이고 있음				
	A사	B사	C사	D사	E사
	30.3%	15.3%	10.3%	9.3%	8.3%
시장 진입 가능성	매우 낮음	낮음	보통	높음	매우 높음
			○		
	국내 ○○○○시장에 진입 가능성은 보통으로 판단되며, 향후 ○○%의 시장 점유율을 확보할 수 있을 것으로 전망됨				

③ 사업주체 개요 : 사업주체의 정의, 현황, 사업화 역량 등 작성

[표 12-22] 사업주체 개요 작성 예시

사업주체명	○○○사
대표자명	홍길동
설립 형태 (기업 형태)	법인설립(일반법인)
설립 일자	2000년 00월 00일
기업 규모	중소기업
업종명	
상시 종업원 수	
R&D 인력	
자산 규모	• 초기 자산 규모 : • 현재 총 자산 :
최근 5개년 매출액	
법인 주요 연혁	• 2000년 ○○○사 법인 설립 • ○○○ 특허 등록 • ××× 사업 수주
대표 주요 경력	• 2000년 ○○○대학교 ○○○학과 학/석/박사 졸업 • 2000년 ○○○사 설립

④ 매출 추정 : 매출 추정의 근거, 매출액 작성

[표 12-23] 매출액 추정 작성 예시

추정 근거	본 평가대상IP의 사업화를 ○○○사가 수행하는 것으로 가정하고, 향후 매출계획 및 영업현황, 동종업계 시장 점유율, 성장률 등을 종합적으로 고려하여 매출을 추정함			
매출액	국내 ○○○○시장은 ~ 향후 성장할 것으로 추정되어 ○○○사의 향후 매출액은 다음과 같이 추정됨			
	20×1년	20×2년	–	20×N년
	000백만 원	000백만 원	–	000백만 원

06 IP가치평가의 활용

특허청에 따르면, 2022년 2월 기준 국내 IP금융 잔액이 사상 최초로 6조 원을 돌파하였습니다. 또한, 2021년의 신규 공급 액수는 2조 5,041억 원으로, 전년 대비 약 21.3% 증가했다고 발표하였습니다. 그렇다면 IP가치평가는 구체적으로 어떻게 활용할 수 있을까요?

IP 투자

> **사례**
>
> 반도체를 생산하는 벤처 A사는 제품을 생산하기 위한 자금이 필요하였으나, 담보가 부족하여 추가적인 자금 조달이 어려운 상황이었습니다. 그런데 A사가 보유하고 있던 특허가 가치평가를 통해 담보가치로 인정을 받게 되었습니다. 이에 A사는 보유하고 있는 특허를 기반으로 투자기관으로부터 약 140억 원의 투자금을 유치할 수 있었습니다. 또한 추가로 유니콘 기업으로 선정되어 후속 투자 유치에도 성공하여 총 800억 원의 투자금을 유치하게 되었습니다.

이 사례와 같이, 특허권과 같은 지식재산권에 대한 가치평가를 통해 사업에 필요한 투자금을 유치할 수 있습니다.

실제로 미래 자동차, 반도체, 바이오와 같은 BIG3 분야의 특허를 보유하고 있는 기업에 대한 투자액이 약 3,300억 원에 달하여, IP 투자가 중소기업에 중요한 역할을 하고 있습니다.

IP 담보대출

> **사례**
>
> 최근 전기차에 대한 수요가 확대됨에 따라, 전기차용 전해액 제품을 생산하는 B사는 사업 확장을 위한 자금이 필요하게 되었습니다. 이에 B사는 자신이 보유하고 있는 특허 2건을 가치평가를 통해 담보가치로 인정을 받고, 이를 담보로 하여 은행으로부터 약 57억 원을 대출받을 수 있었습니다. 또한 이를 시작으로 2021년 11월에는 코스닥 상장에 성공할 수 있었습니다.

이 사례와 같이, 지식재산권에 대한 가치평가를 통해 IP 담보대출을 받을 수 있으며, 실제로 2021년 기준 IP 담보대출을 통한 대출액은 약 1조 500억 원에 달하는 것으로 발표되었습니다.

IP 보증

> **사례**
>
> 코로나19 신속 진단키트 제품 생산 업체인 C사는 최근 영업적자로 인해 제품을 생산하기 위한 원부자재 등을 구매할 수 없는 상황이었습니다. 또한, 지속적인 영업적자로 은행으로부터 일반보증 등의 담보를 받기가 어려워졌습니다. 이에 C사는 보유하고 있던 진단 시스템 관련 특허 2건에 대해 IP보증서를 발급받고, 이를 통해 은행으로부터 약 3억 원을 대출받을 수 있었습니다. 결국 C사는 진단키트 제품 생산을 위한 원부자재 등을 구매할 수 있게 되었습니다.

이 사례와 같이, 지식재산권에 대한 IP 보증을 통해 대출을 받을 수 있으며, 실제로 2021년 국내 기업이 신용보증기금, 기술보증기금 및 서울신용보증재단에서 발급받은 신규 IP 보증액은 전년 대비 19.1% 증가한 약 8,445억 원에 달하는 것으로 나타났습니다.

학습평가

01   지식재산 기본법은 정부가 지식재산에 대하여 가치평가를 객관적으로 하기 위하여 지식재산 가치의 평가 방법을 정해야 한다고 규정하고 있고, 지식재산의 가치평가가 무엇인지와 어떻게 이루어져야 하는지도 함께 규정하고 있다.   ○ ╳

02   지식재산권은 특수한 재산권으로서 독립적으로 거래할 수는 없다는 특징이 있다.   ○ ╳

03   기술가치평가는 IP가치평가와는 달리 IP 등에 대한 권리성이 없어도 수행될 수 있다.   ○ ╳

04   IP가치평가는 IP를 기반으로 한 대출에 있어서 담보금액을 결정하기 위한 목적으로도 수행될 수 있다.   ○ ╳

05   지식재산권에 대한 가치평가에서 시장성은 고려요소가 아니다.   ○ ╳

06   특허권에 대한 가치를 평가할 때, 일단 해당 특허가 무효로 될 가능성은 고려하지 않고 평가한다.   ○ ╳

07 가치평가는 평가 의뢰자의 요구에 따라 일부 평가요소를 통합하거나 분석을 간소화할 수 있다.　　○ ✕

08 시장성 분석에 있어서, 경쟁제품을 제대로 파악하는 것이 중요하다.　　○ ✕

12

해설

01 지식재산 기본법 제27조 제1항에서는 정부가 지식재산에 대하여 가치평가를 객관적으로 하기 위하여 지식재산 가치의 평가 방법을 정해야 한다고 규정하고 있지만, 지식재산의 가치평가가 무엇인지, 어떻게 이루어져야 하는지는 정하고 있지 않습니다.

02 지식재산권은 재산권으로서 독립(개별)적으로 거래할 수 있습니다.

03 기술가치평가는 IP가치평가와는 달리 IP 등에 대한 권리성이 없어도 미래의 경제적 가치가 인정되면 수행될 수 있습니다.

04 IP가치평가는 IP를 기반으로 한 대출에 있어서 담보금액을 결정하기 위한 목적으로도 수행될 수 있습니다.

05 기술성, 권리성, 시장성, 사업성 모두를 종합하여 고려하여야 합니다.

06 권리성을 판단하기 위해서는 해당 기술이 무효로 될 가능성이 있는지 여부, 즉 권리 안정성을 중요 요소로 고려하여야 합니다.

07 가치평가는 평가 의뢰자의 요구에 따라 일부 평가요소를 통합하거나 분석을 간소화할 수 있으며, 이를 약식형 가치평가라고 합니다.

08 경쟁제품을 제대로 파악하지 못하면, 시장성을 분석하는 데 필요한 구매 동기 등에 대한 평가가 달라질 수 있으므로, 경쟁제품을 제대로 파악하는 것이 중요합니다.

정답

1. ✕　2. ✕　3. ○　4. ○　5. ✕　6. ✕　7. ○　8. ○

제13편

선행기술조사
프로젝트

학습목표 선행기술조사 프로젝트를 통해 선행기술조사 보고서를 작성해 본다.

제13편 선행기술조사 프로젝트

사례

지은이는 천연 원료를 기반으로 한 건강기능식품을 개발하기 위한 연구를 진행하던 중, 파프리카가 다이어트 효능이 현저히 뛰어나다는 것을 발견하였습니다. 구체적으로, 비만 유도 마우스에게 파프리카 씨앗 추출물을 투여한 결과, 마우스의 체중 감소 효과 및 중성지방 억제 효과가 발생함을 확인하였습니다. 특히, 파프리카 씨앗에서 파프리카 열매보다 항비만 효과가 더욱 우수하다는 점을 확인하였습니다. 이에 파프리카 씨앗을 포함하는 다이어트 식품을 특허로 보호받기 위해, 대현 변리사에게 선행기술조사를 의뢰하였습니다.

실습

파프리카를 포함하는 다이어트 식품에 대한 선행문헌을 검색하고, 이를 바탕으로 다음의 선행기술조사 보고서를 작성해 보겠습니다.

선행기술조사 보고서(Search Report)				
발명의 명칭				
발명의 요지				
국제특허분류	IPC		IPC 설명	
키워드				
검색 결과				
검색 DB	검색식			
KIPRIS				
조사분석 결과				
No	국가	문헌번호	발명의 명칭	관련도
D1				
D2				
D3				
* 관련도 : X-관련 높음, Y-관련 있음, A-관련은 없으나 참고할 자료				

선행기술 세부 검토 결과 : D1			
공개번호 (공개일자)		관련도	
출원인		출원번호 (출원일자)	
명칭			
D1의 요지		본 발명과의 유사점 및 차이점	

선행기술 세부 검토 결과 : D2			
공개번호 (공개일자)		관련도	
출원인		출원번호 (출원일자)	
명칭			
D2의 요지		본 발명과의 유사점 및 차이점	

선행기술 세부 검토 결과 : D3				
공개번호 (공개일자)		관련도		
출원인		출원번호 (출원일자)		
명칭				

D3의 요지	본 발명과의 유사점 및 차이점

종합 의견

보완 요청 사항

답안 예시

1. 검색식 도출

STEP 1 기술 내용 파악

파프리카의 다이어트 효능에 관한 것입니다. 보다 구체적으로, 파프리카 씨앗 추출물을 비만 유도 마우스에 투여한 결과, 마우스의 체중 감소 효과 및 지방 축적 감소 효과가 나타남을 확인하였습니다.

STEP 2 조사 방향

파프리카 씨앗 추출물의 항비만 효과를 개시하고 있는 문헌을 조사합니다. 단, 씨앗이 아니더라도 파프리카의 다른 부위, 예를 들면, 줄기, 열매, 껍질, 잎 등에 대한 항비만 효과를 개시하고 있는 문헌도 포함하여 조사합니다.

STEP 3 핵심 키워드 도출

지은이의 발명은 파프리카 씨앗 추출물의 항비만 효과에 관한 것으로, 해당 발명의 핵심 키워드는 '파프리카', '씨앗' 그리고 '항비만'으로 도출할 수 있습니다.

STEP 4 확장 키워드 도출

'파프리카'의 영문 명칭인 'paprika'를 확장 키워드로 도출할 수 있습니다. 또한 파프리카의 학술 명칭인 'Capsicum annuum'도 확장 키워드로 도출할 수도 있습니다.

또한 '항비만'과 관련하여는 다이어트 효과를 말할 때 일반적으로 사용되는 다른 용어들, 예를 들면, '비만', 'obesity', '체중', 'weight', '지방', 'fat', '중성지방', 'triglyceride', '콜레스테롤', 'cholesterol', '대사성 질환', 'metabolic disease', '지질 대사', 'lipid metabolism' 등과 같은 용어들까지 확장할 수 있습니다.

'씨앗'에 대해서는, 지은이가 비록 파프리카 씨앗의 효능에 대해 연구를 하였으나, 씨앗 이외의 다른 식물 부위도 광범위하게 조사를 하여야 합니다. 왜냐하면, 씨앗 이외의 다른 부위에서 항비만 효과가 있음이 이미 알려진 경우, 이를 이유로 진보성의 거절이유가 발생할 수 있기 때문입니다.

다만, 선행문헌 등에서 씨앗과 같은 식물 부위에 대해 구체적으로 언급을 하고 있지 않은 경우도 있을 수 있으므로, 씨앗과 관련된 키워드는 검색 건수에 따라 적절히 취사선택하는 것이 바람직합니다.

이를 종합하면, [표 13-1]과 같습니다.

[표 13-1] 키워드로부터 확장 키워드 추출

no	키워드	확장 키워드
1	파프리카	파프리카+paprika+(capsicum*annuum)
2	씨앗	씨+씨앗+seed+열매+fruit+줄기+stem+잎+leaf+뿌리+root
3	항비만	비만+obesit+체중+weight+지방+fat+중성지방+triglyceride+콜레스테롤+cholesterol+(대사성*질환)+(metabolic*disease)+(지질*대사)+(lipid*metabolism)

STEP 5 최종 검색식 도출

앞서 도출한 확장 키워드를 바탕으로 검색식을 작성해 보면, [표 13-2]와 같은 형태의 검색식을 작성할 수 있습니다.

[표 13-2] 최종 검색식의 예

no	검색식의 예
검색식 1	(파프리카+paprika+(capsicum*annuum))*(비만+obesit+체중+weight+지방+fat+중성지방+triglyceride+콜레스테롤+cholesterol+(대사성*질환)+(metabolic*disease)+(지질*대사)+(lipid*metabolism))
검색식 2	(파프리카+paprika)*(비만+obesit+체중+weight+지방+fat+중성지방+triglyceride+콜레스테롤+cholesterol+(대사성*질환)+(metabolic*disease)+(지질*대사)+(lipid*metabolism))*IPC=[A23L]
검색식 3	CL=[(비만+obesit+체중+weight+지방+fat+중성지방+triglyceride+콜레스테롤+cholesterol+(대사성*질환)+(metabolic*disease)+(지질*대사)+(lipid*metabolism))]*CT=[[(파프리카+paprika)]*IPC=[A23L]

검색식 1은 파프리카와 항비만에 관련된 확장 키워드만으로 검색식을 작성한 것으로, 이를 활용해 검색해 보면 다음과 같이 2,452건이 검색되는 것을 확인할 수 있습니다. 즉, 검색식 1은 바람직한 검색식이 아닙니다.

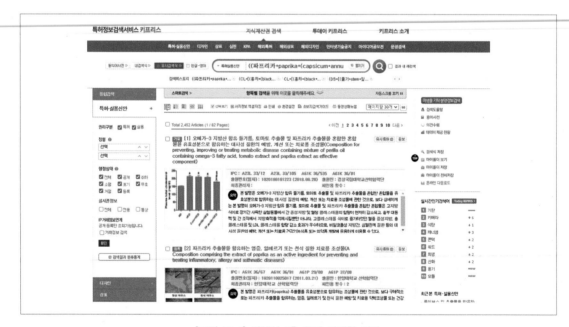

[그림 13-1] 검색식 1을 통해 검색한 결과

따라서 검색식 1을 통해 검색된 결과에서 노이즈를 적절하게 줄일 필요가 있습니다. 이에 검색식 2와 같이, IPC 분류 코드를 활용하여 검색식을 작성해 볼 수 있습니다. 식물 추출물 또는 다이어트 식품과 관련된 IPC 코드는 "A23L"이므로, 이를 검색식에 반영한 검색식 2를 통해 검색하는 경우, [그림 13-2]와 같이 919건이 검색되는 것을 확인할 수 있습니다. 즉, 검색식 2를 활용한다면 노이즈를 대폭 줄일 수 있고, 보다 효과적인 검색을 수행할 수 있습니다.

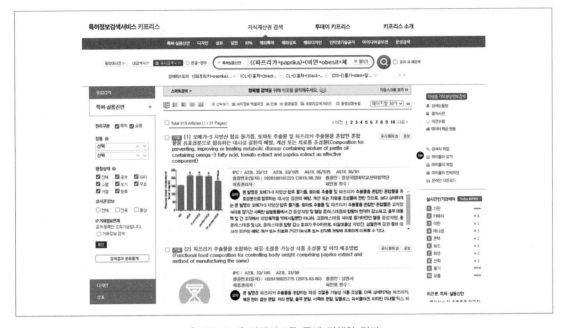

[그림 13-2] 검색식 2를 통해 검색한 결과

다만, 아직도 노이즈가 다소 많은 감이 있으므로, 검색필드를 활용하여 줄일 필요가 있습니다. 따라서 파프리카와 관련된 확장 키워드는 일괄로 하고, 항비만과 관련된 확장 키워드는 청구범위로 하여 검색식 3과 같은 검색식을 작성한 후, 이를 바탕으로 검색을 해 보면 [그림 13-3]과 같이 총 158건이 검색되는 것을 확인할 수 있습니다. 즉, 검색식 3을 통해 보다 효과적인 선행기술조사를 수행할 수 있습니다.

[그림 13-3] 검색식 3을 통해 검색한 결과

2. 선행문헌 추출 및 비교

STEP 1 선행문헌의 추출

검색식 3을 사용하여 검색된 158건의 특허문헌 중 파프리카의 항비만 효과와 가장 근접한 문헌을 찾습니다. 선행문헌의 개수에는 특별한 제한이 없지만 일반적으로 3개 이상의 선행문헌을 조사하는 것이 바람직합니다. 그 결과, ① "파프리카 추출물을 포함하는 체중 조절용 기능성 식품 조성물 및 이의 제조방법"을 발명의 명칭으로 하는 대한민국 공개특허(10-2020-0107142), ② "일중항산소 소거능이 개선된 항비만 및 항산화 활성을 갖는 파프리카 추출물"을 발명의 명칭으로 하는 대한민국 공개특허(10-2020-0107428), ③ "오메가-3 지방산 함유 들기름, 토마토 추출물 및 파프리카 추출물을 혼합한 혼합물을 유효성분으로 함유하는 대사성 질환의 예방, 개선 또는 치료용 조성물"을 발명의 명칭으로 하는 대한민국 공개특허(10-2019-0024786)가 가장 유사한 선행 문헌으로 검색되었습니다.

STEP 2 선행문헌과 본 발명의 비교

① KR 10-2020-0107142(이하, 선행문헌 1)

선행문헌 1은 다음과 같이 청구항 1에서 파프리카 추출물을 유효성분으로 포함하는 체중 조절용 조성물을 권리범위로 하고 있습니다.

청구범위

청구항 1

파프리카 추출물을 유효성분으로 하는 체중 조절용 건강기능식품 조성물[1]

다만, 선행문헌 1은 다음과 같이 파프리카 추출물을 제조하기 위해 적색 파프리카를 세척한 후 씨와 꼭지를 제거하고 있습니다. 즉, 선행문헌 1은 파프리카 씨앗을 의도적으로 배제하고 있음을 알 수 있습니다.

실시예 1. 파프리카 추출물의 중성지방 억제효과

1. 파프리카 추출물의 제조

본 발명에 사용된 적색 파프리카는 전라북도 남원시에서 구매하였다. 적색 파프리카를 깨끗이 세척한 후 씨와 꼭지를 포함하는 불가식 부위를 제거하고, 60℃에서 72시간 동안 건조하였다. 건조 후, 믹서기(Hanil, Korea)로 분쇄하여 10배 용량의 50%(v/v) 에탄올을 가하여 60℃에서 3시간 동안 추출하였다. 추출 후 추출액은 감압농축 및 동결건조하여 −20℃의 냉동고에 보관하면서 실험에 사용하였다.[2]

그리고 이렇게 제조한 파프리카 추출물(PEE)을 유지 효모에 처리한 결과, 중성지방 함량이 유의적으로 감소함을 구체적 실험을 통해 확인하였습니다.

---

10. 결과

(1) 파프리카 추출물의 중성지방 억제 효과

DL-메티오닌(methionine)을 포함하여 각 농도별 파프리카 50%(v/v) 에탄올 추출물(paprika 50% ethanol extract, PEE)에 따른 유지 효모 내의 총 지질 축적량을 분석한 결과, 대조구인 YPD 배지에서 배양된 효모의 총 지질 축적은 36.87±17.03mg/g, DL-메티오닌은 43.83±0.78mg/g이었고, 이를 기준으로 0.02%, 0.1% 및 0.5% PEE에서 배양된 효모의 총 지질 축적량을 확인한 결과, 각각 53.43±3.7mg/g, 93.94±9.58mg/g 및 121.26±9.28mg/g으로 대조구와 DL-메티오닌 및 0.02% PEE는 유의적인 차이가 없었으나, 0.1%와 0.5% PEE는 대조구와 비교했을 때 농도가 높아질수록 유의적으로 총 지질 축적량이 높아졌다.

또한, 각 농도별 PEE가 처리된 유지 효모들로부터 추출된 총 지질을 이용하여 중성지방 함량을 분석하였다. 중성지방 함량을 분석한 결과, 대조구인 YPD 배지는 8.80±2.55mg/dL, DL-메티오닌은 5.75±0.76mg/dL이었고, 0.02%, 0.1% 및 0.5% PEE의 중성지방 함량은 각각 6.50±0.51mg/dL, 5.70±0.71mg/dL 및 4.47±0.15mg/dL으로 대조구에 비해 유의적으로 감소하였다.[3]

즉, 선행문헌 1을 통해, 파프리카 추출물의 항비만 효과는 이미 공지되어 있음을 알 수 있습니다.

---

1) 선행문헌 1의 청구항 1
2) 선행문헌 1의 명세서 일부 발췌
3) 선행문헌 1의 명세서 일부 발췌

② KR 10-2020-0107428(이하, 선행문헌 2)

선행문헌 2는 다음과 같이 청구항 1에서 파프리카 에탄올 추출물의 항비만 효과를 개시하고 있습니다.

청구범위

청구항 1

파프리카를 에탄올 수용액을 이용하여 추출한 추출물인 것을 특징으로 하는 항비만 및 항산화 활성을 갖는 파프리카 추출물[4]

또한, 다음과 같이 선행문헌 2는 파프리카 에탄올 추출물을 제조하기 위해, 파프리카에서 씨와 꼭지 등의 부위를 제거한 후, 이를 에탄올로 추출한다고 기재하고 있습니다.

[0041] **[실시예 1 및 실시예 2]**

[0042] 전북 남원시에서 재배된 파프리카를 물로 세척한 후 씨와 꼭지 등 불가식 부위를 제거하고 60℃에서 72시간 동안 건조시키고, 건조된 파프리카를 믹서기(Hanil, Korea)로 분쇄하여 10배 용량의 30% 에탄올, 70% 에탄올로 각각 60℃에서 3시간 동안 추출하여 실시예 1 및 2의 파프리카 추출물을 얻었다.

[0043] 실시예 1 및 2의 파프리카 추출물을 감압농축 및 동결건조하여 −20℃의 냉동고에 보관하면서 사용하였다.[5]

그리고 이렇게 제조된 파프리카 에탄올 추출물의 중성지방 억제 효과를 구체적 실험을 통해 확인하고, 이를 표 1에 나타내었습니다.

[0057] 그리고 실시예 1 및 2의 파프리카 추출물에 대한 중성지방 억제 효과를 분석한 결과는 표 1로 나타냈다

[0059] 표 1

Sample	Wet cell mass (g)	Lipid content (mg/g wet cell mass)	TG content (mg/dl)
대조구	0.5305±0.0048a	60.35±8.09b	9.57±1.00a
실시예 1	0.5976±0.0579a	79.09±21.22b	6.42±4.11b
실시예 2	0.5440±0.1205a	137.71±21.68a	4.15±2.68b

[0061] 표 1과 같이 실시예 1 및 실시예 2의 파프리카 추출물에 중성지방 억제 효과를 확인한 결과, 대조구, 실시예 1(30% 에탄올) 및 실시예 2(70% 에탄올)의 중성지방 함량은 각각 9.57±1.00mg/dl, 6.42±4.11mg/dl 및 4.15±2.68mg/dl 으로 중성지방을 억제하는 효과가 있는 것으로 사료되었다.[6]

즉, 선행문헌 2를 통해, 파프리카 에탄올 추출물의 항비만 효과는 이미 공지되어 있음을 알 수 있습니다.

---

4) 선행문헌 2의 청구항 1
5) 선행문헌 2의 실시예 1 및 실시예 2
6) 선행문헌 2의 표 1

③ KR 10-2019-0024786(이하, 선행문헌 3)

선행문헌 3은 다음과 같이 청구항 1에서 파프리카 추출물이 혼합된 혼합물의 대사성 질환의 예방 효과를 개시하고 있으며, 청구항 4에서 상기 대사성 질환 중 하나로 비만을 개시하고 있습니다.

청구범위

청구항 1

오메가-3 지방산 함유 들기름, 토마토 추출물 및 파프리카 추출물을 혼합한 혼합물을 유효성분으로 함유하는 대사성 질환의 예방 또는 개선용 건강기능식품 조성물

청구항 4

제1항에 있어서, 상기 대사성 질환은 비만, 비알코올성 지방간 또는 심혈관 질환인 것을 특징으로 하는 대사성 질환의 예방 또는 개선용 건강기능식품 조성물[7]

또한 고지방 식이 마우스에게 위의 혼합물을 처리하고, 이를 통한 콜레스테롤 및 중성지방 함량 감소 효과를 구체적으로 확인하였습니다.

[0043] **[실시예 4. 고지방 식이 마우스의 혈청 내 콜레스테롤 및 간 중성지방의 함량 분석]**

[0044] 혈액 샘플은 각 그룹의 실험동물에 대하여 경심관류 또는 마우스의 눈을 통하여 사육시작 후 90일째에 수집하였다. 원심분리 후 케미랩 T-CHO 분석 키트를 사용하여 비색분석법으로 혈청 내 총 콜레스테롤 수치를 측정하였으며, 간의 중성지방 수치의 경우 트리글리세리드 비색분석 키트(triglyceride colormetric assay kit)를 사용하여 측정하였다. 그 결과, 도 2에 개시한 바와 같이 고지방사료를 식이한 그룹(45% HFD)의 경우, 혈청 내 총 콜레스테롤 수치가 159.5±11.3mg/dL으로 높게 나타난 반면, 본 발명의 오메가-3 지방산 함유 들기름, 토마토 추출물 및 파프리카 추출물을 혼합한 혼합물(45% HFD+Red oil 200 및 45% HFD+Red oil 1000)을 식이한 경우, 각각 139.9±5.5mg/dL 및 139.9±14.4mg/dL으로, 통계적으로 혈중지질농도가 현저히 감소된 것을 확인할 수 있었다. 또한, 간의 중성지방 함량은 고지방사료를 식이한 그룹(45% HFD)의 경우, 203.9±19.1mg/g으로 높게 나타난 반면, 본 발명의 오메가-3 지방산 함유 들기름, 토마토 추출물 및 파프리카 추출물을 혼합한 혼합물(45% HFD+Red oil 200 및 45% HFD+Red oil 1000)을 식이한 경우, 각각 172.2±29.2mg/dL 및 177.4±9.9mg/dL으로, 통계적으로 유의한 감소 효과를 나타내었다.[8]

즉, 선행문헌 3을 통해, 파프리카 추출물의 항비만 효과를 유추할 수 있습니다.

STEP 3 선행기술조사 보고서 작성

조사한 내용을 종합하여 볼 때, 파프리카 씨앗 추출물의 항비만 효과를 구체적으로 개시하고 있는 선행문헌은 검색되지 않았습니다.

다만, 파프리카 추출물(열매 포함)의 항비만 효과는 이미 공지되어 있는 것을 알 수 있습니다. 만약 파프리카 열매가 항비만 효과가 있다는 것이 이미 알려져 있다면, 열매와 밀접한 관련성이 있는 씨앗에서도 이와 유사한 효과가 발생할 것이라는 것은 충분히 예상할 수 있습니다.

---

7) 선행문헌 3의 청구항 1 및 청구항 4
8) 선행문헌 3의 실시예 4

따라서 파프리카 씨앗 추출물의 항비만 효과에 대해 권리화를 시도하는 경우, 선행문헌 1 내지 3을 이유로 진보성의 거절이유가 발생할 수 있습니다.

다만, 출원발명이 선행문헌과 구성이 서로 상이하고, 이에 따른 현저한 효과의 차이가 발생한다면 진보성을 인정하고 있습니다.

앞서 살펴본 바와 같이, 파프리카 씨앗과 파프리카 열매는 비록 서로 유사하나, 명백히 서로 다른 부위에 해당합니다.

따라서 만약 파프리카 씨앗 추출물의 항비만 효과가 파프리카 열매 추출물의 항비만 효과보다 현저하다면, 이를 통해서 진보성이 인정될 수 있습니다. 따라서 파프리카 씨앗 추출물과 파프리카 열매 추출물의 항비만 효과를 비교한 비교실험 데이터가 필요합니다. 다만, 약간 높은 정도에 불과하다면, 진보성이 인정되지 않을 수 있으므로, 현저한 효과를 보여줄 수 있는 비교실험 데이터가 필요합니다.

이러한 점을 바탕으로 선행기술조사 보고서를 작성해 보면 다음과 같습니다.

선행기술조사 보고서(Search Report)	
발명의 명칭	파프리카 추출물을 포함하는 항비만용 조성물

발명의 요지

본 발명은 파프리카 씨앗을 포함하는 항비만용 조성물에 관한 것임

보다 구체적으로, 파프리카 씨앗 추출물을 비만 유도 마우스에 투여한 결과, 마우스의 체중 감소 효과 및 지방 축적 감소 효과가 나타남을 확인함

국제특허분류	IPC	IPC 설명
	A23L-033/105	식물 추출물, 그것의 인공 복제물 또는 그 유도체
	A23L-033/00	식품의 영양 개선; 다이어트 식품; 그것의 조제 또는 처리
키워드	파프리카, paprika, 비만, obesity, 체중, weight, 지방, fat, 중성지방, triglyceride, 콜레스테롤, cholesterol, 대사성 질환, metabolic diseases, 지질 대사, lipid metabolism	

검색 결과

검색 DB	검색식
KIPRIS	CL=[(비만+obesit+체중+weight+지방+fat+중성지방+triglyceride+콜레스테롤+cholesterol+(대사성*질환)+(metabolic*disease)+(지질*대사)+(lipid*metabolism))]*CT=[(파프리카+paprika)]*IPC=[A23L]

조사분석 결과

No	국가	문헌번호	발명의 명칭	관련도
D1	KR	KR 10-2020-0107142	파프리카 추출물을 포함하는 체중 조절용 기능성 식품 조성물 및 이의 제조방법	Y
D2	KR	KR 10-2020-0107428	일중항산소 소거능이 개선된 항비만 및 항산화 활성을 갖는 파프리카 추출물	Y
D3	KR	KR 10-2019-0024786	오메가-3 지방산 함유 들기름, 토마토 추출물 및 파프리카 추출물을 혼합한 혼합물을 유효성분으로 함유하는 대사성 질환의 예방, 개선 또는 치료용 조성물	Y

* 관련도 : X-관련 높음, Y-관련 있음, A-관련은 없으나 참고할 자료

선행기술 세부 검토 결과: D1				
공개번호 (공개일자)	KR 10-2020 0107142 (2020.09.16.)	관련도	Y	
출원인	남원시	출원번호 (출원일자)	KR 10-2019-0025775 (2019.03.06.)	
명칭	파프리카 추출물을 포함하는 체중 조절용 기능성 식품 조성물 및 이의 제조방법			

D1의 요지	본 발명과의 유사점 및 차이점
파프리카 추출물을 포함하는 체중 조절용 기능성 식품에 관한 것으로, 파프리카 추출물의 중성지방 축적 억제 효과를 개시함(D1의 청구항 1 및 실시예 1 참조) **청구범위** **청구항 1** 파프리카 추출물을 유효성분으로 하는 체중 조절용 건강기능식품 조성물 **[실시예 1. 파프리카 추출물의 중성지방 억제효과]** 1. 파프리카 추출물의 제조 본 발명에 사용된 적색 파프리카는 전라북도 남원시에서 구매하였다. 적색 파프리카를 깨끗이 세척한 후 씨와 꼭지를 포함하는 불가식 부위를 제거하고, 60℃에서 72시간 동안 건조하였다. 건조 후, 믹서기(Hanil, Korea)로 분쇄하여 10배 용량의 50%(v/v) 에탄올을 가하여 60℃에서 3시간 동안 추출하였다. 추출 후 추출액은 감압농축 및 동결건조하여 −20℃의 냉동고에 보관하면서 실험에 사용하였다. 10. 결과 (1) 파프리카 추출물의 중성지방 억제 효과 DL-메티오닌(methionine)을 포함하여 각 농도별 파프리카 50%(v/v) 에탄올 추출(paprika 50% ethanol extract, PEE)에 따른 유지 효모 내의 총 지질 축적량을 분석한 결과, 대조구인 YPD 배지에서 배양된 효모의 총 지질 축적은 36.87±17.03mg/g, DL-메티오닌은 43.83±0.78mg/g이었고, 이를 기준으로 0.02%, 0.1% 및 0.5% PEE에서 배양된 효모의 총 지질 축적량을 확인한 결과, 각각 53.43±3.7mg/g, 93.94±9.58mg/g 및 121.26±9.28mg/g으로 대조구와 DL-메티오닌 및 0.02% PEE는 유의적인 차이가 없었으나, 0.1%와 0.5% PEE는 대조구와 비교했을 때 농도가 높아질수록 유의적으로 총 지질 축적량이 높아졌다. 또한, 각 농도별 PEE가 처리된 유지 효모들로부터 추출된 총 지질을 이용하여 중성지방 함량을 분석하였다. 중성지방 함량을 분석한 결과, 대조구인 YPD 배지는 8.80±2.55mg/dL, DL-메티오닌은 5.75±0.76mg/dL이었고, 0.02%, 0.1% 및 0.5% PEE의 중성지방 함량은 각각 6.50±0.51mg/dL, 5.70±0.71mg/dL 및 4.47±0.15mg/dL으로 대조구에 비해 유의적으로 감소하였다.	• 유사점 파프리카 추출물의 중성지방 축적 억제 효과를 통한 체중 조절용 기능성 식품을 개시하고 있다는 점에서, 본 발명과 일부 유사함 • 차이점 그러나 D1은 구체적 실시예에서 파프리카 추출물을 제조하기 위해, 파프리카 열매를 세척 후, 씨를 제거하여 사용하고 있다는 점에서, 일부 차이가 있음(D1의 실시예 1 참조)

선행기술 세부 검토 결과 : D2			
공개번호 (공개일자)	KR 10-2020-0107428 (2020.09.16.)	관련도	Y
출원인	남원시	출원번호 (출원일자)	KR 10-2019-0026551 (2019.03.08.)
명칭	일중항산소 소거능이 개선된 항비만 및 항산화 활성을 갖는 파프리카 추출물		

D2의 요지	본 발명과의 유사점 및 차이점
항비만 효과 갖는 파프리카 추출물에 관한 것으로, 파프리카 추출물의 중성지방 감소 효과를 개시함(D2의 청구항 1, 실시예 1 및 실시예 2 참조) **청구범위** **청구항 1** 파프리카를 에탄올 수용액을 이용하여 추출한 추출물인 것을 특징으로 하는 항비만 및 항산화 활성을 갖는 파프리카 추출물	

[0041] [실시예 1 및 실시예 2]

[0042] 전북 남원시에서 재배된 파프리카를 물로 세척한 후 씨와 꼭지 등 불가식 부위를 제거하고 60℃에서 72시간 동안 건조시키고, 건조된 파프리카를 믹서기(Hanil, Korea)로 분쇄하여 10배 용량의 30% 에탄올, 70% 에탄올로 각각 60℃에서 3시간 동안 추출하여 실시예 1 및 2의 파프리카 추출물을 얻었다.

[0043] 실시예 1 및 2의 파프리카 추출물을 감압농축 및 동결건조하여 −20℃의 냉동고에 보관하면서 사용하였다.

[0057] 그리고 실시예 1 및 2의 파프리카 추출물에 대한 중성지방 억제 효과를 분석한 결과는 표 1로 나타냈다.

[0059] 표 1

Sample	Wet cell mass (g)	Lipid content (mg/g wet cell mass)	TG content (mg/dl)
대조구	0.5305±0.0048a	60.35±8.09b	9.57±1.00a
실시예 1	0.5976±0.0579a	79.09±21.22b	6.42±4.11b
실시예 2	0.5440±0.1205a	137.71±21.68a	4.15±2.68b

[0061] 표 1과 같이 실시예 1 및 실시예 2의 파프리카 추출물에 중성지방 억제 효과를 확인한 결과, 대조구, 실시예 1(30% 에탄올) 및 실시예 2(70% 에탄올)의 중성지방 함량은 각각 9.57±1.00mg/dl, 6.42±4.11mg/dl 및 4.15±2.68mg/dl으로 중성지방을 억제하는 효과가 있는 것으로 사료되었다.

유사점 및 차이점 (우측 칸)

• 유사점

파프리카 추출물의 중성지방 축적 억제 효과를 통한 체중 조절용 기능성 식품을 개시하고 있다는 점에서, 본 발명과 일부 유사함

• 차이점

그러나 D2는 구체적 실시예에서 파프리카 추출물을 제조하기 위해, 파프리카 열매를 세척 후, 씨를 제거하여 사용하고 있다는 점에서, 일부 차이가 있음(D2의 실시예 1 및 실시예 2 참조)

선행기술 세부 검토 결과 : D3			
공개번호 (공개일자)	KR 10-2019-0024786 (2019.03.08.)	관련도	Y
출원인	경상대학교 산학협력단	출원번호 (출원일자)	KR 10-2018-0101223 (2018.08.28.)
명칭	오메가-3 지방산 함유 들기름, 토마토 추출물 및 파프리카 추출물을 혼합한 혼합물을 유효성분으로 함유하는 대사성 질환의 예방, 개선 또는 치료용 조성물		

D3의 요지	본 발명과의 유사점 및 차이점
오메가-3 지방산 함유 들기름, 토마토 추출물 및 파프리카 추출물을 혼합한 혼합물에 관한 것으로, 상기 혼합물은 대사성 질환 예방 치료 효과를 가짐(D3의 요약 참조) 상기 대사성 질환은 비만일 수 있음을 개시(D3의 청구항 4 참조) **청구범위** **청구항 1** 오메가-3 지방산 함유 들기름, 토마토 추출물 및 파프리카 추출물을 혼합한 혼합물을 유효성분으로 함유하는 대사성 질환의 예방 또는 개선용 건강기능식품 조성물 **청구항 4** 제1항에 있어서, 상기 대사성 질환은 비만, 비알코올성 지방간 또는 심혈관 질환인 것을 특징으로 하는 대사성 질환의 예방 또는 개선용 건강기능식품 조성물 보다 구체적으로, 고지방 식이 마우스에게 위의 혼합물을 처리한 경우, 콜레스테롤 및 중성지방 함량 감소 효과가 나타남을 확인함(D3의 실시예 4). [0043] 실시예 4. 고지방 식이 마우스의 혈청 내 콜레스테롤 및 간 중성지방의 함량 분석 [0044] 혈액 샘플은 각 그룹의 실험동물에 대하여 경심관류 또는 마우스의 눈을 통하여 사육시작 후 90일째에 수집하였다. 원심분리 후 케미랩 T-CHO 분석 키트를 사용하여 비색분석법으로 혈청 내 총 콜레스테롤 수치를 측정하였으며, 간의 중성지방 수치의 경우 트리글리세리드 비색분석 키트(triglyceride colormetric assay kit)를 사용하여 측정하였다. 그 결과, 도 2에 개시한 바와 같이 고지방사료를 식이한 그룹(45% HFD)의 경우, 혈청 내 총 콜레스테롤 수치가 159.5±11.3mg/dL으로 높게 나타난 반면, 본 발명의 오메가-3 지방산 함유 들기름, 토마토 추출물 및 파프리카 추출물을 혼합한 혼합물(45% HFD+Red oil 200 및 45% HFD+Red oil 1000)을 식이한 경우, 각각 139.9±5.5mg/dL 및 139.9±14.4mg/dL으로, 통계적으로 혈중지질농도가 현저히 감소된 것을 확인할 수 있었다. 또한, 간의 중성지방 함량은 고지방사료를 식이한 그룹(45% HFD)의 경우, 203.9±19.1mg/g으로 높게 나타난 반면, 본 발명의 오메가-3 지방산 함유 들기름, 토마토 추출물 및 파프리카 추출물을 혼합한 혼합물(45% HFD+Red oil 200 및 45% HFD+Red oil 1000)을 식이한 경우, 각각 172.2±29.2mg/dL 및 177.4±9.9mg/dL으로, 통계적으로 유의한 감소 효과를 나타내었다.	**• 유사점** 파프리카 추출물을 포함하는 혼합물의 항비만 효과를 개시하고 있다는 점에서, 본 발명과 일부 유사함 **• 차이점** 그러나 D3는 오메가-3 지방산 함유 들기름, 토마토 추출물 및 파프리카 추출물을 혼합한 혼합물에 대한 효과를 개시하고 있을 뿐, 파프리카 추출물 단독의 항비만 효과에 대해서는 개시하고 있지 않음 나아가 D3는 파프리카 추출물을 제조함에 있어서, 단순히 파프리카 분말을 이용하여 추출한 것임을 개시하고 있을 뿐, 파프리카 씨앗에 대해 아무런 개시를 하고 있지 않음(D3의 식별번호 [0012] 및 제조예 1 참조)

종합 의견

파프리카 씨앗의 항비만 효과에 대해 선행기술조사를 수행한 결과, 아래 표 1과 같이 파프리카 추출물의 항비만 효과에 대해 개시하고 있는 선행문헌이 검색되었습니다.

표 1

구성	본 발명	D1	D2	D3
파프리카	파프리카 씨앗	파프리카 열매	파프리카 열매	파프리카 분말
비만	항비만 용도	체중 조절 용도	항비만 용도	항비만 용도

보다 구체적으로,

D1은 파프리카 추출물을 포함하는 체중 조절용 기능성 식품에 관한 것으로, 파프리카 추출물의 중성지방 축적 억제 효과를 개시하고 있습니다(D1의 청구항 1 및 실시예 1 참조).

그러나 D1은 구체적 실시예에서 파프리카 추출물을 제조하기 위해, 파프리카 열매를 세척 후, 씨를 제거하여 사용하고 있어(D1의 실시예 1 참조), 파프리카 씨앗의 항비만 효과에 대해서는 구체적으로 개시하고 있지 않습니다.

D2는 항비만용 파프리카 추출물을 개시하고 있으며, 구체적으로 중성지방 축적 억제 효과를 확인하고 있습니다(D2의 청구항 1 및 표 1 참조).

그러나 D2도 구체적 실시예에서 파프리카 추출물을 제조하기 위해, 파프리카 열매를 세척 후, 씨를 제거하여 사용하고 있어(D2의 실시예 1 및 실시예 2 참조), 파프리카 씨앗의 항비만 효과에 대해서는 구체적으로 개시하고 있지 않습니다.

D3는 파프리카 추출물 외에 들기름과 토마토 추출물을 추가로 포함하는 혼합물의 항비만 효과를 개시하고 있으나, 파프리카 추출물 단독의 항비만 효과를 개시하고 있지는 않습니다. 또한, D3는 파프리카 추출물의 제조 시 단순히 파프리카 분말을 사용하고 있으며, 파프리카 씨앗에 대해서는 아무런 개시를 하고 있지 않습니다.

즉, D1 내지 D3 모두 파프리카 씨앗의 항비만 효과에 대해서는 아무런 개시를 하고 있지 않은 바, 파프리카 씨앗의 항비만 효과에 대해 권리화를 시도해 볼 수 있을 것으로 판단됩니다.

단, D1 및 D2에서 파프리카 추출물의 항비만 효과를 개시하고 있고, D3의 파프리카 분말에는 파프리카 씨앗이 포함될 수 있는 점을 고려하였을 때, 상기 D1 내지 D3를 이유로 진보성의 거절이유가 발생할 수 있습니다.

이 경우, i) 어떤 성분의 혼합물이 특정 효과를 나타낸다고 하더라도, 그 혼합물에 포함되는 단일 성분이 반드시 동일한 효과를 나타낸다고 단정할 수 없는 바, D3가 파프리카 추출물을 포함하는 혼합물의 항비만 효과를 개시하고 있다는 점만으로는 구체적 실험 없이 파프리카 추출물이 항비만 효과를 갖는다고 단정할 수 없고, ii) 상기 D1 및 D2는 모두 구체적 실시예에서 씨앗을 제거한 파프리카 열매를 사용하고 있으며, iii) 열매와 씨앗에는 매우 다양한 성분이 서로 다른 농도로 포함되어 있어 열매에서 항비만 효과가 나타난다고 하더라도 씨앗에서 반드시 동일한 효과가 나타난다고 단정할 수 없음을 주장함으로써 심사관의 의견에 대응해 볼 수 있을 것으로 판단됩니다.

다만, 본 발명의 진보성을 효과적으로 주장하기 위해서는, 항비만 효과에 있어서, 파프리카 씨앗이 파프리카 열매 대비 현저히 뛰어남을 보여주는 비교실험 데이터가 필요할 것으로 판단됩니다.

보완 요청 사항

파프리카 씨앗 추출물이 파프리카 열매 추출물보다 항비만 효과가 현저히 뛰어남을 보여줄 수 있는 비교실험 데이터를 요청드립니다.

Reference

이 책의 참고문헌

1. 김민희, 「미국에서의 Patent troll 관련 최근 쟁점과 판결」, 지식재산 21, 2009년 1월호

2. 특허청, 「디자인보호가이드북」, 2022

3. 특허청, 「상표심사기준」, 2022

4. 대법원 재판연구관실, 「보도자료(2019. 4. 8.자)」

5. 특허청, 「사물인터넷 기술 분야별 주요 기업 출원동향」

6. 대한민국 정책브리핑, 「중소기업 특허경영 매뉴얼」, 2007

7. 국가지식재산위원회, 「연구자를 위한 알기 쉬운 지식재산 활용 지침서 개정판」, 2021

8. 특허청 · 한국지식재산보호원, 「기술보호의 초석 영업비밀 보호제도」, 2019

9. 특허청 · 영업비밀보호센터, 「꼭 알아야 할 영업비밀 핵심판례」, 2012

10. 한국과학기술기획평가원, 「중소기업의 기술사업화 추진실태와 정책제언」, 2020

11. 특허청 · 한국지식재산연구원, 「지식재산과 경영전략」, 2015

12. 산업통상자원부, 「기술평가기준 운영지침(산업통상자원부 고시 제2016-114호)」

13. 서상혁 · 박현우 · 이승호, 「기술마케팅」, 산업기술재단, 2007

쉽게 풀어 쓴

지식재산
입문

초판발행 | 2023. 9. 5.   **2쇄발행** | 2025. 3. 10.   **편저자** | 특허청·한국발명진흥회
발행인 | 박 용   **발행처** | (주)박문각출판   **등록** | 2015년 4월 29일 제2015-000104호
주소 | 06654 서울특별시 서초구 효령로 283 서경빌딩   **팩스** | (02)584-2927
전화 | 교재 문의 (02) 6466-7202

정가 20,000원
ISBN 979-11-6987-480-9

IP

|

Intellectual
Property
Rights

지식재산
입문

지식재산 용어 해설

특허청·한국발명진흥회 편저

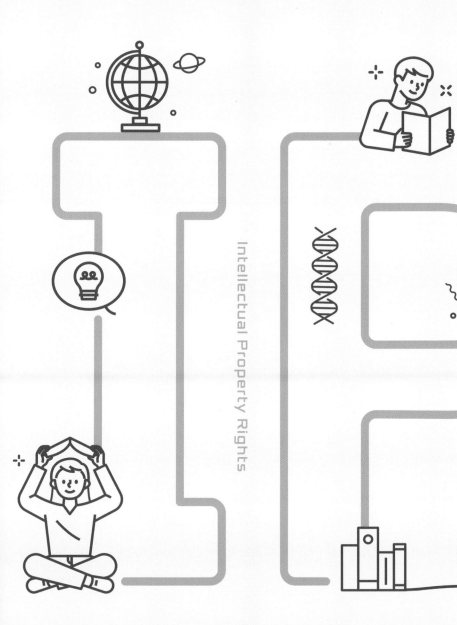

Intellectual Property Rights

 특허청　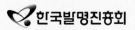한국발명진흥회

지식재산
입문

지식재산 용어 해설

특허청·한국발명진흥회 편저

Intellectual Property Rights

특허청   한국발명진흥회   박문각

1. 특허 관련 용어

2차적 고려 미국의 Graham v. John Deere 판례에 따른 발명의 비자명성을 판단하는 테스트. 소위 Graham 테스트 방법에 있어서의 한 가지 기준. 상업적 성공, 장기간의 염원(long-felt need), 예상치 못한 결과, 타인의 실패, 발명 모방 등의 증거를 참조하여 전체적인 비자명성 결론을 내림

3요소시험 Graver Tank & Mfg. Co. v. Linde Air Products Company 사건에서 미 연방대법원에 의해 실시된 균등론 하에서의 특허침해를 입증하기 위한 시험을 일컫는 통상적인 표현. 즉, 특허된 장치 및 제소된 장치가 작동함에 있어서 기능, 방법, 결과를 비교하는 세 가지의 고려사항을 말함

B+ 그룹 WIPO의 B그룹(미국, 일본, 캐나다, 오스트레일리아, 뉴질랜드, 유럽 등 29개국)에 EU, EPC의 기타 가맹국 등을 포함하는 41개국 및 제2의 기관(EPO, EU)으로 구성된 그룹. WIPO 내에서의 특허실체법에 대한 통일화 논의가 개도국의 반대로 진전이 없자, 선진국 위주의 B+ 그룹을 통해 SPLT(특허실체법조약)를 논의하고 있음

BNS 데이터 유럽특허청(EPO)의 BACON(Back file Conversion) 계획에 의해 입력된 특허 관련 모든 전산자료를 활용하기 위한 전자도서관 개발계획으로 EPOQUE 시스템, CAESAR 시스템 등과 연계하여 활용가능하며, 2천만 건의 문헌에 대한 전문복사 및 Fax 전송서비스 제공이 가능함

CD-ROM 공보 CD-ROM을 기록매체로 하는 공보. 공개공보에 대해서는 1993년 1월 이후부터 또 특허게재공보에 대해서는 1996년 1월부터 발행

EPO 온라인 출원 및 전자사무처리체제 유럽특허청(EPO)의 온라인출원 및 전자출원 사무처리 시스템으로 각각 독립적 시스템으로 운영되는 출원, 심사, 등록에 관련된 행정 업무처리 시스템을 통합하는 시스템으로 온라인출원 및 등록 서비스 외에 다음과 같은 서비스를 제공하고 있음
- PatXML : MS워드 사용의 EP/PCT/US 출원서 작성용 소프트웨어
- Online Public File Inspection : 80만 건 이상의 파일검색에 대해 온라인 신청 및 정보 제공
- My.epoline : 맞춤형 서비스로 WebRegMT(검색한 데이터의 변경사항 통보), My files, Mailbox 등 운영

IPC 코드 국제특허분류의 최소단위인 그룹을 보다 상세하게 전개시키기 위하여 사용하는 기호로서, 원칙적으로 101에서 시작하는 3자리 숫자를 사용하고 있음

KSR 사건 자명성 판단에 있어 중요한 전환을 불러일으킨 미국 연방대법원의 판례[KSR v. Teleflex, 127 S. Ct. 1727 (2007)]. 연방순회항소법원(CAFC)이 발명의 자명성 판단에 적용하던 TSM(teaching-suggestion-motivation) 테스트가 지나치게 경직되고 엄격하게 적용되고 있었음을 지적하며, Graham 테스트의 원칙을 따르고, 보다 유연한 관점에서 자명성을 판단할 것을 교시하고 있는 판례. 자명성 판단에 있어서의 당업자의 기준을 상식(common sense)을 갖는 자로 지적함

PCT 출원 외국에 특허를 취득하려고 하는 경우 특허협력조약에 의한 국제출원을 거치는 방식을 말함. 국제출원을 하고자 하는 자는 국어, 영어 또는 일본어의 지정언어로 작성한 출원서, 명세서, 청구의 범위, 필요한 도면 및 요약서를 제출하여야 함(특허법 제193조)

PCT 최소문헌 PCT 국제조사 시 필수적으로 검색하여야 하는 특허문헌. 따라서 국제조사기관(ISA)은 PCT 최소문헌에 해당하는 특허문헌(데이터베이스)을 반드시 특허검색 시스템에 갖추고 있어야 함

가등록 본 등록에 대한 예비등록의 일종으로서 본 등록을 할 수 있는 실체상 또는 절차상의 요건이 완비되지 않은 경우 장래 그 요건이 완비된 뒤에 할 본 등록의 순위를 보전 또는 채권확보를 위하여 미리 하는 등록

가명세서 출원인이 발명의 개요를 기재한 가명세서를 제출한 후 일정 기간 내에 완전한 명세서를 제출. 출원일은 가명세서의 출원일로 소급 가능

가출원 미국 특허법 제111조의 규정에 따른 출원을 말함. 해외출원에 필요한 출원일의 우선일을 빨리 얻기 위해 1995년 개정법에 의해 도입되었음. 가출원에 의하면, 명세서는 영어 이외의 언어도 가능하며, 청구범위를 기재할 필요가 없고, IDS(Information Disclosure Statement) 제출의

무가 부가되지 않음. 가출원 후 1년 이내에 정규출원을 할 경우 가출원일자가 미국 출원일로 인정됨

간행물에 기재된 발명 기계적, 화학적 수단에 의하여 복제된 공개성과 정보성을 갖는 문서 및 도면, 사진 등의 정보전달 매체에 게재되어 그 기술분야에서 통상의 지식을 가진 자가 용이하게 실시할 수 있을 정도로 발명의 구성이 기재된 발명을 말함. 또한 발표된 간행물에 게재된 발명과 똑같이 전기통신회선을 통하여 공중이 이용 가능하게 된 발명은 신규성이 상실되어 특허받을 수 없음

간행물의 반포 해당 간행물이 열람 가능한 상태로 배부되는 것 또는 공중에 의한 접근이 가능하게 되는 상태를 의미하며, 누군가가 현실적으로 열람했다는 사실까지 필요로 하지 아니함

강력한 특허 무효로 하기 어렵거나 불가능한 특허

강제실시권 공공의 이익보호와 특허권의 남용방지 등과 같은 일정한 경우, 권리자의 동의나 허락 없이 정부가 특허를 강제로 실시하게 하는 것으로 특허법 제106조, 제106조의 2 및 제107조에 규정

개량발명 선행발명을 기초로 하여 이를 기술적으로 더욱 보완한 발명

개시의무 미국 형평법의 원칙에서 유래한 것으로 출원인은 미국특허청에 독점권을 주장하고 요구하는 데 있어서 특허성에 영향을 줄 수 있는 모든 관련된 사실을 평가할 기회를 미국특허청에 부여하여야 하며, 출원인은 자기의 기술에 대해서 심사관보다 전문가이므로 모든 관련 사실을 충분하고 정확하게 심사관에게 고지할 의무를 지고 있음

개연성 있음직한, 일어남직한 사실과 같은 의미로 특허분야에서는 개연성이라는 용어로 사용됨

개척발명/기본발명 해당 발명에 속하는 분야의 기술문제를 최초로 해결한 발명. 파이오니아 발명은 기본발명으로서 많은 개량발명의 기초가 됨

개척특허/기본특허 어떠한 기술분야에서 의미 있는 진보를 이룩한 발명에 관한 특허로, 미연방대법원은 "그 기술의 진보에서 명료한 진전을 보여주고, 종래기술의 단순한 개량 또는 보완과는 구별되는 정도의 신규성 및 중요성을 갖는 발명에 관한 특허"라고 정의하고 있음

거절이유 특허출원 발명의 실체적 요건위반 또는 형식적 요건위반 사항(특허법에서 거절이유는 한정열거주의 원칙을 채택). 미국특허청에서는 거절을 rejection이라 하고, 일본은 refusal이라 함

경쟁기술 동일 또는 유사한 목적을 달성하는 데 상호 경쟁이 되는 기술. 예를 들어, 스마트폰의 시각인증기술과 지문인증기술을 예로 들 수 있음

계속심사청구 2000년 5월 29일자부터는 발효된 미국 특허심사제도. 출원이 최종 거절, 항소 또는 특허결정 통지하에 있더라도 청구서를 제출하고 일정한 수수료를 납부하면 출원에 대하여 계속 심사를 받을 수 있도록 함

계속적인 출원 미국 특허출원 절차로서 모출원에 대한 두 번째 출원을 말함. 여기에는 계속출원(continuation application), 일부계속출원(continuation-in-part application) 및 분할출원(divisional application)이 있음. 디자인 특허는 CPA (Continuing Patent application)으로 계속출원 진행

계속출원 미국 특허출원 절차로서 제1출원과 동일한 발명의 내용을 제1출원이 특허청에 계류 중에 재출원하여 원출원일을 인정받으며 다시 심사를 받는 절차. 제2출원은 제1출원과 동일하여야 하고, 신규사항을 포함할 수 없음

계층체계무시검색 검색키가 계층을 갖고 있는 경우 하위의 계층에 있는 것을 포함하지 않고 이루어지는 검색

공개특허 공개된 특허를 의미함

공동발명 2인 이상의 자가 실질적으로 협력하여 하나의 발명을 완성시킨 경우 공동발명이라 함

공동발명자 복수의 사람이 공동으로 발명을 한 경우에 특허를 받을 수 있는 권리는 발명자 전원이 공유하며, 공유자 전원이 공동으로 특허출원을 하여야 함. 공동발명자가 되기 위한 조건은 발명자가 되기 위한 조건과 동일하며, 따라서 공동발명자가 되기 위해서는 기술사상의 구체적 사상 또는 완성에 직접 관여한 실질적 협력자이어야 함

공동체특허협약 일명 '룩셈부르크 협약'이라고도 하며, 유럽특허협약과는 달리 유럽특허청(EPO)에의 출원 및 심사를 통해 유럽공동체 전역에 유효한 단일 특허권이 설정된다는 내용을 담고 있음. 프랑스, 독일, 그리스, 덴마크 등 4개국이 비준하였으나, 영국, 네덜란드 등 기타 국가들의 비준 실패로 발효되지 못하고 있음. 최근 단일한 공동체 특허제도의 확립을 위해 유럽의 통합특허법원(United Patent Court, UPC)과 유럽 단일특허(Unitary Patent, UP) 제도의 시행을 눈앞에 두고 있음

공동출원 2인 이상의 발명인이나 2인 이상의 출원인이 1개의 지식재산권을 출원하는 것

공연한 사용 발명이 공연히 알려진 상태 또는 공연히 알려질 수 있는 상태에서 사용된 경우를 말함

공연한 실시 당해 기술분야에서 통상의 지식을 가진 자에게 그 발명내용이 알려질 수 있는 상태로 실시된 경우

공연한 실시의 증거조사 신청 절차 당해 기술분야에서 통상의 지식을 가진 자에게 그 발명 내용이 알려질 수 있는 상태에 있음을 석명하기 위한 증거조사의 신청 절차

공연한 판매 공연히 알려진 상태 또는 공연히 알려질 수 있는 상태에서 판매되는 경우를 말함

공연히 실시된 발명 특허출원 전에 국내에서 불특정인이 알 수 있는 상태에서 그 발명이 공공연하게 실시된 경우를 의미함. 즉 당해 기술분야에서 통상의 지식을 가진 자에게 그 발명내용이 알려질 수 있는 상태로 실시된 경우를 말함. 특허출원 전에 국내에서 공지되었거나 공연히 실시된 발명을 의미

공중에 기부 명세서에 기재된 발명의 내용을 모두 청구항에 기재하고 있지 않을 경우, 청구항에 기재되지 않은 발명의 부분은 특허권자가 공중에 기부한 것으로 보게 되는 것. 특허침해소송에 있어서 항변 사유 중 하나임

공지기술(기술수준) 참작 특허권의 권리범위를 해석함에 있어, 당해 특허발명의 출원 당시의 공지기술을 참작하여 특허권의 권리범위를 해석하여야 한다는 원칙

공지된 발명 특허출원 전에 그 내용이 비밀상태로 유지되지 않고 불특정인에게 알려지거나 알려질 수 있는 상태에 놓여있는 발명

공지예외 특허법은 공지예외의 경우를 본인의 의사에 의한 공지와 본인의 의사에 의하지 않은 공지로 나누어 규정하고 있으며, 12개월 내에 출원하는 경우 신규성을 상실하지 않는 것으로 규정하고 있음(특허법 제30조)

과제를 해결하기 위한 수단 발명의 과제를 해결하기 위하여 채용되는 기술적 수단으로서, 복수의 수단으로 이루어져 있는 경우에는 그 연관관계를 발명의 설명부분에 기재하여야 함

과제해결접근법 발명의 진보성을 판단할 때 유럽특허 실무에서 채택하고 있는 방법. 먼저 가장 근접한 선행기술을 특정한 후 해결하여야 할 기술적 과제를 특정하고 최후로 가장 근접한 선행기술과 기술적 과제로부터 청구항에 관계된 발명이 당업자에게 있어서 자명한지 아닌지를 검토하는 방법

과학적 발견 기술, 기계, 조성물, 제품 등으로 응용되는 경우를 말하며, 과학적 발견이 아닌 경우 특허받을 수 없음

과학적 원리 실험과 재현가능성으로 입증되는 것. 과학적 원리는 특허의 대상이 아님. 과학적 원리도 유형적인 구조와 관계가 없으면 특허가 거절됨(O'Reilly v. Morse 15 Howard 62)

관련출원 동일 발명자, 일부 일치하는 발명자 또는 발명자 그룹에 의해 동일하거나 유사한 기술적 주체에 관련된 특허출원(미국)

관용기술 주지기술로서 자주 사용되고 있는 기술을 말함

관할 감독관청 피감독기관에 대한 관할권을 가진 관청. 예를 들어 특허청의 관할감독관청은 상급관청인 산업통상자원부가 됨

관할 국제예비심사기관 특허협력조약(PCT) 제31조 (2)(b) 규정에 의한 국제예비심사청구에 대하여 관계협정에 따라 당해 수리관청에 제출된 국제출원의 국제예비심사에 적합하게 정해진 국제예비심사기관. 우리나라 특허청을 수리관청으로 하여 제출한 PCT 국제특허출원은 일본과 오스트리아가 관할 국제예비심사기관임

관할 국제조사기관 특허협력조약(PCT) 제16조(3)(b)에 규정된 관계협정에 따라 당해 수리관청에 제출된 국제출원의 조사에 적합하게 정해진 국제조사기관. 국어로 된 출원은 우리나라 특허청이, 일본어로 된 출원은 일본특허청이, 영어로 된 출원은 우리나라 특허청 또는 오스트리아 특허청 또는 호주특허청이 관할 국제예비심사기관임

관할수리관청 특허협력조약(PCT)에 따른 국제특허출원을 수리할 수 있는 권한을 갖는 관청으로서 특허협력조약(PCT) 규칙 제19조에 따르면 출원인이 거주자인 체약국의 국내관청 또는 그 체약국을 위하여 업무를 수행하는 국내관청이거나 출원인이 국민인 체약국의 국내관청 또는 체약국을 위하여 업무를 수행하는 국내관청, 또는 WIPO 국제사무국이 해당됨

구성되는 영문 특허청구항의 기재 시 연결부(transition) 표현 중의 하나. '구성된'으로 해석될 수 있으며, 이 연결부 표현이 사용될 경우 특허권리범위의 해석에 있어서 해당 청구항의 구성요소만을 포함하는 것으로 해석하므로 이 표현을 '폐쇄형(close-ended)'이라고도 함. 따라서 침해품이 특허청구항의 구성요소 이외의 다른 구성요소를 갖고 있을 경우에는 특허침해가 성립하지 않음

구성요소 청구범위를 한정하는 기술적 특성을 정의하는 청구항의 개별요소. 발명을 구성하는 요소를 지칭하는 것으로 특정한 기능을 갖는 개개의 구체적인 수단 또는 공정을 의미함

구성요소가 유기적으로 결합 특허발명의 특허청구범위의 청구항이 복수의 구성요소로 되어 있는 경우에는 그 각 구성요소가 유기적으로 결합된 전체가 특허발명의 요지를 이루는 것이고, 이러한 경우 특허청구범위를 해석함에 있어서 출원경위에 나타난 출원인의 의사를 참작한다고 하더라도 그 구성요소의 일부를 배제하는 것은 허용될 수 없음

구성요소의 일부 공지 발명의 구성요소 일부가 공지된 것

구성요소일체의 원칙 특허침해 여부를 판단할 때, 특허청구범위에 기재된 모든 구성요소가 침해품(an accused product)에 존재하는지(reads on)를 판단하게 되는데, 이를 구성요소일체의 원칙이라고 함

구조 특허침해 여부를 판단할 때, 특허청구범위에 기재된 모든 구성요소가 침해품(an accused product)에 존재하는지(reads on)를 판단하게 되는데, 이를 구성요소일체의 원칙이라고 함

국가의 지정(PCT) PCT 출원서의 제출은 국제출원일에 조약에 구속되는 모든 체약국의 지정을 구성함. 다만, 한국, 독일, 러시아의 경우 '자기지정'과 관련하여 별도로 그 지정 여부를 표시하도록 규정하고 있음

국내단계 PCT 국제출원의 절차 중에서 출원인이 지정한 국가들에 대한 번역문을 제출한 시점 이후의 절차. 각국 특허청 혹은 지역 특허청에 대해 PCT 국내 단계를 밟을 것인지와 언제 밟을 것인지는 출원인이 결정할 문제임

국내소진 특허권의 소진 범위를 정할 때, 1국 1특허 원칙에 입각하여 소진이 해당국 내에서만 이루어진다는 이론. 이 경우 병행수입된 상품은 수입국에서 권리소진이 이루어지지 않았으므로 수입국의 권리자가 병행수입을 금지할 수 있음

국내우선권 특허를 받고자 하는 자가 선출원의 출원일로부터 1년 이내에 국내의 선출원을 기초로 우선권주장출원을 하면, 우선권주장출원에 포함된 선출원발명은 일정요건에 대하여 선출원 시에 출원한 것으로 판단시점을 소급하여 주는 특허법상의 권리. 한국에 기출원된 특허출원 또는 실용신안출원(원출원)의 발명 또는 고안에 기초하여 우선권을 주장하여 원출원일로부터 1년 이내에 특허출원 또는 실용신안출원을 하는 경우에 특허심사 등의 기준일을 선출원일로 인정함

국방상 필요한 발명 정부는 국방상 필요한 경우에는 외국에의 특허출원을 금지하거나 발명자·출원인 및 대리인에게 그 발명을 비밀로 취급하도록 명할 수 있음. 또한 정부는 특허출원한 발명이 국방상 필요한 경우에는 특허를 허여(추가)하지 아니할 수 있으며, 전시·사변 또는 이에 준하는 비상시에 있어서 국방상 필요한 경우에는 특허를 받을 수 있는 권리를 수용할 수도 있음

국제공개/국제공고 ① PCT 출원에 관한 것으로 우선일로부터 18개월 경과 후 국제사무국이 행함. 그러나 출원인은 상기의 기간 전이라도 공개를 원할 때에는 국제사무국에 조기국제공개를 청구할 수 있음. 국제사무국은 수리관청이 송부한 국제출원서류(출원서, 명세서, 청구범위, 도면, 요약서)와 국제조사기관이 보내온 국제조사 보고서를 합하여 국제공개 팸플릿을 발간함으로써 국제공개를 행하고, 이를 출원인 및 각 지정관청에 송부함. 국제출원이 국제공개된 경우 각 지정국에서의 효과는 원칙적으로 국내출원의 출원 공개에 대하여 국내법령에서 정한 효과와 동일. PCT Art. 21(특허) ② 국제등록한 사항 전체를 정기공보(the WIPO Gazette of International Marks)에 게재하는 것(상표)

국제공개용 번역문 모든 PCT 국제출원은 우선일로부터 18개월에 국제사무국에 의하여 국제공개언어로 작성된 출원서로 국제공개가 행해지는데, 만약 국어로 출원된 경우에는 국제공개를 위해서 출원인은 우선일로부터 14개월 이내에 국제공개용 번역문(영어)을 작성, 제출하여야 함

국제기탁 미생물 자체 또는 미생물을 이용하는 발명의 출원 시 미생물의 국제기탁이 요구됨

국제단계 PCT 국제출원에서 쓰이는 용어. 체약국을 지정하여 국제출원서를 수리관청에 제출하고 국제조사보고서와 국제예비심사보고서(선택적)를 받은 후, 각 지정국에 번역문을 제출하기 이전까지의 단계

국제소진 특허권의 소진이 국제적으로 이루어진다고 보는 입장으로, 이 경우 병행수입된 상품은 수입국에서도 권리소진이 이루어진 것이므로 특허권자가 수입국으로의 병행수입을 막을 수 없게 됨

국제수수료 특허협력조약의 국제출원에 대하여 국제사무국에 내는 수수료. 기본수수료와 지정수수료로 구성되어 있음

국제예비심사 국제출원에 대하여 국제예비심사기관이 주로 국제조사기관이 발견한 선행기술을 참고하여 출원발명의 특허획득 가능성을 사전에 검토하는 국제예비심사보고서를 작성하는 것. 국제출원(PCT) 시 예비심사청구에 의하여 특허청구범위에 기재되어 있는 발명이 신규성, 진보성 및 산업상의 이용가능성을 가지는 여부에 대하여 예비적이고 구속력이 없는 견해를 표시하는 것

국제예비심사기관 국제출원에 기재된 발명의 신규성, 진보성 및 산업상 이용가능성에 대하여 예비적이고 비구속적인 판단업무를 수행하는 PCT 협약동맹총회에서 지정받은 기구

국제예비심사보고서 국제예비심사보고서는 국제출원에 대하여 국제예비심사기관이 국제조사기관이 발견한 선행기술을 참고하여 심사를 수행하여 당해 국제출원의 청구범위에 기재된 각 청구항이 신규성, 진보성 및 산업상 이용가능성의 기준을 충족하는지의 여부에 대한 판단을 한 보고서

국제예비심사청구 국제예비심사는 국제출원의 필수적 절차가 아니라 출원인이 선택할 수 있는 절차로 국제출원서의 제출과는 별도로 국제예비심사기관에 청구서를 제출하고 수수료를 납부하여야 함

국제조사 PCT 국제출원에 대해서 국제조사기관이 선행기술을 조사하는 것

국제조사기간 국제조사보고서 또는 조약 제17조(2)(a)의 선언통지서의 작성기간은 국제조사기관이 조사용 사본을 수령한 날로부터 3월 또는 우선일로부터 9월 중 늦게 만료하는 기간(PCT규칙 제42조42.1)으로서, 특허협력동맹(Patent Cooperation Treaty, PCT) 총회가 일정한 요건을 갖춘 각국 특허청 또는 정부 간 기구 중에서 국제조사를 할 수 있도록 지정한 기관. 국제조사란 국제출원의 청구의 범위에 기재된 발명이 신규성 및 진보성을 가지는가를 판단할 수 있도록 국제조사기관이 국제출원에 대한 관련 선행기술을 조사하여 국제조사보고서를 작성하고 이를 국제사무국과 출원인에게 송부하는 업무. 우리나라는 1999년 12월 1일부터 국제조사기관으로 활동하고 있음. 국어로 된 출원은 우리나라 특허청, 영어로 된 출원은 우리나라 특허청 또는 오스트리아 특허청 또는 호주 특허청을 국제조사기관으로 지정할 수 있음

국제조사문헌 국제조사문헌은 국제특허 심사 과정에서 의무적으로 조사해야 하는 선진 특허문헌을 의미함. 본래 국제특허출원 심사 시 모든 선행하는 특허문헌을 조사토록 돼있지만, 이는 물리적으로 불가능한 만큼 WIPO는 반드시 조사해야 하는 특허문헌의 범위를 선진 특허문헌으로 제한하고 있음

국제조사보고서 국제조사기관이 국제조사의 결과보고서 형식으로 작성하며, 작성된 국제조사보고서는 국제사무국 및 출원인에게 송부됨

국제출원 PCT 조약에 의한 국제출원절차는 출원인이 국제출원서류를 3부 작성하여 수리관청에 제출함으로써 시작됨. 출원서의 제출로서 국제출원일에 조약에 구속되는 모든 체약국의 지정을 구성하는 효과가 있으며, 조약에 의하여 출원인이 자국특허청(수리관청)에 국제출원을 한 날에 이들 지정국 특허청(지정관청)에 대해서도 동일한 특허출원을 한 것으로 인정됨

국제출원의 국제공개 국제사무국은 수리관청이 송부한 국제출원서류(출원서, 명세서, 청구범위, 도면, 요약서)와 국제조사기관이 보내온 국제조사보고서를 합하여 국제공개 팸플릿을 발간함으로써 국제공개를 행하고, 이를 출원인 및 각 지정관청에 송부함

국제출원의 요건 출원은 출원서, 명세서, 1 이상의 청구항, 1 이상의 도면(필요한 경우), 요약서를 포함 필요(PCT 국제예비심사지침서 II-1. 1.1)

국제출원의 확정분류 국제출원을 1 이상의 서브클래스 내의 1 이상의 메인그룹으로 분류할 필요가 있는 경우에는 그러한 모든 분류를 부여하여야 함. 발명의 분류는 비의무적 분류 또는 인덱싱과 구분하여 표시함

국제출원일자 국제협력조약(PCT) 국제출원의 출원일

국제특허문헌센터 국제특허문헌센터 유럽특허청(EPO)의 각종 국제특허문헌 데이터베이스 관리 및 운영센터

국제특허분류 특허분류체계를 국제적으로 통일시킬 목적으로 체결된 '국제특허분류에 관한 Strasbourg 협정'에 따라 세계지식재산권기구(WIPO)가 1975년 10월에 제정한 국제적으로 통용되는 기술분야별 분류기호로서 섹션(section), 클래스(class), 서브클래스(sub-class), 메인그룹(main group), 서브그룹(sub-group)의 계층적 구조로 이루어져 있으며, 특허문헌의 체계적인 분류, 검색, 배포 및 관리를 통하여 특허문헌을 효율적으로 활용할 수 있게 함으로써 기술 개발을 촉진하기 위한 것임. 섹션별 기술분야는 다음과 같음. A: 생활필수, B: 처리조작·운수, C: 화학·야금, D: 섬유·송이류, E: 고성구소물(토목·건축), F: 기계공학·조명·가열·무기·폭파, G: 물리학, H: 전기

국제특허분류에 관한 스트라스부르그 협정 기술을 8개의 주분류와 67,000개의 세분류로 구분하는 국제특허분류를 규정하고 있음. 각 세분류는 아라비아숫자 및 라틴 알파벳으로 구성된 기호가 부여되어 있음. IPC 기호는 지난 10년 동안 매년 약 1,000,000부가 발간되는 특허문헌에 표기되고 있음. 특허문헌을 발간하는 각국 또는 지역 특허청이 기술내용에 적합한 기호를 부여. IPC 기호는 선행기술조사의 서치 시 특허문헌의 검색을 위해 필수적임

권리불요구(disclaimer) 특정 권리를 주장하지 않겠다는 지식재산권 소유자의 공식 진술로서 법정권리 포기와 잔여기간 포기(terminal disclaimer)의 두 가지가 있음. 법정권리 포기는 특허 중 무효인 청구항을 권리자가 알게 된 경우, 나머지 청구항의 무효화를 막기 위하여 자발적으로 무효 청구항에 대한 권리를 포기하는 것이며, 잔여기간 포기는 a특허의 존속기간을 b특허의 권리만료 시로 한정하여 a특허의 잔여 권리기간을 자발적으로 포기하는 것을 의미함

균등 특허발명이 완전히 일치하지는 않지만 두 가지를 비교할 경우 실질적으로 동일한 경우. 즉, 등가로 평가되므로 동일하다는 의미로 사용됨. 타인의 실시를 배제할 수 있는 발명의 범위

균등론 특허청구범위를 해석하여 특허발명의 보호범위를 정함에 있어 단순히 문언에 의한 문리해석의 범위를 넘어서 문언상의 기재와 균등내지 등가의 발명도 특허발명의 보호범위에 속한다고 보는 이론

균등론 적용의 소극적 요건 균등론 적용에 있어서 침해자가 항변하는 사항으로 공지사실제외의 원칙, 포대금반언의 원칙이 있음

균등론 적용의 적극적 요건 균등론 적용에 있어 특허권자가 주장하는 사항을 말하며, 과제의 해결원리가 공통될 것, 치환가능성이 있을 것, 치환용이성이 있을 것의 요건이 충족되어야 함

균등물의 치환 A, B, C의 구성요소로 이루어진 발명과 A, B, C′의 구성요소로 이루어진 발명을 비교할 때 C와 C′가 균등하여 치환이 가능한지 여부. 즉 C와 C′가 균등물로서 치환될 수 있는지 여부를 의미함

균등침해의 요건 균등침해가 성립되기 위해서는 적극적 요건으로 과제의 해결원리가 공통될 것, 치환가능성이 있을 것, 치환용이성이 있을 것이 요구되고, 소극적 요건으로 공지사실제외의 원칙, 포대금반언의 원칙이 적용됨

그래함(Graham) 기준 미국 특허법 제103조에 규정한 발명자의 자명성 또는 비자명성을 판단하는 기법으로, 1) 선행기술의 내용을 명확히 함, 2) 선행기술과 문제가 되고 있는 클레임과 기술적 차이를 명확히 함, 3) 당업자의 수준을 명확히 함. 이 세 단계로 진행됨. Graham test는 1952년에 특허법 제103조의 규정으로 도입된 이래 처음으로 자명성에 대한 연방대법원의 판단이 됨. Graham사건에서 나타난 것으로써 자명성 또는 비자명성 판단의 기초가 되고 있음

기능성 제품을 심미적으로 보다 좋게 보이도록 하는 장식성에 반대되는 개념으로 의도된 목적대로 장치를 보다 잘 작동하도록 하는 장치의 한 측면

기능적 수단에 의해 표현된 청구항 정확하고 자세하게 발명의 구성요소를 설명하는 대신에, 특정 기능을 수행하기 위한 수단을 기능적으로 표현한 청구범위 기재방식. 이때 수단의 의미는 명세서의 실시예와 그 균등물로 해석함. 여기서 균등물이라 함은 동일한 기능에 균등한 구성을 의미하며, 균등론하에서의 균등과는 다른 개념임. 구성요소의 표현을 'means for' 또는 'step for'라는 표현을 사용하여 나타냄

기록매체특허 특허 가능한 소프트웨어를 저장하고 있는 기록매체에 대한 특허

기술분야 발명을 분류함에 있어 기술의 해당 분야로서 IPC 분류에 의함. 발명을 확정하기 위하여 관련 기술분야 특정 필요

기술심리관제도 기술심리관제도는 특허청 항고심판소의 심결에 대하여 곧바로 대법원에 상고하도록 되어 있던 구 특허법 제186조 제1항이 위헌이라는 주장에 대해 특허사건은 기술을 아는 자가 심리하여야 한다는 주장이 맞서면서 그 절충안으로 1998년 3월 1일 도입됨. 현재 특허법원, 서울중앙지방법원, 대법원에 기술심리관이 파견되어 있음

기술적 결함 기존의 기술이 가지고 있는 기술적 결함. 즉, 새로운 발명에서 해결하고자 하는 기술적 과제에서 기존의 기술로 해결할 수 없었던 결함을 의미함

기술적 사상의 창작 기술적 사상의 창작. 발명에 대한 정의로서 특허법 제2조 제1호에 "발명이라 함은 자연법칙을 이용한 기술적 사상의 창작으로서 고도한 것"이라고 규정하고 있음

기재요건 특허등록을 받기 위해 명세서 작성에 있어서 요구되는 요건. 우리 특허법은 발명의 설명에는 그 발명이 속하는 기술분야에서 통상의 지식을 가진 자가 그 발명을 쉽게 실시할 수 있도록 산업통상자원부령이 정하는 기재방법에 따라 명확하고 상세하게 기재하여야 한다(특허법 제42조 제3항)고 명시하고 있음. 미국 특허법상으로는 제112조에 규정하고 있는 발명의 개시(disclosure) 요건 중의 하나로서 청구항에 기재된 발명의 내용이 발명의 설명에 충분히 기재되어 있어야 한다는 요건. 주로 최초 출원된 청구항에 새로운 청구항을 추가할 경우 추가된 청구항의 내용이 원출원 명세서에 기재되어 있는지 여부를 다툴 때 쟁점이 되는 규정임

기탁기관 미생물에 관계되는 발명을 특허출원하기 위해서는 그 미생물을 특허청장이 정하는 기탁기관 또는 특허절차상 미생물 기탁의 국제적인 승인에 관한 부다페스트 조약에 따른 국제기탁기관에 기탁하고 그 수탁증을 출원서에 첨부하여야 함. 특허청장이 정하는 기탁기관으로 한국생명공학연구원의 유전자은행(Korean Collection for Type Cultures, KCTC), 한국미생물보존센터(Korean Culture Center of Microorganism, KCCM), 한국세포주연구재단(Korean Cell Line Research Foundation, KCLRF)이 있음

기탁서 미생물을 기탁하는 서면. 일반적으로 조약에 의한 기탁서의 경우에는 instrumental deposition을 사용함

다중종속항 2개 이상의 이전 청구항을 양자택일로 다시 언급하는 종속항. 바르게 작성할 경우 위법은 아니나 복잡한 관계로 인하여 이해하기 어렵고, 심사비용 역시 인용하는 항별로 모두 부과되기 때문에 선호하는 청구항 작성방법은 아님

다항식 청구항 복수항으로 구성되는 클레임을 의미. 다항식 청구항의 기재방식은 다른 클레임을 인용하여 기재하는 종속청구항과 독립청구항이 있음

다항제 하나의 발명에 대하여 복수의 청구항을 기재하여 복수의 권리범위를 설정할 수 있도록 하는 것. 기본적으로 독립항과 이 독립항을 인용하는 1 또는 2 이상의 종속항으로 이루어진 형태가 1 또는 2 이상 청구할 수 있도록 한 것을 말함. 다항제의 장점은 발명의 기술내용을 다각적으로 보호받을 수 있다는 데 있음

단독출원 발명자가 한 사람일 때 그 발명이 출원된 경우 단독출원이라 하며, 공동출원에 대비되는 개념임

단항제 일본 구 특허법에서 채택하고 있었던 제도로 특허청구범위에 발명의 구성에 없어서는 안 될 사항만을 1항에 기재한 것. 우리나라 특허법도 1981년까지는 단항제를 실시. 행정의 편의와 비용절감의 효과가 있지만 발명내용의 실질적 보호가 미흡함

당업자에게 용이한 발명 그 발명이 속하는 기술분야에서 당업자가 통상적인 노력하에서 창작 가능한 발명

당해 기술분야의 통상의 지식 발명과 관련된 기술에서 보통의 평범한 엔지니어, 과학자 혹은 디자이너의 기술적 지식과 경험 및 전문성의 수준

대체명세서 명세서의 보정이 인정되는 경우에도 보정서의 수가 많다든가, 오기, 기타의 이유에 의하여 명세서의 내용이 이해하기 곤란한 경우에 심사관의 요구에 의하여 완결된 명세서를 대체명세서라 하며, 대체에 의하여 명세서는

실질적으로 정정된 것으로 정정명세서라고도 함(미국)

대체출원 특정발명에 관한 출원을 한번 포기하고 일정기간이 경과한 후에 다시 선행발명과 동일 발명을 특허출원하는 경우(미국)(MPEP 201.09 – 201.11)

데이터독점 오리지널 의약품의 판매허가를 받기 위해 제출하는 안전성, 유효성 등에 관한 임상자료를 다른 회사들이 사용하지 못하게 하는 제도. 미국의 Food and Drug Law Section 505(355)(D)에 신물질은 시판허가 받은 날로부터 5년, 새로운 용도는 시판허가 받은 날로부터 3년으로 규정하고 있음

도면의 간단한 설명 도면이 첨부된 경우에 명세서에 기재되며, 첨부 도면의 종류, 도시상태 및 도시부분에 대한 설명을 간단히 기재함

동물특허 동물 그 자체, 동물의 일부분 또는 이러한 것을 만드는 방법 및 이를 이용한 것에 관한 특허. 영국 로슬린연구소의 복제양 돌리 탄생을 계기로 국내외 관심사로 부각되었는데 협의로는 동물 자체 및 그것을 만드는 방법에 관한 특허만을 지칭. 동물특허의 인정 여부는 국가별로 차이가 있음. 우리나라를 비롯한 미국, 일본은 동물특허를 인정(다만, 복제동물 자체는 신규성 결여로 불인정. 복제방법만 인정)하고 있으나 중국, 핀란드 등에서는 인정하고 있지 않음. 포유동물에 대한 세계 최초의 특허는 1988년 미국에서 허여된 이른바 하버드 마우스이며, 우리나라에서는 2000년 6월 서울대 서정선 교수가 국내 최초로 당뇨병발생 유전자 이식마우스에 대해 특허를 받았음

라벨 라이선스 특허제품 또는 방법특허에 사용되는 제품의 라벨에 고지함으로써 제품구입자에게 허여되는 특허 라이선스

마쿠쉬형 청구범위기재방식 일반적으로 청구항의 기재에 있어서는 선택적인 표현이 인정되지 않지만 화학분야 등 일부 분야의 발명에 있어서 발명이 2 이상의 병렬적 개념에 상당하고 이들을 총괄하는 발명의 개념이 없을 경우, 즉 A, B, C 및 D로부터 구성되는 그룹에서 선택된(selected from the group consisting of A, B, C and D)의 형태로 표현되는 청구항 형식

매체특허 특허성이 있는 소프트웨어 관련 발명이 형상화된 소프트웨어를 기록한 매체를 특허청구범위에 기재한 특허

메인그룹 IPC 용어로 서브클래스의 기술을 세분화하여 내부전개한 것(예 A01B 1/00)

명세서 기술개발의 성과인 발명내용을 문장으로 표현하는 것으로 특허와 관련해서는 기술공개의 요체로서, 권리범위의 근거로서의 중요한 기능을 담당. 여기에는 발명의 명칭, 도면의 간단한 설명, 발명의 설명, 특허청구범위가 포함됨

모인출원 발명자 또는 고안자가 아닌 자로서 특허를 받을 수 있는 권리 또는 실용신안등록을 받을 수 있는 권리의 승계인이 아닌 자가 한 특허출원 또는 실용신안등록출원. 정당한 권리자의 보호를 위하여 특허법은 모인출원의 출원일 소급을 인정하고 있음

모출원 추가특허의 기본이 되는 기본특허. original patent 또는 main patent라고도 함

무권리자 발명자가 아닌 자로서 특허를 받을 수 있는 권리의 승계인이 아닌 자

무성반복생식 무성생식은 감수분열, 수정 등을 거치지 않는 생식을 말함. 양친이 없이 한 어미로부터 생식이 이루어짐. 식물에서는 개체가 분열, 발아, 꺾꽂이 등으로 새로운 개체를 형성하는 것을 의미. 구 특허법에서 특허대상이 될 수 있는 식물은 무성반복생식을 할 수 있는 것에 국한되었으나, 2006년 3월 3일자 개정 특허법에서 무성/유성 생식 여부에 관계없이 특허대상이 될 수 있도록 개정함

무효심판청구등록 전의 실시에 의한 통상실시권 특허에 대한 무효심판청구가 특허원부에 등록되기 이전에 그 특허가 무효사유에 해당됨을 알지 못하고 국내에서 그 발명 등을 하고 있는 자에게 그 특허가 무효된 경우 현존하는 특허권에 대하여 허여되는 실시권(특허법 제104조). '중용권'이라고도 함

문언적 침해 특허를 침해하는 물건이 특허청구범위의 문언에 의하여 특정된 특허발명의 구성요건을 모두 그대로 사용하는 것을 말함. 동일영역에서의 침해가 성립되려면 특허의 구성요건을 전부 이용하여야 함. 특허청구항의 구성요소 중 하나라도 결여된 경우에는 문언적 침해는 성립하지 아니하며, 균등영역에서의 침해를 검토하게 됨

물질특허 화학방법에 의한 순수물의 발명에 허여된 특허

미국 발명자보호법 1999년 11월 29일 제정된 미국 특허 일부 개정법으로서 출원공개제도, 당사자계 재심사제도(inter parties reexamination), 계속심사제도(Request for Continued Examination, RCE)를 도입함. 2002년 11월 2일자로 지적재산 및 하이테크 기술개정법(Intellectual Property and High Technology Technical Amendment Act)으로 정비되었음

미생물 기탁 미생물에 관한 발명에 대하여 특허를 받고자 하는 자는 명세서를 작성함에 있어 미생물을 특허청장이 정하는 기탁기관 또는 국제기탁기관에 기탁하고, 그 기탁기관 또는 국제기탁기관의 명칭, 수탁번호 및 수탁 연월일을 기재하여야 함. 기탁기관에 기탁한 미생물을 제3자가 분양받아 실시할 수 있도록 함으로써 명세서 기재사항을 보완하기 위한 제도

미생물 발명 미생물 자체의 발명, 미생물을 생산하는 방법에 관한 발명, 미생물을 이용하는 방법을 총칭하는 개념

미생물 특허 미생물 자체의 발명에 관한 특허. 광의로는 신규 또는 공지 미생물의 이용에 관한 발명 등도 포함됨

미생물기탁제도 명세서의 기재만으로 발명의 공개가 불가능하고 반복 재현에 어려움이 많기 때문에 미생물 관련 발명의 출원인은 그 미생물이 용이하게 입수될 수 있는 경우를 제외하고는 지정된 기관에 그 미생물을 기탁하여야 함

미생물을 이용한 발명 곰팡이, 효모, 세균 등 미생물을 이용한 발명

바람직한 실시예 미국 특허출원서에는 발명자가 생각할 때의 최적 실시예를 기재하여야 특허를 받을 수 있음

바이오테크놀로지 발명/특허 생명공학에 관한 발명을 말함. 일반적으로 유전자조합, 세포융합, 세포배양 등의 기술을 중심으로 하는 발명을 말하며, 발효와 교배·변이에 의한 육종과 같은 발명과는 구별됨. 생물 자체에 관한 발명, 핵산과 단백질 등 생물의 성분에 관한 발명 및 이를 이용한 발명 등이 있음

반복 재현할 수 있는 발명 반복 재현할 수 있는 발명

반특허주의 미국에서 1930년 대공황 직후부터 1970년대까지 나타난 특허제도에 대한 사회적 태도로, 이 시기에는 특허권자에 대한 과보호가 시장의 경쟁질서를 무너뜨린다는 이유로 특허권의 활용조건을 엄격하게 규정하였음

반포된 간행물 제작되어 일반공중이 볼 수 있도록 배포된 간행물. 반포된 간행물에 기재된 발명은 신규성이 없는 것으로서 특허등록을 받을 수 없음

발견 미처 찾아내지 못하였거나 아직 알려지지 아니한 사물이나 현상, 사실 따위를 찾아내는 것. 특허의 대상이 될 수 없음

발명 자연법칙을 이용한 기술적 사상의 창작으로서 고도한 것(특허법 제2조). WIPO 발간 intellectual property reading material에서는 기술분야의 특정한 문제에 대한 해결이라고 정의하고 있음

발명의 공개 특허를 출원하여 특허청에 의해 공개되는 것. 특허는 발명의 공개에 대한 대가로 독점적인 권리를 얻는 것임

청구항 기재요건 청구항은 발명의 설명에 의하여 뒷받침되고, 명확하고 간결하게 적혀 있어야 함(특허법 제42조 제4항)

발명의 단일성 1발명을 1특허출원으로 할 수 있다는 원칙 아래 하나의 총괄적인 개념을 형성하는 1군의 발명에 대해서는 2 이상의 발명이라 하여도 1출원으로 할 수 있다는 것을 의미. 이 원칙은 상호 기술적으로 밀접하게 연관된 여러 개의 발명에 대하여 하나에 포함될 수 있도록 함으로써 출원인, 제3자 및 특허청의 편의를 위해 도입된 제도로서, 구체적인 1군의 발명의 범위에 대해서는 국가마다 차이가 있지만 미국, 유럽, 일본 등 대부분의 특허제도를 갖는 나라와 특허협력조약에서 채택하고 있음

발명의 명칭 미국 특허법상에서 발명의 명칭은 출원의 시작부분 또는 첫 부분에 기재하여야 함[37CFR§1.72(a)]. 발명의 명칭은 청구된 발명을 적절하게 설명하여야 하며, 인덱스, 분류, 조사를 할 때 유용한 것이 바람직함. 보정을 명하여도 바람직한 발명의 명칭으로 보정되지 아니하면 심사관은 직권으로 발명의 명칭을 보정할 수 있음. 직권으로 보정된 발명의 명칭은 허가통지서에 기재됨(MPEP606.01)

발명의 설명 특허출원된 발명의 내용을 상세하게 기재하고 있는 명세서에서 가장 중요한 부분으로 실질적으로 특허청구항의 기초가 됨. 특허권은 발명의 공개에 대한 대가로 부여되는 것이기 때문에 아무리 특허청구범위에 기재되어 있다 하더라도 그것이 발명의 설명에 의하여 뒷받침되지 않으면 안 됨

발명의 성립성 특허출원한 발명이 발명으로서의 요건을 갖추고 있느냐 여부

발명의 완성 발명의 과정에서 구체적인 형태로 발명의 구조가 완성되는 단계. 사실상의 발명의 완성(actual reduction to practice)과 추정상의 발명의 완성(constructive reduction to practice)이 있음. 사실상의 발명의 완성은 물품의 물리적 구조나 방법의 절차가 발명의 의도한 목적대로 작동할 수 있게 된 때를 말함. 추정상의 발명의 완성일은 특허출원일을 말함(미국)

발명의 이용 특허법은 산업발전을 궁극적인 목적으로 하고 있어 주로 발명자 또는 승계인에게 부여되는 '발명의 보호' 측면만으로는 발명의 장려수단이 될 수 있을지는 모르나 반드시 그것만으로 법 목적을 충족하고 있다고 볼 수는 없음.

즉, 발명의 이용기회가 담보되지 않는 발명자의 보호만으로는 특허법 그 자체의 목적을 달성할 수 없으므로 특허법은 제3자에게 발명을 이용할 기회를 제공하는 것을 준수해야 될 하나의 의무로 부과하고 있음. 이러한 발명의 이용은 출원인의 특허청에 대한 발명의 개시를 전제로 해서 '발명공개'와 '발명실시'를 통해 이루어짐

발명의 주제 특허출원된 발명의 특허청구범위에 기재된 발명의 주된 기술적 내용. 특허출원에 있어서 그 발명의 요지가 실용신안출원과 같고, 특허출원과 실용신안출원의 출원일이 다르다면, 선출원된 출원의 출원자가 발명의 특허권을 획득함

해결하고자 하는 과제 종래기술의 문제점을 분석하여 그 문제점으로부터 발명이 해결하고자 하는 과제를 명세서에 기재함

발명자 발명자란 진실로 발명을 한 자연인으로서 해당 발명의 창작행위에 직접 가담한 자로서, 단순한 보조자, 조언자, 자금제공자는 발명자가 될 수 없음

발명자와 양수인에 대한 공동특허 발명 및 특허출원의 이익 또는 부여되는 특허의 이익 일부가 양도되는 경우 통상적으로 발명자와 양수인을 해당 특허의 공동특허권자로 인정함(37CFR§1.334)

발명자증 구 동독, 북한 등 사회주의 국가에서 자국민에게 특허권 대신 발명에 대한 보상적 차원에서 인정해 주는 권리. 북한은 고도의 발명에 대해서는 발명자증을 부여하고 발명의 정도가 낮은 발명에 대해서는 창의고안증을 부여하고 있음. 발명자증 부여 여부에 대한 심사는 과학성과 그 산하 발명총국에 속해 있는 관련 기술분야 전문가로 구성된 발명심의위원회에서 행하고 있음. 매주 1차례 동 심의위원회가 개최되는 것으로 알려져 있음. 파리협약은 발명자증도 특허권 등과 같이 산업재산권의 범주에 포함시키고 있음

방법발명 단순방법(例 측정발명, 포장방법, 살충방법 등)과 물건(물질)을 생산하는 방법(例 나일론의 제조방법) 발명이 있음

방법적 물건청구항 물건(product)을 만드는 제법을 기재하여 특정함으로써 청구항을 작성하는 형식

방법청구항 공정을 수행하는 데 따르는 일련의 단계를 정의하는 것으로 방법을 포함하는 특허의 청구항

방해특허 보호범위나 영업상의 가능성 등을 고려한 것이 아니라 경쟁업자를 방해할 목적으로 취득한 특허를 말함

발명의 배경이 되는 기술 청구된 발명의 이해, 검색 및 심사를 용이하게 하기 위하여 배경기술을 명세서에 기재하여야 하며 문헌이 있는 경우 문헌명을 기재하여야 함

번식방법 생물의 개체 또는 개체군의 재생산으로 동물에서는 교미·산란·출산·육아 등, 식물에서는 수분·결실·종자살포 등의 방법을 말함

번역문 PCT 절차에 따라, 국내단계로 진입하기 위해 지정관청이 정한 언어로 국제출원서를 번역하여 제출한 문서. 외국어로 국제특허출원을 신청한 출원인은 31개월 내에 국제특허출원의 국문번역을 제출하여야 함

법정 주제 미국 특허법 제101조에 규정되어 있는 특허대상이 되는 발명. 방법(process), 기계(machine), 제조물(manufacture), 물질의 조성(composition of matter) 또는 그 개량물(improvement)이 법정 특허대상이 됨

법정발명등록 미국 특허법 제157조에 근거하여 특허권의 취득을 포기하면서 특허청에 발명의 내용을 제출하여 방어적으로 기술을 공개하는 행위로 1984년 11월 8일 개정된 미국 특허법에서 도입됨. 출원인이 특허를 받을 수 있는 권리를 포기하는 서면, 요약의 공표에 대한 동의, 출원의 전부를 공중의 열람에 제공하는 것에 대한 동의 등을 미국특허상표청에 제출함으로써 특허를 받을 수 있는 권리를 포기할 수 있음. 특허출원 계속 중에도 SIR(Statutory Invention Registration ; 법정발명등록)을 청구하면 특허권에 대한 권리포기로 인정되어 SIR 공보에 실리게 됨

베니스특허법 특허권이라고 하는 독점권을 부여하는 산업재산권제도를 체계화한 법으로 르네상스시대인 1474년 3월 19일 제정되었음

변종식물의 발명 구 특허법 제31조에는 식물발명특허라는 이름하에 무성적으로 반복생식할 수 있는 변종식물을 발명한 자는 그 발명에 대하여 특허를 받을 수 있다고 규정한 바 있으나, 이 법규정은 현재 삭제되었음. 따라서 무성적으로 반복생식할 수 있는 변종식물 외에도, 유성적인 반복생식할 수 있는 변종식물도 특허를 받을 수 있게 되었음

병행특허출원 국내에 특허출원과 동시에 다른 외국에도 이와 동일한 내용의 발명을 출원하는 것

보상금청구권 출원인이 특허공개가 있은 후 그 특허발명을 업으로서 실시한 자에 대하여 가지는 권리

보정 특허청에 출원된 지적재산권의 형식적 또는 실체적인 내용을 수정하는 행위

보정된 출원 신규출원에 대해서 심사관에 의한 통지(office action)가 발송되고 이에 대해 출원인이 보정한 상태의 출원

보존용 사본/기록원본 WIPO의 국제사무국(International Bureau)에 의해 보존되는 PCT 국제출원의 원본(original copy)

보호범위 특허발명의 보호범위는 특허청구범위에 기재된 사항에 의하여 정하여짐(특허법 제97조). 등록디자인의 보호범위는 디자인등록출원서의 기재사항 및 그 출원서에 첨부한 도면·사진 또는 견본과 도면에 기재된 디자인의 설명에 따라 표현된 디자인에 의하여 정하여짐(디자인보호법 제93조)

복수용도 제품 특허를 침해하지 않는 다른 방법으로 사용할 수 있는 제품

본체부 영문 특허청구항의 형식에서 연결부 다음에 해당 발명의 구성요소를 나열하여 기재하는 부분

볼 스프라인(Ball Spline) 사건 원고는 특허 제999139호(일 특공 소53-22208, 이하 본 건 발명)의 특허권자로서, 피고가 업으로서 피의제품[이하 (가)호 제품]을 제조, 판매하는 것에 대하여 특허권 침해소송을 동경지방재판소에 제기하였음. 동경지방재판소는 (가)호 제품은 본 건 발명의 보호범위에 속하지 않는다고 판단하여 원고의 청구를 기각, 원고는 이를 불복하고 동경고등 재판소에 항소, 동경 고재는 균등론에 대하여 적극적으로 적용할 것을 설시하고 (가)호 제품은 균등론에 의하여 침해라고 판단. 상고심인 최고재판소에서는 논쟁이 되었던 균등론의 요건에 대하여 정립을 하면서 공지기술을 참작하지 않은 원심 판결을 파기하였음

볼라조항 미국 특허법 제271조(e)(1) 규정으로서, 미국 식약청의 허가를 받기 위한 정보 제출이나 개발과 합리적으로 관련된 목적으로만 타인의 특허 발명을 실시하는 행위는 특허침해로 보지 않는다는 규정. 1984년도 Roche Product v. Bolar Pharmaceutical 판례 이름으로부터 유래함. 실제 제네릭 의약품의 판매허가와 관련 특허가 만료되기 전부터 제조 및 등록허가를 준비할 수 있도록 하는 근거 조항

부다페스트조약 해외출원 시 미생물을 각국의 기탁기관에 따로 기탁해야 하는 부담을 해소하기 위하여 1977년에 체결된 국제조약으로 조약국 상호 간에는 출원 미생물을 하나의 국제기탁기관에 기탁하고 그 수탁증을 출원하려는 각국의 출원서에 첨부하면 됨. 우리나라는 1988년에 가입하였음

부당한 확장 명세서의 기재내용에 비하여 청구항이 부당하게 넓은 경우를 말하며, 거절이유의 대상이 됨. 다만, 실시예가 하나인 경우에도 결과의 예측가능성이 있는 경우에는 넓은 청구항을 기재하는 것도 가능[MPEP 706.03(1)]

분류자동화 정보시스템 IPC 분류절차를 자동화하고, WIPO 회원국이 특허문헌을 재분류하는 것을 지원하기 위하여 분류결과를 공유하는 시스템

분할출원 단일 특허출원을 2개 이상의 출원으로 나누어 출원하는 것. 미국 특허제도의 경우 통상 특허청 심사관으로부터 1출원에 2개 이상의 발명이 기재되어 있다는 지적으로 한정 요구가 있는 경우 출원인은 1발명만을 선택하고 나머지 발명은 취하 또는 분할출원을 함

불명료한 기재 발명의 설명에는 당해 기술분야의 통상의 지식을 가진 자가 발명의 설명의 기재를 보고 발명을 쉽게 이해함으로써 시행착오나 별도의 실험절차 등을 거치지 아니하고 생산, 사용 등 재현 가능한 정도로 발명을 기재하여야 하며 상기 조건을 만족하지 않는 경우 불명료한 기재가 됨

불명료한 기재의 석명 불명료한 사실을 자세하게 설명하여 밝히는 것

비 특허문헌 특허문헌을 제외한 논문 등을 말함

비거주특허권자 미국의 경우 미국에 거주하고 있지 아니한 특허권자는 미국특허청에 대하여 그 특허권에 영향을 주는 절차 등에 대하여 그 특허권자를 대신하여 수행할 수 있는 미국에 거주하는 자의 성명, 주소를 기재한 서면을 제출할 수 있음. 따라서 미국에 거주하지 않는 외국의 특허권자가 침해소송을 제기할 때 대리인을 선임하면 그 대리인을 통하여 미국에서 소송절차를 밟을 수 있음. 또 그 지정된 자가 서면에 기재된 최후 지정주소를 두고 있지 아니한 경우 또는 어느 누구도 지정하지 아니한 경우에는 컬럼비아지구지방법원이 관할권을 가짐(35USC§293)

비공개시험데이터 공개되지 않은 시험데이터를 말하며, 이는 영업비밀로 보호받을 가능성이 높음. 특히 제약특허 등에 있어서는 임상이나 생물학적 동등성 시험 등에 관한 비공개자료는 주요한 영업비밀이 될 수 있음

비법정 주제 미국 특허법 제101조에 규정되어 있지 않은 발명으로서, 인쇄물(printed matter)의 그 자체, 천연물(naturally occurring article), 거래방법(doing business), 물리현상(physical phenomena, 자연의 원리 및 자연법칙) 등이 있다. 이러한 비법정 주제는 항상 특허로 보호받을 수 없는 것이 아니라 사안에 따라 법원의 판결에 따라 특허대상으로 인정받을 수도 있음

비상업적 실시 특허법 제107조 제1항 제3호 소정의 '비상업적 실시'란 '업으로서 실시' 중 '영리를 목적으로 하는 실시'를 제외한 것을 의미함

비자명성 출원된 발명이 특허받을 수 있기 위한 요건 중의 하나로서, 발명의 창작수준이 그 발명이 속하는 기술분야에서 통상의 지식을 가진 자가 공지발명으로부터 용이하게 발명할 수 없을 정도로의 창작성이 있을 것을 말함. 진보성의 다른 말로 발명의 비자명성, 발명의 비용이성이라는 표현을 쓰기도 함

비조약출원 파리협약에 의한 우선권의 주장을 하지 않고 행하는 출원

비즈니스 모델 사업의 아이디어에 정보시스템(컴퓨터, 인터넷, 통신기술)을 결합한 형태로 온라인상에서 이루어질 수 있는 비즈니스 모델, 프로세스 모델 및 데이터 모델이 결합된 발명. 어떤 제품이나 서비스를 어떻게 소비자에게 제공하고, 어떻게 마케팅하며, 어떻게 돈을 벌 것인가 하는 계획 또는 사업 아이디어를 말하며, 미국 프라이스 라인의 '역경매'와 아마존의 '원 클릭 서비스'가 비즈니스 모델의 대표적인 예로, 인터넷 기업들이 사업 아이디어 자체를 특허출원하기 시작하면서 알려진 용어임. 'method for doing business', 'business method'라고도 함

사시도 그 물품의 특징적인 면을 가장 잘 나타낼 수 있게끔 방향을 설정하여 그린 도면

사용 발명의 실시의 한 형태로 문자 그대로 발명을 사용하는 것

사후적 고찰 특허성의 판단에 있어서 해당 발명의 진보성을 출원 시를 기준으로 보지 아니하고 심사 시 명세서에 기재된 내용을 본 후에 그 용이성 여부를 판단하는 것. 진보성 판단에 있어서 이러한 사후적 판단을 배제되어야 한다고 심사기준 또는 판례를 통해 확립되어 있음

상승작용 미국 특허법 제103조에 의하여 비자명하여 특허성을 갖기 위해서, 결합발명을 구성하는 구성요소는 부분들의 합보다 더 큰 결과물을 생산하기 위해 반드시 결합되거나 그렇지 않으면 구성요소 중 하나는 결합물에서 별개로 기능할 때보다 다르게 기능해야 한다는 이론으로 지금은 거부되고 있음

상업적 성공 특허 진보성의 판단에 있어서 고려할 수 있는 요소 중의 하나. 국가마다 진보성 판단에 있어서 고려되는 비중은 다름. 예를 들어, 미국은 진보성 판단에 있어서 Graham v. Deere 판결 이후 진보성의 2차적 고려요소로서 상업적

성공을 중요한 판단요소 중의 하나로 두고 있음. 현재 우리나라는 상업적 성공은 진보성을 판단하는 데 있어서 고려할 수 있는 요소로 보고는 있으나 그것이 발명의 기술적인 특성과 직접적 연관되어 이루어진 경우 진보성 판단에 있어서 긍정적인 요소로 고려하고 있음

상위개념 특허출원의 청구항에 기재된 발명이 '금속'으로 기재되어 있고 인용발명이 '구리(Cu)'로 기재되어 있는 경우 금속은 상위개념으로 볼 수 있음. 특허출원의 청구항에 기재된 발명이 하위개념으로 표현되어 있고 선행기술인 인용발명이 상위개념으로 표현된 경우에는 통상 출원발명은 신규성이 있다고 볼 수 있음. 다만, 출원 당시의 기술상식을 참작하여 판단한 결과, 상위개념으로 표현된 인용발명으로부터 하위개념으로 표현된 출원발명이 충분히 도출될 수 있는 경우에는 출원발명은 신규성이 없는 것으로 인정될 수 있음

상호저촉특허 소유자는 다르면서 권리범위에서 서로 중복되거나 결합되는 특허. 실제 실시하기 위해서는 각 특허에 대한 라이선스가 각각 필요함. 이런 문제를 해결하기 위해서는 해당 특허 간의 크로스 라이선싱이나 특허풀에 기탁해 두는 것이 필요함

생명공학 생명과학에 관한 기술로 생물 혹은 생물학적 방법을 사용해서 물질을 생산하거나 의료 등 각종 서비스를 하는 기술. 종래 행해져 온 전통적인 육종, 발효기술, 미생물이 생산하는 물질(예 항생물질 페니실린)의 이용, 동식물의 교배에 의한 품종개량 등의 구생명공학과 생물공정기술, 세포융합기술, 핵 이식기술, 단백질 공학기술, 유전자재조합기술 등을 포함하는 신생명공학으로 구분. 선진국의 경우 1970년대 중반부터 유전자조작, 세포융합 등을 통해 신물질을 만들어 내는 생명공학연구에 착수, 1990년대 들어와 상업화하고 있음. 1873년 미국에서 루이 파스퇴르에게 맥주의 발효공정에 대해서 특허를 준 것이 생명공학분야 특허의 효시가 됨. 1988년 미국은 최초의 동물(하버드 마우스)특허를 부여하였음

생명공학검색시스템 유전자 및 단백질 등의 서열 D/B를 검색할 수 있도록 개발된 시스템으로 서열의 상동성 검색뿐만 아니라 발명의 명칭, 출원번호 등 서지적 사항의 검색이 가능하며 검색된 특허에 포함된 전체 서열정보, 초록 등도 검색할 수 있음. 특허청에서 심사관들에 의하여 활용되고 있음

생물학적 물질에 관한 발명 국제출원에 언급되어 있는 기탁된 생물학적 물질의 시료는 출원인의 승낙이 있는 경우를 제외하고, PCT조약 제23조 및 제40조의 규정에 따라 국내절차에 착수할 수 있는 기간의 만료 전에는 분양할 수 없음. 단, 출원인이 국제공개 후 상기 기간의 만료 전에 동조약 제22조 또는 제39조의 규정에 의한 절차를 밟은 때에는 기탁된 생물학적 물질에 관한 시료를 분양할 수 있음

생산방법의 발명 방법의 발명 중에서 결과물이 산출되는 것

생산방법의 추정 특허법 제129조에서는 물건을 생산하는 방법의 발명에 관하여 특허받은 경우 방법의 발명의 특허출원 전에 그 물건이 공급되지 않았다면 그 물건과 동일한 물건은 그 특허된 방법에 의하여 생산된 것으로 추정함

서면에 의한 개시 특허청에 개시의무가 있는 자가 제출하는 출원심사에 대한 중요한 정보. 예컨대 선행기술, 공연한 실시, 판매, 기타 선행기술에 대한 정보는 기재된 서면에 의해 개시되어야 함(37CFR§1.56)

서브그룹 IPC 용어. 메인그룹 내 기술을 세분화하여 내부 전개한 것(예 A01B 1/02)

서브클래스 IPC 용어. 클래스 내 기술을 세분화하여 유형별로 묶은 것(예 A01B)

서열 식별자 미국 국립생물정보센터(National Center for Biotechnology Information, NCBI) 데이터베이스에서 염기서열의 비교를 위해 설정된 서열자료의 고유한 식별자료를 말함

서지정보 출원번호, 공개번호, 발명의 명칭, 출원인 명칭 등의 서지적 정보로 특허문헌 검색을 위한 기초데이터로 활용함

선사용권 특허발명과 동일한 발명을 그 특허출원 시 일정조건하에서 타인이 실시 등을 하고 있는 경우 그 실시자에게 인정되는 실시권. 선원주의의 폐해를 시정하기 위한 제도 cf) 선용권

선순위자 발명의 우선순위를 결정짓기 위한 특허저촉절차(interference proceeding)에서 최초로 특허출원한 당사자를 일컫는 말. 단, 2013년 미국 특허법 개정으로 2013년 3월 16일부터 'derivation proceedings'로 변경

선원의 지위 동일한 발명에 대하여 다른 날에 2 이상의 특허출원이 있을 경우 먼저 출원한 발명이 늦게 출원한 발명에 대하여 갖는 지위. 이 경우 먼저 출원한 발명만이 그 발명에 대하여 특허를 받을 수 있음

선출원의 취하 국내우선권을 주장한 경우에는 우선권 주장의 기초인 선출원과 우선권 주장을 수반한 후출원과의 중복을 정리하기 위하여 선출원은 그 선출원이 실용신안등록출원인 경우에는 우선권 주장을 한 때에, 그 선출원이 특

허출원인 경우에는 그 출원일로부터 1년 3월을 경과한 때에 취하된 것으로 봄. 복수의 선특허출원을 기초로 하여 국내 우선권 주장을 한 경우에는 최신출원일로부터 1년 3월을 경과한 때에 선출원이 일괄적으로 취하되는 것이 아니라 각각의 선출원일로부터 1년 3월 경과 시 각각 취하 간주. 따라서 취하 간주되는 선출원은 출원의 계속이 종료됨으로써 출원공개도 되지 아니하며 또한 심사의 대상도 되지 않음(특허법 제56조 제1항)

선택 미국 특허출원 시 1출원 1발명을 위반하였다는 심사관의 지적에 대해 1발명에 해당하는 그룹의 청구항만을 선택하는 행위. '한정(restriction)'이라고도 함

선택관청 PCT 국제출원을 통해 권리를 보호받고자 하는 국가의 국내관청으로서, 특히 국제예비심사결과를 활용하고자 하는 국가의 국내관청

선택국 PCT 국제출원에서 출원인에 의해 국제예비심사가 청구된 지정국

선택발명 화학발명에서 종종 논의되는 것으로 출원발명이 선원발명 등과 개념상으로 하위와 상위의 관계에 있는 발명. 즉, 출원발명의 구성요건 중의 전부 또는 일부가 상위개념으로 구성되어 있는 선행발명(선원발명과 공지발명 포함)에 포함되는 하위개념이고, 선행발명의 명세서 등에 구체적으로 나타나고 있지 않는 것을 구성요소로 선택한 발명. 일반적으로 선택발명은 선행발명의 명세서 등에 나타나지 않는 특유한 효과를 내는 경우에 진보성이 있다고 하고, 그렇지 않은 경우에는 진보성이 부정되거나 또는 선행발명과 동일한 발명으로 취급됨. 결국, 선택발명이란 넓은 상위 개념에 포함된 많은 가능성 가운데에서 특정의 물질, 조건, 수치 범위를 선택하였을 경우 그 선택에 의하여 예기치 않은 현저한 효과가 달성되는가에 따라 판단. 미국에서는 선택발명에 대하여 두 가지 견해를 고려하고 있음. 첫째, 공지된 화합물 그룹이 소수이면 그 개별적 화합물은 모두 공개된 것으로 간주하고, 둘째, 공지된 화합물 그룹이 특허된 경우 그 특허기간이 끝나면 그와 관련된 어떠한 선택발명에 관한 특허도 효력이 없는 것으로 간주할 것 등임

선택기술 당해 출원의 출원일보다 앞서 '서면'에 의한 개시를 통하여 공개된 기술

선행기술조사 특허출원된 명세서 및 특허청구범위를 읽고 심사관이 선행기술을 찾는 행위

설계변경 관용기술을 그대로 이용함으로써 이미 알려져 있는 기능, 효과와 비교하여 우수한 것을 가져올 수 없는 구성의 변경. 관용기술의 구체적인 적요에 수반되는 설계

변경은 당업자의 통상의 창작능력이 발휘되는 것으로서, 인용발명과의 차이점이 단지 설계변경이 있는 경우에는 통상 그 발명은 진보성을 갖고 있지 않음

섹션 IPC 용어. 특허발명에 관련된 전체 기술분야를 크게 8개의 분야로 나눈 것(예 A-H)

수술 또는 치료에 의한 사람 또는 동물의 처치 및 진단방법 수술 또는 치료방법에 대한 발명의 특허보호 여부는 나라마다 다름. PCT 국제특허출원의 경우는 수술 또는 치료방법에 대한 특허는 국제예비심사 대상에서 제외됨

수술방법의 특허성 인체를 수술하는 방법의 특허성. 우리나라 일본에서는 산업상 이용가능성이 없는 것으로 보아 특허받을 수 없으나, 미국에서는 특허 가능

수치한정 청구항에 발명을 기재할 때 필요한 사항을 특정한 수치로 표현하는 것

수치한정 발명 청구항에 기재된 발명의 구성에 없어서는 안 되는 사항의 일부가 수량으로 표현된 발명으로 대부분 온도, 압력 등 관용적으로 사용되는 변수 중 하나 이상을 일정 수치범위로 한정함. cf) 파라미터 발명

승계 특허권 또는 특허에 관한 권리에 관하여 밟은 절차의 효력은 그 특허권 또는 특허에 관한 권리의 승계인에게 미침(특허법 제18조). resumption of interruption(중단된 절차의 승계)

식물발명 생존식물의 유전적 소질에 대하여 개선을 가한 변종식물의 창작에 관한 발명

식물신품종보호에 관한 국제조약 새로이 육성된 식물품종을 각국이 공통의 기본원칙에 따라 보호하여 우수한 품종의 개발, 유통의 촉진과 함께 농업의 발전에 기여하는 것을 목적으로 함

식물특허 식물에 관한 발명을 특허로 보호하는 것. 식물특허는 크게 변종식물 또는 변종식물의 일부분에 해당하는 발명, 변종식물을 육종하는 방법의 발명, 변종식물의 무성번식방법의 발명으로 대별됨. 우리나라에서는 식물신품종을 특허법과 종자산업법에 의해 보호하고 있음. 무성생식을 하는 식물변종을 발명한 자는 식물특허를 받을 수 있음

신규사항 원출원서, 청구범위나 도면에 나타나지 아니한 신규사항. 이러한 신규사항에 대하여는 보정이 허용되지 않음 [MPEP 608.04, 608.04(a), 608.04(b)]. 계류 중인 특허출원이나 재발행 특허를 위한 출원의 출원서에 최초로 첨부된 명세서 또는 도면에 기재된 사항의 범위를 벗어나는 사항을 의미함. 당업자 수준에서 자명한 사항은 신규사항에

해당하지 않음. 계속출원에서 신규사항을 추가할 경우 일부계속출원(continuation-in-part application)으로 진행하여야 함

신규성 특허등록요건 중의 하나로 종래의 기술과 구별되는 신규한 사항이 있어야 함. 특허출원 전에 국내에서 공지되었거나 공연히 실시된 발명이나 특허출원 전에 국내 또는 국외에서 반포된 간행물에 기재된 발명은 신규성을 상실함

신규성 의제 발명이 출원 전에 공지되었다 하더라도 일정요건을 갖춘 경우, 그 발명은 특허법 제29조 제1, 2항의 신규성이나 진보성에 관한 규정 적용 시 선행기술로 사용하지 않도록 함

신규한 용도 물질, 장치 또는 방법에 대한 신규한 용도의 발명. 발견은 방법의 일종이어서 특허법상 보호됨[35USC§100(b)]. 이 경우 신규한 용도는 물질, 장치 또는 방법 등의 그 자체를 클레임하는 것이 아니라 신규한 용도에 사용하는 방법으로 클레임하여야 함

실시 발명 또는 특허발명을 그 발명의 내용에 따라 사용하는 것. 즉, 물건발명의 경우에는 그 물건을 생산·사용·양도·대여 또는 수입하거나 그 물건의 양도 또는 대여의 청약을 하는 행위, 방법의 발명인 경우에는 그 방법을 사용하는 행위, 물건을 생산하는 발명의 경우에는 그 방법을 사용하는 행위 및 그 방법에 의하여 생산한 물건을 사용·양도·대여 또는 수입하거나 그 물건의 양도 또는 대여의 청약을 하는 행위

실시가능성 명세서의 작성요건으로서, 유효 특허의 기재 시 해당 기술분야에서 통상의 지식을 가진 자가 과도한 실험 없이 해당 발명을 만들어 사용할 수 있도록 반드시 발명에 대한 설명을 충분히 명확하게 해야 한다는 미국 특허법 제112조의 요건. 심사관은 클레임된 발명의 실시 가능성이 결여된 경우에는 실체적 거절이유를 통지. 이에 대해 출원인은 발명의 실시가능성을 심사관에게 입증하여야 하며, 모형, 작동모델, 전시품 등과 같은 적당한 수단에 의해 입증할 수 있음. 또 실시가능성을 주장하는 선서진술서 또는 선언서를 제출하여 실시가능성을 주장할 수 있음(37CFR§1.132). 또한 장치의 실시가능성이 문제된 경우 출원인은 심사관에게 그 점에 대하여 충분히 입증하여야 함(MPEP 608.03)

실시예 발명의 기술적 사상을 구체화하고 실질적으로 형태를 부여한 예

실시형태 PCT에서 말하는 mode는 일본의 실시예, 유럽의 embodiment, 미국의 best mode를 총칭하는 의미로 쓰임

실체보정 특허출원의 절차 중에서 실체적 사항을 보정하는 것. 특허의 경우 명세서 또는 도면에 대한 실체보정은 특허출원서에 최초로 첨부된 명세서 또는 도면에 기재된 사항의 범위 내에서 할 수 있음(특허법 제47조 제2항). 신규사항의 추가는 허용되지 않음

실체심사 청구항이 특허요건(신규성, 진보성, 산업상 이용가능성)을 충족하는지 여부에 대하여 특허청(심사관)이 출원의 정식심사를 하는 것을 의미함. 특허등록의 요건인 신규성, 진보성, 산업상 이용가능성을 출원발명이 구비하고 있는지 여부를 판단하는 행정행위 cf) 방식심사

심사 및 검색 통합운영 제도 유럽특허청(EPO)에서 추진하고 있는 사업으로 출원, 검색, 공개업무를 담당하고 있는 심사국(DG2)의 업무와 실체심사, 이의신청 업무를 담당하고 있는 검색국(DG1)의 업무를 한 명의 심사관이 모두 처리할 수 있도록 하는 계획

알고리즘 문제해결을 위한 순차적인 과정의 정의. 알고리즘 자체는 특허로서 보호받을 수 없음

약리데이터 약리효과의 전제조건으로서의 데이터를 의미함

약리효과 생체에 들어간 약품이 일으키는 생리적인 변화를 의미함

양도 또는 대여를 취한 청약 특허발명의 실시의 한 형태이며 TRIPS(Trade Related Intellectual Properties ; 무역관련 지식재산권에 관한 협정) 제28조에는 판매를 위한 청약(offering for sale)으로 우리 특허법에 비해 실시의 범위를 좁게 규정하고 있음. 판매는 유상의 경우에만 해당되지만 양도 또는 대여는 유·무상을 불문하기 때문임

양초로 만든 코 균등론에 대한 제한에서 특허청구항은 단어의 의미를 확대시키기 위해 양초로 만든 코처럼 마음대로 넓게 해석될 수 없다는 것을 강조한 미국의 19세기 연방대법원의 판결문에서 유래되었음

업으로 실시 직업 또는 영업적으로 타인의 수요에 응하여 특허발명을 실시함을 의미. 사회적 수요를 충족시키기 위한 실시로 제조, 판매 등의 태양이 있음. 효력제한기간 중 국내에서 선의로 디자인등록출원된 디자인, 등록디자인 또는 이와 유사한 디자인을 업으로 실시하거나 이를 준비하고 있는 자는 그 실시 또는 준비를 하고 있는 디자인 또는 사업목적의 범위 안에서 그 디자인권에 대하여 통상실시권을 가짐

역균등론 고발된 침해자의 방어 논리 중의 하나. 비록 제소된 장치가 특허청구항의 문언상 침해일지라도 제소된 장치나 공정이 상당부분 변경되어 특허발명의 기능을 사실상 다른 방법으로 수행하는 경우 비침해가 성립됨

역분석 제품을 분해하여 해석평가함으로서 그 구조, 재질, 성분, 제법 등 그 제품에 화체되어 있는 정보를 추출하는 행위

연결부 영문 특허청구항의 형식에서 연결부와 본체부를 연결시키는 부분. 'comprising', 'consisting of', 'consisting essentially of'가 대표적 연결부이며, 연결부의 종류에 따라 권리범위의 해석이 달라짐

염기서열 유전자를 구성하는 염기의 배열로 아데닌(A), 구아닌(G), 시토신(C), 티민(T)의 배열 순서임. 인간의 경우 유전자에 이들 네 종류의 염기 32억 개가 일정한 순서로 늘어서 있음. 염기서열에 따라 키, 피부색 등 생물학적 특성이 결정됨

영구기관 연속적인 운전에 의하여 에너지를 창출하는 기계장치 및 열을 모두 남김없이 일로 변환하는 기계장치로 열역학 1, 2법칙을 어기기 때문에 실제로 만들어질 수 없음. 미국에서는 유용성이 없다는 이유로, 우리나라에서는 자연법칙을 이용하지 않는다는 이유로 특허가 될 수 없음

영업방법 business model 참조

영업방법 발명 컴퓨터 및 네트워크 등의 통신 기술과 사업 아이디어가 결합된 영업방법 발명에 대해 허여된 특허를 말함

예견 미국 특허법상 단 하나의 선행기술이 특허청구된 발명의 모든 구성요소를 개시하고 있을 경우를 의미하며, 이 경우 해당 출원발명은 미국 특허법 제102조에 해당되어 신규성이 없는 것으로 거절되며, 등록된 특허인 경우는 무효가 됨

예방/방어특허 특허권을 취득할 목적이 아니라 공개를 통하여 향후 특허침해소송에 대비하기 위하여 또는 선행기술로 사용하기 위하여 출원하는 특허를 의미함

예비심사수수료 국제출원(PCT) 시 예비심사청구의 목적으로 납부하는 수수료

예상치 못한 결과 발명으로부터 생겨난 놀라운 결과를 말하며, 비자명성을 판단하는 한 가지 사유가 됨. 놀라운 효과를 입증하기 위해서는 당 분야의 전문가가 발명 가능성에 대해 부정적, 회의적 시각을 표시하거나 발명에 대해 놀라움과 찬사를 보낸 사실을 활용할 수 있음

오기의 정정 객관적으로 명백한 오기에 한하며, 오기임이 객관적으로 명백하지 않은 경우 요지변경에 해당될 수 있음. PCT 규칙에서는 rectification이라고 함

온라인 심사정보 공개시스템 특허정보 보급에 대한 새로운 접근방식으로 기존의 웹 서비스 관련 정보(예 http 데이터, legal status를 포함한 family data, 원시데이터 등)에 기존 HTML 기반의 esp@cenet 서비스를 보충하는 것으로 XML 기반의 데이터를 제공하기 위한 유럽특허청(EPO)의 새로운 서비스 툴

옴니버스클레임 명세서의 일부와 도면번호를 인용하여 정의한 클레임으로 발명을 명확하게 정의하지 아니한다고 하여 거절됨 예 도시하여 설명한 그대로의 장치(a device substantially as shown and described)

외국출원 허가 미국에서 행해진 발명이 미국 출원일로부터 6개월 이내에 외국에 출원할 때에 필요한 미국특허청장의 허가. 이를 위반하는 경우는 특허가 무효가 되나 부주의로 허가 없이 외국에 출원한 경우는 소급적 허가를 부여받을 수 있음(미국 특허법 제184조)

요약서 발명의 기술내용을 용이하게 파악하기 위한 문서로서, 특허발명의 보호범위를 정하는 데 사용될 수 없음(특허법 제43조). 요약서는 검색자가 특허에 개시된 발명의 필수내용에 관한 정보를 신속하게 얻을 수 있도록 하는 것에 목적이 있음

용도발명 새로이 발견된 새로운 용도에 의해 정의되는 물의 발명을 의미함. 물질이 갖는 특정 성질(속성)을 특정의 용도로 이용하는 발명

우선권 주장을 수반하는 출원 우선권이라 함은 파리조약에 의해 인정되는 것으로 동맹 제1국의 정규의 최선 출원인 또는 그 승계인이 동일발명에 대하여 동맹 제2국에 일정 기간 내에 특허출원하여 우선권을 주장하는 경우, 특허요건 및 선후원 적용에 있어서 제2국의 출원에 대하여 제1국의 출원일에 출원된 것과 동일하게 취급할 것을 주장할 수 있는 절차상의 특별한 권리를 말함. 특허출원 시에 이러한 우선권 주장을 같이하여 행하여진 특허출원을 우선권 주장을 수반하는 출원이라 함

우선권 주장의 포기 선출원으로 인한 우선권을 주장하여 출원일을 소급받을 수 있으나 출원인의 의사에 의하여 선출원의 우선일을 포기하고자 하는 출원인의 의사표시를 말함

우선심사제도 출원공개 후 특허출원인이 아닌 자가 업으로서 특허출원된 발명을 실시하고 있다고 인정되는 경우 등 대통령령이 정하는 특허출원으로서 긴급처리가 필요하다고 인정되는 경우에 특허청장은 당사자의 신청에 따라 통상적인 출원에 비하여 조기에 심사관으로 하여금 우선심사하게 할 수 있도록 하는 제도. 'expedited examination system'이라고도 하며, 일본에서는 조기심사라고 부름

우회발명 기존 등록된 특허와 유사한 발명으로서 특허권에 대한 침해가 되지 않도록 발명의 구성요건에 추가요소를 포함시키는 등 회피설계한 발명

우회설계 특허침해를 피하기 위하여 그 특허발명의 구성의 일부 또는 전부를 변경하는 것

우회하다 침해가 되지 않도록 하는 방법이나 물건을 고안하여 특허침해를 피하는 행위

원천특허 관련하는 기술분야에서 없어서는 안 되는 필수적인 요건을 권리로써 갖고 있는 특허를 말함

유럽특허기구 유럽특허청(EPO)과 더불어 유럽특허청의 활동 감시, 감독을 그 임무로 하는 기구

유럽특허제도 유럽특허출원은 독일 뮌헨의 EPO 본부와 네덜란드 헤이그 지청(DG1), 오스트리아 비엔나 또는 베를린에 있는 DG1 지부에서 접수한 것으로 절차가 개시됨. 체약국의 특허청에도 출원이 가능하며 이 경우 헤이그 지청으로 이송됨. 방식, 서치, 실체 3가지 심사를 거치게 되는데 서치심사는 서치심사부에서 전문분야별로 분류된 후 담당심사관에 의해 서치보고서가 작성되어 출원된 유럽특허출원의 명세서는 출원일로부터 18개월 후에 즉시 서치리포트와 함께 공개됨. 서치리포트가 공개된 날로부터 6개월 이내에 실체심사를 위한 심사청구가 가능하며 심판절차에서는 심사전치제도를 운영하고 있음. 이의신청은 특허허여일로부터 9개월 이내에 가능. 특허취소는 지정국의 국내법원의 판결에 의해 가능. 유럽특허권은 유럽특허공보에 공고된 날로부터 효력이 발생하며 권리존속기간은 출원일로부터 20년간임. 유럽특허제도는 하나의 언어, 하나의 절차, 하나의 특허청에 출원함으로써 EPO 각 체약국에 출원한 것과 동일한 효과를 가지는 간편성과 경제성이 인정되고, EPO는 서치심사와 실체심사를 엄격히 분리시켜서 심사하고 있기 때문에 청구범위를 정확히 구분하여 권리를 설정해주므로 유일무이한 특허권을 행사할 수 있어서 신뢰성이 높은 것으로 평가받고 있음. 침해소송 및 무효여부에 관한 다툼은 회원국 국내법에 의거 처리됨. 강제성이 없으며 특허출원인은 가입국 국내법에 의한 절차와 유럽특허조약상의 절차 중 선택이 가능. 3인 기술심사관의 합의체에 의한 공동심사에 의해 이루어지며 서치리포트에 의해 신규성과 진보성을 판단하고 있음

유럽특허조약 뮌헨조약이라고도 하며 유럽시장 통합과 병행하여 지재권 분야의 통합을 위해서 1973년 성립된 조약으로 1977년 발효. 이 조약에 근거하여 유럽특허청(EPO)이 설립됨. 회원국은 유럽특허청(EPO)에 의한 단일출원 및 심사를 통해 각 체약국에서 허여되는 특허와 동등한 효력을 인정받음

유럽특허청 1973년에 제정(1977년 발효)된 유럽특허협약(European Patent Convention, EPC)에 의거하여 설립됨. 회원국 등이 EPO에 특허신청을 하면 회원국이 각 특허청에 개별적으로 신청하지 않더라도 단일신청으로 유럽 각 지정국법에 다른 승인에 의해 특허등록을 받을 수 있음. 2023년 3월 현재 총 38개국의 회원국을 두고 있으며 알바니아, 리투아니아, 루마니아, 슬로베니아 등 일부 동구유럽국가도 가입되어 있음

유사기술 해당 발명의 분야에 속하지 않지만 그 분야의 종사자라면 문제의 해결을 위해 찾아볼 수 있는 관련 기술분야의 정보. 유사기술의 경우 비자명성(진보성)을 입증하는 선행기술로 채택될 수 있음

유성번식식물 암수의 두 배우자가 합일한 접합체에서 새로운 생명체가 발생하는 생식법으로 번식하는 식물

유용성 특허를 받을 수 있는 발명의 조건의 하나로서, 유익한 용도에 쓰일 수 있는지 여부. 미국 특허법 제101조는 신규하고 유용한 방법, 장치, 제품, 조성물 또는 이들에 관한 신규하고 유용한 개량발명을 한 자는 본법이 정하고 있는 바에 따라 그 발명이 특허받을 수 있다고 규정하고 있음. 여기서 유용성이란 발명이 실시가능하고, 그 발명의 실시가 사회에 유용하다는 것을 의미하므로 신규성, 비자명성과 함께 특허성을 판단하는 데 하나의 기준이 되고 있음

유전자정보학 컴퓨터를 이용하여 생물체가 가진 정보를 파악하고 처리하는 분야로 생명공학과 정보학이 결합된 학문. 인간게놈프로젝트의 진전에 따라 대량생산되는 유전정보의 분석 및 활용에 필수수단이 되고 있음

유전자특허 유전자공학발명에 관한 특허. 유전자, 벡터, 재조합벡터, 형질전환체 및 융합세포의 발명에서 이들의 유용성이 명세서에 기재되어 있지 않거나 이들에 대하여 하등의 유용성을 유추할 수 없는 경우에는 특허를 받을 수 없음

은폐　고의로 발명을 숨기거나 발명 후 적절한 기간 내에 특허출원을 하지 않음으로써 발명이 공지되지 않도록 하는 발명자의 행위. 미국 특허법상 선발명자로서 인정을 받을 수 없으며 따라서 후발명자에게 특허권이 주어지게 됨[미국 특허법 제102조(g)]

의사에 반한 공지　'의사에 반하여'란 특허를 받을 수 있는 권리를 가진 자가 발명이 공지 등으로 되는 것을 인정할 의사를 가지고 있지 않았음에도 불구하고 그 발명이 공지 등으로 된 것을 의미. 어떠한 형태로 공지 등이 되었는지에 대한 제한은 없음. 예를 들어, 그 발명이 비밀로 관리되고 있었음에도 불구하고 절취나 사취 등으로 이를 취득한 자가 이를 개시한 경우나 비밀유지의무를 지고 있는 자가 이를 누설한 경우 등이 의사에 반하여 공지된 경우에 해당

의약발명　사람의 질병을 진단, 경감, 치료, 처치 또는 예방하는 물건(물질)에 관한 발명

의약의 용도발명　사람의 질병을 진단, 경감, 치료, 처치 또는 예방하는 물건(물질)의 용도에 관한 발명

의약품　의약품이라 함은 다음을 의미함. ① 대한약전에 수재된 물품으로서 의약외품이 아닌 것, ② 사람 또는 동물의 질병의 진단, 치료, 경감, 처치 또는 에빙의 목직으로 사용되는 약품으로서 기구, 기계 또는 장치가 아닌 것, ③ 사람 또는 동물의 구조기능에 약리학적 영향을 주기 위한 목적으로 사용되는 물품으로서 기구, 기계 또는 장치가 아닌 것(약사법 제2조 제4항)

의약품 등의 안정성, 유효성 심사에 관한 규정　약사법, 마약류 관리에 관한 법률에 의한 의약품 및 의약외품의 제조 또는 수입품목허가 신청 시 안전성, 유효성의 심사를 받아야 하는 품목의 대상, 자료작성 요령, 자료의 범위, 각 자료의 요건 및 면제범위, 심사기준 등에 관한 사항과 생물학적 동등성 심사에 관한 사항을 정함으로써 의약품 등의 안전성, 유효성 심사업무에 적정을 기함을 목적으로 제정되었음

이미지데이터 압축방법　정지화상 등의 이미지 데이터를 압축하는 방법

이용관계　어떤 발명이 기존의 발명의 기술사상을 이용하거나(사상상의 이용발명) 혹은 발명을 실시함에 있어서 이용하는 경우 그 발명이 기존의 발명에 대해 이용관계에 있다고 함

이용특허　특허의 경우에 별개로 광범위한 기술에 지배되는 발명을 개시(開示)하고 있는 것

이중특허　동일한 특허권자가 동일 발명 또는 매우 유사한 발명에 대해 등록을 받는 경우를 의미함. 이중특허는 특허 등록을 받을 수 없는데, 이러한 이중특허에 의한 거절은 미국 특허법 제101조에 의한 '동일발명' 형태의 이중특허에 대한 거절과 판례법상 확립된 자명성 범위 내의 이중특허에 대한 거절이 있음. 자명성 범위 내의 이중특허에 대해서는 특허권 존속기간을 일부 포기(disclaimer)하여 선출원의 특허존속기간과 일치시킴으로써 거절이유를 해소할 수 있음

이해관계　법률상의 권리나 의무에 영향을 받을 관계가 있는 것으로 단순한 경제적인 이해관계는 포함하지 않는 개념(특허법 제148조)

인용된 문헌　청구항에 특허성이 없는 경우 그 근거로 심사관에 의하여 제출되는 선행기술과 관련된 문헌

일부계속출원　미국 특허법상 제도로 선출원의 출원계속 중에 같은 출원인에 의하여 제출되고 선출원의 일부 또는 전부를 기재하고 또한 공개되지 않은 사항을 추가하는 출원을 의미

일응 유리한 사건　특허 심사관과 출원인 간의 입증재임을 부여하는 절차적 기법. 특허받을 수 없다는 "일응 유리한 사건"으로 입증할 일차적인 책임은 심사관에게 있음. 심사관이 일응 유리한 사건을 입증하지 못하면 출원인은 특허받을 수 있게 됨. 반대로 심사관이 일응 유리한 사건을 입증하면 특허성에 대한 입증책임은 출원인에게 돌아감

임상시험기간　신약을 개발했을 때 판매를 허가하기 전에 사람을 대상으로 안전성과 약의 효과를 다시 검증하는 기간

임의대리인　본인의 신임에 의해 본인의 의사로 대리권이 부여되는 것. 특허법상의 대리인은 제3조의 법정대리인을 제외하고는 특허에 관한 절차를 밟는 자의 수권행위에 의한 임의대리인으로 볼 수 있음

자기저촉　선후의 경합출원이 존재하는 경우 발명자, 출원인이 같은지 다른지에 관계없이 선원의 출원명세서에 기재된 명세서 또는 도면 전체에 기재되어 있는 경우에는 그 선원의 특허청구범위에 기재되어 있지 않더라도 당해 후원을 배제하는 특허심사의 기법을 말함(EU)

자명성　미국 특허법 제103조에 의한 특허성 기준으로 특허를 구하는 대상과 선행기술과의 차이가 발명 당시에 그 대상이 전체로서 해당 기술분야에 통상의 지식을 갖고 있는 자에게 자명할 때에는 특허를 받을 수 없다고 되어 있음

자명한 시도 발명의 비자명성과 특허성에 대해 허용되지 않은 판단기준임. 선행기술이 상위개념을 시사하고 있으나, 청구범위에 기재된 구체적 기술적 사항은 기재되어 있지 않을 경우 그 차이를 근거 없이 메우려는 시도에 해당됨

자연법칙 당위를 표현하는 규범적 규칙에 대하여 자연의 사물과 현상 사이의 객관적이고 필연적인 관계. 자연법칙 자체는 특허로서 보호받을 수 없음

잠수함특허 출원이 장기간 숨겨진 특허. 출원공개제도가 없는 국가(예 미국)의 특허제도하에서 생기는 현상으로 출원된 특허내용이 수면 아래(비공개)에 있다가 갑자기 수면위로 돌출(공개)된다고 해서 붙여진 이름임

잠정적 권리 미국에서 특허출원의 공개는 특허부여를 조건으로 하는 임시적 권리를 발생시킬 수 있음. 이 권리는 특허권자에게 공개와 특허허여 사이의 기간에 공개된 출원의 청구항을 직접 침해한 것에 대해 합리적 로열티를 받을 수 있음

장치 청구항 기계 혹은 구조물 등에 대한 발명을 특허청구하는 청구항 형식으로 방법이나 공정에 대한 방법 청구항(process claim)과 대비됨

재구성 물건을 재건(rebuilding), 개조(recreating) 또는 재편성(reorganizing)하는 행위나 절차. 미국 특허 판례상으로는 망가지거나 훼손된 특허제품을 재구성(reconstruction)하여 새로운 물품의 형태로 만드는 것은 특허의 침해로 판단함. 또한 특허품에 있어서 필수적인 부분을 교체(replacement)하는 것은 허용가능한 수리(permissible repair)가 아니라 특허침해인 재구성(infringing reconstruction)이 되는 것으로 봄. 특허제품 중 특허되지 않은 소모품을 갈아 끼우는 행위는 특허침해가 아닌 허용가능한 수리(repair)로 인정됨

재발행 전부 또는 일부가 동작 불가능하거나 무효인 특허를 정정하기 위하여, 또는 기만적인 의도 없이 착오에 의하여 특허권자가 그 발명을 적절하게 클레임할 수 없었던 경우 특허를 보정할 수 있는 제도. 등록일로부터 2년 이내에 행해진 재발행 신청은 권리범위를 확장할 수도 있음

재발행출원 기만적인 의도 없이 착오에 의하여 특허권자가 보호받을 발명을 적절하게 청구할 수 없었던 경우 특허를 보정할 수 있는 제도(미국). 특허등록 후 2년 이내에는 특허청구항의 권리범위를 확대하는 보정도 가능함

재심 확정된 특허청의 심결에 대하여 심판절차에 중대한 하자가 있는 경우나 그 판단의 기초가 된 자료에 결함이 있는 것을 간과한 경우 등에 당사자 또는 참가인이 이를 이유로 하여 그 심결의 소를 구하는 긴급의 불복신청방법. 민사소송법상의 재심청구 관련 사항(민사소송법 제451조 및 제453조)이 준용됨. 당사자는 확정된 심결에 대하여 재심을 청구할 수 있음

재심사 특허권자를 포함하여 누구나 추가적인 선행기술을 근거로 특허청에 특허의 유효성에 대한 재검토(심사)를 청구할 수 있게 하는 미국 특허 제도. 결정계(ex parte) 재심사와 당사자계(inter partes) 재심사가 있음

재심사 청구 미국 특허법 제302조에 의하여 행하는 재심사청구. 누구든지 특허권행사의 가능기간 내에는 어느 시점에서도 선행특허 또는 인쇄된 간행물에 한하여 이를 이유로 특허출원 중인 임의의 청구항에 대해서도 재심사를 청구할 수 있음

재정서등본의 송달 재정서등본을 송달하는 것. 특허청장은 재정을 한 때에는 당사자 및 그 특허에 관하여 등록을 할 권리를 가지는 자에게 재정서 등본을 송달하여야 하며, 당사자에게 재정서 등본이 송달된 때에는 재정서에 명시된 바에 따라 당사자 사이에 협의가 성립된 것으로 봄(특허법 제111조)

재현성/반복가능성 발명이 일정한 확실성을 갖고 동일한 결과를 반복할 수 있는지의 가능성을 말함. 특허법상 발명은 자연법칙을 이용한 기술적 창작으로서 고도한 것을 말함. 자연법칙을 이용한다는 요건으로서는 반복실시가능성이 문제됨. 일반적으로 자연법칙을 이용한 발명이 되기 위해서 필요한 재현성은 100%일 필요는 없고, 어느 정도 확실성이 있으면 족함

저촉심사 금반언의 원칙 특허소송의 일 당사자가 특허출원의 청구항의 요지를 저촉요인의 일부로 하지 못한 경우 그 당사자는 일부 경우에서 이의신청인이 저촉소송에서 발명의 우선권을 얻는 소인과 특허받을 수 있을 정도로 구별되지 않는 청구항에 대한 권리를 나중에 받지 못하도록 금지하거나 막는 규칙

적격성(권리자 또는 출원인) 특허 등 지식재산권을 등록받기 위하여 출원을 하는 경우 해당 발명을 출원할 수 있는지에 대한 자격. 주로 모인출원 내지 직무상 발명에 있어 출원적격이 있는지가 문제 되며, 공동발명의 경우에도 적격성이 문제 될 수 있음

전매조례 1623년 영국에서 성문화된 세계 최초의 특허법

전문조사기관 특허출원의 심사를 촉진하고 심사의 질 향상을 위하여 특허출원의 심사에 있어 필요하다고 인정할 때에 선행기술의 조사를 의뢰할 수 있는 기관. 심사절차상 필요한 경우에 특허청장은 선행기술조사를 전문조사기관에 의뢰할 수 있음

전자상거래 관련 발명 전자상거래 관련 발명심사를 위해 2000년 8월 1일 전자상거래 심사지침이 제정됨

전제부 영문 특허청구항 형식에서 도입부분. 미국 판례법상 전제부의 내용은 통상 특허의 권리범위를 제한해석하지 않는 것으로 보고 있으나 젭슨형 청구항의 경우는 전제부에 종래기술을 기재하는 것으로 해석하므로 전제부가 특허권리범위를 제한하는 것으로 해석됨

점보특허 특허공보가 40쪽을 넘는 특허(미국)

정정증명서 특허증에 오기가 발견된 경우에 미국특허상표청이 오기를 정정하기 위하여 발행하는 증명서

제법발명 물건이나 화학물질을 제조하는 방법에 관한 발명

제약특허 사람의 질병을 진단, 경감, 치료, 처치 또는 예방을 하는 물질, 즉 의약의 발명 또는 2개 이상의 의약을 혼합한 의약 조성물이나 이를 조제하는 방법의 발명에 대하여 부여하는 특허. 강력한 제약특허 제도로 인해서 지역의 제약연구와 개발이 확대되고, 외지를 유치할 수 있고, 기술이전이 촉진되며, 수출증가가 가능

제품 원료 또는 조성물로부터 인위적인 기술로 제조한 제품을 의미

젭슨 클레임 청구범위 기재방식 중의 하나. 특허청구범위의 전제부(preamble)에 종래기술 또는 상위개념을 기재하고 다음에 당해 발명의 특징 내지 개요로서 당해 발명의 신규의 개량요건, 신규의 개량이라고 생각하는 결합, 공정, 관계 등을 기재하는 방식. 'wherein the improvement comprises'와 같은 연결부(transition)를 사용하는 것이 특징임

조기심리 실시 중인 발명 등 긴급처리가 필요하다고 인정되는 경우에 특허청장은 당사자의 신청에 따라 통상적인 심판에 비하여 심판관으로 하여금 조기에 심리하게 할 수 있도록 하는 제도(일본)

조기심사 특허출원 공개 후 특허출원인이 아닌 자가 업으로서 특허출원된 발명을 실시하고 있다고 인정되는 경우 등 대통령령이 정하는 특허출원으로서 긴급처리가 필요하다고 인정되는 경우에 특허청장은 당사자의 신청에 따라 통상적인 출원에 비하여 조기에 심사관으로 하여금 우선

심사하게 할 수 있도록 하는 것. 조기심사라는 용어는 주로 일본에서 사용하는 용어이며, 우리나라는 '우선심사'라고 함

조약에 의한 우선권 제도 파리조약에 의해 우리나라 국민에게 우선권을 인정하는 당사자 국민이 그 당사국 또는 다른 당사국에 특허출원(선출원)을 한 후 1년 이내에 동일 발명에 대하여 우리나라에 출원하여 우선권을 주장하는 때에 일정 요건에 대해 선출원 시에 출원한 것으로 판단 시점을 소급하여 주는 제도. 특허법은 발명을 국제적으로 보호받기 위해서는 각국마다 별개의 출원을 해야 하므로 시간·거리 비용 등의 어려움이 따르는 바 이를 극복할 수 있도록 하여 진정한 선출원자의 지위를 보장하고 발명의 국제적 보호를 위해 본 제도를 규정하고 있음

조약우선권 파리조약에 따라 최초 출원국이 다른 출원 간에 우선권을 정하는 우선권

종 속 개념(genus)에 대한 개념으로 속 개념에 포함됨. 특허관계에서는 발명의 상위, 하위를 나타내는 경우에 자주 사용하며, 상위개념의 발명에 대하여 하위개념의 발명을 나타냄

종속발명 다른 발명과 밀접한 관계가 있으며 해당 발명과 다른 발명 모두를 하나의 출원으로 클레임하는 것이 가능한 발명

종속항 독립항을 한정하거나 부가하여 구체화하는 청구항으로서 인용되는 항의 특징을 모두 포함하며, 종속항은 필요한 때에는 그 종속항을 한정하거나 부가하여 구체화하는 다른 종속항의 형태로도 기재할 수 있음

⑩ 청구항 1: 치차전동기를 구비한 … 구조의 동력전달장치
청구항 2: 제1항에 있어서, 치차전동기구 대신 벨트전동기구를 구비한 동력전달장치

주지기술 그 기술분야에서 일반적으로 잘 알려진 기술로, 예를 들면 이에 관해서 상당수의 공시문헌이 있거나 업계에서 알려진 기술 또는 예시할 필요가 없을 정도로 잘 알려진 기술

주합 공지기술의 일부 구성요소들의 결합으로서, 진보성이 인정되지 않아 특허될 수 없음. 주합을 이유로 하는 거절은 복수의 요소 간의 상호관계가 기재되어 있을 때에 행하여야 함. 주합과 혼동하기 쉬운 것으로 주지관용기술의 부가가 있음. 이는 신규한 부분에 주지의 기술을 부가한 것임

중간체 출발물질로부터 목적화합물을 제조하는 과정에서 중간적으로 합성된 화합물

중심한정주의 특허청구범위 해석 원칙의 하나로, 보호범위의 해석에 있어 청구범위에 기재된 내용에 따라 엄격하게 해석하기보다는 특허권자가 표현한 실질적인 발명사상을 보호하기 위해 어느 정도 발명의 설명 부분까지 확장해석을 할 수 있다는 원칙으로 독일에서 이용하고 있음. cf) 주변한정주의

중지/유보/미정상태 특허출원의 여부를 결정하기 어려운 상태. 즉, 예를 들어 법률상 현재 소유자가 없다는 의미로서 자유보유지(自由保有地)를 현실적으로 점유하는 자가 없는 상태를 의미함

지역특허 2개 이상의 국가에서 효력을 가지는 특허를 허여하는 권한을 가진 국내 당국 또는 정부 간 당국이 허여하는 특허

지정관청 PCT에 의한 국제출원 시 국제조사 및 국제예비심사를 할 수 있는 기관으로 출원인이 지정한 특허청. 현재 한국 출원인이 국어로 출원한 경우에는 한국특허청이 지정관청이 되고, 영어로 출원한 경우에는 한국, 오스트리아, 호주특허청 중에서 지정관청을 선택할 수 있음

지정국 특허협력조약(PCT) 또는 마드리드 시스템에 의한 국제특허 또는 상표출원에서 권리를 보호받고자 하는 국가

지정언어 국제특허협력조약(PCT)에서 국제공개언어로 지정된 언어로 영어, 프랑스어, 독일어, 일본어, 러시아어, 스페인어, 중국어, 아랍어 등 8개였으나, 2007년 한국어와 포르투갈어가 추가되었음

직무발명보상 발명에 의하여 사용자 등이 얻을 이익의 액과 그 발명의 완성에 사용자 등 및 종업원 등이 공헌한 정도를 고려하여 직무발명에 대한 보상액을 결정. 발명보상, 출원보상, 등록보상, 실적보상 등이 있음. 종업원 등은 직무발명에 대하여 특허를 받을 수 있는 권리 또는 직무발명에 대한 특허권을 계약 또는 근무규정에 의하여 사용자 등으로 하여금 승계하게 하거나 전용실시권을 설정한 경우에는 정당한 보상을 받을 권리를 가짐

진단방법의 특허성 인체를 진단하는 방법의 특허가능성. 인체를 진단하는 방법은 의료행위로서 산업상 이용할 수 있는 발명에 해당하지 않는 것으로 보아 우리나라나 일본에서는 특허를 받을 수 없으나 미국에서는 유용성이 있는 것으로 보아 특허대상이 됨

진보성 발명의 창작수준이 그 발명이 속하는 기술분야에서 통상의 지식을 가진 자가 공지발명으로부터 용이하게 발명할 수 없을 정도로의 창작성이 있는 것. 특허법상의 법률용어는 아니며 관용어임. 발명의 비자명성, 발명의 비용이성이라고 하기도 함

집중심사 미국특허청의 정책으로써 단 한 번의 거절이유와 거절결정으로 출원절차를 마무리한다는 의미임

차크라바티 결정 1980년 차크라바티가 제기한 특허논쟁. 즉, 유기체의 발명에 있어 그 발명물이 생물에서 유래되었음을 이유로 하여 특허출원을 거절할 수 없다고 해석한 미국연방대법원의 판결

착상 완전한 발명을 정확하게 인식하는 상태에 도달한 것. 즉, 발명자가 발명의 모든 구성요소를 생각으로 구현하는 것으로서 순수한 정신적 활동이라 할 수 있음. 단순히 발명자의 증언만으로는 증명될 수 없으며 추가적 증거로 입증되어야 함. 2013년 개정된 미국 특허법에서는 실제 발명일(actual date of invention)을 인정받기 위해서는 착상일과 더불어 발명의 완성(reduction to practice) 및 근면한 노력(due diligence)을 함께 입증하여야 함

천연물 자연계에 존재하는 물질. 천연물의 단순한 발견은 특허가 되지 않지만, 자연계에 존재하는 물질로부터 인위적으로 분리, 정제하여 얻어진 물질은 자연계에 존재하는 물질 그 자체가 아니므로 특허될 가능성이 있음

청구범위 당해 특허출원발명이 특허된 경우 특허발명으로서 보호되는 보호범위적 기능과 발명을 구성하는 구성요건적 기능을 수행하는 부분

청구범위 감축 특허청구범위의 권리범위를 줄이는 것. 특허청구범위의 항수를 삭제하는 경우, 택일적 기재요소의 삭제 또는 상위개념으로부터 하위개념으로 변경하는 것 등을 의미

청구범위의 실질적 확장 또는 변경 출원서에 첨부된 명세서 또는 도면의 정정요건으로서 인정하지 아니하는 사항의 하나. 출원공고제도를 채택하고 있을 때에는 출원공고결정 후 보정요건으로서 인정하지 아니하는 사항의 하나였음(일본). 명세서 혹은 도면의 보정은 실질적으로 특허청구범위를 확장하거나 변경하여서는 아니 됨

청구범위의 축소해석 특허의 권리범위는 기재한 특허청구범위에만 의하여야 하고, 다른 기재나 자료에 의한 확장을 인정하여서는 아니 된다는 엄격한 해석방법

청구항 구분의 원칙 별개의 청구항에 기재된 다른 용어나 문구는 다른 의미를 갖는 것으로 추정되며 청구항도 다른 권리범위를 갖는 것으로 추정된다는 미국 판례상 확립된 원칙

최적의 방식(형태) 미국 특허법 제112조의 첫 번째 단락에 기재되어 있는 명세서 기재요건 중의 하나. 발명가가 특허청구한 발명을 실시할 수 있는 최적의 방식을 명세서에 기재해야 하는 유효한 특허허여를 위한 요건. 발명가는 공개의 대가로 독점배타권을 인정받으므로 특허출원 시 최적의 실시형태를 일반 대중에게 공개하도록 되어 있는 조건

추가개시 저촉심사의 증언녹취에 대한 개시에 추가하여 당사자가 반대신문 또는 당사자의 반대쟁점에 대한 증언기간 동안에 문헌 또는 사물을 제시하는 것

추적조항 고용계약의 각 조항에서 종업원이 자신이 달성한 발명에 관한 권리를 퇴직 후에도 고용자에게 양도하는 것에 동의하는 조항(미국)

출발물질 어떠한 물질 또는 물체를 제조 또는 생산하기 위해 처음에 사용되는 물질로서 주로 화학분야에서 사용되는 언어

출원경과 참작의 원칙 특허청구범위의 용어의 의미를 명확히 이해하기 위하여는 출원으로부터 특허에 이르기까지의 과정을 통하여 출원인이 표시한 의사 또는 특허청(심사관)이 표시한 견해를 참작하여야 한다는 원칙. Hughes Aircraft case에서 CAFC(연방순회항소법원)이 판결이유로서 사용한 이후 계속 사용하고 있음

출원공개 특허청에 계류되어 있는 출원에 대하여 실질적인 심사의 진행 여부와 관계없이 출원인의 신청에 의하여 또는 소정의 법정의 기간 경과 후 그 발명 내용을 공개하는 것을 말함. 원칙적으로 출원일로부터 18개월이 경과한 때에 행함

출판물 기술적 정보를 담고 있으며, 불특정다수의 대중이 접근할 수 있는 문서. 미국의 경우, 국내외를 막론하고 발명의 내용이 개시된 출판물이 발명일 이전 혹은 출원일로부터 1년 이전에 공개될 경우 불특허됨

치환가능성 균등론 요건의 하나로, 특허발명의 구성요건의 일부를 다른 방법이나 물로 치환하더라도 특허발명의 목적을 달성할 수 있는 것

치환용이성의 정도 균등론 요건의 하나인 치환용이성이 있다고 하는 경우 용이성이 어느 정도의 것이면 좋은가의 문제. 치환용이성의 문제는 당업자가 각별한 노력을 하지 않고서도 생각해 낼 수 있는 정도로 해석되고 있음

친특허주의 미국에서 건국 직후부터 1920년대까지(제1기) 그리고 1980년대 이후 지금까지(제2기) 나타난 특허제도에 대한 사회적 태도. 제1기는 경제발전을 조속히 구현하기 위해 특허권자를 우대하였으며, 제2기는 반특허주의에 대한 반성에서 경제활력을 되살리기 위해 특허권 보호를 강화하고, 특허권 보호대상을 확대한 시기임

침해교사 미국 특허법 제271조 b항에 정의된 것처럼 특허침해를 적극적으로 유도하는 행위로서 간접 특허침해를 구성함. "특허침해를 적극적으로 유도하는"이라는 의미는 본질적으로 다른 사람에게 그와 같은 침해를 교사하는 것을 의미함

컴퓨터 프로그램 발명 발명이 그 실시를 위하여 소프트웨어 또는 하드웨어에 의해서 실현된 논리단계들을 필요로 하는 발명

클래스 IPC 용어. 서브섹션(sub-section)을 세분화하여 큰 아이템별로 묶는 것(◉ A01)

클레임보충금지 출원 당시 클레임되지 아니하였거나 또는 강조되지 않았던 사항을 구체화시킨 발명에 대하여 특허출원 후에 이를 공연히 사용하거나 판매하고, 그 후 1년 이상 지나서 그 사항을 클레임한 경우에 그 변경이나 개량한 사항이 출원 당시의 명세서에 충분히 개시되어 있지 아니하면 상기 사항을 클레임한 그 날이 실질적인 출원일로 취급됨(미국)

통신규약 시스템 간의 원활한 상호작용을 위해 서로 다른 기종긴의 인터페이스 방법을 정해 놓은 표준. ISO(국제표준협회)에서, OSI(Open Systems Inter-connection) 개방형시스템의 상호작용(통신)을 위한 7Layer. 즉, 7개의 계층구조를 정의한 것임

특허 남용 공정거래법(미국은 antitrust laws) 조항이나 취지를 위반하여 특허권을 이용하거나 자유경쟁을 훼손시킬 정도로 그 권리범위를 허락된 범위 이상으로 확장하여 특허권을 이용하는 경우에 일어남

특허 양도인 금반언의 원칙 특허권 양수인이 양도인을 대상으로 제기하는 추후 침해소송에서 양도인이 양도된 특허의 유효성에 이의제기를 하지 못하도록 하는 원칙

특허 존속기간 연장등록 특허권이 설정등록된 발명을 실시하기 위하여 타 법령에 의한 허가 등을 받아야 하고 그 허가 등을 위하여 필요한 활성, 안전성 등의 시험으로 인하여 상당기간 실시할 수 없었던 경우에는 존속기간 연장등록 출원을 하여 등록되는 것을 말함. 5년의 기간 내에서 존속기간을 연장할 수 있음

특허풀 일반적으로 다수의 특허소유자가 특허업무대행기관에 보유특허권을 공동 출자하여 위탁 관리시키는 메커니즘으로 특허업무대행기관은 특허소유자를 대신하여 특허실시계약, 실시료 징수 및 배분 등의 업무를 담당. 대표적인 예로는 MPEG-4가 있음

특허가능성 특허부여가 가능한 상태의 것을 의미. 미국특허청은 특허가능의 경우, 출원인에게 Notice of allowance Letter를 발송함

특허결정 심사관이 특허출원에 대하여 특허한다는 뜻의 의사표시

특허공보 특허청은 특허출원 및 특허권에 관하여 필요한 사항을 널리 일반 공중에게 알리기 위하여 특허공보를 발행하고 있음. 특허공보는 공개용 특허공보, 등록용 특허공보가 있음

특허괴물 특허를 뜻하는 patent와 괴물을 뜻하는 troll의 합성어로 특허를 미리 확보한 후 시장이 커질 때까지 기다렸다가 특허침해소송을 제기해 막대한 배상금을 받아내는 특허관리전문회사를 의미함. 미국에선 특허괴물을 위한 특허경매가 자주 열리고, 특허 중개를 전문으로 하는 컨설팅 회사도 있으며, 국내에도 이러한 특허괴물이 활동하고 있음. 미국에서는 특허괴물에 의한 피해가 증가하면서 특허권 남용을 제한하자는 입법도 추진되고 있음

특허권 특허발명을 업으로서 실시할 권리를 독점하고, 제3자의 위법실시를 배제할 수 있는 권리

특허권 존속기간 특허등록이 허여된 발명에 대해 출원일로부터 20년간 존속함. 특허권의 존속기간은 특허권의 설정등록이 있는 날부터 특허출원일 후 20년이 되는 날까지로 함

특허권 포기 특허권자의 의사에 기하여 특허권을 소멸시키는 단독 의사표시로서의 법률행위. 특허권자는 특허권을 포기할 수도 있고 특허청구범위에 2 이상의 청구항이 기재되고 있는 경우에는 각 청구항마다 포기도 가능. 특허권을 포기하고자 하는 자는 특허권 말소등록신청서를 특허청장에게 제출하여야 함

특허권의 실효 특허발행요금에 부족금액이 생긴 경우에는 부족요금통지서가 특허부여와 동시에 출원인에게 통지됨. 부족요금통지서의 송부일로부터 부족요금을 3월 이내에 납부하지 아니한 경우에는 이 3월 기간이 만료됨과 동시에 특허권이 실효함(35USC§151, 37CFR§1.317)

특허권의 효력범위 특허권은 설정등록에 의하여 발생하고 출원일로부터 20년이 경과하면 소멸. 특허권은 속지주의 원칙상 대한민국의 주권이 미치는 영토 내에서만 효력을 가짐이 원칙임

특허권자 특허권을 소유한 자

특허권자의 의무 특허권에 따르는 의무로는 실시의무, 정당실시의무, 특허료 납부의무, 특허청에 대한 보고의무 등이 규정되어 있음

특허권존속기간 조정 심사지연 등의 사유가 있는 경우 특허청 절차에 따라 특허권존속기간조정이 가능

특허권존속기간의 포기 출원인 또는 특허권자는 특허권의 존속기간의 전부 또는 일부를 포기할 수 있는데 이때의 존속기간을 단축시키는 절차를 의미함

특허등록원부 특허권 또는 그에 관한 권리관계가 기록된 공적 장부로서, 특허등록원부의 유형으로는 특허등록원부, 특허신탁원부가 있음

특허등록증 특허의 등록을 증명하는 증서

특허료 특허료 납부는 특허권의 설정등록요건인 동시에 존속요건임. 특허료는 특허권의 설정등록을 받고자 하는 자가 납부하는 1~3년분의 신규설정 특허료와 특허권자가 4년차분부터 매년 납부하는 연차특허료로 구분됨

특허료의 반환 특허청에 대하여 특허 수수료를 과오납한 경우 그 반환을 요구하는 것

특허를 받을 수 없는 발명 공공의 질서 또는 선량한 풍속을 문란하게 하거나 공중의 위생을 해할 염려가 있는 발명을 말함(특허법 제32조)

특허를 받을 수 있는 권리 발명자가 발명을 완성하게 되면 그 자에게는 가장 먼저 특허를 받을 수 있는 권리가 주어짐(특허법 제33조). 이 권리는 양도성이 있는 일종의 재산권이며 특허출원 여부에 관계없이 발명자는 이 권리를 발명권으로서 활용(사용, 처분)할 수 있음

특허를 받을 수 있는 발명 미국 특허법상 출원하여 특허를 받을 수 있는 발명으로, 신규하고 유용한 방법, 기계, 제품, 조성물 또는 이들에 대한 신규하고 유용한 개량발명은 특허를 받을 수 있는 발명으로 특허법에 규정되어 있음(35USC§101)

특허문헌 특허출원이나 실용신안등록출원의 내용을 기재한 문헌. 특허공개공보, 특허등록공보, 실용신안등록공보 등이 있음

특허발명 특허권이 있는 발명으로 실시발명(확인대상발명)의 대비가 되는 발명. 특허소송에서 특허권을 행사하여 손해배상을 받기 위해서는 일반적으로 특허발명에 관련된 제품에 특허표시를 할 필요가 있음(35USC§287)

특허발명의 불실시 특허발명이 천재지변, 기타 불가항력 또는 기타 정당한 이유 없이 일정 기간 동안(3년 이상) 국내에서 실시되지 않을 경우 제정 청구의 사유가 됨

특허법상설위원회 특허법의 세계적 통일화(harmonization)를 위해 WIPO가 1998년 6월부터 설립하여 운영하고 있는 다자협의체

특허법조약 특허법조약은 27개 조항, 21개 규칙 및 6개 합의선언문으로 구성되어 있으며 2000년 6월 1일 외교회의에서 채택. 2005년 7월 28일 발효됨. 국내 및 지역 출원절차 및 방식요건의 통일화, 출원인의 편의도모를 위한 출원방식요건의 완화, 특허방식요건에 대한 상이한 국제 표준도입을 배제하고자 가능한 PCT(특허협력조약) 규정 고려 등을 목표로 제정

특허분쟁 특허권에 대한 침해, 권리관계의 존부, 권리관계의 범위에 대한 분쟁을 말함

특허성 특허요건인 신규성, 진보성, 산업상 이용가능성을 충족하는지 여부. 발명이 특허로 보호받기 위해서는 특허성이 있어야 됨

특허소송 일반적으로 특허권자가 침해자에 대하여 행하는 민사소송을 의미하며, 미국의 경우 CAFC의 선속관할이지만 국내의 경우 일반 민사소송 관할에 의하며, 형사소송을 포함한다는 데 차이점이 있음

특허소송사무처리시스템 특허소송사무처리시스템은 심사/심판 진행정보 조회, 내부문서의 전자결재 및 온라인 발송(단, 외부발송은 서면으로), 심결문 및 판결문 검색 등을 지원하고 있음

특허실체법 어떠한 발명에 대하여 특허를 허여할 것인가를 규정하고 있는 법규정의 총체. 특허절차법에 대비되는 개념

특허실체법조약 2000년 6월 WIPO가 채택한 특허실체법 통일을 위한 조약으로 현재 실체법조약(안) 16개 조문과 규칙(안) 16개 조문, 실무지침이 상정되어 논의되고 있음. 주요 내용은 특허대상, 특허요건, 선행기술의 정의, 유예기간, 명세서 기재사항, 보정, 정정, 무효 및 취소사유를 다루고 있음

특허심사편람(MPEP) 미국특허청(USPTO)에서 특허심사 실무와 절차를 참조하기 위하여 작성된 편람. 서류의 접수 및 처리의 사무절차, 실체심사, 저촉심사, 심판, 디자인특허, 식물특허 및 PCT 등에 관하여 심사관에 대한 지시와 이들을 해석하기 위한 자료 일체가 기재되어 있음

특허요건 특허권을 받기 위하여 출원발명이 갖추어야 할 요건으로는 산업상 이용가능성, 신규성, 진보성이 있음

특허유효성의 추정 소유자의 지식재산권이 합법적이고 유효하다는 추정으로 특허는 무효가 되기 전까지는 유효한 것으로 주정됨

특허의 정정 특허권자가 무효심판 및 정정무효심판에 대한 답변서 제출기간 또는 심사관, 심판관의 직권에 의한 의견서 제출기간 내에 일정범위 내에서 특허발명의 명세서 또는 도면의 정정을 청구하는 것

특허의 표기 특허권자나 실시권자가 만든 특허제품에 특허번호와 함께 단어 'patent(특허)' 또는 약칭인 'pat.'를 표기하는 것. 미국의 경우 기본적으로 침해자가 통지를 받은 시점 이후부터의 피해보상 요구가 가능하지만, marking을 하게 되면 통지한 것으로 간주되어 실제 통지일로부터 6년 이전까지의 침해분에 대하여 피해배상을 요구할 수 있음

특허정보 분석시스템 한국특허청이 개발한 특허 맵 작성용 소프트웨어로 특허정보의 수집, 가공, 분석을 수작업으로 행하던 기존의 제작방법을 대신하여 주제선정부터 분석까지 특허지도 작성의 전 과정을 수행하는 소프트웨어

특허정보검색시스템 유럽특허청(EPO) 보유의 1970년 이후 특허정보(70개 이상의 기관으로부터 약 4천 5백만 건) ─ INPADOC DB를 인터넷을 통해 무료로 제공하는 HTML 기반의 검색시스템

특허정보서비스 국내의 특허정보서비스를 제공하는 기관으로는 KIPRIS와 WIPS 등이 있음

특허존속기간연장 특허발명을 실시하기 위하여 다른 법령의 규정에 의하여 허가를 받거나 등록 등을 하여야 하고, 그 허가 또는 등록을 위하여 필요한 활성, 안전성 등의 시험으로 인하여 장기간이 소요되는 대통령령이 정하는 발명의 경우에는 그 실시할 수 없었던 기간에 대하여 5년의 기간 내에서 당해 특허권을 연장할 수 있음(특허법 제89조)

특허증 특허권의 설정등록을 할 때 특허청에서 권리자에게 교부하는 특허권의 등록을 증명하는 서면

특허맵 특허정보의 각종 서지사항의 분석항목을 정리하고 특허정보의 기술적 사항의 분석항목을 가공하여, 특허정보만이 가지고 있는 권리정보로서의 특징을 이용한 정보가공을 통해 이를 분석하고 해석함으로써, 그들의 조합을 통해 분석한 결과를 한눈에 파악할 수 있는 도표로 표현한 것. 일본에서 1960년대 말부터 사용되기 시작한 용어로 우리나라에서 1980년대 초부터 통상적으로 PM(Patent Map)이라는 용어가 사용되고 있음. PM은 연구, 기술개발을 어떠한 방향으로 어떻게 가야 하는지를 가르쳐주는 길잡이가 되는 것으로 특허분석(Patent Analysis), 특허포트폴리오(Patent Portfolio)라는 용어로 사용되고 있음. 분석요소들의 증가(인

용특허, 해외출원, 청구항 수 등)와 복합요소(연간 증가율, 인용비율) 등을 가미한 통계적 판단에 의한 평가방법의 제시로 각 기술, 각 회사의 위치를 파악하고, 각 특허를 평가(실제 예상되는 효과와 실현 등)한 값을 이용하는 등 더욱더 그 중요성을 더해 가고 있음. 특허정보 이외의 회사경영정보, 시장정보, 제품정보, 뉴스, 기술이전 등의 정보와 연계한 PM(Patent Map)들이 등장하여 경영정보로서 활용됨

특허청구범위의 해석 특허침해소송이나 권리범위확인심판에 있어서 해당 특허의 청구항의 권리범위를 확정짓기 위해 청구항에 기재된 용어 및 그 범위를 확인하는 것

특허취소결정 특허취소신청 시 취소신청이 이유 있다고 인정되는 때 그 특허를 취소하는 결정

특허침해소송 특허권자의 허락 등 특허에 대한 정당한 권한 없이 타인이 특허를 실시할 경우 특허권자가 그 타인에 대하여 소송을 제기하는 것. 우리나라의 특허침해소송은 민사 및 형사소송으로 이원화되어 있으며, 민사 및 형사소송은 일반법원이 관할권을 가지고 있음

특허통일화조약 특허법을 통일하기 위한 조약으로는 절차적 사항을 통일하기 위한 특허협력조약과 어떤 대상에 대하여 특허를 부여할 것인가를 논의하는 특허실체법조약이 있음(현재 논의 중)

특허협력조약 파리조약 제19조에 근거, 1970년 6월 워싱턴에서 조인, 1978년 1월 24일에 발효. 동일한 발명에 대하여 다수국에서 특허를 취득하고자 하는 경우 출원비용 및 절차의 부담경감, 각국 특허청의 중복심사의 노력경감 등을 목적으로 제정. 이러한 목적달성을 위하여 국제출원제도, 국제조사제도, 국제예비심사제도, 국제공개제도 등을 운영하고 있음

파라미터 발명 넓은 의미의 수치한정 발명에 속하는 발명으로 새로 창출된 파라미터(물리화학적 또는 생물학적 특성값) 또는 새로 창출된 여러 변수 간의 상관관계를 이용해 발명의 구성요소를 규정한 발명. 고분자 재료, 시멘트 재료, 세라믹 재료, 합금, 유리 등과 같이 출발물질이 특정되어 있어도 그 반응생성물이 용이하게 특정될 수 없는 경우에 주로 파라미터 발명 형식의 청구항으로 기재함
cf) 수치한정 발명

파이프라인 제품 특허는 되었으나 시험이 필요한 발명(주로 의약 특허)으로 제품화 과정이 오래 걸린 제품

판매 특허사유를 판단하는 한 가지 요소로, 발명품이 판매된 날로부터 1년이 초과된 경우 미국 특허법 제102조(b) 위반으로 특허를 받을 수 없음. 여기서 판매제의(offer of sale) 역시 특허제품이 판매상태에 놓여 있으므로 판매로 봄

판매로 인한 신규성 상실 미국에서 특허출원일로부터 1년 전에 그 발명이 미국에서 판매된 경우에는 특허를 취득할 수 없도록 한 미국 특허법 제102조 규정

판매용 제품 클레임에 정의되어 있는 생산품에 대비되는 개념으로 특허권자 또는 제소된 침해자에 의해 시중에서 실제로 판매되는 제품. 제소된 장치는 클레임에 기재된 발명과 대비되어야 하며, 특허권자의 시판품과 대비되어서는 아니 됨

포괄라이선싱 복수의 특허를 그룹으로 실시권을 허락하는 것. 실시권자는 허락된 모든 특허권을 실시할 수 있는 권리를 갖게 됨

포기 발명의 포기에는 발명을 완성하여도 출원하지 않는 경우, 출원을 하여도 명세서에는 기재되어 있으나 클레임에는 기재되어 있지 아니한 경우 등이 있음. 포기(abandonment)와 취하(withdrawal)를 미국에서는 엄격히 구별하여 사용하지 않으나 한국과 일본에서는 양자의 개념을 구별하여 사용하고 있음

포대차용 일본특허청에서 사용하는 용어임

포함하는 영문 특허청구항의 기재 시 연결부(transition) 표현 중의 하나. '포함하는'으로 해석할 수 있으며, 이 연결부 표현이 사용될 경우 특허권리범위의 해석에 있어서 해당 청구항의 구성요소 이외에 다른 구성요소도 포함될 수 있는 것으로 해석하므로 이 표현을 개방형(open-ended)이라고도 함. 따라서 침해품이 특허청구항의 구성요소 이외의 다른 구성요소를 갖고 있더라도 특허침해로 해석될 수 있음

포함하다 청구항에서 다른 개시사항을 포함하고 있는 경우 그 개시를 read on, 즉 포함한다고 표현함

표시적 재료 데이터구조, 컴퓨터프로그램, 자연법칙, 추상적 아이디어, 자연현상을 의미하며, 기능적 표시재료는 원칙적으로 특허사유가 되나 그 반대의 경우는 특허사유가 되지 않음

필수적으로 구성되는 영문 특허청구항의 기재 시 연결부(transition) 표현 중의 하나. '필수적으로 구성되는'으로 해석할 수 있으며, 이 연결부 표현이 사용될 경우 특허권리범위의 해석에 있어서 해당 청구항의 구성요소 이외에 추가적인 구성요소가 해당 발명의 기본적이고 신규한 특성에 실질적으로 영향을 미치지 않을 경우에만 개방형(open-ended), 즉 'comprising'과 같은 의미로 해석됨. 따라서 침해품이 특허청구항의 구성요소 이외의 다른 구성요소를 갖고 있을 경우에 그 구성요소가 특허의 기본적 신규한

특성에 실질적으로 영향을 주지 못할 경우는 특허침해가 성립하게 됨

하위개념 특허출원의 청구항에 기재된 발명이 '금속'으로 기재되어 있고 인용발명에 '구리(Cu)'로 기재되어 있는 경우 '구리(Cu)'는 '금속'의 하위개념으로 볼 수 있음

한정 하나 이상의 발명에서 단 하나의 발명으로 특허출원의 범위를 좁히는 것

한정요구 미국 특허법에서 심사관이 하나의 출원에 2 이상의 독립된 별개의 발명이 포함되어 있다고 인정하는 경우 청구항을 2 이상의 그룹으로 나누어 출원인에게 하나의 그룹을 선택하도록 요구하는 것

합리적 로열티 특허발명의 실시에 대하여 통상 받을 수 있는 금액에 해당하는 액. 특허권자는 침해자에게 실시료 상당액을 손해액으로 하여 그 배상을 청구할 수 있음(특허법 제128조 제3항). 이는 특허권 등의 침해에 대해 배상받을 수 있는 최소한의 손해액의 의미가 있음

해치왁스만법 미국에서 의약품 특허와 FDA 허가 간의 연계시스템을 규정한 법률. 특허존속기간 연장, 제네릭 의약품 허가신청에 의한 30개월 허가절차중지, 최초 제네릭에 대한 판매독점권부여 등이 규정되어 있음

핵산염기 및 아미노산 서열목록 국제출원이 하나 또는 둘 이상의 뉴클레오티드 및 또는 아미노산 서열의 기재를 포함하고 있는 경우 명세서는 시행세칙의 기준에 따라 작성된 서열목록을 포함하여야 하며, 서열목록은 그 기준에 따라 명세서 중의 별도의 부분으로 하여야 함. 명세서 중 서열목록부분이 시행규칙에 규정된 기준에서 정의하는 free text 를 포함하고 있는 경우 그 free text 또한 동일언어로 명세서의 본문에 기재하여야 함(PCT규칙 제5조5.2)

허가 – 특허 연계 특허기간 중 특허를 침해한 제네릭 의약품이 시장에 출시되지 않도록 원개발자가 제네릭 업자에게 특허침해소송을 제기하는 경우 제네릭의 허가절차가 자동 정지되도록 하는 제도

허수아비 특허 경쟁자를 견제하기 위해 침해소송에서 경쟁자를 위협하려는 특허권자가 사용하는 잠재적으로 무효이거나 너무 광범위한 특허를 일컬음

형평법상 금반언 미국 특허침해소송에 있어서 형평법상 방어논리의 하나. 특허권자가 특허권을 행사하지 않을 것이라는 합리적인 암시를 주었고, 이에 침해자가 그러한 특허권자의 행위를 믿었으며, 특허권자의 침해주장을 받아들인다면 침해자가 큰 손해를 입게 될 경우 특허권 행사할 수 없도록 하는 원칙

화학발명 화학발명이란 화학물질(화합물) 또는 화합물의 조성물과 관련된 발명으로서, 화합물 자체, 조성물 자체, 화합물 또는 조성물의 제조방법, 이용방법 등 및 화합물의 용도를 사용하는 물건 또는 방법에 관한 발명을 포함

확대된 선원주의 확대된 선원주의란 본래의 선원주의의 확대적 운용으로서 특허출원 발명이 그 이전에 된 타인의 특허출원 또는 실용신안등록출원의 최초명세서 또는 도면에 기재된 발명과 동일할 경우 선출원의 발명(고안) 공표를 전제로 그 후출원발명이 다른 특허요건을 갖추고 있다하더라도 거절하게 하는 원칙

확인대상발명 권리범위 확인심판이나 특허침해소송에서 특허권을 가지지 않은 당사자의 발명. 이전에는 (가)호 발명이라는 용어를 사용했으나 현재는 확인대상발명이라는 용어를 사용함

회로 배치 반도체집적회로를 제조하기 위하여 각종 회로소자 및 그들을 연결하는 도선을 평면적 또는 입체적으로 배치한 설계

회복 특허 재발행 과정에서 원출원 심사 시 출원인이 자발적으로 취소하거나 범위를 좁힌 청구항과 같거나 더 넓은 범위의 청구항을 다시 청구하는 것을 금시시키는 규칙

회선암호장치 한국특허청 특허넷 시스템(KIPOnet)을 3극망(TriNet)에 연계하기 위하여 설치된 전산장비

효력인정 제도 유럽특허청(EPO)에 제출된 국내출원 및 PCT 국제출원에 대하여 유럽특허청이 특허결정한 경우에는, 당해 특허의 효력이 유럽특허조약(EPC) 비회원국에서도 발생토록 하는 내용의 유럽특허청이 제안한 국제특허제도(International Patent System)

휴면특허 개시되어 있는 발명이 영업상 사업전망이 없다고 판단되어 특허권자가 그 특허를 실시하고 있지 않는 특허

흠결/무효사유 있는 특허 명세서 및 도면에 결함이 있거나 특허권자가 청구할 수 있는 범위보다 넓게 청구하였다는 이유로 특허의 전부 또는 일부가 실시불능 또는 무효의 사유가 있는 특허를 말함. 흠결 또는 무효사유 있는 특허란 방식상의 흠결로서 서식의 필수사항 기재불비, 기간의 불준수, 증명서 미첨부, 수수료 미납 등의 절차상의 흠결과 권리의 향유능력이 없는 외국인에게 허여된 경우, 특허요건(산업상 이용가능성, 신규성 및 진보성)이 흠결된 발명에 특허권 등이 설정된 경우, 무권리자에 권리가 허여된 경우, 후출원인에게 권리가 허여된 경우, 조약에 위배되어 권리가 허여된 경우 등을 들 수 있음

2. 디자인 관련 용어

간행물에 게재된 디자인 간행물에 게재된 디자인이란 공개를 목적으로 복제된 문서, 도면, 사진 등의 전달매체에 불특정 다수인이 볼 수 있는 상태로 놓여진 디자인을 의미함. 간행물에 게재되었다고 할 수 있기 위해서는 그 디자인이 속하는 분야에서 통상의 지식을 가진 자가 그 게재를 보고 용이하게 디자인의 창작을 할 수 있을 정도로 게재되어 있어야 함. 전기통신회선을 통하여 공중이 이용가능하게 된 디자인도 이에 준하며, 간행물에 게재된 디자인은 신규성 상실로 등록될 수 없음

견본 전체 상품의 품질이나 상태 따위를 알아볼 수 있도록 본보기로 보이는 물건(디자인). 디자인등록출원인은 도면 대신에 디자인의 사진이나 견본을 제출할 수 있음

공공의 질서나 선량한 풍속을 문란하게 할 염려가 있는 디자인 공공의 질서나 선량한 풍속을 문란하게 할 염려가 있는 디자인에 대해서는 디자인등록을 받을 수 없음(디자인보호법 제6조 제2호)

공연히 실시된 디자인 디자인이 불특정 다수인이 알 수 있는 상태에서 실시된 것을 말함

공지부분 포함 디자인 디자인의 일부에 공지부분이 포함되어 있는 경우에는 그 공지부분은 창조적 가치가 인정되지 않기 때문에 디자인의 구성요소에서 그 비중이 낮게 평가됨. 즉, 권리의 성립 과정에서 신규성을 판단하기 위한 디자인의 유사 여부를 판단함에 있어 공지부분은 형태구성요소·부분의 모두를 포함하는 전체적 관념에서 그 가치가 낮게 평가됨. 디자인은 공지부분도 포함한 형태 전체의 통일적 전체로서 고찰의 대상이 되며, 공지부분을 제외한 잔여부분만을 판단의 대상으로 하는 것은 아님

공지디자인 비밀의 상태가 아니라 디자인의 내용이 불특정 다수인이 알 수 있는 상태에 놓여 있는 디자인

성립요건 지식재산권이 성립하기 위한 요건으로, 예를 들어 디자인보호법상 디자인이 되기 위해서는 물품성(물품에 표현될 것), 형태성(형상, 모양, 색채 또는 이들의 결합), 시각성(시각을 통한 것), 심미성(미감을 일으키게 하는 것)을 구비해야 함

국제디자인분류 로카르노협정에 따라 규정된 디자인 분류

기본디자인 유사디자인을 등록받을 때 그 관련디자인의 디자인권이 합체된 자기의 가장 빠른 디자인

다물품 하나의 디자인이 여러 가지 물품에 사용되는 경우 디자인의 사용 객체로서의 물품

단면도 물건의 내부 구조를 명료하게 나타내기 위하여 이것을 절단한 것으로 가정한 상태에서 그 단면을 그린 그림

도면의 중간생략 정면도와 배면도, 좌측면도와 우측면도, 평면도와 저면도 등에 있어서 상호 동일하거나 대칭일 경우 각각의 도면을 생략할 수 있음

동적 디자인 물품이 정지한 상태만으로는 그 변형된 상태가 파악되지 않는 디자인으로서 물품 자체의 특별한 기능에 의하여 그 형태가 변화하고 그 변화가 시각에 의해 감지될 수 있는 디자인. 동적 디자인은 그 창작의 요점이 디자인의 특이한 변화상태에 있고 그 변화의 상태를 용이하게 예측할 수 없으며 그 변화가 시각에 호소하는 디자인

등록디자인의 보호범위 디자인권자는 업으로서 등록디자인 또는 이와 유사한 디자인을 실시할 권리를 독점(디자인보호법 제92조)

디자인 물품의 형상, 모양, 색채 또는 이들을 결합한 것으로서 시각을 통하여 미감을 일으키게 하는 것(디자인보호법 제2조 제1호)

디자인 창작자 디자인등록을 받을 수 있는 주체로서, 사실행위로서의 창작자를 의미하며 디자인의 창작자는 자연인이어야 함. 디자인보호법 제3조는 디자인을 창작한 자 또는 그 승계인이 디자인등록을 받을 권리를 가지며, 2인 이상이 공동으로 디자인을 창작한 때에는 디자인등록을 받을 수 있는 권리를 공유로 한다고 규정하고 있음

디자인공보 디자인보호법 제78조 제4항의 규정에 의한 디자인공보는 디자인심사등록공보 및 디자인일부심사등록공보와 공개디자인공보로 구분. 디자인심사등록공보에는 ① 디자인권자의 성명 및 주소, ② 디자인의 대상이 되는 물품, ③ 창작자의 성명 및 주소, ④ 출원번호 및 출원연월일, ⑤ 우선권 주장의 기초가 되는 출원일, ⑥ 등록번호 및 등록연월일, ⑦ 도면 또는 사진, ⑧ 창작내용의 요점, ⑨ 디자인의 설명, ⑩ 출원공개 및 공개연월일 등이 게재됨

디자인권 특허청에 등록된 디자인은 동일·유사한 디자인에 대해 독점 배타적인 권리를 부여받게 됨. 디자인권의 존속기간은 설정등록이 있는 날로부터 발생하여 디자인등록출원일 후 20년

디자인권자 업으로서 등록디자인 또는 이와 유사한 디자인을 독점 배타적으로 실시할 수 있는 권리를 획득함

디자인도용 디자인권자 또는 전용실시권자, 통상실시권자 이외의 자가 정당한 권한 없이 디자인권자 등의 등록디자인 또는 이와 유사한 디자인을 무단으로 사용하는 행위

디자인등록 디자인등록을 받기 위한 적극적 요건으로 디자인으로서 성립요소를 구비하고, 산업상 이용가능성, 신규성, 창작성을 갖추어야 함. 소극적 요건으로서 국기, 국장 등과 동일, 유사한 디자인이나, 공공의 질서, 선량한 풍속을 문란하게 할 염려가 있는 디자인 및 타인의 업무에 관계되는 물품과 혼동을 가져올 염려가 있는 디자인은 등록받을 수 없음

디자인등록원부 디자인특허청에 비치되어 있는 원부로서, 디자인권의 설정, 이전 소멸 또는 처분의 제한, 전용실시권 등의 설정, 이전, 변경 또는 처분의 제한, 디자인권, 전용실시권, 또는 통상실시권을 목적으로 하는 질권의 설정 등에 관한 사항을 등록하고 있음

디자인등록제도 디자인권은 등록이라는 행정 처분에 의하여 발생함. 따라서 디자인보호법상 창작된 디자인어 보호를 받기 위해서는 공업상 이용할 수 있는 디자인일 것, 신규성을 가진 디자인일 것, 창작이 용이하지 않는 디자인일 것 등의 실체적 요건을 만족시켜(디자인보호법 제33조 제1항 및 제2항) 등록되어야 하며, 디자인보호법은 일부의 디자인에 대하여는 이 요건(디자인보호법 제33조 제1항 본문의 공업성 요건 제외)에 대한 심사 없이 등록을 허여하는 무심사등록주의를 병행하고 있음

디자인등록출원의 분할 1디자인으로 2 이상의 디자인을 출원하거나 다디자인등록출원을 한 자 및 한 벌 물품의 디자인을 1디자인으로 등록출원한 자가 절차상 또는 실체적인 하자를 극복하기 위하여 원출원을 2 이상의 디자인 등록출원으로 분할하는 것

디자인일부심사등록제도 디자인등록을 받는 데 필요한 요건 중 형식적 또는 방식적 요건만을 심사하여 권리를 부여하며 권리의 유무효는 등록 후에 분쟁 발생 시 사법작용에 의하여 심리하는 주의

디자인보호법 디자인의 보호 및 이용을 도모함으로써 디자인의 창작을 장려하여 산업발전에 이바지함을 목적으로 1961년 12월 31일 법률 제951호로 제정됨. 총 10장 89조로 구성되어 있으며 디자인등록 출원, 등록, 심사요건 및 디자인권의 보호 등을 내용으로 하고 있으며, 의장법에서 디자인보호법으로 법명이 개정되었음

디자인분류 디자인보호법 제40조 제1항, 제3항 및 동 법과 관련하여 시행규칙에 물품의 구분이 자세하게 수록되어 있음. 디자인분류표는 로카르노 국제분류에 따라 물품을 구분함

디자인의 유사성 디자인의 물품과 형상이 유사한 디자인을 의미하며, 디자인의 유사요소로는 물품과 형상이 있음

디자인출원 지정물품 출원인이 디자인의 출원 시 지정하는 디자인등록의 대상이 되는 물품

모티브 디자인은 물품과 불가분의 관계에 있으므로 물품에 표현 또는 화체되지 아니한 추상적인 모티브만으로는 디자인의 대상이 되지 못함

물품성 디자인보호법상의 디자인은 물품을 전제로 한 것이기 때문에 물품에 화체되어야만 디자인보호법상의 보호대상이 됨

심미감 심미감이란 미를 느끼게 하는 것. 즉, 미적 가치의 체험을 의미함. 디자인보호법은 "시각을 통하여 미감을 일으키게 하는 것"으로 규정하고 있음

배면도 물체의 뒤쪽 면을 수평으로 바라본 상태에서 그린 그림

복수디자인등록출원제도 디자인출원은 1디자인 1출원으로 하는 것이 원칙이나 같은 물품류에 속하는 물품에 대하여 100 이내의 디자인을 1디자인 등록출원 가능

부분디자인 물품의 부분에 대한 디자인. 물품의 부분에 대하여도 디자인등록을 받을 수 있음

부품 완성품의 일부를 이루는 부분

비밀디자인 디자인등록출원인의 신청에 의하여 설정등록일로부터 일정 기간 동안 그 디자인을 공개하지 않고 비밀로 하는 것

시각성 육안으로 디자인을 판단하는 것. 디자인보호법에서는 디자인을 "시각을 통하여 미감을 일으키는 것"으로 규정하고 있으며, 시각성이 없는 경우 디자인보호법상의 디자인이 아니므로 거절됨

외관 물품이나 표장의 외부적 형태를 의미하며, 인체의 시각을 통해 감지되는 외부적 형상 등을 의미함. 디자인에서는 물품에 화체된 외관이 그 보호대상이며, 상표에서는 상표의 동일, 유사 판단 시에 외관을 통하여 직감되는 개념을 이용함

우측면 사시도를 기준으로 정면이 정해지면 정면의 우측에서 보이는 면

관련디자인제도 디자인권자 또는 디자인등록출원인이 자기의 등록디자인 또는 디자인등록출원한 디자인에만 유사한 디자인을 자기의 기본디자인의 유사디자인으로만 등록출원하는 것

육면도 정투상도법으로 작성된 정면도, 배면도, 좌측면도, 우측면도, 평면도, 저면도로 이루어진 한 묶음의 도면들

장식적 디자인 미국 특허법 제117조는 "공업적 제품을 위한 신규하고 독창적이며 장식적 디자인을 창작하는 자는 … 디자인 특허를 받을 수 있다."라고 규정하고 있으며, 장식적인 것은 디자인특허를 받기 위한 요건의 하나임

저면도 사시도를 기준으로 정면이 정해지면 평면도의 대칭인 아래쪽에서 보이는 면

주지모양 한 국가 내에서 널리 알려진 모양. 물방울 모양이나 체크 모양과 같이 명칭에 의해 모양을 특정할 수 있는 것

주지형상 정방형, 삼각형, 원형 등과 같이 기하학적인 기본형상과 매화형상 등과 같이 일반적으로 파악할 수 있는 개념적인 형상

직물디자인 직물디자인은 직물지의 모양, 색채의 디자인을 일컬으며, 양복, 넥타이, 손수건 등의 디자인은 포함되지 않으며, 무심사등록됨

측면도 측면에서 본 모양을 그린 그림

투명디자인 물품의 외관을 보았을 때 안쪽이 들여다보이는 디자인

평면도 사시도를 기준으로 정면이 정해지면 그 윗부분에서 내려다보이는 면

평면디자인 벽지, 직물지, 망사지, 레이스지, 합성수지 등의 평면적인 것(겉과 안면이 평평하고, 두께가 얇은 것)의 디자인

형상 디자인이나 상표에 있어 물품이나 해당 표장의 외관을 말하는 것으로서 예를 들어 디자인에서는 물품의 공간을 점유하는 윤곽을 말함

형태성 형상, 모양, 색채 또는 이들의 결합에 의해 파악되는 물품의 외관. 디자인보호법에서 보호되는 디자인이 되기 위한 요건의 하나임. 형상은 필수요건이며, 모양, 색채는 부가요건임

화상디자인 화상디자인이란 웹사이트를 포함한 개념으로서, 핸드폰과 같은 정보가전제품, 소프트웨어 등에 나타난 인터페이스(GUI)와 아이콘을 말함

3. 상표 관련 용어

~만으로 된 상표법 제33조는 보통명칭(또는 기술적 표장, 현저한 지리적 명칭 등)만으로 된 상표는 등록받을 수 없도록 규정하고 있음. 하지만 보통명칭 등이 포함된 상표로서 그 보통명칭 등이 다른 식별력 있는 표장의 부기적인 부분이나 식별력 있는 표장과 일체를 구성하는 경우에는 전체적으로 식별력이 인정되어 상표로서 등록될 수 있음

간단하고 흔한 표장 상표법은 간단하고 흔히 있는 표장만으로 된 상표는 상표등록을 받을 수 없도록 규정하고 있음. 예를 들어 문자상표인 경우에는 1자의 한글 또는 한자로 구성된 표장이거나 2자 이내의 기타 외국문자로 구성된 표장, 숫자상표는 두 자리 이하의 숫자로 표시된 것, 도형상표는 흔히 사용되는 원형, 삼각형, 사각형 등, 입체표장의 경우에는 흔히 있는 공, 정육면체, 원기둥 등이 이에 해당될 수 있음

감각상표 오감에 의하여 표현할 수 있는 색채, 입체적 형상, 냄새, 소리, 동작 또는 트레이드 드레스 등으로 구성된 상표

감독용이나 증명용 인장 또는 기호 국내외의 공공기관이 상품 등의 규격품질 등을 관리, 통제, 증명하기 위하여 사용하는 제 표장을 말함

객관적 관찰 상표의 유사 여부를 판단함에 있어 상표 자체의 구성을 기초로 하여 객관적으로 판단하고 상표에 나타나 있지 아니한 상표 소유주의 의사나 희망과 같은 주관적인 요소 등을 고려하지 않는 관찰방법

갱신등록 설정등록에 의하여 발생한 상표권은 설정등록일로부터 10년간 존속하며, 다시 10년간씩 갱신등록할 수 있다. 존속기간갱신등록출원은 존속기간 만료 전 1년 이내에 하여야 하며, 갱신등록출원에 의해 갱신되는 것을 갱신등록이라 하며, 갱신등록에 의해 상표권은 계속하여 10년간씩 갱신할 수 있으며, 등록상표의 존속기간을 갱신하려는 출원인은 등록상표의 존속기간이 만료되기 전 1년 이내에 신청해야 됨

갱신등록신청 상표의 경우 권리존속기간이 10년인데 갱신등록신청에 의하여 같은 기간만큼 존속기간을 연장할 수 있음. 단, 존속기간만료 전 1년 이내, 만료 후 6월 이내에 하여야 함

결합상표 하나 이상의 특징 요소, 예를 들어 두 개의 단어의 결합, 단어와 도형의 결합으로 이루어진 상표. 기호, 문자, 도형 또는 입체적 형상 중 2 이상이 히나로 결합되거나 이들 각각에 색채를 결합하여 구성된 상표

공서양속에 반하는 상표 상표의 구성 자체 또는 그 상표를 지정상품에 사용하는 경우에 일반 수요자에게 주는 의미가 사회 공공의 질서에 위반하거나 사회 일반인의 통상적인 도덕관념인 선량한 풍속에 반하는 상표를 의미

관념유사 두 개의 대비되는 상표의 의미나 관념이 서로 유사하기 때문에 상품 출처의 오인 혼동을 일으키게 하는 인지적 요인의 유사를 의미함

관용표장 특정 종류에 속하는 상품에 관하여 동업자들 사이에 관용적으로 쓰이는 표장. 원래는 식별력을 갖춘 표장이지만 동업자 다수가 계속적으로 자유롭게 사용한 결과 식별력을 상실한 표장(ⓔ 정종, 요구르트, 샴페인 등)

광고선전기능 상표의 상품에 대한 심리적인 연상작용을 동적인 측면에서 파악한 것으로 상표를 수단으로 하여 거래 사회에서 상품의 구매의욕을 일으키는 판매촉진수단으로서의 상표의 기능을 말함

국기, 국장, 군기, 훈장, 포장, 기장 국기는 대한민국 국기에 대한 규정, 국장은 나라문장에 대한 규정, 군기는 육해공 군기는 물론 그 예하부대의 군기를 포함하고, 훈장 및 포장은 상훈법이 규정하고 있는 것을 말하며, 기장은 훈장, 표장 이외에 국가기관이 수여하는 표창을 의미. 이러한 국기 등과 유사한 상표는 등록받을 수 없음

기술적 표장 사물, 즉 상품의 성질을 기술하거나 설명하는 용어로 이루어진 표장으로 그 상품의 산지, 품질, 형상, 가격, 생산방법, 가공방법, 사용방법 또는 시기를 보통으로 사용하는 방법으로 표시한 표장

기호상표 기호란 무슨 뜻을 나타내거나 적어보이는 표로 대체로 문자나 도형을 간략히 한 것으로, 기호상표는 이러한 기호로 구성된 상표를 의미. 문장이나 옥호 등에서 사용되었으며 지금도 상품에 사용되는 경우 사표(社標)로서 문자 등과 결합하여 쓰이는 것이 보통

냄새상표 비시각적인 상표로서 사람의 후각기관에 의하여 자타상품을 식별하는 표장. 한미 FTA의 타결로 보호받게 되는 냄새상표는 냄새가 상표로서의 식별력을 가져야 할 뿐 아니라 제품 고유의 기능과 무관한 것이어야 함

다류출원 다류 구분에 걸쳐 상품 및 서비스업을 지정한 출원을 하나의 출원서로 출원하는 것

단체표장 조합이나 협회 등 일정한 단체의 회원에 의해 사용되고 그 회원임을 나타내기 위하여 사용되는 상표 또는 서비스표를 말함. 상표법 제2조 제1항 제3호는 그 정의로서 상품을 생산·제조·가공·판매하거나 서비스를 제공하는 자가 공동으로 설립한 법인이 직접 사용하거나 그 소속 단체원에게 사용하게 하기 위한 표장이라고 규정하고 있음

동작상표 정태적이 아닌 동태적인 동작에 의하여 자타상품이나 서비스업을 식별하는 표장. 동작상표는 실거래사회에서 대부분 영화나 TV, 컴퓨터 스크린 등에서 특정 동작에 의하여 자타상품이나 서비스업을 식별하는 표장으로 많이 사용되고 있음

동종상품 GATT(관세 및 무역에 관한 일반 협정) 체제에서 빈번한 논쟁의 대상이 되는 부분으로, GATT 협정에는 동종상품의 개념에 대해 어떠한 정의규정이나 통일된 의견도 없는 상태임. 다만 비슷한 표현으로 domestic like product(제3조 제2항), like commodity (제6조 제7항), like merchandise(제7조 제2항), like or competitive(제19조 제5항) 등이 있으나 각 조항에 규정된 표현은 각기 다른 의미를 갖고 있다고 볼 수 있음. 실제로 무역분쟁에 있어 "동종상품이란 현실적으로 비슷한 상품을 의미한다."리는 포괄적인 징의 아래 국세무역 여건과 사안별로 해석하게 됨

등록배제 효 상표가 설정등록되면 제3자의 등록상표의 지정상품과 동일유사상품에 대한 등록상표와 동일유사한 상표 등록을 배제. 다만, 그 등록상표가 저명상표에 해당하고 당해 출원된 상표를 등록해 줄 경우 등록상표의 상품이나 영업과 혼동을 일으키게 할 염려가 있을 경우에는 비유사한 상품에 대해서도 제3자에 의한 상표등록이 배제

등록상표 출원 및 심사를 거쳐 등록된 상표를 의미하며, 등록상표의 존속기간은 등록설정 후 10년임

등록표시의무 상표권자, 전용사용권자, 통상사용권자가 등록상표를 사용할 때에는 당해 상표가 등록상표임을 표시할 수 있음. 등록상표임을 표시한 타인의 상표권 또는 전용사용권을 침해한 자는 그 침해행위에 대하여 그 상표가 이미 등록된 사실을 알았던 것으로 추정. 다만, 등록상표임을 표시하는 것은 임의규정이므로 엄격한 의미의 의무는 아님

모방상표 정당한 권원 없이 원상표와 유사하게 모방하여 부착된 상표를 의미함

보통명칭 generic name 참조. 1989년 이전 미국 상표법에서 사용하던 용어이나, 1989년 이후 "generic name"이라는 현대적 용어로 대체됨. 당해 상품을 취급하는 거래사회에서 일반 수요자와 거래업계에서 그 상품을 지칭하는

것으로 인식되고 현실로 그렇게 사용하고 있는 명칭. '휴대폰', 'MP3' 등이 일례가 되며, 출처에 대한 식별성이 없기 때문에 상표로서 등록될 수 없음

보통표장 영미법상 관용표장 참조

부정한 목적의 상표출원 국내 또는 외국에서 유명한 상표와 동일·유사한 상표를 동일·유사한 상품에 부정한 목적으로 출원한 경우 상표등록이 거절됨(상표법 제34조 제1항 제13호)

분리관찰 상표가 복수의 구성부분으로 되어 있어 식별력을 발휘하는 부분의 요부가 2 이상일 경우, 각각의 요부를 대비시킨 상표와 비교하여 유사 여부를 판단하는 방법

불사용 취소심판 상표의 사용권자, 전용사용권자, 통상사용권자 중 어느 누구도 정당한 이유 없이 등록상표를 그 지정상품에 대하여 취소심판청구일 현재 계속하여 3년 이상 국내에서 사용하고 있지 않은 경우에는 상표등록을 취소할 수 있음(상표법 제119조 제1항 제3호)

불사용으로 인한 상표등록의 취소 상표는 사용이 되어야만 그 본래적인 출처표시, 품질보증, 자타식별기능 등이 발휘되고 그러한 사용에 의해 축적된 상표사용자의 신용을 보호하는 것이 목적이므로 상표법 제119조 제1항 제3호는 상표권자, 전용사용권자 또는 통상사용권자 중 어느 누구의 정당한 이유 없이 등록상표를 그 지정상품에 대하여 취소심판청구일 전 계속하여 3년 이상 국내에서 사용하고 있지 아니한 경우를 취소사유로 규정하고 있음

비전형적 표장 전통적인 표장의 형태, 즉 문자와 도형, 입체적 형상, 색채가 결합한 형태의 표장 이외의 표장

사용에 의한 식별력 기술적 표장으로 이루어진 어떤 상표가 상품의 특성을 기술하는 제1차적 의미(primary meaning) 외에 그 상표로 인하여 그 상품의 출처를 나타낼 수 있는 기능을 갖는 경우 그러한 기능을 일컬어 제2차적 의미라고 함. 통상 기술적 표장의 상표가 식별력을 얻는다고 할 때 바로 이 제2차적 의미를 획득함을 의미. 비록 식별력이 없는 상표라 하더라도 일정상표에 대해서 특정인이 오랜 기간에 걸쳐 자기의 상품표지로 사용함으로써 사후적으로 자타상품의 식별력을 취득할 경우 예외적으로 상표로서의 등록 가능성을 인정(상표법 제33조 제2항)

사용에 의한 식별력취득의 요건 수요자 간에 그 상표가 누구의 상품을 표시하는 것인지가 인식되어야 함

사용의무 상표권자 또는 사용권자가 등록상표를 지정상품 또는 지정서비스업에 대하여 정당하게 사용하여야 하는 책무

상표 자기의 상품과 타인의 상품을 식별하기 위하여 사용하는 표장

상표 견본 상표등록을 받으려고 하는 상표를 표기한 것. 출원서에 직접 기재하여도 좋고, 상표를 기재한 서면을 첨부하여도 됨. 상표견본에 표기된 상표가 권리범위의 기초가 되지만 표준문자로 표기된 상표의 경우에는 출원서에 기재된 상표가 아니고 표준문자가 권리범위의 기초가 됨(일본)

상표권의 공유 하나의 상표권을 2인 이상이 소유하는 형태를 말하며, 이 경우 지정상품을 달리하여 상표권을 각각 소유하는 것이 아니라 당해 상표권 전체에 대하여 각각의 지분별로 소유하게 됨

상표권의 이전 상표권도 재산권인바 상표권자의 자유의사에 의한 양도, 상속 기타 일반승계에 의한 이전은 물론 강제집행에 의한 이전도 가능함. 다만, 상표법의 목적에 부합되도록 품질의 오인이나 출처의 혼동 등을 방지하여 수요자의 이익이 보호될 수 있도록 이전에 일정한 제한을 가하고 있음

상표권의 존속기간 상표권의 설정등록일로부터 10년간의 기간을 의미함. 갱신등록신청에 의해 10년씩 갱신 가능함

상표권의 포기 상표권은 재산권으로 상표권자가 자신의 상표권을 포기하겠다는 의사표시와 함께 특허청장에게 상표권말소등록신청을 한 후, 그 포기에 의한 상표권의 소멸등록이 이루어졌을 때 비로소 장래에 대하여 소멸함(제103조). 상표권자는 상표권에 관하여 지정상품마다 포기할 수 있음(상표법 제101조)

상표권침해행위금지청구 상표권자 또는 전용 사용권자는 상표권을 침해하는 자 또는 침해의 우려가 있는 자에 대하여 그 침해행위의 금지 또는 예방을 청구할 수 있음. 청구시 침해행위로 인한 조성물의 폐기, 침해행위에 제공된 설비의 제거, 기타 침해의 예방에 필요한 행위를 청구할 수 있음

상표등록 이의신청 출원공고된 상표에 대하여 법정기간 내에 등록을 받을 수 없는 이유와 증거자료를 첨부하여 특허청장에게 그 등록을 거절할 것을 요청하는 제도

상표등록 취소결정 상표등록취소심판에서 취소사유가 인정될 때 그 상표를 취소하도록 하는 심판관의 결정

상표등록원부 상표권 및 그에 관한 권리에 대하여 상표 관련 법령에서 정하는 소정의 등록사항을 기재하기 위하여 특허청에 비치하는 공부(상표법 제80조). 상표등록원부에는 상표권의 설정, 존속기간의 갱신, 분할, 이전, 변경, 소멸, 처분의 제한, 전용사용권 또는 통상사용권의 설정 등 처

분의 제한, 상표권, 전용사용권 또는 통상사용권을 목적으로 하는 질권의 설정 등 처분을 제한하는 부분을 등록함

상표등록의 무효　일단 유효하게 성립된 상표등록을 일정한 법정사유로 인하여 심판절차에 의해 등록일로 소급하여 그 효력을 상실시키는 것

상표등록의 취소　일단 유효하게 등록된 상표권이 사후의 일정한 사유에 의하여 그 등록의 효력을 장래에 대하여 상실시키는 것을 말함. 단, 불사용취소의 경우 그 심판청구일에 소멸하는 것으로 함

상표등록출원　상표등록을 받고자 하는 자가 특허청에 상표등록을 원한다는 의사표시를 하는 것을 말하며, 이러한 의사표시는 상표등록출원서에 의하게 됨

상표등록표시의무　상표권자, 전용사용권자, 통상사용권자가 등록상표를 사용할 때에는 당해 상표가 등록상표임을 표시할 수 있음. 등록상표임을 표시한 타인의 상표권 또는 전용사용권을 침해한 자는 그 침해행위에 대하여 그 상표가 이미 등록된 사실을 알았던 것으로 추정. 다만, 등록상표임을 표시하는 것은 임의규정이므로 엄격한 의미의 의무는 아님

상표의 등록요건　상표가 등록되어 상표법에 의한 독점배타적인 보호를 받기 위해서는 상표법에서 정하는 일정한 요건을 갖추어야 하는데 이를 상표의 등록요건이라 함

상표의 불사용　등록상표를 그 지정상품에 사용하지 않는 것. 많은 국가들이 등록상표의 사용을 의무화시키고 있으며, 상당한 유예기간이 경과되고 더욱이 권리자가 상표의 정당한 사유 없이 상표를 사용하지 않는 경우 해당 상표의 등록을 취소할 수 있도록 규정하고 있음

상표의 사용　문리적으로는 상표등록출원서에 기재한 상표 그대로 사용하는 것을 의미하지만, 통설과 판례에 의하면 사회통념상 등록상표와 동일하다고 인정될 수 있는 형태의 사용도 등록상표의 사용으로 인정하고 있음

상표의 요부　통상 상표를 구성하는 기호, 문자, 도형, 입체적 형상 또는 이들의 결합으로부터 부기적 부분을 제외한 나머지 부분으로서 거래자나 일반 수요자의 주의를 환기시키는 데 충분한 특징을 가지고 있는 부분

상표의 요부대비 관찰　상표의 유사 여부는 상표 전체에 대하여 관찰함이 원칙이지만 적절한 전체적 관찰의 결론을 유도하기 위하여 전체적 관찰과 병행하여 식별력이 없는 부분과 부기적 사항을 사상하고 특히 수요자의 주의를 끄는 부분의 식별력이 있는 요부를 추출하여 관찰하는 방법을 의미함

상표의 이격적 관찰　2개의 상표를 각각 때와 장소를 달리하여 접하는 경우를 전제로 그 유사 여부를 판단하는 방법

상품과 서비스 출처의 혼동　상품과 서비스의 출처의 혼동을 가져올 경우 상표권의 침해행위가 될 수 있음

상품분류　우리나라는 1998년 3월 1일부터 NICE 분류에 따른 상품 및 서비스분류제도를 적용하고 있으며 1류부터 34류는 상품, 35류부터 45류는 서비스에 관한 분류임

상품의 출처　어떤 상품의 제조 또는 유통자가 누구인지를 알 수 있게 하는 표지. 상표는 상품의 출처에 대한 표지로서의 역할을 함

상호　상인이 영업에 관하여 자기를 표시하는 명칭으로써 인적 표지의 일종이며 문자로 표현되고 호칭됨. 어떤 실제 상품에 적용되지 않는 일반적인 사업명이 상호이고, 상표는 실제적으로 상품에 적용되는 명칭임

상호상표　상호를 상표로 등록하여 사용하는 것. 주식회사 풀무원의 상호인 풀무원을 상표로 사용하거나 주식회사 삼성전자의 삼성을 상표로 이용하는 형태를 말함

상호의 상표적 사용　상호를 상표의 일환으로 사용하는 것

색채고갈론　판매업자가 특정의 색채를 자신의 상표로 독점 사용할 수 있도록 하는 경우 동종업계에서 식별 가능한 색채는 극히 제한되어 있어서 곧 고갈되므로 경쟁업자들은 더 이상 사용할 색채를 갖지 못하게 될 수 있다는 이론

색채상표　기호, 문자, 도형 또는 입체적 형상 또는 이들을 결합한 것의 각각에 색채를 결합한 것뿐만 아니라 색채 자체만으로 이루어진 상표. 색채만으로 구성된 표장에 대하여도 등록대상으로 하는 국가들이 있음. 우리나라는 1995년 개정 상표법에 의해 도입되었음

소리상표　상표의 일 유형으로서, 인텔 광고에 등장하는 효과음(뚜~두~두~둥), 미국 영화사 MGM의 사자 울음 소리, 야후 광고의 '야후~~후'(소리) 등이 이에 해당되며, 한미 FTA로 도입

수요자 기만　상품 또는 상표가 수요자로 하여금 외국 또는 다른 기업의 상품 또는 상표로 오인을 유발할 우려가 있는 경우를 말하며, 출원인의 기만의사를 불문함

수요자의 이익보호　상표를 보호하여 상표의 본래의 기능인 상품출처와 상품품질의 보증기능이 발휘될 수 있도록 함으로써 수요자와 거래자의 신뢰이익을 보장하고 상표 수요자로 하여금 계속적인 상품품질의 향상에 노력하도록 함으로써 결과적으로 수요자의 이익을 보호하게 됨

식별력 상표가 표창하는 지정상품과 다른 영업자의 상품을 구별하게 할 수 있는 힘. 특별현저성이라고도 함

식별력 있는 표장 식별력 있는 표장. 미국 상표 등록요건

식별력이 없는 상표 식별력이 없는 상표란 제33조 제1항 각호의 상표를 의미함

암시적 상표(표장) 상표, 표장의 사용과 관련하여 제품 및 서비스의 특징을 직접 사용하지 않고 암시하는 단어, 그림, 기타 심볼을 말함. 암시적 용어는 내재적으로 구별된다고 간주되며, 등록이나 보호를 위해 2차적 의미를 증명할 필요는 없음

업무표장 국내에서 영리를 목적으로 하지 아니하는 업무를 영위하는 자가 그 업무를 나타내기 위하여 사용하는 표장(상표법 제2조 제1항 제9호)

오인 잘못 보거나 잘못 생각하게 하는 것임. 진실하고, 오인을 일으키지 않으며, 공정경쟁에 충실할 뿐만 아니라, 경쟁자의 표장에 해를 가하거나 손해를 입히지 않는 비교광고는 소비자들이 구매결정을 할 때 유용한 정보를 제공할 수 있도록 하므로 도입된 개념

외관관찰 상표의 기호, 문자, 도형, 입체적 형상 또는 구성상의 시각적 요인에 의해 관찰하는 것을 의미함

외관유사 두 개의 대비되는 상표의 기호, 문자, 도형, 입체적 형상 또는 색채 등의 구성이 유사하기 때문에 상품 출처의 오인, 혼동을 일으키게 하는 시각적 요인의 유사

유사상표 두 개의 상표가 동일한 것은 아니지만 외관, 칭호, 관념의 면에서 근사하여 이를 동일 유사상품에 사용할 경우 거래 통념상 상품출처의 혼동을 일으킬 염려가 있는 상표를 말함

유사상품 상품의 유사 여부는 용도, 수요자, 거래형태 등을 종합적으로 고려하여 판단하며, 출처의 오인·혼동을 일으킬 염려가 있는 경우에는 상표법 또는 부정경쟁방지법 위반이 될 수 있음

유사성 상표의 유사와 관련하여 출처의 혼동 염려가 있을 가능성을 지칭하는 개념임

유사성 판단 상표의 유사 여부는 동일·유사한 상품에 사용되는 두 개의 상표를 그 외관, 칭호, 관념을 객관적, 전체적, 이격적으로 관찰하여 그 각 지정상품의 거래에서 일반수요자가 두 개의 상표에 대하여 느끼는 직관적 인식을 기준으로 각 지정상품의 출처에 대한 오인, 혼동을 일으킬 우려가 있는지의 여부를 판단

임의선택표장 이미 존재하는 용어 중에서 임의로 선택하여 이루어진 표장으로 특정상품 또는 서비스와 관련되어 사용되었을 때, 그 상품 또는 서비스의 품질, 특성을 암시하거나 묘사하지 않는 단어나 도형을 의미함

입체상표 3차원적인 입체형상이 상표의 구성요소가 되는 상표를 의미함. 예를 들어, 코카콜라 병 모양, 패스트푸드점의 마스코트 인형, 건물의 외관, 주류나 향수의 병 모양 등이 있음. 상표법 조약 및 마드리드 의정서 가입과 관련하여 1997년부터 국내에서도 입체상표를 인정하게 됨

입체형상 3차원적 형상을 의미함. 상표법 제2조 제1항에서 상표법에 의해 보호될 수 있는 표장으로 지정됨

저명상표 동일·유사상품뿐만 아니라 이종상품 및 영업에 이르기까지 특정인의 상표로서 일반수요자에게 현저하게 인식되어 있는 상표(상표법 제34조 제1항 제11호)

전체적 관찰 상표는 그 구성 전체로서 하나의 상표로 인식되는 것이므로 상표구성의 일부분만을 추출하여 이 부분만을 타인의 상표와 비교하여 판단하는 것은 허용되지 않으며, 상표를 전체로서 관찰하여 그 외관, 칭호, 관념을 비교 검토하여야 함

조어상표 사전적 의미를 갖지 않는 구성요소로 이루어진 신조어의 문자표장으로서 새롭게 만들어진 상표. Kodak, Xerox 등의 상표가 이에 속함

주지상표 타인의 상품을 표시하는 것이라고 수요자 사이에 현저하게 인식되어 있는 상표. 상표법은 주지상표와 동일·유사한 상표를 동일·유사한 상품에 사용하는 상표의 등록을 금하고 있음. 조약이나 법제에 정확한 정의 규정 없음

증명표장 증명업자가 상품 자체에 관하여 일정한 품질 또는 성능을 갖추었음을 나타내는 표지

지정상품 상표는 자타 상품의 식별표지로서의 기능을 갖고 있기 때문에 상표등록을 하고자 하는 자는 반드시 상표등록출원서에 당해 상표가 사용될 상품을 지정하여야 하는데 이렇게 지정된 상품을 지정상품이라 함

지정상품 및 그 종류 목록 상표 출원 시 필수적으로 기재해야 하는 사항으로 상표권의 권리범위를 구성하게 됨

출처혼동 사용권자가 등록상표 구성의 일부를 변경, 가감, 축소, 확대하여 변형 사용함으로써 타인이 사용하는 상표와 혼동을 일으키는 경우를 의미함

포도주 및 증류주의 산지 세계무역기구 회원국 내의 포도주 및 증류주의 산지에 관한 지리적 표시로서 구성되거나 동 표시를 포함하는 상표로서 포도주, 증류주 또는 이와 유사한 상품에 사용하고자 하는 상표는 상표법 제33조의 규정에 의한 식별력을 갖추고 있다 하더라도 상표등록을 받을 수 없음

표장등록을 위한 상품 및 서비스의 국제분류에 관한 니스협정 상표 및 서비스표의 등록을 위한 상품 및 서비스의 분류를 담고 있음. 회원국의 상표청은 등록 시 상품 및 서비스의 분류를 표시하도록 하고 있음. 이 협정에 의한 분류는 34개의 상품류와 11개의 서비스류로 구분하고 있으며 알파벳순서의 상품 및 서비스 목록으로 구성되어 있음. 서비스 목록은 1,100여 개의 항목을 포함하고 있음. 상품 및 서비스 목록은 각 회원국의 대표가 참석하는 전문가 위원회를 통해 수시로 수정 또는 보충됨. 제11판의 분류표는 2017년 1월부터 시행되고 있음. 1957년 성립되었으며 1967년 스톡홀름, 1977년, 1979년 제네바에서 각각 개정되었음. 2022년 4월 기준 89개국이 가입하고 있음

현저한 지리적 명칭 그 용어 자체가 즉각적인 지리적 감각을 전달하는 상표로서 상표등록을 받을 수 없음(예 서울, 경기, 피리, 뉴욕 등)

기술적 표장 지정상품의 성질을 보통으로 표시하는 방법으로 된 표장을 말함

호칭유사 두 개의 대비되는 상표의 호칭이 유사하여 상품출처의 오인, 혼동을 일으키게 하는 청각적 요인의 유사

혼동가능성 타인의 유명상표를 경업관계 또는 경쟁관계에 있는 상품이나 영업에 사용하는 경우, 상품출처의 혼동을 야기할 가능성. 미국 상표침해소송에 있어서는 혼동가능성을 판례상 확립된 '폴라로이드 테스트(Polaroid Test)'를 통해 판단함

흔히 있는 성 또는 명칭 상표법상 흔히 있는 성 또는 명칭을 보통으로 사용하는 방법으로 표시한 표장만으로 된 상표는 상표등록요건을 결여하여 등록될 수 없음(상표법 제33조 제1항 제5호)

희석 상표권 침해의 한 유형으로써 자주 사용되는 용어. 일반적으로 타인이 동일·유사하지 않는 상품에 상표권자의 허락 없이 당해 상표를 사용함으로써 상표의 식별력을 흐리게 하거나 상표의 이미지를 훼손하는 경우 비록 그 상표사용행위가 소비자에게 오인·혼동을 주거나 수요자를 기만할 우려가 없더라도 상표권 침해를 구성한 것으로 본다는 것임. 이러한 경우를 상표권 희석이라고 함. 상표권의

희석 의의와 적용방법, 적용사례에 대해서는 다양한 이론적 접근이 이루어지고 있는 데 이를 총칭해서 희석이론(dilution theory)이라고 부름. 희석이론의 논의는 Frank Schechter의 논문(1927)이 시초이며 이로부터 20년이 지난 후 소위 반희석법(antidilution statute)이 미국의 각 주에서 입법되기 시작하였고, 연방상표법에도 도입됨

4. 저작권 관련 용어

2차적 저작물 원저작물을 번역·편곡·변형·각색·영상제작 그 밖의 방법으로 작성한 저작물(저작권법 제5조). 즉, 기존의 저작물을 토대로 이것에 새로운 창작성이 가하여져 새로운 저작물이 작성된 경우를 말하며, 이러한 2차적 저작물은 저작권법에 의해 기존의 저작물(원저작물)과는 별도로 보호됨

2차적 저작물 작성권 같은 목적으로 이미 각색된 기존 저작물을 새롭게 영상적으로 각색하는 것

건축저작물 실제의 건축물은 물론 건축을 위한 모형 또는 설계도면을 모두 포함하는 개념

공동저작물 2인 이상이 공동으로 창작한 저작물로서 각자의 기여부분을 분리하여 이용할 수 없는 저작물(제2조 제21호)

공동저작자의 지위 공동저작물의 저작자들이 상호 의존적으로 가지는 저작자의 지위. 공동저작자는 공동으로만 저작물의 사용을 허락할 수 있고, 권리보호기간은 최후까지 생존한 저작자의 사망 시로부터 기간

공정이용 미국 저작권법상 저작권자의 배타적인 권리에 대한 일반적인 제한. 국내에도 일반조항이 도입되었음

대여권 저작물이나 음반의 복제물이 영리목적으로 일정기간 대여되는 경우에 저작자나 기타 권리자에게 인정되는 권리. 대여권을 저작권법에 반영하는 국가들이 점차 증가하고 있음. 이 권리는 음반, 컴퓨터프로그램, 시청각 저작물 등 모든 저작물에 대하여 인정하는 입법례가 있는가 하면, 이 중 일부에 대해서만 보호해 주는 국가도 있음

미술저작물 일정한 평면적 또는 입체적 공간에 형태나 색채로써 표현되어 그것을 지각하는 사람의 미적 감각을 자극하기 위한 창작물

발행 복제와 배포를 포함하는 개념. 일반 공중의 수요를 위하여 이루어지는 복제 및 배포는 모두 발행에 포함

방송권 저작권법상 공중송신 중 공중이 동시에 수신하게 할 목적으로 음·영상 또는 음과 영상 등을 배타적으로 송신할 수 있는 권리(저작권법 제2조 제8호)

방송사업자 방송을 업으로 하는 자(저작권법 제2조 제9호). 지상파방송사업자, 종합유선방송사업자, 위성방송사업자, 방송채널사용사업자 및 공동체라디오방송사업자로 구분할 수 있음. 방송사업자는 방송의 공적 책임과 공정성 및 공익성을 유지해야 함. 시장 점유율 등에 대한 규제사항은 방송법에 규정되어 있고, 방송사업을 위한 무선설비 등은 전파법의 규정에 의해 운용해야 함

베른협약 산업재산권보호에 관한 파리조약과 함께 지식재산권에 관한 양대 국제조약 중의 하나. 1886년 체약되었으며 그 후 8차례에 걸쳐 개정. 2023년 3월 현재 181개의 회원국을 두고 있음. 우리나라는 1996년 8월에 가입. 베른협약은 내국인 대우원칙, 최소한의 보호, 무방식주의, 소급보호 등을 기본원칙으로 하고 있으며 서적, 소책자, 강의, 연극, 무용, 영화 등 문학적, 예술적 저작물을 대상으로 하고 있음. 베른협약에 의해 보호되고 있는 권리는 저작인격권(공표권, 동일성 유지권, 성명표시권), 저작재산권(복제권, 공연권, 공중송신권, 전시권, 배포권, 대여권, 2차적 저작물작성권)이 있음

복제 저작물을 인쇄, 사진촬영, 복사, 녹음, 녹화 그 밖의 방법에 의하여 유형물에 고정하거나 유형물로 다시 제작하는 것을 말함

복제권 저작물의 복제를 허락하는 배타적 권리

불법복제 저작권자 등의 동의 없이 불법적으로 저작물 또는 소프트웨어의 내용을 복사하는 것

사진저작물 빛이나 기타 방사선에 감응하는 표면 위에 제작된 실물의 영상을 말하며 그것이 피사체의 선정, 구도의 설정, 빛의 방향과 양의 조절, 카메라 각도의 설정, 셔터의 속도, 셔터찬스의 포착, 기타 촬영 방법, 현상 및 인화 등의 과정에서 촬영자의 개성과 창조성이 인정되는 경우에 저작권의 보호대상이 됨

성명표시권 저작자가 자신이 그 저작물의 창작자임을 주장할 수 있는 권리. 즉 저작물의 원작품이나 그 복제물의 공표에 있어서 그의 실명이나 이명(異名)을 표시할 수 있는 권리

세계저작권협약 저작권과 저작인접권을 보호하기 위해 1952년 9월 제네바에서 체결. 우리나라는 1987년 10월에 가입. 선진국 위주의 베른협약(1886년)과는 달리 개발도상국의 이익보호와 절차적 편의도모에 중점을 두고 있음. 예를 들어, 저작권의 보호기간을 사망 후 25년으로 단기화하고 있는 것이 특색임. 아울러 무방식주의와 등록주의의 절충 형태인 ⓒ표시와 저작자의 성명, 명칭, 저작물의 최초 발생 연도가 표시되어 있으면 형식을 갖추어 등록한 것과 같이 취급하여 보호하도록 규정하고 있음

실연 저작물을 연기, 낭송, 노래, 춤 또는 상영 등의 행위로 표현하는 것. 저작물을 공중에게 무형적으로 전파하는 이용방법의 한 가지. 그 방법으로는 상연, 연주, 가창, 연술, 만담, 상영 등이 있음. 공연은 물론 방송 또는 실연을 녹음 또는 녹화물로 만드는 것은 복제에 해당하지만, 이것을 재생하여 일반 공중에게 공개하는 것은 공연에 포함됨. 공연 여부를 판단하는 데 있어서 가장 중요한 요건은 공개성임

실연권 연극용 또는 악극용의 저작물과 음악저작물의 저작자가 갖는 저작물을 상연 및 연주하는 것, 이를 공개로 전달하는 것을 허락하는 배타적 권리

실연자 실연에 대한 권리의 주체. 대표적으로 실연을 행한 배우, 무용가, 연주가, 가수, 성악가 등이 해당됨

어문저작물 독창적으로 쓰여진 저작물(written work) 전체를 의미. 말과 글로 이루어진 저작물로서 시, 소설, 수필은 물론 평론, 희곡, 시나리오 등 이른바 문학의 범주에 드는 모든 장르를 포함하여, 강연이나 연설처럼 말로써 이루어지는 것도 포함

연극저작물 한 명 또는 두 명 이상의 사람이 말과 관련된 동작으로써 무대에서 실연하거나 연기를 통해 현실을 반영하는 것

음반 실연과 마찬가지로 저작인접권의 대상이며 실연상의 소리나 기타의 소리를 오로지 청각적으로 고정한 것. 따라서 디스크나 테이프에 소리가 녹음되어 있다면 그것이 바로 음반이 됨. 그러나 소리와 함께 영상이 수록되어 있다면 이는 음반이 아니라 영상저작물이 됨

음반제작자 단순히 음반을 제작한 사람을 뜻하는 것이 아닌 그 소리를 맨 처음으로 유형물 즉, 디스크나 테이프에 고정한 사람을 의미함

음악저작물 음에 의하여 표현된 저작물로 가사의 수반 여부를 불문함(저작권법 제4조 제2호)

응용미술저작물 수공예품이나 산업적으로 제작된 저작물과 같이 실용성이 있는 물건에 응용하기 위한 미술저작물. 이는 디자인보호법과의 보호관계가 중첩되나 저작권법은 원칙적으로 일품저작물에 대한 보호를 예정하고 있음

인격권 저작물에 대해 저작권과 별도로 원저작자가 가지는 권리로 저작물의 공표에 대한 결정권, 저작자임을 주장할 수 있는 권리, 저작자의 이름을 숨기고자 할 때 무명으로 남길 수 있는 권리, 저작물의 수정이나 훼손을 금지할 권리 등을 포함

인용 적법하게 공중에게 제공된 저작물을 인용하는 것은 그것이 공정한 관행에 합치되고, 목적상 정당한 범위를 넘지 않는 경우에 허용됨

일시적 녹음 방송사업자가 자체설비를 가지고 자신의 방송물에 사용하기 위하여 어느 실연이나 방송물을 청각적으로나 시각적으로 고정하는 것을 말함

작곡 일정한 질서에 따라 음을 조립, 음악작품을 창조하는 일

저작권 인간의 사상이나 감정을 창작적으로 표현한 저작물을 보호하기 위해 그 저작자에게 부여한 권리. 저작물의 표현형식 또는 방법을 보호대상으로 하고 있으며 저작자의 사상을 보호하기 위한 것이 아님. 따라서 사상, 학설, 원칙 및 체계화된 방법 등에는 저작권이 인정되지 않음. 저작권의 보호대상은 아이디어가 아닌 표현 자체이므로 저작권의 침해 여부를 가리기 위하여 두 저작물 사이에 실질적인 유사성이 있는가의 여부를 판단함에 있어서도 표현과 독창적인 부분만을 가지고 대비하여 판단(대법원 1993. 6. 8. 선고, 93다3073 판결). 저작권 관련 국제협약으로는 베른협약, 세계저작권협약(UCC), 저작인접권보호를 위한 로마협약, 음반에 관한 제네바음반협약 및 방송에 관한 브뤼셀위성협약 등이 있음

한국저작권위원회 저작권위원회는 문화관광부 산하의 저작권 전문단체로, 저작권심의조정위원회라는 명칭으로 1987년 설립되었음. 저작물 등의 건전한 이용질서를 확립하고 저작권 그밖에 저작권법에 의하여 보호되는 권리에 관한 사항을 심의하며 저작권에 관한 분쟁을 조정하는 역할을 수행함

저작권자 저작물에 대한 저작권이 귀속되는 사람. 최초의 저작권자는 저작권법에 따라 각기 다른 예외적인 경우가 있기는 하지만 원시적으로 창작한 사람에게 저작권이 귀속됨

저작물 원칙적으로 복제될 수 있는 형식으로 표현된 독창적인 지적 창작물로, 사람의 사상이나 감정을 일정한 형식에 담아 이를 다른 사람이 느끼고 깨달을 수 있도록 표현한 것임. 저작권법 제4조는 어문저작물, 음악저작물, 연극저작물, 미술저작물, 건축저작물, 사진저작물, 영상저작물, 도형저작물, 컴퓨터프로그램 저작물을 규정하고 있음

저작물의 배포 저작물을 이용하는 방법이자 저작물을 시장에 유통시키는 방법

저작물의 변형 저작물의 각색이나 기타 개작 등을 의미. 프랑스어의 'transformation'은 개작과 변형으로 모두 번역됨. 'transformation'은 그 결과물을 의미하기도 함

저작물의 제호 저작물의 제호는 저작물의 불가분한 일부이며, 이를 삭제하는 경우 저작물을 훼손하는 것임. 국내에서는 저작물의 제호에는 저작물성이 없다고 보는 것이 학설 및 판례의 주류임

저작인접권 통상적으로 저작물의 공개사용, 모든 분야의 예술가의 실연, 사건, 정보 및 기타 소리나 영상의 공개전달에 있어서 실연자, 음반제작자 및 방송사업자의 활동과 관련하여 그들의 이익을 보호하기 위하여 부여한 권리

저작자 저작물을 창작한 자(저작권법 제2조 제2호). 따라서 숨겨져 있던 다른 사람의 저작물을 발견하였거나 발굴해 낸 사람, 저작물의 작성을 의뢰한 사람, 저작에 관한 아이디어나 조언을 한 사람 등은 저작자가 될 수 없음

저작자의 지위 특정 저작물의 창작자의 지위를 의미. 'authorship'은 지위의 의미가 강하고 'paternity'는 저작자라는 사실에 초점을 둔 개념임

창작성 저작권법상 보호를 받기 위한 요건. 저작권법상 창작성이란 완전한 의미의 독창성을 말하는 것은 아니며 단지 어떠한 작품이 남의 것을 단순히 모방한 것이 아니고 작자 자신의 독자적인 사상 또는 감정의 표현을 담고 있음을 의미함

촉탁저작물 저작자와 특정 저작물의 완성을 촉탁하는 개인이나 법인 사이의 합의에 따라 대가의 지급을 조건으로 창작된 저작물

컴퓨터프로그램 저작물의 일종으로 저작권법에 의해 보호받음. 베른협약에서는 컴퓨터프로그램을 어문저작물의 하나로 보고 있음

퍼블리시티권 유명인이 자기의 이름이나 초상에 대한 가치, 즉 아이덴티티를 경제적으로 이용할 수 있는 권리

편집저작물　저작권이 발생하지 않는 소재를 수정 없이 모으고 배열한 저작물을 의미. 예를 들어 저작권이 없는 이름, 주소, 전화번호부의 전화번호, 컴퓨터 데이터베이스의 주식가격 등을 소재로 할 수 있음. 통상적으로 백과사전, 연감, 정기간행물 등 다수의 저작자가 참여 내지 기여하여 작성된 저작물을 의미함

표절　다른 사람의 저작물의 전부나 일부를 그대로, 또는 그 형태나 내용에 다소 변경을 기하여 자신의 것으로 제공 또는 제시하는 행위

쉽게 풀어 쓴

지식재산 입문

지식재산 용어 해설

초판발행 | 2023. 9. 5.　**2쇄발행** | 2025. 3. 10.　**편저자** | 특허청 · 한국발명진흥회

발행인 | 박 용　**발행처** | (주)박문각출판　**등록** | 2015년 4월 29일 제2015-000104호

주소 | 06654 서울특별시 서초구 효령로 283 서경빌딩　**팩스** | (02)584-2927

전화 | 교재 문의 (02) 6466-7202

ISBN 979-11-6987-480-9

지식재산
입문

Intellectual Property Rights

13320

9 791169 874809

ISBN 979-11-6987-480-9

 특허청　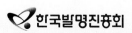 한국발명진흥회

박문각